GELENKTE SCHRITTE

Introduction to German with Guidance for Individual Study

THE SCRIBNER GERMAN SERIES
General Editor, HAROLD von HOFE
University of Southern California

HUGO J. MUELLER
AMERICAN UNIVERSITY

GELENKTE SCHRITTE

Introduction to German with Guidance for Individual Study

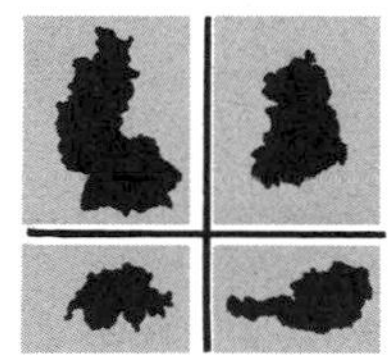

CHARLES SCRIBNER'S SONS New York

ACKNOWLEDGMENTS

The author wishes to thank the following companies for permission to reprint materials appearing in this volume:

Engravings by Felix Hoffmann: Engraved by Felix Hoffmann for the editions of *The Magic Mountain* issued by The Limited Editions Club and The Heritage Club. Copyright © 1962 by The George Macy Companies, Inc., and reproduced with their permission.

Excerpts from *The Magic Mountain*: Reprinted by permission of Alfred A. Knopf from *The Magic Mountain* by Thomas Mann, translated from the German by H. T. Lowe-Porter. Copyright 1927 by Alfred A. Knopf, Inc. Copyright 1952 by Thomas Mann.

Excerpts from *Der Zauberberg*: Reprinted by permission of S. Fischer Verlag from *Der Zauberberg* by Thomas Mann. Copyright 1924 by S. Fischer Verlag, renewed 1952 by Thomas Mann.

Drawings by Franz Kafka: Reprinted by permission of Schocken Books Inc. from *Franz Kafka* by Max Brod. Copyright © 1947 by Schocken Books Inc.

Excerpt from *The Trial*: Reprinted by permission of Alfred A. Knopf from *The Trial* by Franz Kafka. Copyright 1937, 1956 and renewed 1965 by Alfred A. Knopf, Inc.

Excerpt from *Der Prozess*: Reprinted by permission of Schocken Books Inc. from *Der Prozess* by Franz Kafka. Copyright 1946 by Schocken Books Inc.

Excerpt from *Vorlesungen zur Einführung in die Psychoanalyse*: From *Vorlesungen zur Einführung in die Psychoanalyse* by Sigmund Freud. Copyright 1940 by Imago Publishing Co., Ltd., London, by permission of S. Fischer Verlag, Frankfurt am Main.

Excerpt from *A General Introduction to Psychoanalysis*: From *A General Introduction to Psychoanalysis* by Sigmund Freud. Permission of Liveright Publishing, New York. Copyright © 1968 by Liveright Publishing Corporation. With permission also of George Allen and Unwin, Ltd., London, publishers.

Excerpt from *Mein Weltbild*: Reprinted by permission of Europa Verlag, Zürich, from *Mein Weltbild* by Albert Einstein. Herausgegeben von Carl Seelig. Ullstein Bücher nr. 65, 1955.

Excerpt from *Deutschland*: Reprinted by permission of Atlantis Verlag, Zürich, from *Deutschland* by Ricarda Huch, Atlantis Verlag, Zürich und Freiburg im Breisgau, 1951.

1 3 5 7 9 11 13 15 17 19 O/C 20 18 16 14 12 10 8 6 4 2

Printed in the United States of America
Library of Congress Catalog Card Number 72–9540
SBN 684-132389

PREFACE

This book is a guide for students who are beginning to learn German. Each unit has a substantial section of programmed self-testing to permit individual students to work effectively on their own. The pronunciation drills and dialogs are recorded on a cassette so that students who have cassette players may work at home with the spoken as well as the written language. In the classroom, the instructor presents new materials; orients the students' work at home, in class, and in the laboratory; clears up difficulties, helps with the exercises, and provides an example by showing the language in use.

The scope of this book reflects the author's judgment of what is realistically attainable in a normal course of three or four hours lasting one academic year. Each student must learn to understand, speak, read, and write German sufficiently well to meet the standards of the course.

Earlier in our audio-lingual age, the skill of reading was neglected, but in this book the focus is on reading comprehension. The validity of the various audio-lingual methods for the purpose of achieving proficiency in the active use of the foreign language has been proven. But success is dependent upon certain learning conditions, especially sufficient time. The chief goal of many students today is not audio-lingual proficiency but the ability to comprehend written foreign language texts. Everyday speech situations have to give way to written language in various fields: fiction, science, politics, economics, sociology, and philosophy. Reading is a skill that nearly everyone wants to perfect, and it is given primacy in the book.

Reading comprehension, of course, is not a totally passive skill; along with it goes development in the ability to understand spoken German and to make oneself understood. Beyond this, individual students or classes with a particular interest in the aural-oral skills may realize their priorities by increasing their work with the home-study cassette, laboratory tapes, and classroom exercises.

Few if any students will be able to write creatively in German after a single introductory course. But it is not unrealistic to expect every student to have acquired a basic understanding of how German functions and therefore to be able to work further on material not covered in this beginning course. Writing exercises can help build up the required familiarity with the elements of grammar.

It will be noticed that less reliance has been placed on mechanical pattern practice to develop habits and more emphasis has been placed on material designed to encourage the student's cognitive understanding of the structural regularities of the German language. The regularities studied include those of the sound system, word formation, and syntax. The elements of grammar are first presented bit by bit in the chapters of the text and then are presented again, this time drawn together as a system, in the review grammar at the back of the book. When classwork or the programmed self-testing sections reveal to a student that he has failed to grasp a particular principle, he may thus reexamine the matter from several angles. It is assumed that a recognition of structure serves as a help to understanding the material, and that understanding the material is a precondition to learning.

Recognizing a grammatical rule is not the same as memorizing it. The student is not expected to memorize every grammatical detail, nor even every vocabulary item occurring in the text. The knowledge of a basic vocabulary, including common prefixes and suffixes, and the awareness of cognates and compound formations, will go a long way in enabling the student to comprehend texts.

In summary, then, this book will guide the student in his German studies until he has acquired a firm foundation for further independent work in German. The instructor will find sufficient exercises to work with in class. The reading texts do not emphasize small talk useful for conversations, but short dialogs representing typical situations are included for memorization. Here and there brief bilingual passages remind the student that subtle thoughts as well as clear and simple ones can be expressed in German; one reason the language is worth learning is that great men and women write it and write it well. The book is meant for mature students with a serious motivation to learn.

The constant cooperation and constructive criticism provided by Professor Herta Mueller of Georgetown University is gratefully acknowledged.

HJM

CONTENTS

Ap. 24

May 1

GELENKTE SCHRITTE

Introduction to German with Guidance for Individual Study

DEUTSCHLAND
MEILEN
0 20 40 60 80
KILOMETER
0 20 40 60 80
DANEMARK
Odense
OSTSEE
NORDSEE
Flensburg
Schleswig
Kiel
Nord-Ostsee Kanal
SCHLESWIG-HOLSTEIN
Lübeck
Hamburg
Wilhelmshaven
Bremerhaven
ROSTOCK
Rostock
Schwerin
SCHWERIN
Hagenow
Neubrandenburg
NEUBRANDENBURG
DEUTSCHE
DEMOKRATISCHE
REPUBLIK
POLEN
Oder
Elbe
Lüneburger Heide
Oldenburg
Bremen
Weser
NIEDERSACHSEN
Havel
FRANKFURT
Berlin
Frankfurt
Brandenburg
Potsdam
MAGDEBURG
POTSDAM
Ems
Hannover
Osnabrück
Braunschweig
Magdeburg
Hildesheim
Hameln
Bielefeld
Teutoburger Wald
Münster
Halberstadt
Dessau
Cottbus
COTTBUS
Neisse
Spree
DIE NIEDER LANDE
NORDRHEIN-WESTFALEN
Göttingen
Harz
HALLE
Halle
Mulde
Dortmund
Duisburg
Essen
Bochum
Krefeld
Kassel
Leipzig
LEIPZIG
Elbe
DRESDEN
Düsseldorf
Wuppertal
Solingen
Sauerland
Werra
ERFURT
Saale
Meißen
Dresden
Riesengebirge
BUNDESREPUBLIK
Eisenach
Erfurt
Weimar
Gotha
Jena
Gera
Karl-Marx-Stadt
(Chemnitz)
Köln
Aachen
Bonn
Marburg
Fulda
Vogelsberg
Thüringer Wald
GERA
KARL-MARX-STADT
Erzgebirge
SUHL
Suhl
Saalfeld
Zwickau
BELGIEN
Rhein
HESSEN
Rhön Gebirge
Rheinisches Schiefergebirge
Koblenz
Taunus
Prag
Wiesbaden
Frankfurt
Mosel
Der Main
Rüdesheim
Mainz
Bamberg
Bayreuth
TSCHECHOSLOWAKEI
LUX.
RHEINLAND-PFALZ
Darmstadt
Würzburg
Worms
Mannheim
Nürnberg
Bayerischer Wald
SAARLAND
Saarbrücken
Heidelberg
DEUTSCHLAND
Heilbronn
Regensburg
Karlsruhe
BAYERN
Stuttgart
Donau
Isar
BADEN-WÜRTTEMBERG
Vogesen
Schwarzwald
Tübingen
Schwäbische Alb
Ulm
Augsburg
Inn
Lech
München
Fränkischer Jura
Freiburg
ÖSTERREICH
FRANKREICH
Bayerische Alpen
Konstanz
Garmisch-Partenkirchen
Basel
DIE SCHWEIZ
Innsbruck
Zürich
Bern
Luzern

INTRODUCTION

THE GERMAN LANGUAGE

German is the native language of more than a hundred million people. It is one of the basic languages of scientific and humanistic scholarship. It is also a close cousin of English, and many of its features seem natural and familiar to Americans.

The next few pages briefly describe the sound and writing systems of German and then present some "helpful hints for reading"—among them hints that can help the beginner capitalize on the underlying similarities between German and English. The information in this introduction need not be memorized in detail; it is presented as an orientation or map of what is to come and also for future reference.

THE GERMAN SOUND SYSTEM

Explanation of Terms and Symbols

The sounds of a language are most easily described with the help of a few standard symbols and terms.

Voiced and *voiceless* are terms that indicate whether or not the vocal cords are vibrating during the production of a sound.

Rounded and *unrounded* are terms that refer to the way the lips are shaped in order to produce a particular sound.

Tense and *lax* refer to the muscles in the oral cavity and the throat. As a symbol for tenseness we use a raised dot /·/. The absence of this symbol after a vowel means that it is lax.

Front, *middle*, and *back* indicate the place in the mouth where the tongue has its highest point while the particular sound is produced. We say, for example, that /i/ is a front vowel, whereas /u/ is a back vowel. The validity of these terms may be checked by observing the position of the tongue while alternatively pronouncing /i/ and /u/.

High and *low* refer to the height of the tongue while a particular sound is produced.

A *spirant* or *friction sound* is one in which the passage of air is restricted but not completely stopped. Two such sounds are /f/ and /v/.

A *stop* or *plosive sound* is one in which the passage of air is stopped and then released, as in /p/, /t/, /k/, /b/, /d/, /g/.

Palatal means that the hard palate is involved in the production of the sound.

Velar means that the soft palate (the velum) is involved in the production of the sound.

/š/ is the symbol for the sound that most closely resembles the initial sound in English *shoe*, *ship*, *sure*.

/s/ is the symbol for a voiceless *s*, as in *sit*, *son*, *summer*.

/z/ is the symbol for a voiced *s*, as in *bags*, *has*, *buzz*.

/č/ represents a voiceless palatal spirant, as in German **nicht** *not*.

/x/ represents a voiceless velar spirant, as in German **Nacht** *night*.

/ŋ/ represents a velar nasal, as the last sound in English *young*.

Slanted lines / / indicate that an item is presented in the manner in which it is pronounced, not in its conventional spelling.

The Articulatory Organs

1. lips
2. teeth
3. alveolar ridge
4. hard palate
5. soft palate (velum)
6. uvula
7. apex (tip) of the tongue
8. front part of the tongue
9. dorsum (middle part of the tongue)
10. base of the tongue
11. pharynx (throat)
12. vocal cords
13. nasal cavity

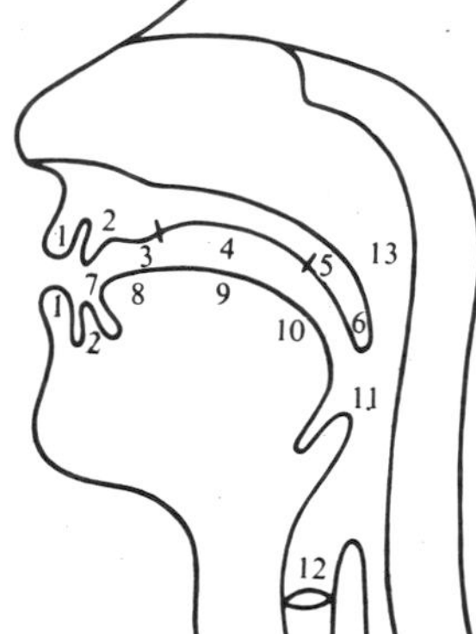

Vowels

German vowels are usually said to be either "long" or "short." The duration of vowels, however, is actually variable, depending on their context. A more correct way to state the distinction is to speak of "tense" and "lax" vowels.

LAX VOWELS

The lax vowels are comparatively short under all circumstances and present no difficulty to the American student.

/i/ in the German word **dick** *fat* is pronounced as in English *Dick.*

/e/ in **Bett** *bed* is pronounced as in English *bet.*

/o/ in **Gott** *God* is pronounced like the *o* sound in British English *I got it.* It is an open /o/, not an /a/ sound.

/u/ in **Kunst** *art* is pronounced like the *u* sound in English *foot.*

/a/ in **matt** *tired* is quite similar to the vowel that most Americans speak in *got*, *lot.*

PRACTICE

	PRONUNCIATION	SPELLING	ENGLISH MEANING
/i/	/kint/	Kind	child
	/mit/	mit	with
	/biten/	bitten	to ask
	/imer/	immer	always
	/friš/	frisch	fresh
	/bis/	bis	until
	/tiš/	Tisch	table
	/fiš/	Fisch	fish
	/finden/	finden	to find
	/zin/	Sinn	sense
/e/	/kenen/	kennen	to know
	/fenster/	Fenster	window
	/fest/	Fest	festival
	/meser/	Messer	knife
	/bet/	Bett	bed
	/heft/	Heft	copybook
	/fremt/	fremd	strange
	/fet/	fett	fat
	/gestern/	gestern	yesterday
	/zekt/	Sekt	champagne
/o/	/kofer/	Koffer	suitcase
	/kopf/	Kopf	head
	/kosten/	kosten	to cost
	/ofen/	offen	open
	/oŋkel/	Onkel	uncle
	/got/	Gott	God
	/špot/	Spott	mockery
	/topf/	Topf	pot, pan
	/post/	Post	mail
	/oft/	oft	often
/u/	/hunt/	Hund	dog
	/kunst/	Kunst	art
	/munt/	Mund	mouth
	/puŋkt/	Punkt	point
	/runt/	rund	round

	PRONUNCIATION	SPELLING	ENGLISH MEANING
	/šut/	Schutt	rubble
	/unten/	unten	below
	/kapút/	kaputt	broken
	/bus/	Bus	bus
	/duŋkel/	dunkel	dark
/a/	/amt/	Amt	office
	/ánfaŋ/	Anfang	beginning
	/baŋk/	Bank	bench
	/blat/	Blatt	leaf
	/daŋk/	Dank	thanks
	/gas/	Gas	gas
	/hant/	Hand	hand
	/kam/	Kamm	comb
	/van/	wann	when
	/dan/	dann	then

TENSE VOWELS

Tense vowels, usually called long vowels, may be longer or shorter according to the stress that they carry. They never have the noticeable off-glide of long vowels in English: they start out as tense vowels and stay that way. American speakers must resist the temptation to pronounce German tense vowels by starting with a lax vowel and gliding off into a higher vowel. Some students, for example, pronounce the German word **Klee** *clover* like the English word *clay*; it should be pronounced /kle·/ without an off-glide. The German word **Not** *need* is often pronounced like the English word *note*; it should be pronounced /no·t/.

The tense vowels are:

/i·/	as in	/li·t/	spelled	**Lied**	meaning	*song*
/e·/		/te·/		**Tee**		*tea*
/o·/		/to·n/		**Ton**		*sound*
/u·/		/mu·t/		**Mut**		*courage*
/a·/		/ta·l/		**Tal**		*valley*

PRACTICE

	PRONUNCIATION	SPELLING	ENGLISH MEANING
/i·/	/bri·f/	Brief	letter
	/di·s/	dies	this
	/fi·ber/	Fieber	fever
	/kni·/	Knie	knee
	/ki·l/	Kiel	[name of a city]
	/li·t/	Lied	song
	/li·ter/	Liter	liter
	/ni·/	nie	never
	/zi·ben/	sieben	seven
	/ti·f/	tief	deep

	PRONUNCIATION	SPELLING	ENGLISH MEANING
/e·/	/te·/	Tee	tea
	/ze·/	See	sea
	/be·t/	Beet	flower bed
	/ve·k/	Weg	way
	/tse·n/	zehn	ten
	/le·m/	Lehm	clay
	/be·zen/	Besen	broom
	/le·zen/	lesen	to read
	/ne·bel/	Nebel	fog
	/me·l/	Mehl	flour
/o·/	/bro·t/	Brot	bread
	/ro·t/	rot	red
	/to·t/	tot	dead
	/to·n/	Ton	sound
	/mo·nt/	Mond	moon
	/zo·n/	Sohn	son
	/ho·f/	Hof	yard
	/ro·m/	Rom	Rome
	/vo·l/	wohl	well
	/o·fen/	Ofen	oven
/u·/	/tu·n/	tun	to do
	/mu·t/	Mut	courage
	/blu·t/	Blut	blood
	/gu·t/	gut	good
	/hu·n/	Huhn	chicken
	/hu·t/	Hut	hat
	/yu·ni·/	Juni	June
	/yu·li·/	Juli	July
	/klu·k/	klug	clever
	/ku·/	Kuh	cow
/a·/	/a·ber/	aber	but
	/ba·n/	Bahn	railroad
	/la·n/	Lahn	[name of a river]
	/dra·t/	Draht	wire
	/gra·t/	Grad	degree
	/ha·n/	Hahn	rooster
	/ya·/	ja	yes
	/la·den/	Laden	store
	/na·/	nah	near
	/fa·ter/	Vater	father

UMLAUT VOWELS

The German language has several vowel sounds for which there are no equivalents in English. These sounds are represented in writing by the umlaut vowel letters **ü**, **ö**, and **ä** (and sometimes by the letter combinations **ue**, **oe**, and **ae**.) Like **i**, **e**, **o**, **u**, **a**, the umlaut vowels occur both as tense and lax vowels. The lax umlaut vowels are always short; the tense umlaut vowels vary in length according to stress and the context in which they occur.

/ü/ is pronounced like /i/, but with rounded lips, as in /dün/ **dünn** *thin.*

/ü·/ is pronounced like /i·/, but with rounded lips, as in /frü·/ **früh** *early.*

/ö/ is pronounced like /e/, but with rounded lips, as in the name of the writer Heinrich /böl/ **Böll.**

/ö·/ is pronounced like /ö·/, but with rounded lips, as in the name of the poet /gö·te/ **Goethe.**

/ä/ is always pronounced as /e/, as in /beker/ **Bäcker** *baker.*

/ä·/ is usually pronounced like /e·/, as in /špe·t/ **spät** *late.* In some German dialects, speakers do distinguish between /ä·/ and /e·/; their /ä·/ in words like /špä·t/ **spät** resembles the vowel sound in English *bad.*

PRACTICE

	PRONUNCIATION	SPELLING	ENGLISH MEANING
/ü/	/fünf/	fünf	five
	/dün/	dünn	thin
	/glük/	Glück	good luck
	/müsen/	müssen	to have to
	/šlüsel/	Schlüssel	key
	/rüken/	Rücken	back
	/nütsen/	nützen	to be useful
	/drüken/	drücken	to press
	/fütern/	füttern	to feed
	/hüpfen/	hüpfen	to jump
/ü·/	/zü·den/	Süden	south
	/ü·ber/	über	over
	/tü·r/	Tür	door
	/šü·ler/	Schüler	pupil
	/prü·fuŋ/	Prüfung	examination
	/frü·/	früh	early
	/hü·gel/	Hügel	hill
	/fü·r/	für	for
	/grü·n/	grün	green
	/kü·n/	kühn	courageous
/ö/	/tsvölf/	zwölf	twelve
	/löfel/	Löffel	spoon
	/körper/	Körper	body
	/köln/	Köln	Cologne
	/böl/	Böll	[name of a writer]
	/öfnen/	öffnen	to open

	PRONUNCIATION	SPELLING	ENGLISH MEANING
	/förster/	Förster	forester
	/gönen/	gönnen	to grant
	/götiŋen/	Göttingen	[name of a city]
	/könen/	können	to be able
/ö·/	/lö·zen/	lösen	to solve
	/šö·n/	schön	beautiful
	/ö·l/	Öl	oil
	/hö·ren/	hören	to hear
	/mö·bel/	Möbel	furniture
	/tö·ten/	töten	to kill
	/fö·n/	Föhn	[warm, dry wind]
	/mö·gen/	mögen	to like
	/vermö·gen/	Vermögen	fortune
	/štö·ren/	stören	to disturb
/e/	/kemen/	kämmen	to comb
	/heŋen/	hängen	to hang
	/endern/	ändern	to change
	/dreŋen/	drängen	to urge
	/áuslender/	Ausländer	foreigner
	/gepék/	Gepäck	luggage
	/getréŋk/	Getränk	beverage
	/beker/	Bäcker	baker
	/gešéft/	Geschäft	business
	/šetsen/	schätzen	to estimate
/ä·/	/vä·rent/ *or* /ve·rent/	während	during
	/vä·len/ *or* /ve·len/	wählen	to choose
	/zä·gen/ *or* /ze·gen/	sägen	to saw
	/mä·tčen/ *or* /me·tčen/	Mädchen	girl
	/gerä·t/ *or* /geré·t/	Gerät	appliance
	/špä·t/ *or* /špe·t/	spät	late
	/prä·zi·dént/ *or* /pre·zi·dént/	Präsident	president
	/ertsä·len/ *or* /ertsé·len/	erzählen	to tell
	/ervä·nen/ *or* /ervé·nen/	erwähnen	to mention
	/erklä·ren/ *or* /erklé·ren/	erklären	to explain

REDUCED FINAL -e

German vowels are usually pronounced with distinctness even when they are only weakly stressed. For example, the name **Amerika** in German is pronounced with clearer vowels than the name *America* in English. But the letter **-e** in unstressed position at the end of a word is an exception. It is weakened to a middle vowel, and is pronounced like the *a* in English *above* or *ago*, or like the *o* in *atom*.

PRACTICE

	PRONUNCIATION	SPELLING	ENGLISH MEANING
final /e/	/bite/	bitte	please
	/mite/	Mitte	middle
	/li·be/	Liebe	love
	/e·he/	Ehe	marriage
	/da·me/	Dame	lady
	/zupe/	Suppe	soup
	/lampe/	Lampe	lamp
	/katse/	Katze	cat
	/mü·de/	müde	tired
	/bö·ze/	böse	angry

Consonants

Most German consonants have equivalents in English, and American students have no difficulty in pronouncing them correctly. But there are a few exceptions.

The German consonant system has no sound that is equivalent to English *th* (whether voiced or voiceless); neither does it have any sound that is equivalent to the initial English *w*, as in *why*, *when*.

On the other hand, German has two consonant sounds (/č/ and /x/) that are missing from English. They are both indicated in writing by **ch**.

ch

After the front vowels /i, e, ü, ö, i·, e·, ü·, ö·/, after the diphthongs /ai, oi/, after consonants, and initially, **ch** is pronounced as the voiceless palatal friction sound /č/. The **ch** in the diminutive ending **-chen** is also always pronounced this way. This /č/ sound is not totally unknown in English; some Americans use it when they pronounce *hue* or *human* with an initial voiceless spirant.

PRACTICE

	PRONUNCIATION	SPELLING	ENGLISH MEANING
/č/	/ič/	ich	I
	/ničt/	nicht	not
	/ličt/	Licht	light
	/bleč/	Blech	sheet metal
	/ečt/	echt	genuine

PRONUNCIATION	SPELLING	ENGLISH MEANING
/früčte/	Früchte	fruits
/bü·čer/	Bücher	books
/hö·čst/	höchst	extremely
/vaič/	weich	soft
/foičt/	feucht	moist
/milč/	Milch	milk
/kirče/	Kirche	church
/münčen/	München	Munich
/durč/	durch	through
/čemí·/	Chemie	chemistry
/či·na·/	China	China
/me·tčen/	Mädchen	girl
/kintčen/	Kindchen	little child
/hoisčen/	Häuschen	little house
/ketsčen/	Kätzchen	kitten

Ch sometimes represents a different sound. After the back vowels /a, o, u, a·, o·, u·/ and the diphthong /au/, the **ch** is pronounced as the voiceless velar friction sound /x/. A mistake many American students make is to pronounce this /x/ as if it were /k/.

PRACTICE

	PRONUNCIATION	SPELLING	ENGLISH MEANING
/x/	/ax/	ach	oh
	/naxt/	Nacht	night
	/laxen/	lachen	to laugh
	/bax/	Bach	[name of a composer]
	/a·xen/	Aachen	[name of a city]
	/nox/	noch	still
	/kox/	Koch	cook
	/dox/	doch	yet
	/ho·x/	hoch	high
	/fruxt/	Frucht	fruit
	/fluxt/	Flucht	escape
	/bu·x/	Buch	book
	/zu·xen/	suchen	to seek
	/aux/	auch	also
	/rauxen/	rauchen	to smoke
	/brauxen/	brauchen	to need
	/zaxe/	Sache	thing
	/maxen/	machen	to make
	/flax/	flach	flat
	/báxarax/	Bacharach	[place name]

r

To pronounce German correctly, Americans must avoid using their habitual pronunciation of the letter *r*. Most Americans pronounce their *r* as a mediopalatal friction sound with the tip of the tongue raised toward the alveolar ridge, but not touching it. In German, two pronunciations of **r** are heard which are quite different from each other. Some speakers produce a front /r/ pronounced with the tip of the tongue briefly touching the alveolar ridge behind the upper teeth. This is called the rolled /r/ and is similar to the Scottish way of pronouncing *r*. Other Germans pronounce the **r** as a friction sound in the back of the mouth, very much like the /r/ in standard French. Both varieties are acceptable in standard German.

PRACTICE

	PRONUNCIATION	SPELLING	ENGLISH MEANING
/r/	/ro·t/	rot	red
	/grü·n/	grün	green
	/braun/	braun	brown
	/brüke/	Brücke	bridge
	/raké·te/	Rakete	rocket
	/rauxen/	rauchen	to smoke
	/le·rer/	Lehrer	teacher
	/bre·men/	Bremen	[name of a city]
	/rain/	Rhein	Rhine
	/ö·straič/	Österreich	Austria

s

German has a voiced and a voiceless *s*-sound. When the letter **s** appears before a vowel, it is pronounced voiced as /z/. Before consonants and at the end of a word, it is voiceless: /s/.

PRACTICE

	PRONUNCIATION	SPELLING	ENGLISH MEANING
/z/	/zomer/	Sommer	summer
	/zo·fa·/	Sofa	sofa
	/zone/	Sonne	sun
	/zekúnde/	Sekunde	second
	/ze·/	See	sea
	/zats/	Satz	sentence
	/zaxe/	Sache	thing
	/zupe/	Suppe	soup
	/zume/	Summe	sum
	/zü·den/	Süden	south
/s/	/das/	das	that
	/glas/	Glas	glass
	/vas/	was	what
	/fest/	Fest	festival
	/gast/	Gast	guest
	/vesten/	Westen	west
	/vespe/	Wespe	wasp

PRONUNCIATION	SPELLING	ENGLISH MEANING
/vurst/	Wurst	sausage
/gro·tésk/	grotesk	grotesque
/muskel/	Muskel	muscle

ss, ß

The double letter **ss** and the specifically German letter **ß** (see p. 14) always stand for the voiceless /s/.

PRACTICE

	PRONUNCIATION	SPELLING	ENGLISH MEANING
/s/	/vaser/	Wasser	water
	/visen/	wissen	to know
	/lasen/	lassen	to let
	/gro·s/	groß	great
	/vais/	weiß	white
	/hais/	heiß	hot
	/gi·sen/	gießen	to pour
	/fli·sen/	fließen	to flow
	/grü·sen/	grüßen	to greet
	/ausen/	außen	outside

s IN sp AND st, AND sch

The **s** in the combination **sp, st** at the beginning of a word is pronounced /š/, similar to English *sh* in *ship*. The combination **sch** is also pronounced /š/ except when the sequence of letters results from the meeting of a final **-s** with the **ch** of the diminutive ending **-chen**, as in /hoisčen/ **Häuschen** *little house.*

PRACTICE

	PRONUNCIATION	SPELLING	ENGLISH MEANING
/š/	/štat/	Stadt	city
	/štu·dént/	Student	student
	/štra·se/	Straße	street
	/štain/	Stein	stone
	/špra·xe/	Sprache	language
	/špa·s/	Spaß	fun
	/šport/	Sport	sport
	/šta·l/	Stahl	steel
	/špi·l/	Spiel	play
	/špi·gel/	Spiegel	mirror
	/šu·le/	Schule	school
	/šif/	Schiff	ship
	/šek/	Scheck	check
	/šne·/	Schnee	snow

PRONUNCIATION	SPELLING	ENGLISH MEANING
/šö·n/	schön	beautiful
/šlečt/	schlecht	bad
/doitš/	deutsch	German
/vašen/	waschen	to wash
/tsvišen/	zwischen	between
/kirše/	Kirsche	cherry

b, d, g

The letters **b, d,** and **g** sometimes stand for voiceless stops /p, t, k/ and sometimes for voiced stops /b, d, g/. The pronunciation of these sounds in German is very similar to the way they are pronounced in English. It should be noted, however, that when the letters **b, d,** and **g** appear in word-final position, they are pronounced /p, t, k/.

PRACTICE

	PRONUNCIATION	SPELLING	ENGLISH MEANING
/p, t, k/	/laup/	Laub	foliage
	/ap/	ab	off
	/di·p/	Dieb	thief
	/fremt/	fremd	strange
	/gra·t/	Grad	degree
	/hant/	Hand	hand
	/li·t/	Lied	song
	/klu·k/	klug	clever
	/tak/	Tag	day
	/ve·k/	Weg	way

THE GERMAN WRITING SYSTEM

The writing system of a language may be a close rendition of the manner in which the words are pronounced, or it may differ considerably from the pronunciation. Sometimes governments implement spelling reforms to simplify the writing system and bring about a greater conformity between the writing system and the pronunciation. English has a low degree of conformity between the way words are spelled and the way they are pronounced. Consider, for example, the various pronunciations of the letter sequence *-ough* in the English words *tough, though, through, cough, bough.* German, unlike English, has a relatively high degree of correspondence between letters and sounds; one can generally tell the pronunciation of a German word from the way it is written. Only a few ambiguities occur for which rules cannot easily be formulated.

PRONUNCIATION	SPELLING	EXAMPLES	ENGLISH MEANING
/ai/	**ai, ay, ei, ey**	der Main	[name of a river]
		Bayern	Bavaria
		der Rhein	the Rhine
		Meyer	[family name]

PRONUNCIATION	SPELLING	EXAMPLES	ENGLISH MEANING
/oi/	**eu, äu, aeu**	heute	today
		Häuser	houses
/i·/	**i, ie, ih, ieh**	dir	to you
		nie	never
		ihm	to him
		Vieh	cattle
/e·/	**e, eh, ee**	den	the (accusative case)
		Mehl	flour
		Beet	flower bed
/e/	**e, ä, ae**	Bett	bed
		Bäcker	baker
/o·/	**o, oh, oo**	rot	red
		roh	raw
		Boot	boat
/u·/	**u, uh**	du	you
		Uhr	clock
/a·/	**a, ah, aa**	da	there
		kahl	bald
		Aal	eel
/ö·/	**ö, oe, öh**	Möwe	sea gull
		Goethe	[the poet's name]
		die Röhn	[a mountain range]
/ü·/	**ü, ue üh, y**	müde	tired
		Uerdingen	[name of a city]
		früh	early
		Lyrik	lyric
/k/	**k, c, ch, ck**	kalt	cold
		Café	café
		sechs	six
		Glück	good luck
/č/	**ch, g** (in the ending **-ig**)	nicht	not
		mutig	courageous
/š/	**sch, s** (initially before **p, t**), **ch** (in foreign words)	Schule	school
		Spiel	play
		Student	student
		Chef	boss
/ts/	**z, tz, t** (in the ending **-tion**), **c** (in foreign words)	zehn	ten
		Katze	cat
		Nation	nation
		Celsius	centigrade
/tš/	**tsch, c** (in foreign words)	deutsch	German
		Cello	violoncello

PRONUNCIATION	SPELLING	EXAMPLES	ENGLISH MEANING
/s/	**s, ss, ß**[1]	das	that
		Wasser	water
		Fluß	river
		größt-	greatest
		Größe	size
		beißen	to bite
/f/	**f, v**	fünf	five
		vier	four
/v/	**w, v**	wie	how
		Vase	vase

HELPFUL HINTS FOR READING COMPREHENSION

The language printed in books and newspapers usually differs stylistically from the language that people hear and speak. Sentence structure is more complete and orderly, the vocabulary is more diversified and on a higher level, and the continuity of the text is uninterrupted over a longer period of time. The reader has an *advantage* over the listener who tries to comprehend the spoken word. The reader can scan over a sentence or a passage. He can go back and reread the sentence. He can focus his attention on key words and disregard nonessential parts of the text. A reading text that at first sight appears formidable in its complexity may turn out to be simple to interpret, particularly if the reader is aware of certain "decoding principles."

Writing System

The German writing system offers valuable clues to the meaning of a text.

CAPITALIZATION

Not only are all proper names and sentence headwords capitalized (as in English), but all nouns and all other words that are functioning as nouns.

Ich	schreibe	einen	**B**rief	an	meine	**E**ltern.
I	*am writing*	*a*	*letter*	*to*	*my*	*parents.*

PUNCTUATION

The comma can be used to indicate pauses in the flow of speech. It serves this rhetorical function in connection with enumeration, contrast, emphasis, and a variety of other

[1] The name of the letter **ß** is /es-tset/. **ß** rather than **ss** is written at the end of a syllable; before a consonant; and between vowels if the preceding vowel is tense or a diphthong.

speech structures. But the comma's grammatical function is more important for reading comprehension. The comma in German is a better guide to sentence structure than it is in English. It normally serves to show where a clause ends in the middle of a sentence—that is, a comma separates main clauses from each other, and main clauses from dependent clauses.[2]

Vocabulary

Nothing can replace knowing the basic vocabulary of German. Function words (e.g., **und** *and*, **nicht** *not*, and **der, die, das** *the*) and basic words that occur over and over again (**Mann** *man*, **Frau** *woman*, **Haus** *house*, **Straße** *street*, etc.) have to be learned by heart. Because the words occur again and again, memorizing them is fairly automatic. As for the rest of the words in the language, there are ways of comprehending many of them even when they are encountered for the first time.

COGNATES

Since German and English are both Germanic languages, many words in the two vocabularies have a common origin and are recognizable as being related to each other. They are called *cognates.* Their spelling, pronunciation, and meaning may have changed somewhat in the course of time, but the context usually gives a clue to their correct meaning. It is not difficult, for example, to recognize that the German word **Winter** is a cognate of English *winter*, or that German **Hand** and **Gold** correspond to English *hand* and *gold.* With a little practice and alertness, one soon learns to recognize cognates even when they are slightly different from each other. For example:

German	**jung**	is a cognate of English	*young*
	alt		*old*
	Apfel		*apple*
	Bier		*beer*
	Buch		*book*
	Brot		*bread*
	blau		*blue*

If the meaning of a cognate has changed significantly in one or both languages, the beginner may make a mistake. Here are some cognates whose meanings differ in German and in English:

German	**Tier**	*animal*	is a cognate of English	*deer*
	Hund	*dog*		*hound*
	Vogel	*bird*		*fowl*
	Stube	*room*		*stove*
	Tisch	*table*		*dish*

---

[2] A main clause is one that can stand by itself, e.g., *We will stay home today.* A dependent clause is one that calls for completion by a main clause, e.g., *Because it is raining, ...*

INTERNATIONAL TERMINOLOGY

German and English share another large group of words, the scientific and other terms that constitute modern international vocabulary. Most of these words are derived from Latin or Greek. The meaning of the following words, all commonly used in German, is obvious: **Nation, Politik, Problem, Integration, Import, Export, Grammatik, Mathematik, Medizin, Material, Theater, international, privat, real, orthodox, enorm**, and many more.

COMPOUNDS

Compound words are another group whose meanings often become transparent when they are scrutinized closely. German frequently uses compounds where English uses explanatory phrases and clauses or at least separates the components in writing.

German compound	*English equivalent*
Postamt	*post office*
Telefonbuch	*telephone book*
Staatsoberhaupt	*head of state*
Konsumgüterproduktion	*production of consumer goods*

SUFFIXES

In German, as in English, it is quite easy to form nouns from verbs, verbs from nouns, adjectives from nouns, nouns from adjectives, and so forth. The principal way these changes are made is through the use of suffixes. A reader who knows that the suffix **-isch** is used to form adjectives and who also knows (or can guess) that the noun **Politik** means *politics* will have no difficulty guessing that the adjective **politisch** means *political.*

The following suffixes identify word classes:

ADJECTIVES

	German	*English*
-isch	realistisch	realistic
	katholisch	Catholic
	akademisch	academic
-lich	westlich	western
	sportlich	sporty
	christlich	Christian
-ig	windig	windy
	sandig	sandy
	goldig	golden
-sam	einsam	lonely
	seltsam	strange
	heilsam	salutary
-ern	silbern	of silver
	eisern	of iron
	gläsern	of glass

	German	English
-ös	religiös	religious
	seriös	serious
	skandalös	scandalous
-bar	wunderbar	wonderful
	dankbar	thankful
	schiffbar	navigable
-haft	fabelhaft	fabulous
	fieberhaft	feverish
	massenhaft	in masses
-mäßig	planmäßig	systematic
	mittelmäßig	mediocre
	regelmäßig	regular
-voll	wundervoll	wonderful
	taktvoll	tactful
	reizvoll	attractive
-los	sprachlos	speechless
	schlaflos	sleepless
	respektlos	irreverent

VERBS

-eln	lächeln	to smile
	tröpfeln	to drip
	kränkeln	to be sickly
-ern	altern	to grow old
	erneuern	to renew
	verkleinern	to make smaller
-ieren	informieren	to inform
	gratulieren	to congratulate
	diskutieren	to discuss

NOUNS

-schaft	Meisterschaft	championship
	Nachbarschaft	neighborhood
	Mannschaft	team
-heit	Krankheit	disease
	Freiheit	freedom
	Gesundheit	health
-keit	Sauberkeit	cleanliness
	Geschwindigkeit	speed
	Flüssigkeit	liquid

	German	*English*
-tum	Reichtum	wealth
	Altertum	antiquity
	Eigentum	property
-ismus	Sozialismus	socialism
	Kapitalismus	capitalism
	Protestantismus	protestantism
-tion	Investition	investment
	Inflation	inflation
	Präposition	preposition
-ung	Vorlesung	lecture
	Finanzierung	financing
	Buchhaltung	bookkeeping
-ei	Bäckerei	bakery
	Bücherei	library
	Wäscherei	laundry
-chen	Mädchen	girl
	Brötchen	crisp roll
	Würstchen	frankfurter
-lein	Fräulein	Miss
	Kindlein	little child
	Männlein	little man

Syntax

The word order in German sentences varies somewhat according to the intention of the speaker or writer, but we can still formulate a few rules that will serve as clues for reading comprehension. The word-order rules refer mainly to the position of the *finite* (or *conjugated*) verb form.[3] These rules will be discussed in detail later. Briefly summarized, they may be stated here as follows.

1. a. The finite verb form in main clauses is in 2nd position.

subject	*predicate*	*dative object*	*accusative object*
Der Professor	**gab**	den Studenten	den Test.
The professor	*gave*	*the students*	*the test.*

b. This rule holds even when the sentence is introduced by an adverbial.

adverbial	*predicate*	*subject*	*dative object*	*accusative object*
Heute	**gab**	der Professor	den Studenten	den Test.
today	*gave*	*the professor*	*the students*	*the test*

[3] *Finite* verb forms are forms that are inflected and thus indicate person, singular or plural, and tense. *Infinite* (or non-finite) verb forms are not inflected. They are the infinitive, present participle, and past participle.

c. The rule is true even when the predicate consists of an auxiliary plus the main verb. Then the auxiliary represents the finite verb form.

subject	*auxilliary*	*dative object*	*accusative object*	*main verb*
Der Professor	**hat**	den Studenten	den Test	gegeben.
the professor	*has*	*the students*	*the test*	*given*

2. In dependent clauses, the finite verb form generally stands in last position.

Wer	sagt,	daß	der	Professor	den	Studenten	den	Test	**gab**?
who	*says*	*that*	*the*	*professor*	*the*	*students*	*the*	*test*	*gave*

We will examine other rules of German word order, but the ones given here cover a great number of syntactic constructions to be found in written German. Using them, a reader can successfully analyze most German sentences.

A Newcomer *Engraving by Felix Hoffmann*

Einiges floristische Rüstzeug war angeschafft, ein Lehrbuch der allgemeinen Botanik, ein handlicher kleiner Spaten zum Ausheben der Pflanzen, ein Herbarium, eine kräftige Lupe; und damit wirtschaftete der junge Mann in seiner Loggia—sommerlich gekleidet nun wieder, in einen der Anzüge, die er damals gleich mit sich heraufgebracht—auch dies ein Merkmal der Jahresrundung.

Thomas Mann
Der Zauberberg (1924)

He had assembled an apparatus to serve his need: a botanical text-book, a handy little trowel to take up roots, a herbarium, a powerful pocket-lens. The young man set to work in his loggia, clad in one of the light summer suits he had brought up with him when he came—another sign that his first year was rounding out its course.

Translated by
H. T. Lowe-Porter

LEKTION EINS

DIE ZEIT

Die Zeit vergeht. Die Zeit vergeht schnell.
Der Kaufmann sagt: „Zeit ist Geld.“
Der eine arbeitet, der andere sagt: „Das hat Zeit bis morgen.“
Jeder sagt, die Zeiten sind schlecht.
Niemand hat Zeit.

TIME

Time goes by. Time goes by quickly.
The businessman says: "Time is money."
One man works, another says: "That can wait [has time] until tomorrow."
Everyone says the times are bad.
Nobody has time.

GESPRÄCH

A: Wie spät ist es?
B: Es ist neun Uhr.
A: Schon so spät?
B: Nein. Die Uhr geht nicht richtig. Es ist zehn Minuten vor neun.
A: Gott sei Dank! Wir haben noch ein bißchen Zeit.
B: Ja, es ist noch früh.
A: Wann geht der Bus?
B: Der Bus geht immer um zehn Minuten nach neun.

CONVERSATION

A: What time is it? [How late is it?]
B: It is nine o'clock.
A: That late already? [Already so late?]
B: No. The clock [or watch] is not right. It is ten minutes before nine.
A: Thank goodness! We still have some time.
B: Yes, it is still early.
A: When does the bus leave [go]?
B: The bus always leaves [goes] ten minutes past nine.

WORD LIST

The words below are listed according to word classes in order to make word study a little easier. First cover the English words and see whether you can identify the German words. Then cover the German column and see whether you know the German equivalents of the English words.

NOUNS

der **Bus** — *bus*
der **Dank** — *thanks*
das **Geld** — *money*
das **Gespräch** — *conversation*
der **Gott** — *God*
der **Kaufmann** — *businessman*
die **Lektion** — *lesson*
die **Minute** — *minute*
die **Uhr** — *clock, watch, o'clock*
die **Zeit** — *time*

VERBS

arbeiten	*to work*
gehen	*to go*
haben	*to have*
sagen	*to say*
sein	*to be*
vergehen	*to go by, pass*

OTHER WORDS

ander-	*other*
bis	*until*
ein bißchen	*some, a little*
der, die, das	*the*
ein, eine, ein	*a, one*
eins	*one*
es	*it*
früh	*early*
hier	*here*
immer	*always*
ja	*yes*
jeder	*everybody*
morgen	*tomorrow*
nach	*after*
nein	*no*
neun	*nine*
nicht	*not*
niemand	*nobody*
noch	*still*
richtig	*right, correct*
schlecht	*bad*
schnell	*quick, fast*
schon	*already*
so	*so*
spät	*late*
um	*at*
vor	*before*
wann	*when*
wie	*how*
zehn	*ten*

IDIOMS

Gott sei Dank!	*Thank goodness!*
Das hat Zeit.	*That can wait.*
Wie spät ist es? **Wieviel Uhr ist es?**	*What time is it?*

GRAMMAR

I. *GENDER OF NOUNS*

1. German nouns are either masculine, feminine, or neuter. When a noun refers to a person, its grammatical gender usually corresponds to the biological facts. But when a noun refers to an object or abstract concept, its gender (masculine, feminine, or neuter) is to be understood merely as a grammatical category.

2. Masculine nouns are characterized by the article **der**:

der Kaufmann, der Bus

Feminine nouns have the article **die**:

die Zeit, die Uhr

Neuter nouns have the article **das**:

das Geld, das Gespräch

The lexical form of a noun does not always indicate the noun's gender. Therefore, nouns have to be learned together with their articles.

„Heureka" von Jean Tinguely, Zürich. „Die Zeit vergeht": Zeit und Bewegung als Gegenstand der abstrakten Kunst.

"Heureka" by Jean Tinguely, Zurich. "Time passes": time and movement as objects of modern art.

EXERCISE

Repeat the noun, supplying its article.

... Lektion	... Minute	... Geld
... Dank	... Bus	... Zeit
... Uhr	... Gespräch	... Kaufmann

II. *PLURAL OF NOUNS*

1. The plural of nouns is formed in various ways. Frequently, the plural is formed by adding the ending **-(e)n.**

die Zeit, die Zeiten
die Minute, die Minuten
die Lektion, die Lektionen
die Uhr, die Uhren

2. The plural article for all three genders in the nominative case is **die.**

III. *VERBS: infinitive and present tense*

1. The form of the verb that one finds in the dictionary is called the *infinitive.* The infinitives of most German verbs have the ending **-en: sagen, arbeiten, gehen, vergehen, haben.** Some infinitives have the ending **-n: sein** *to be.*

2. Used in sentences, verbs have various forms, some of which undergo changes to show person, number (singular or plural), and tense. These forms that change are called *finite* or *conjugated* forms. Here are the present tense forms of **sein** *to be* and **haben** *to have*, two irregular but important verbs.

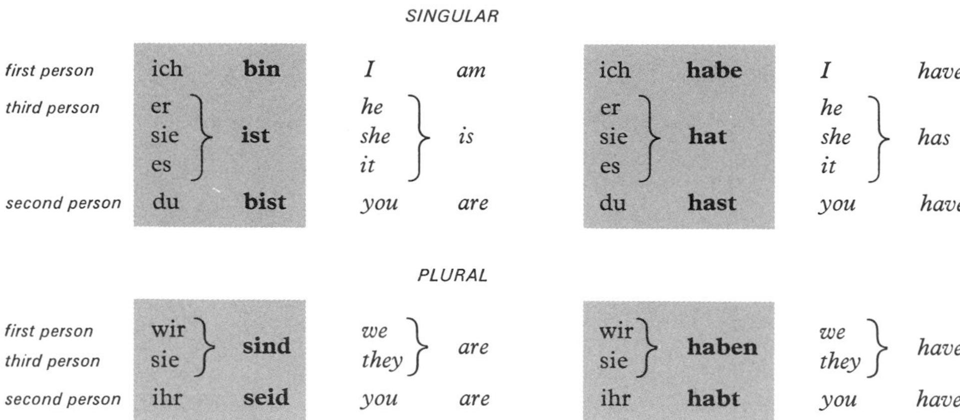

SINGULAR

first person	ich	**bin**	*I*	*am*	ich	**habe**	*I*	*have*
third person	er / sie / es	**ist**	*he / she / it*	*is*	er / sie / es	**hat**	*he / she / it*	*has*
second person	du	**bist**	*you*	*are*	du	**hast**	*you*	*have*

PLURAL

first person / *third person*	wir / sie	**sind**	*we / they*	*are*	wir / sie	**haben**	*we / they*	*have*
second person	ihr	**seid**	*you*	*are*	ihr	**habt**	*you*	*have*

3. Regular verbs are inflected in the present tense with a standard set of endings.

				stem	*ending*
ich	sag**e**	*I*	*say*	sag-	**e**
er / sie / es	sag**t**	*he / she / it*	*says*	sag-	**t**
du	sag**st**	*you*	*say*	sag-	**st**
wir / sie	sag**en**	*we / they*	*say*	sag-	**en**
ihr	sag**t**	*you*	*say*	sag-	**t**

4. If the verb stem ends in **-t**, different standard endings are used in the 3rd and 2nd person singular and the 2nd person plural of the present tense.

er / sie / es	arbeit**et**	**(-et,** not **-t)**
du	arbeit**est**	**(-est,** not **-st)**
ihr	arbeit**et**	**(-et,** not **-t)**

Arbeit am Fließband in einer Volkswagenfabrik. „Zeit ist Geld."

Work at the conveyor belt in a Volkswagen factory. "Time is money."

Café in München. Freizeit und Erholung. „Die Arbeit hat Zeit bis morgen."

A cafe in Munich. Leisure time and recreation. "Work can wait until tomorrow."

EXERCISES

Cover the answers on the right with a card. Check yourself after you have tried to complete the required sentences.

A. Supply the correct form of **sagen**.

Example: Der Kaufman ...: „Zeit ist Geld."
Der Kaufmann sagt: „Zeit ist Geld."

1. Er ...: „Zeit ist Geld."	Er sagt: „Zeit ist Geld."
2. Wir ...: „Zeit ist Geld."	Wir sagen: „Zeit ist Geld."
3. Ich ...: „Zeit ist Geld."	Ich sage: „Zeit ist Geld."
4. Jeder ...: „Zeit ist Geld."	Jeder sagt: „Zeit ist Geld."

B. Singular to plural.

1. Die Uhr geht richtig. Die Uhren....	Die Uhren gehen richtig.
2. Die Zeit ist schlecht. Die Zeiten....	Die Zeiten sind schlecht.
3. Ich habe noch Zeit. Wir....	Wir haben noch Zeit.
4. Die Minute vergeht schnell. Die Minuten....	Die Minuten vergehen schnell.
5. Du arbeitest morgen. Ihr....	Ihr arbeitet morgen.

Frankfurter Börse. Jeder spekuliert auf die Zukunft. Auch hier: „Zeit ist Geld."

Frankfurt Stock Exchange. Everybody speculates on the future. Here, too, "time is money."

C. Supply the verb form.

1. Gehen: Der Bus ... um neun Uhr.	Der Bus geht um neun Uhr.
2. Vergehen: Die Zeit ... schnell.	Die Zeit vergeht schnell.
3. Arbeiten: Ich ... morgen nicht.	Ich arbeite morgen nicht.
4. Haben: Niemand ... Zeit.	Niemand hat Zeit.
5. Sein: Die Zeiten ... schlecht.	Die Zeiten sind schlecht.
6. Gehen: Die Uhren ... nicht richtig.	Die Uhren gehen nicht richtig.

IV. *QUESTIONS*

Wie spät ist es?
Wieviel Uhr ist es?
Wann geht der Bus?

1. Questions may be introduced by question words like **wie?** *how*, **wieviel?** *how much*, or **wann?** *when*. Word order in questions is characterized by the fact that the finite verb precedes the subject.

AKTIENBÖRSEN

Berlin

Div.	10. 12.	9. 12.
AG f. Ind. 8	193	188/190
AEG 8	145	143
Audi NSU 0	226	225,50 bG
BASF 11	129	126,50
Bayer 8	126,2	124,50
BMW 6	166	161
Berger• 5+3	194 G	194 G
Bln Kindl 10	320	319,80
Bekula 6,5	105,60	105,60
Bln.Masch.• 3,5	182 G	182 G
Berth. 10+1,5	583	580 bG
Buderus• 15,3	360 G	360 G
Cassella• 20	395/400	395/400
Chem. Vw.• 13	207	201 G
Chillingw.• 10	300 G	300
Conc. Sp.• 0	205 G	205 G
Conti Gum. 6	96 bG	96 B
Daimler 8,5+0,75	307	300
Demag 8	161,50	160
Dt.Conti Gas 7	216 bG	210 G
DLW• 16	388	378/382
DeTeWe 8	264 G	264 G
Dt. Eisenh.• 12	169 G	169/170
Dierig A• 5	—T 141	143 B
Dtm. Union 10	431/435	431/435
Edelst.Witt.•18	350 G	350 G
Elikraft Mü. 0	—	—
Engelhardt 10	301 G	301 G
Felten• 10	171/173	171/173
Forst Ebn.% 0	—	—
Gelsenbg. 4	86 B	84
Goldschm. 8,5	—T 230	225/230
GHH 7	146	142
Hamborner 8	281	278,50
HEW• 13+2	260 G	257 G
Harpener• 9	270 B	268/270
Hoechst 10	138,20	137,50
Hoesch 6+1	59,90	58,20
Holzmann 9	314 G	312 G
Horten 10	213	212
Hw. Kayser 12+3	410 G	410 G
Ind. Karlsr. 2	87,50	88
Kali Chem.• 14	—T 335	325/330
Karstadt 10	318/320	318/320
dgl Vz. 10	305 G	305 G
Kaufhof 10	235,50	235/236
Kempinski 7	286/288	286 bG
KHD 4 f. 6 M.	105	108
Klöckn Wk.• 12	111	106,50
Kötitzer• 18	265/270	262,50
Krüger• 7	—	—
Lahmeyer 10	390 G	390 G
Linde 8,5	212	213
Löwböhm.• 13	—	—
Mannesm.• 12	141,50	139
MAN St 9	166 G	166 G
dgl Vz 9	147 G	147 G
Metallges. 9,5	290/295	292 bB
Neckermann 3	100,50	98,70
Orenstein• 14	280	280 bG
Poppe & W.• 0	—	123
Preussag• 7	117 bG	118
Rheinstahl• 5	73	71,50
RWE St 8	179,50	179,50
dgl Vz 8	170	170 B
Rheinmetall 6	250 G	250 G
Rütgers 8	179/181	176 bG
Salzdett.• 10	97 bG	97 bB
Scheidem.• 12	260	247,50
Schering 10+1	404	399
Schub.&Sa 0	75,50	73,5/74,5
Schultheiss 10	371	366
Siemens 8	196,50	195
Stahl Peine• 25 f. 9 M.	270 G	270 G
Stein.Col % 0	—	—
Stock• 0	230 G	230 G
Südzucker 9	—	—
Temp.Feld• 10	280 G	— eD
Terr Rud •• 9	—	—
Thür. Gas 7,5	195 G	195 G
Thyss. Hütte 7	69	68,50
Varta 10	443	448
V.B.Mörtel 7,5	160 G	160 G
Veba 9 f. 15 M.	148,50 bG	145,50
VEW 7	132,50	132
VW 9,25	139,50	137,20
Wintersh. 9,9	121 G	121 G
Banken		
Adca 0	240	240
Bk. f. Brau• 18	725/730	725/730
Bay Hyp 9+1	351	347
Bay. Vbk. 10	307	301
BHF-Bank 10	295	290
Commerzbk.8,5	220,10	217
Dt. Bank 9	309	306,50
Dt Centralb. 9	380 G	376 G
Dt Hyp Bln. 9	297/300	297 G
Dresdner Bk 9	260,50	257
Sächs.Bd.10+3	515 G	515 G
Vbk. i. Hbg. 9	264	260 B
Verkehr		
Alloka 9,5+0,5	277 G	298 G
Hap.-Lloyd 3,5	—	—
Lufthansa 2	62/64	61 G
dgl Vz. 2,5	54/55	53/54

Düsseldorf

Div.	10. 12.	9. 12.
Aach.Str&En•0	115,50	115 G
AG f.Chem.••0	976 G	976 G
Alexanderw.•0	83 G	82 G
AHI Bau 4	240 G	240 G
Anker-Werke 5	300 T	306 T
Balcke 2,5	132	130
Banning•• 40	710	705 G
Basalt 8	176 G	176 G
Bielef. Web. 0	53,50	52
Bonn Cem. 5	202 G	202 G
Busch Jäg. 0	58 G	58 G
Conc. Berg• 10	207,50	206 bG
Dahlb.• 8f.6 M.	1040	1002
dgl. Vz.• 12 f.6.M.	1320 G	—
Dt. Babcock 7,5	230	221
Ditt. Neuh.•• 120	2005 G	2050 T
DAB 8,5	289 G	289
Dtm. Ritt. 6,75 f.9 M	280	280
Dtm. Union 10	431	433 bB
Dürrwerke 6	221 T	—
Eis. u. Hütt.• 8	91 G	89/91
Ford W.• 30	—	1525
Gebhard • 0	112	114
Girmes• 20+2	642	638
Glanzstoff 10	238	230 G
GlasSchalke•12	275	270 G
GlückaufBr5,74 f.9 M.	250 G	250 G
Hein.Lehm.•12	—	—
Hein Ind. • 6	150	150
Hilgers• 6	176 T	176
Hindr Auff.• 5	131 B	133 B
Hoffm.-St.• 16	339	337
Huta Heg.• 10	234 TG	230
Isenbeck• 18	713 G	713 G
Kab.Rheydt•15	340 G	340 G
Keramag 9	141	141
Kochs Adler• 11	163 G	163 T
Köln Gummi• 0	—	—
Kölsch-Fölsch•10	198 G	200 G
Kromschr.• 20+2	570 G	570 G
Küppersb.• 14	319 G	319 G
Langenbrahm•• 20+20	2120	2080
dgl. Vz.• 11+10	910	890 bG
Losenhausen• 0	248 G	248 G
Masch. Buck 0	54 bG	53
Pongs & Z.• 0	225 G	225
Rav. Spinn.• 4	176 G	176 G
Rheintextil• 6	147 G	147 G
Rh.W Kalk• 12	264	264 G
Rhenag• 15	318 G	318
Sachtleben 6	188	183
Schiess 0	59,50	59
St Boch 9,34	135 B	135 B
Sternbr Ess. 10	335 G	335 G
Stinnes H • 12	240 G	240 G
Stöhr Kammg.5	88	88 G
Stolb Zink 2	—	—
Stollwerck• 0	205,50 bG	205 bG
Thür. Gas 7,5	198	195 bG
V. Dt. Nickel• 12+3	171	168
V. Kammg. 0	105 G	105 G
V. Rumpus 0	48 T	46
Wagg Uerd. 3	96,50 bG	95 G
Wasag• 0	—	—
Wass Gels.• 12+1	238	238
Wkz. Gildem. 4+1	140,50	140 G
Wedag 0	52 bG	52
Westag 8	132	135
Wf. Draht• 6+4	133 G	133 G
Wicküler• 18	900 bG	920 bB
KKB 10	325	325
Rheinbod.• 18	568	565
Vbk.Nürnberg• 18+5	725	723 G
Westboden 10	330 G	322,50
Boch.Gels.St. 0	65 bG	65 G
Köln-Düss.• 10	—	310 G
Aach. Rück.•• 24,3	1030 G	1040 G
Agripp. R.• 0	115 G	116
Colon. Nat. 4	303	303
Köln Rück.• 14	326 G	326 G
Nord. All.• 0	590 G	590 G
Vict. Leb.•• 64	320	3190

Frankfurt

Div.	10. 12.	9. 12.
AdlerKleyer• 14	580 G	580 G
Adt Gebr • 0	126 bG	125 G
Aesc. Wk.• 14+4	318 G	318
Andreae N.Z.8	343 bG	336 G
Bayer. B. Sch. 9	390 bG	385
B.Br.Pfzh.•• 0	1060 G	1065 G
Binding• 18+12	665	660 bG
Brau-AG 6	355 G	355 G
Brau Vz. 9	298 G	300 G
Brown Bov. 8	165,20	158,50
Dt Eff+Wbt. 9	401	397
Degussa 10	261	254,50
Dt Steinz.• 6	152 bB	152 bG
Dt Eisenh.• 12	160 G	160 G
Didier• 14	204,50	203,50
D Bl Quellen 5	260 G	260 G
Durl Hof• 17	910	—
Dyckerhoff 7	253 G	251 bB
dgl. Vz. 7	193	190 T
Eichb. Werg. 9	499 G	499 G
Eisenb. Vk. 8	194 bG	194,50 bG
El Lief.• 15	415 G	415 G
Enz. Union 0	236	236 G
Erba• 4	183,50 bG	185 T
Eßl. Masch.• 7	314	300 T
Ettl. Spinn.•• 60+60	—	—
Fahr• 0	160 B	160 B
Flachglas 9	290 T	290
Goldschm. 8,5	235	228 T
Grün & Bilf. 5+1	200 bG	201
Grünzw. & H. 0	134	—
Hanf.Füss.•• 12	670 G	670
Hartm.& Br.•16	550 G	550 G
dgl Vz.• 16	550	545
Heidelb Z. 7,5	322	317
Henninger 9,5	505	505
Herkules B. 9	420 bG	415 G
Hess N. G.• 11	295 G	295 G
Hofbr. Nic.• 18	485 G	482 G
Hofbr. Bbg. 6	380 G	380 B
Ind. Karlsr. 0	87,20	87,10
Klein S. B. 7,5	189	187 G
dgl. Vz. 8	159	156
Kollmar & J. 6	148 G	148
Kr Rheinf 5+1	177 bG	177,90
Kraft Altw.• 15	470 G	470 G
Kr Maff.• 19,9	590 G	590 G
Kupferberg• 18	785	785
Lohmeyer 10	391	397
Lech. Elektr. 7,5+0,5	277	271
Main Kraft• 15	410	406
Mainz. Aktbr. 7,5+2	301	295
dgl.Vz.7,5+2	300	290 bG
M. Hartm.• 10	200	200 bB
Moenus 4	105 G	107
Natr. Zellst.• 6	245 G	245 B
Od. Hartstein 5	330 G	330 G
Parkbräu• 18	610 G	605 G
Pfaff 7	104 G	105
Pittl Masch. 4	175 bG	175 T
PWA 0	76	76,50
Reichelbr 9+1	490 G	490 G
Rheinelektr 10	225	220
Riebeck RM 0	85	86 bG
Rol Offset 9	375,50	390
Schlenk 5	195 G	195 G
Schloßqu.H.•16	725 G	725 G
Schramm L. 4,5 f. 9 M.	180 G	180 G
Schub & So. 0	74,50	73
Schw Zellst.•	180 G	180 G
Seil Wolff• 0 12+2	180 G	180 G
Sinalco•• 40	3150	3100 G
Sinner• 12	860 G	860 G
Steigenb.• 15	681	680 T
Steing.Col.% 0	109 B	109 B
Stempel 11,5	412 G	412 G
Stg. Hofbr.11,5	500 G	500 G
Übld. Ufr. 6	195 B	198 bB
Varta 10	443	433
Veith Pirelli 6	145 G	145 G
V.Dt.Metall• 6	201 G	201 G
V.Großalm.• 8	135	132,10
Wickrath• 5	160 B	160 B
Württ El. 9+1	263 bG	263 G
Württ. Met.• 10	289,50	283 T
dgl. Vz.• 10	220 G	220 G
Zeiss Ikon• 10	181	185 B
Bad. Bank 8	345	345 G
Bk. f. Brau• 18	720 G	720 G
Frankf. Hyp. 9	458	460
Inv. u. Hand. 6	178	179
Pfälz. Hyp. 9	285 G	285 G
Württ Bk. 8,5+1,5	358 T	358 T
Heid Strb.• 0	45 T	43 G
Allianz L. 8,5	415 G	415 G
Allianz V 6	368	362
Frankona Rück • 12+3	305 bG	305 bB
dgl.NA• 12+3	291	290
Mgd. Hag.•• 0	35 T	35 T
Mgd Rück.•• 4	160 T	160 T
Mannh. V.• 10	325	324
Thuringia• 16	575 G	575 G
Transatl • 0	200 T	200 T
dgl 50% E.• 0	100 B	100 B
Württ. Bad. V.•		

München

Div.	10. 12.	9. 12.
Ackermann 2	65	64 G
Aktbr Kfb.• 10	450 G	450 G
Agrob• 12	368 bG	373 G
dgl Vz.• 14	315 G	310 TG
Agsb Br.z.H.•18	1450 B	1450 B
Agsb. Kg. 3,5	70,10 bG	71 bG
Bay. ELG 7	450 G	450 G
Bay. El Wk.• 14	740 G	740 G
B. Hartst • 14	432 G	432 G
Blattmetall 5	299 G	299 G
Brhs. Amb.• 12	680 G	680 G
Bruckmühl• 0	108 B	108 B
Bgl.Br Ing.• 10	760 bG	770 G

Kurszettel. Auf und ab von einem Tag zum andern.

Stock prices—up and down from one day to another.

statement	*question*
Es ist spät.	Wie spät **ist es?**

2. Questions without question words (called yes/no questions) take the same question word order and usually have a rising intonation at the end.

statement	*question*
Es ist schon spät.	**Ist es** schon spät?↗
Der Bus geht um neun Uhr.	**Geht der Bus** um neun Uhr?↗

EXERCISES

A. Make questions with **wann?**

1. Der Bus geht um zehn Uhr. Wann...?	Wann geht der Bus?
2. Du arbeitest morgen. Wann...?	Wann arbeitest du?
3. Ihr habt Zeit. Wann...?	Wann habt ihr Zeit?
4. Der Kaufmann arbeitet bis neun Uhr. Wann...?	Wann arbeitet der Kaufmann?
5. Er ist um neun Uhr hier. Wann...?	Wann ist er hier?

B. Answer with **Ja**.

1. Ist es schon spät? Ja,....	Ja, es ist schon spät.
2. Ist es neun Uhr? Ja,....	Ja, es ist neun Uhr.
3. Ist es noch früh? Ja,....	Ja, es ist noch früh.
4. Hat das Zeit bis morgen? Ja,....	Ja, das hat Zeit bis morgen.
5. Haben wir noch ein bißchen Zeit? Ja,....	Ja, wir haben noch ein bißchen Zeit.
6. Geht die Uhr richtig? Ja,....	Ja, die Uhr geht richtig.

C. Answer with **Nein.**

1. Ist es spät? Nein,....	Nein, es ist nicht spät.
2. Ist es neun Uhr? Nein,....	Nein, es ist nicht neun Uhr.
3. Hat das Zeit bis morgen? Nein,....	Nein, das hat nicht Zeit bis morgen.
4. Geht die Uhr richtig? Nein,....	Nein, die Uhr geht nicht richtig.
5. Sind die Zeiten schlecht? Nein,....	Nein, die Zeiten sind nicht schlecht.

INDIVIDUAL STUDY: SELF-TESTING

Cover the column at the right hand side. Check your responses as you proceed.

1. *Time goes by.* Die Zeit ______ .	— vergeht
2. *Time goes by quickly.* Die Zeit vergeht ______ .	— schnell

3. *Time is money.*
Zeit ist ______ . — Geld

4. *the money*
______ Geld — das

5. *the time*
______ Zeit — die

6. *to go by, to pass*
______ — vergehen

7. *goes by*
______ — vergeht

8. *Time goes by quickly.*
Die ______ ______ ______ . — Zeit vergeht schnell

9. *Time is money.*
______ ______ ______ . — Zeit ist Geld.

10. *to say*
______ — sagen

11. *he says*
er ______ — sagt

12. *The businessman says*
Der ______ sagt — Kaufmann

13. *The businessman says: "Time is money."*
Der ______ ______:
______ ______ ______ . — Kaufmann sagt: „Zeit ist Geld."

14. *the one, the other*
der eine, der ______ — andere

15. *The one works.*
Der eine ______ . — arbeitet

16. *until tomorrow*
bis ______ — morgen

17. *That can wait* [that has time].
Das ______ Zeit. — hat

18. *That can wait until tomorrow.*
Das hat Zeit ______ ______ . — bis morgen

19. *The one works, the other says:*
"That can wait until tomorrow."
Der eine arbeitet, der ______ ______:
______ ______ ______ ______ ______ . — andere sagt: „Das hat Zeit bis morgen."

20. *Time is money.*
______ ______ ______ . — Zeit ist Geld.

21. *Time goes by quickly.*
Die ______ ______ ______ . — Zeit vergeht schnell

22. *the time*
______ ______ — die Zeit

23. *bad*
______ — schlecht

24. *The times are bad.*
Die Zeiten ______ schlecht. — sind

25. *everybody*
______ — jeder

26. *Everybody says*
______ ______ — Jeder sagt

27. *Everybody says the times are bad.*
Jeder ______, ______ ______ ______ ______ . — sagt, die Zeiten sind schlecht

28. Der eine arbeitet, der andere sagt:
„Das ______ ______ bis morgen." — hat Zeit

29. *nobody*
______ — niemand

30. *Nobody has time.*
______ ______ ______ . — Niemand hat Zeit.

31. *late*
______ — spät

32. *How late?*
______ ______? — Wie spät?

33. *What time* [how late] *is it?*
______ ______ ______ ______? — Wie spät ist es?

34. *so late*
______ ______ — so spät

35. *already*
______ — schon

36. *Already that late* [so late]*?*
______ ______ ______? — Schon so spät?

37. *What time is it?*
______ ______ ______ ______? — Wie spät ist es?

38. *nine o'clock*
______ ______ — neun Uhr

39. *It is nine o'clock.*
______ ______ ______ ______ . — Es ist neun Uhr.

40. *ten minutes*
______ ______ — zehn Minuten

41. *the minute*
______ ______ — die Minute

42. *ten minutes before nine*
zehn Minuten ______ neun — vor

43. *ten minutes after nine*
zehn Minuten ______ neun — nach

44. *It is ten minutes before nine.*
______ ______ ______ ______ ______
______ . — Es ist zehn Minuten vor neun.

45. *It is ten minutes after nine.*
______ ______ ______ ______ ______
______ . — Es ist zehn Minuten nach neun.

46. *Already that late?*
______ ______ ______? — Schon so spät?

47. *What time is it?*
______ ______ ______ ______? — Wie spät ist es?

48. *It is nine o'clock.*
______ ______ ______ ______ . — Es ist neun Uhr.

49. *right*
______ — richtig

50. *not right*
______ ______
— nicht richtig

51. *the clock*
______ ______
— die Uhr

52. *to go*
______
— gehen

53. *The clock is right.*
Die Uhr geht ______ .
— richtig

54. *The clock is not right.*
Die Uhr ______ ______ ______ .
— geht nicht richtig

55. *Thank goodness!*
______ ______ ______ !
— Gott sei Dank!

56. *a little bit*
ein ______
— bißchen

57. *a little bit of time* [i.e., some time]
______ ______ ______
— ein bißchen Zeit

58. *We still have some time.*
Wir ______ noch ein bißchen Zeit.
— haben

59. *The clock is not right.*
Die Uhr ______ ______ ______ .
— geht nicht richtig

60. *The clocks are not right.*
Die Uhren ______ nicht richtig.
— gehen

61. *What time is it?*
______ ______ ______ ______?
— Wie spät ist es?

62. *When?*
______?
— Wann?

63. *How?*
______?
— Wie?

64. *still*
______
— noch

65. *late*
______
— spät

66. *early*
______
— früh

67. *It is still early.*
______ ______ ______ ______ .
— Es ist noch früh.

68. *It is already late.*
______ ______ ______ ______ .
— Es ist schon spät.

69. *How late is it?*
______ ______ ______ ______?
— Wie spät ist es?

70. *It is ten o'clock.*
______ ______ ______ ______ .
— Es ist zehn Uhr.

71. *That late already?*
______ ______ ______?
— Schon so spät?

72. *The clock is not right.*
______ ______ ______ ______ ______ .
— Die Uhr geht nicht richtig.

73. *It is ten minutes before nine.*
Es ist ______ ______ ______ ______ .
— zehn Minuten vor neun

74. *We still have some time.*
Wir haben ______ ______ ______ ______ . — noch ein bißchen Zeit

75. *the bus*
______ ______ — der Bus

76. *at nine o'clock*
um ______ ______ — neun Uhr

77. *at ten minutes after nine*
______ ______ ______ ______ ______ — um zehn Minuten nach neun

78. *When does the bus go?*
Wann ______ ______ ______? — geht der Bus

79. *The bus goes at ten minutes after nine.*
Der Bus ______ ______ ______ ______
______ ______ . — geht um zehn Minuten nach neun

80. *Time goes by quickly.*
Die Zeit ______ ______ . — vergeht schnell

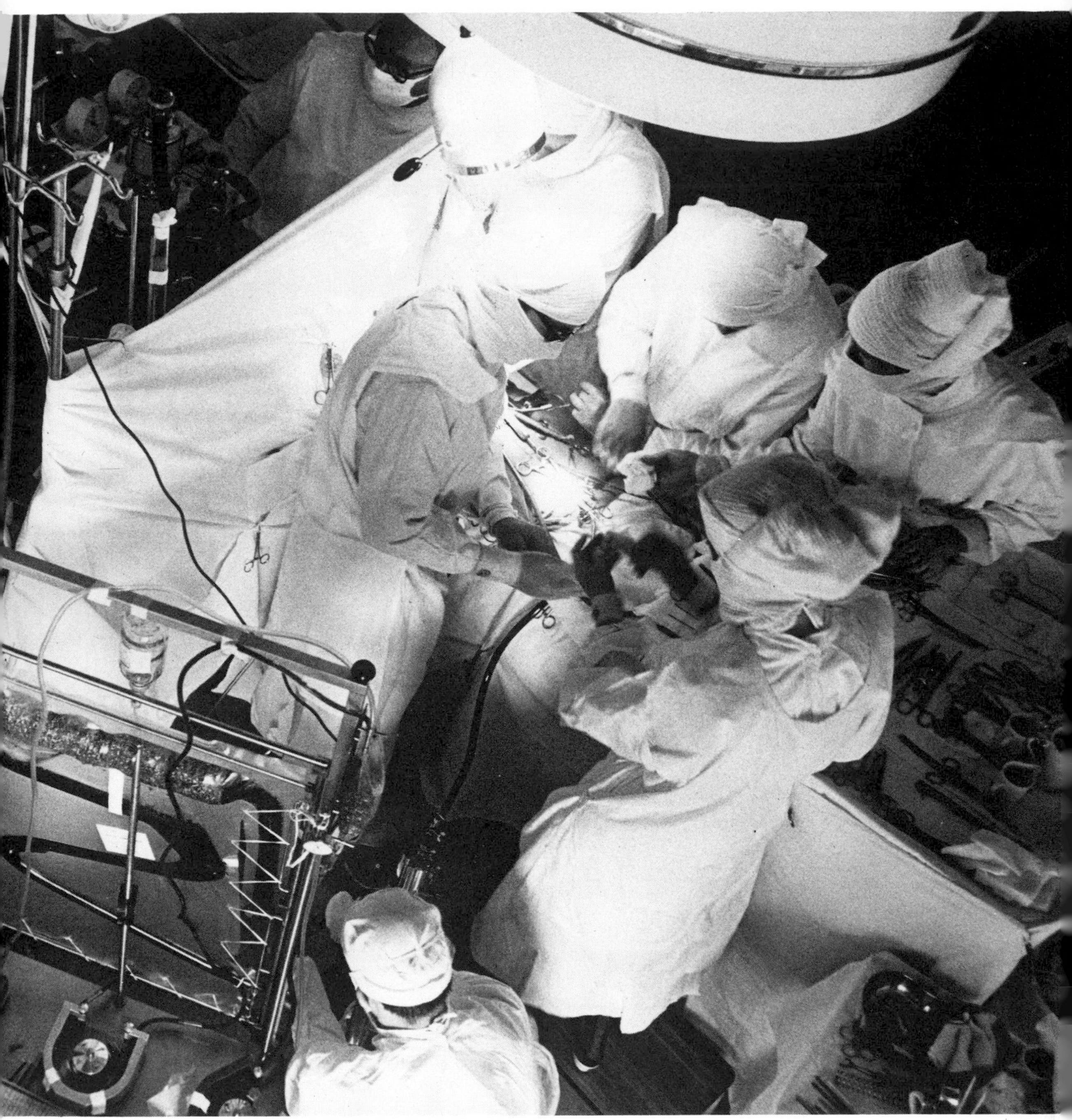

Der Kampf ums Leben: Herzoperation in einem Krankenhaus in Düsseldorf.
The struggle for life: a heart operation at a hospital in Düsseldorf.

LEKTION ZWEI

DAS LEBEN

Viele Leute sagen:

> Man lebt nur einmal.
> Ich will mir ein gutes Leben machen.
> Leben und leben lassen.

Ein Sprichwort heißt:

> Man muß das Leben nehmen, wie es kommt.

Das Leben ist für viele Menschen nicht leicht. Sie leben einfach und sparsam. Nur wenige leben in Überfluß und ohne Sorgen. Man sagt von der Mutter, sie lebt nur für die Familie. Von dem Mann sagt man, er lebt nur für den Beruf.

Man kann fragen: Was ist das Leben? Ein Dichter antwortet: Das Leben ist ein Traum. Aber der Geschäftsmann sagt: Das Leben ist Geschäft und Wettbewerb.

LIFE

Many people say:

> *We live but once. [One lives only once].*
> *I want to live a good life.*
> *Live and let live.*

A proverb says:

> *One must take life as it comes.*

For many people life is not easy. They live simply and thriftily. Only few people live in affluence and without worries. It is said of the mother that she lives only for the family. It is said of the man [husband], he lives only for his job.

One can ask: What is life? A poet answers: Life is a dream. But the businessman says: Life is business and competition.

GESPRÄCH

A: Wo wohnen Sie?
B: Nicht weit von der Universität.
A: Allein oder bei den Eltern?
B: Ich lebe allein.
A: Haben Sie eine Wohnung oder ein Zimmer?
B: Ich habe zwei große Zimmer. Die Wirtin ist eine alte Dame.
A: Lebt man billiger in der Stadt oder in den Vororten?
B: In der Stadt ist es teurer. Aber ich spare viel Zeit, wenn ich hier wohne.

CONVERSATION

A: Where do you live?
B: Not far from the University.
A: Alone or with your parents?
B: I live alone.
A: Do you have an apartment or a room?
B: I have two large rooms. The landlady is an old lady.
A: Do you [Does one] live cheaper in the city or in the suburbs?
B: It is more expensive in the city. But I save a lot of time when I live here.

WORD LIST

From now on information about the plural nominative form of nouns will be supplied after the singular form. The plural ending is shown as follows: **der Mensch, -en** (i.e., **Menschen**). If the plural is identical with the singular, a hyphen is given: **der Dichter, -.** When the plural form involves a change of the singular stem vowel, that change is signalled, too: **der Mann, ¨er** (i.e., **Männer**). The complete plural form is given when necessary: **der Geschäftsmann,** *pl.* **Geschäftsleute.**

NOUNS

der **Beruf, -e**	*job, vocation*
die **Dame, -n**	*lady*
der **Dichter, -**	*poet*
die **Eltern**	*parents*
die **Familie, -n**	*family*
das **Geschäft, -e**	*business*
der **Geschäftsmann,** *pl.* **Geschäftsleute**	*businessman*
das **Leben, -**	*life*
die **Leute**	*people*
der **Mann, ¨er**	*man, husband*
der **Mensch, -en**	*man,* pl. *people*
die **Mutter, ¨**	*mother*
die **Sorge, -n**	*worry, sorrow*
das **Sprichwort, ¨er**	*proverb*
die **Stadt, ¨e**	*city*
der **Traum, ¨e**	*dream*
der **Überfluß**	*affluence*
die **Universität, -en**	*university*
der **Vorort, -e**	*suburb*
der **Wettbewerb**	*competition*
die **Wirtin, -nen**	*landlady*
die **Wohnung, -en**	*apartment*
das **Zimmer, -**	*room*

VERBS

antworten	*to answer*
fragen	*to ask*
heißen	*to be called, to mean, say*
kommen	*to come*
lassen	*to let*
leben	*to live*
machen	*to make*
müssen	*to have to*
ich muß	*I must*
nehmen	*to take*
sparen	*to save*
wohnen	*to live, reside*
wollen	*to want*
ich will	*I want*

OTHER WORDS

aber	*but*
allein	*alone*
alt	*old*
bei	*with, at*
billig	*cheap*
einfach	*simple*
einmal	*once*
für	*for*
groß	*big, large*
gut	*good, well*
in	*in, into*
leicht	*easy, light*
man	*one* (pronoun)
mir	*to me*
nur	*only*
oder	*or*
ohne	*without*
sparsam	*thrifty*
teuer	*expensive*
und	*and*
viel	*much*
viele	*many*
von	*from, of*
was	*what*
weit	*far, wide*
wenige	*few*
wenn	*if, when*
wo	*where*
zwei	*two*

GRAMMAR

I. CASES

von **der** Mutter
von **dem** Mann
von **der** Universität
bei **den** Eltern
in **der** Stadt
für **den** Beruf

1. German nouns, pronouns, and adjectives frequently change their ending to show their *case*, i.e., their grammatical function in the sentence. Four cases are used: nominative, accusative, dative, and genitive. These cases appear both in the singular and in the plural.

2. The German system of case forms or endings is more complete than the English system, though some distinctions have been lost—that is, the same form is sometimes used in more than one case. Here are the case forms for three nouns and for the definite article **der, die, das**.

	SINGULAR		
	masculine	*feminine*	*neuter*
nominative	**der** Beruf	**die** Zeit	**das** Zimmer
accusative	**den** Beruf	**die** Zeit	**das** Zimmer
dative	**dem** Beruf	**der** Zeit	**dem** Zimmer
genitive	**des** Beruf(**e**)**s**	**der** Zeit	**des** Zimmer**s**
	PLURAL		
nominative	**die** Beruf**e**	**die** Zeit**en**	**die** Zimmer
accusative	**die** Beruf**e**	**die** Zeit**en**	**die** Zimmer
dative	**den** Beruf**en**	**den** Zeit**en**	**den** Zimmer**n**
genitive	**der** Beruf**e**	**der** Zeit**en**	**der** Zimmer

3. Here are the case forms for the indefinite article **ein, eine, ein**. (As with English *a, an,* the German indefinite article is used only in the singular.)

nominative	ein Dichter	ein**e** Wohnung	ein Geschäft
accusative	ein**en** Dichter	ein**e** Wohnung	ein Geschäft
dative	ein**em** Dichter	ein**er** Wohnung	ein**em** Geschäft
genitive	ein**es** Dichter**s**	ein**er** Wohnung	ein**es** Geschäft**s**

Notice that there are fewer distinct forms than there are cases and genders. The case forms of other types of nouns, pronouns, and adjectives will be introduced later.

4. Certain verbs require particular cases in their objects. **Haben, sparen, fragen,** and **nehmen** take an accusative object.

Ich habe ein**e** Wohnung.	*I have an apartment.*
Ich spare **das** Geld.	*I save the money.*
Ich frage **den** Mann.	*I ask the man.*

Antworten takes a dative object.

Ich antworte **dem** Mann.	*I answer the man.*

5. Certain prepositions also require particular cases in the nouns or pronouns that follow them. **Von** and **bei** require the dative case; **für** and **ohne** require the accusative.

nominative	*dative*
die Mutter	**von der** Mutter
die Eltern	**bei den** Eltern
	accusative
der Beruf	**für den** Beruf
der Überfluß	**ohne den** Überfluß

The preposition **in** requires the dative case under certain circumstances (to be discussed later).

die Stadt	**in der** Stadt
der Vorort	**in den** Vororten

Jedermann, Salzburg, Österreich. „Man kann fragen: Was ist das Leben?"
Everyman, *Salzburg, Austria. "One can ask: What is life?"*

EXERCISES

A. Use the accusative.

1. (der Mann) Wir fragen....	Wir fragen den Mann.
2. (der Dichter) Wir fragen....	Wir fragen den Dichter.
3. (die Dame) Er fragt....	Er fragt die Dame.
4. (das Geld) Er hat....	Er hat das Geld.
5. (der Bus) Wir nehmen....	Wir nehmen den Bus.

B. Use the dative.

1. (der Mann) Wir antworten....	Wir antworten dem Mann.
2. (die Mutter) Er antwortet....	Er antwortet der Mutter.
3. (die Eltern) Sie antwortet....	Sie antwortet den Eltern.
4. (die Familie) Du antwortest....	Du antwortest der Familie.
5. (der Kaufmann) Sie antworten....	Sie antworten dem Kaufmann.

C. Use the accusative.

1. (der Mann) für...	für den Mann
2. (die Wirtin) für...	für die Wirtin
3. (der Beruf) für...	für den Beruf
4. (das Geschäft) ohne...	ohne das Geschäft
5. (die Familie) ohne...	ohne die Familie

D. Use the dative.

1. (die Stadt) in...	in der Stadt
2. (die Mutter) bei...	bei der Mutter
3. (das Zimmer) in...	in dem Zimmer
4. (die Eltern) von...	von den Eltern
5. (die Universität) von...	von der Universität

II. PERSONAL PRONOUNS

Wo wohnen **Sie**?
Man lebt nur einmal.

1. Most of the personal pronouns have already been introduced:

ich	*I*	**wir**	*we*
du	*you*	**ihr**	*you*
er	*he*	**sie**	*they*
sie	*she*		
es	*it*		

Now we have to add **Sie** and the indefinite **man**.

2. **Sie** *you* is the pronoun used for addressing one or more persons in a formal manner. It is used very frequently; in fact, the other pronouns meaning *you*—**du** and the plural **ihr**—should be reserved for children and for people with whom one is on very friendly terms. **Sie** is used with a plural verb form, no matter how many persons are addressed.

Wo wohnen Sie, Herr Weber?	*Where do you live, Mr. Weber?*
Wo wohnen Sie, Herr und Frau Weber?	*Where do you live, Mr. and Mrs. Weber?*

3. **Man** *one* is used only in the singular and refers to a general notion of "people."

Man lebt nur einmal.	*We* [i.e., *people*] *live but once.*

EXERCISES

A. Use the indefinite pronoun **man**.

1. Ich habe zwei große Zimmer.	Man hat zwei große Zimmer.
2. Ich lebe billiger in der Stadt.	Man lebt billiger in der Stadt.
3. Ich spare viel Zeit.	Man spart viel Zeit.
4. Ich wohne nicht weit von der Universität.	Man wohnt nicht weit von der Universität.
5. Ich muß das Leben nehmen, wie es kommt.	Man muß das Leben nehmen, wie es kommt.

B. Use the formal pronoun **Sie**.

1. Wo wohnst du?	Wo wohnen Sie?
2. Hast du eine Wohnung?	Haben Sie eine Wohnung?
3. Sparst du Zeit?	Sparen Sie Zeit?
4. Arbeitest du morgen?	Arbeiten Sie morgen?
5. Lebst du billiger in der Stadt?	Leben Sie billiger in der Stadt?

III. DATIVE OF PERSONAL PRONOUNS

Ich will **mir** ein gutes Leben machen.

nominative	*dative*
ich	**mir**
du	**dir**
er, es	**ihm**
sie	**ihr**
wir	**uns**
ihr	**euch**
sie, Sie	**ihnen, Ihnen**

EXERCISES

A. Use the personal pronoun.

1. (der Mann) Wir antworten....	Wir antworten ihm.
2. (die Mutter) Er antwortet....	Er antwortet ihr.

3. (die Eltern) Sie antwortet.... — Sie antwortet ihnen.
4. (die Dame) Ich antworte.... — Ich antworte ihr.
5. (der Kaufmann) Sie antworten.... — Sie antworten ihm.

B. Use the dative.

1. (du) Ich wohne nicht weit von.... — Ich wohne nicht weit von dir.
2. (Sie) Ich wohne nicht weit von.... — Ich wohne nicht weit von Ihnen.
3. (er) Du wohnst nicht weit von.... — Du wohnst nicht weit von ihm.
4. (ich) Er wohnt nicht weit von.... — Er wohnt nicht weit von mir.
5. (wir) Er wohnt nicht weit von.... — Er wohnt nicht weit von uns.

C. Use the personal pronoun.

1. (die Eltern) Wir wohnen bei.... — Wir wohnen bei ihnen.
2. (die Wirtin) Sie wohnt bei.... — Sie wohnt bei ihr.
3. (der Mann) Von ... sagt man, er lebt nur für den Beruf. — Von ihm sagt man, er lebt nur für den Beruf.
4. (die Mutter) Von ... sagt man, sie lebt nur für die Familie. — Von ihr sagt man, sie lebt nur für die Familie.
5. (die Leute) Von ... sagt man, sie leben in Überfluß. — Von ihnen sagt man, sie leben in Überfluß.

IV. *ADJECTIVES*

ein **gutes** Leben
eine **alte** Dame

1. Adjectives have different endings according to the gender of the noun they precede and the determining word they follow.

2. After **ein**, adjectives have *strong* endings, that is, endings that help indicate gender and case.

de**r** Dichter	ein **alter** Dichter
di**e** Dame	eine **alte** Dame
da**s** Zimmer	ein **altes** Zimmer

3. Following **der**-words, however, the adjectives have *weak* endings which will be discussed later.

4. After numerals, all adjectives have the ending **-e** in the nominative plural.

zwei groß**e** Zimmer   zehn alt**e** Uhren

5. Adjectives following the linking word **sein** take no ending.

Das Leben ist nicht **leicht**.

EXERCISES

A. Supply the adjective ending.

1. (schnell) der Bus: ein...	ein schneller Bus
2. (alt) der Mann: ein...	ein alter Mann
3. (billig) die Wohnung: eine...	eine billige Wohnung
4. (leicht) das Leben: ein...	ein leichtes Leben
5. (sparsam) der Mensch: ein...	ein sparsamer Mensch
6. (groß) die Familie: eine...	eine große Familie
7. (gut) das Zimmer: ein...	ein gutes Zimmer

B. Change the adjective phrases into sentences with **sein**.

1. eine alte Dame: Die Dame....	Die Dame ist alt.
2. ein schlechtes Zimmer: Das Zimmer....	Das Zimmer ist schlecht.
3. eine billige Wohnung: Die Wohnung....	Die Wohnung ist billig.
4. eine große Universität: Die Universität....	Die Universität ist groß.
5. ein schneller Bus: Der Bus....	Der Bus ist schnell.
6. ein altes Sprichwort: Das Sprichwort....	Das Sprichwort ist alt.

V. *COMPARATIVE OF ADJECTIVES AND ADVERBS*

In der Stadt ist es **teurer.**
Lebt man **billiger** in der Stadt?

1. The comparative of adjectives and adverbs in German (as often in English) is formed by adding the ending **-er**.

billig	*cheap*	billig**er**	*cheaper*
teuer	*expensive*	teur**er**	*more expensive*

2. Adjectives that end in a diphthong plus **-er** (e.g., **teuer** or **sauer** *sour*) drop the **e** before the comparative ending: **teurer, saurer.**

EXERCISE

Use the comparative.

Example: Der eine ist schlecht, der andere ist noch....
Der eine ist schlecht, der andere ist noch schlechter.

1. Der eine ist billig, der andere ist noch....
2. Der eine ist schnell, der andere ist noch....
3. Der eine ist sparsam, der andere ist noch....
4. Der eine ist teuer, der andere ist noch....
5. Der eine ist weit, der andere ist noch....
6. Der eine ist einfach, der andere ist noch....
7. Der eine ist spät, der andere ist noch....

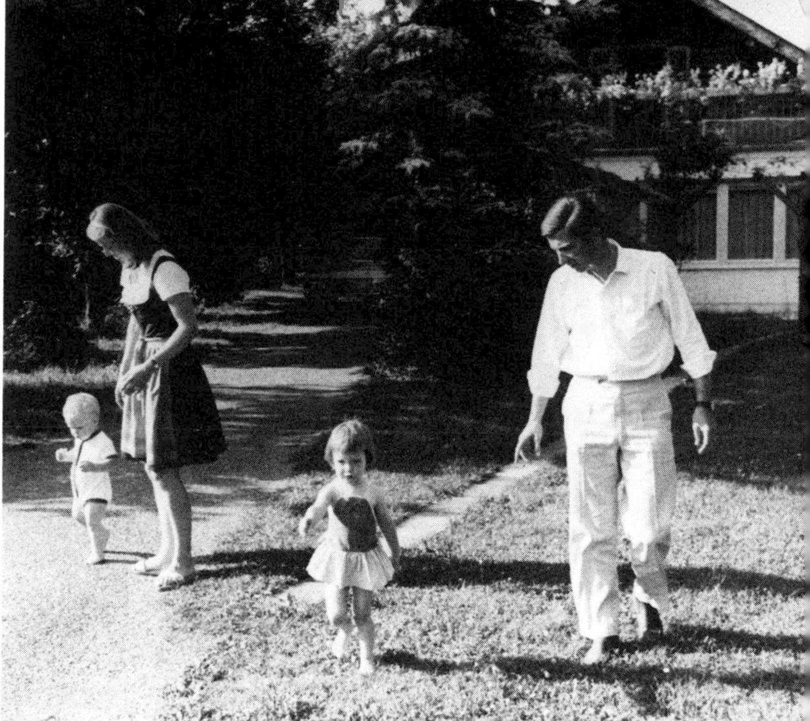

Das tägliche Leben: Junge Familie in Bayern.

Everyday life: a young family in Bavaria.

VI. MÜSSEN, WOLLEN, KÖNNEN

> Ich **will** mir ein gutes Leben **machen.**
> Man **muß** das Leben **nehmen,** wie es kommt.
> Man **kann fragen.**

Wollen, müssen, and **können** are called modal auxiliary verbs. Modals occur in connection with the infinitive of other verbs. Word order with modals is discussed in the next section. The present tense forms of these three modals are as follows.

	wollen	**müssen**	**können**
ich, er, sie, es	will	muß	kann
du	willst	mußt	kannst
wir, sie, Sie	wollen	müssen	können
ihr	wollt	müßt	könnt

Das Leben in der Großstadt: Kinderspielplatz in München.

Life in a big city: playground in Munich.

EXERCISES

A. Use a form of **wollen** + infinitive.

Example: Der Kaufmann arbeitet.
Der Kaufmann will arbeiten.

1. Ich spare Geld.	Ich will Geld sparen.
2. Du lebst allein.	Du willst allein leben.
3. Er antwortet nicht.	Er will nicht antworten.
4. Wir haben eine Wohnung.	Wir wollen eine Wohnung haben.
5. Ihr wohnt in der Stadt.	Ihr wollt in der Stadt wohnen.
6. Sie sagen nicht nein.	Sie wollen nicht nein sagen.

B. Use a form of **müssen** + infinitive.

Example: Ich habe eine Wohnung.
Ich muß eine Wohnung haben.

1. Er wohnt in der Stadt.	Er muß in der Stadt wohnen.
2. Sie spart Geld.	Sie muß Geld sparen.
3. Du hast Zeit.	Du mußt Zeit haben.
4. Wir wohnen bei den Eltern.	Wir müssen bei den Eltern wohnen.
5. Ihr lebt allein.	Ihr müßt allein leben.
6. Sie arbeiten immer.	Sie müssen immer arbeiten.

C. Use a form of **können** + infinitive.

Example: Man wohnt allein.
Man kann allein wohnen.

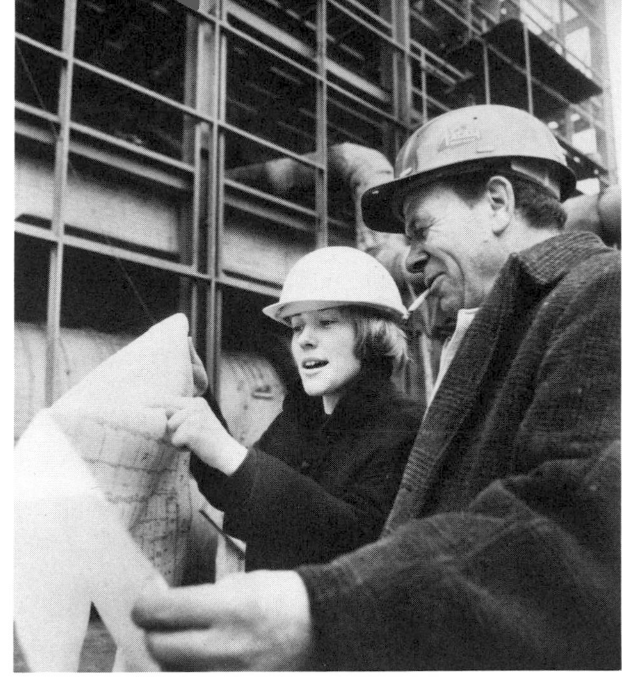

Ein neues Leben für die Frau? Gleichberechtigung der Frauen in Deutschland — Architektin am Bau.

A new life for women? Equal rights for women in Germany—a woman architect at a construction site.

1.	Ich lebe in der Stadt billiger.	Ich kann in der Stadt billiger leben.
2.	Du wohnst bei den Eltern.	Du kannst bei den Eltern wohnen.
3.	Er spart viel Geld.	Er kann viel Geld sparen.
4.	Niemand sagt es.	Niemand kann es sagen.
5.	Wir antworten nicht.	Wir können nicht antworten.
6.	Sie sind ohne Sorgen.	Sie können ohne Sorgen sein.

VII. *WORD ORDER*

The usual word order in main clauses is for the finite verb to be in second position. (Main clauses are those that can stand alone.)

subject	*finite verb*	*complement(s)*
Man	lebt	nur einmal.
Nur wenige	leben	ohne Sorgen.
Das Leben	ist	nicht leicht.
Ich	spare	viel Zeit.

The finite verb is in second position also when a predicate complement (object or adverbial) introduces the clause.

complement	*finite verb*	*subject*
Ohne Sorgen	leben	nur wenige.
Das Geld	spare	ich.
Um neun Uhr	geht	der Bus.
Von dem Mann	sagt	man, ...

If the verb phrase is composed of an auxiliary and another verb, the auxiliary takes second place and the rest of the verb phrase generally goes to the end of the clause.

(Exceptions to this rule are made only in long sentences when one wants to avoid having verb elements separated by too many words).

subject	*auxiliary*	*complement(s)*	*verb*
Man	kann	das Geld	sparen.
Man	muß	das Leben	nehmen, ...
Ich	will	mir ein gutes Leben	machen.

EXERCISE

Change the word order as indicated.

1.	Man lebt billig bei den Eltern. Bei den Eltern....	Bei den Eltern lebt man billig.
2.	Es ist teurer in der Stadt. In der Stadt....	In der Stadt ist es teurer.
3.	Wenige leben in Überfluß. In Überfluß....	In Überfluß leben wenige.
4.	Niemand hat Zeit. Zeit....	Zeit hat niemand.
5.	Es ist neun Uhr. Neun Uhr....	Neun Uhr ist es.

VIII. HEIßEN

Ein Sprichwort **heißt**...	*A proverb says...*
Wie **heißen** Sie?	*What is your name?*
Ich **heiße** Robert.	*My name is Robert.*
das **heißt** (abbreviated **d.h.**)	*that is (i.e.)*

Basically, **heißen** means *to say* (i.e., *be rendered as*), *to be called, to signify.* It is used in several special idiomatic ways. Present tense forms:

ich	heiße	wir, sie, Sie	heißen
er, sie, es, du	heißt	ihr	heißt

INDIVIDUAL STUDY: SELF-TESTING

1. *the proverb*
   ______ Sprichwort — das
2. *a proverb*
   ______ ______ — ein Sprichwort

3. *the dream*
______ Traum — der
4. *a dream*
______ ______ — ein Traum
5. *Life is a dream.*
______ ______ ist ein Traum. — Das Leben
6. *What is life?*
______ ist das Leben? — Was
7. *to answer*
______ — antworten
8. *The poet answers.*
______ ______ antwortet. — Der Dichter
9. *Life is a dream.*
______ ______ ______ ______
______. — Das Leben ist ein Traum.
10. *to live*
______ — leben
11. *to let live*
______ ______ — leben lassen
12. *Live and let live.*
______ ______ ______ ______. — Leben und leben lassen.
13. *only once*
nur ______ — einmal
14. *One lives but once.*
______ ______ ______ ______. — Man lebt nur einmal.
15. *the city*
______ ______ — die Stadt
16. *in the city*
______ ______ ______ — in der Stadt
17. *One lives in the city.*
______ ______ ______ ______
______. — Man lebt (*or* wohnt) in der Stadt.
18. *the university*
______ ______ — die Universität
19. *not far from the university*
nicht weit von ______ ______ — der Universität
20. *Where do you live?*
Wo ______ ______? — wohnen Sie (*or* wohnst du)
21. *I live not far from the university.*
Ich wohne ______ ______ ______
______ ______. — nicht weit von der Universität
22. *as it comes*
wie ______ ______ — es kommt
23. *One must take life as it comes.*
Man muß ______ ______ ______,
______ ______ ______. — das Leben nehmen, wie es kommt
24. *an old proverb*
ein ______ ______ — altes Sprichwort

25. *An old proverb says:*
"One must take life as it comes."
______ ______ ______ ______ :
______ ______ ______ ______ ______ ,
______ ______ ______.
— Ein altes Sprichwort sagt: „Man muß das Leben nehmen, wie es kommt."

26. *Live and let live.*
______ ______ ______ ______.
— Leben und leben lassen.

27. *the business*
das ______
— Geschäft

28. *the businessman*
der ______
— Geschäftsmann

29. *What is your name?*
Wie ______ Sie?
— heißen

30. *My name is Hans Meier.*
Ich ______ ______ ______.
— heiße Hans Meier

31. *What is his name?*
Wie ______ ______?
— heißt er

32. *His name is Thomas Schmidt.*
Er ______ ______ ______.
— heißt Thomas Schmidt

33. *Do you live alone?*
Leben Sie ______?
— allein

34. *I live alone.*
______ ______ ______.
— Ich lebe allein.

35. *the parents*
______ ______
— die Eltern

36. *with the parents*
bei ______ ______
— den Eltern

37. *I live with the parents.*
Ich ______ ______ ______ ______.
— lebe (*or* wohne) bei den Eltern

38. *the room*
______ Zimmer
— das

39. *the apartment*
______ Wohnung
— die

40. *an apartment*
______ ______
— eine Wohnung

41. *a room*
______ ______
— ein Zimmer

42. *Do you have an apartment?*
______ ______ eine Wohnung?
— Haben Sie

43. *I have an apartment.*
______ ______ ______ ______.
— Ich habe eine Wohnung.

44. *two*
______
— zwei

45. *two large rooms*
______ ______ ______
— zwei große Zimmer

46. *ten old clocks*
______ ______ ______
— zehn alte Uhren

47. *I have two large rooms.*
______ ______ ______ ______ ______. — Ich habe zwei große Zimmer.

48. *not far from the university*
______ ______ ______ ______ ______ — nicht weit von der Universität

49. *I live alone.*
______ ______ ______. — Ich lebe allein.

50. *the landlady*
die ______ — Wirtin

51. *the old lady*
die ______ ______ — alte Dame

52. *an old lady*
______ ______ ______ — eine alte Dame

53. *The landlady is an old lady.*
Die ______ ______ ______ ______ ______. — Wirtin ist eine alte Dame

54. *The landlady is old.*
Die ______ ______ ______. — Wirtin ist alt

55. *Life is not easy.*
Das Leben ist ______ ______. — nicht leicht

56. *the city*
______ ______ — die Stadt

57. *the suburb*
______ ______ — der Vorort

58. *Where do you live?*
Wo ______ ______? — wohnen Sie

59. *In the city?*
______ ______ ______? — In der Stadt?

60. *In the suburbs?*
In ______ Vororten? — den

61. *In the city or in the suburbs?*
In ______ ______ oder in ______
______? — der Stadt...den Vororten

62. *cheap*
______ — billig

63. *cheaper*
______ — billiger

64. *Where does one live cheaper?*
Wo ______ ______ ______? — lebt man billiger

65. *expensive*
______ — teuer

66. *more expensive*
______ — teurer

67. *It is more expensive in the city.*
Es ist ______ ______ ______ ______. — teurer in der Stadt

68. *In the city it is more expensive.*
In ______ ______ ______ ______ ______. — der Stadt ist es teurer

69. *Where do you live?*
______ ______ ______? — Wo wohnen Sie?

70. *What's your name?*
______ ______ ______? — Wie heißen Sie?

71. *much time*
______ ______ — viel Zeit

72. *Time is money.*
______ ______ ______. — Zeit ist Geld.

73. *to save time*
Zeit ______ — sparen

74. *I save much time.*
Ich ______ ______ ______. — spare viel Zeit

75. *We save much time.*
Wir ______ ______ ______. — sparen viel Zeit

76. *But it is more expensive.*
Aber ______ ______ ______. — es ist teurer

77. *One lives but once.*
Man ______ ______ ______. — lebt nur einmal

78. *One must take life as it comes.*
Man ______ ______ ______ ______,
______ ______ ______. — muß das Leben nehmen, wie es kommt

79. *Thank goodness!*
______ ______ ______! — Gott sei Dank!

80. *What time is it?*
Wie ______ ______ ______? — spät ist es

81. *When does the bus go?*
Wann ______ ______ ______? — geht der Bus

82. *It is still early.*
Es ______ ______ ______. — ist noch früh

83. *It is already late.*
Es ______ ______ ______. — ist schon spät

84. *Time goes by quickly.*
Die Zeit ______ ______. — vergeht schnell

85. *The clock is not right.*
Die Uhr ______ ______ ______. — geht nicht richtig

86. *ten minutes after nine*
zehn ______ ______ ______ — Minuten nach neun

87. *two minutes before nine*
zwei ______ ______ ______ — Minuten vor neun

88. *Nobody has time.*
______ hat Zeit. — Niemand

89. *The times are bad.*
Die Zeiten ______ ______. — sind schlecht

90. *That can wait until tomorrow.*
Das hat Zeit ______ ______. — bis morgen

91. *simple and thrifty*
______ und ______ — einfach...sparsam

92. *many people*
viele ______ — Menschen (*or* Leute)

93. *Many people live simply and thriftily.*
Viele Menschen ______ ______ ______
______. — leben einfach und sparsam

94. *in affluence*
in ______ — Überfluß

95. *without worries*
ohne ______ — Sorgen

96. *Many people live in affluence and without worries.*
Viele ______ ______ ______ ______ ______ ______ ______. — Menschen leben in Überfluß und ohne Sorgen

97. *the job* (profession)
der ______ — Beruf

98. *for the job*
für ______ ______ — den Beruf

99. *He lives for the job.*
Er ______ ______ ______ ______. — lebt für den Beruf

100. *One lives but once.*
Man ______ ______ ______. — lebt nur einmal

„Sachen“ : Gegenstände des täglichen Gebrauchs.
"Things": objects of daily use.

LEKTION DREI

DIE SACHEN

THINGS

Das Gedicht „Inventur“ von Günter Eich beginnt:

Dies ist meine Mütze,
dies ist mein Mantel,
hier mein Rasierzeug
im Beutel aus Leinen.

The poem "Inventory" by Günter Eich begins:

This is my cap,
this is my overcoat,
here (are) my shaving utensils
in the bag of linen [field bag].

Es endet:

Dies ist mein Notizbuch,
dies meine Zeltbahn,
dies ist mein Handtuch,
dies ist mein Zwirn.

It ends:

This is my notebook,
this (is) my waterproof sheet
[a soldier's shelter half,
or half tent],
this is my towel,
this is my sewing thread.

Das Gedicht zeigt die Situation nach dem Krieg. Man hat damals nur sehr wenige Sachen. Es ist wahr, der Mensch braucht wenig. Aber heute gebrauchen wir täglich viele Dinge. Wir sprechen von „unseren Sachen“ und denken an Kleidung, Gepäck, Möbel oder einfach Gegenstände des täglichen Gebrauchs.

The poem shows the situation after the war. At that time people had only very few things. It is true, man needs little. But today we use many things every day. We speak of "our things" and we think of clothes, luggage, furniture, or simply objects of daily use.

GESPRÄCH

CONVERSATION

A: Kann ich Ihnen helfen?
B: Ich brauche ein Werkzeug.
A: Was brauchen Sie?
B: Ich brauche einen Schraubenschlüssel. Ich will das Rad wechseln.
A: Ich habe ein paar Werkzeuge in meinem Wagen. Die nützen Ihnen vielleicht.
B: Was haben Sie?

A: Can I help you?
B: I need a tool.
A: What do you need?
B: I need a wrench. I want to change the wheel.
A: I have a few tools in my car. Perhaps you can use them. [They may be useful to you perhaps.]
B: What do you have?

A: Eine Zange, einen Hammer und auch einen Schraubenzieher.	*A: A pair of pliers, a hammer, and also a screwdriver.*
B: Was ist dies?	*B: What is this?*
A: Dies ist ein Schraubenschlüssel, aber der ist nur klein.	*A: This is a wrench, but it is only a small one.*
B: Danke. Der ist sehr klein. Der nützt mir nichts.	*B: Thanks. It is very small. I cannot use it. [It is of no use to me].*

WORD LIST

NOUNS

der **Beutel, -**	*bag*
das **Buch, ¨er**	*book*
das **Ding, -e**	*thing*
der **Gebrauch**	*use*
das **Gedicht, -e**	*poem*
der **Gegenstand, ¨e**	*object*
das **Gepäck**	*luggage*
der **Hammer, ¨**	*hammer*
das **Handtuch, ¨er**	*towel*
die **Inventur**	*stocktaking*
die **Kleidung**	*clothing, clothes*
der **Krieg, -e**	*war*
das **Leinen**	*linen, cloth*
der **Mantel, ¨**	*overcoat*
die **Möbel** (*pl.*)	*furniture*
die **Mütze, -n**	*cap*
das **Notizbuch, ¨er**	*notebook*
das **Rad, ¨er**	*wheel*
das **Rasierzeug**	*shaving utensils*
die **Sache, -n**	*thing; cause; matter*
der **Schlüssel, -**	*key*
die **Schraube, -n**	*screw*
der **Schraubenschlüssel, -**	*wrench*
der **Schraubenzieher, -**	*screwdriver*
die **Situation, -en**	*situation*
der **Wagen, -**	*car, carriage*
das **Werkzeug, -e**	*tool*
die **Zange, -n**	*pliers*
die **Zeltbahn, -en**	*tent square, canvas*
der **Zwirn**	*thread*

VERBS

beginnen	*to begin*
brauchen	*to need*
denken	*to think*
enden	*to end*
gebrauchen	*to use*
helfen	*to help*
nützen	*to be useful*
sprechen	*to speak*
wechseln	*to change*
zeigen	*to show*

OTHER WORDS

an	*at, on, of*
auch	*also*
aus	*out of, from*
damals	*at that time*
danke	*thank you*
der (*pronoun*)	*that one*
dies	*this*
dieser, diese, dieses	*this (one)*
ein paar	*a few*
heute	*today*
klein	*small*
mein, meine	*my*
nichts	*nothing*
sehr	*very*
täglich	*daily*
vielleicht	*perhaps*
wahr	*true*
wenig	*little*

GRAMMAR

I. DEMONSTRATIVES

> **Der** ist sehr klein.
> **Dies** ist meine Mütze.
> **Die** nützen Ihnen nichts.

1. **Der**, **die**, and **das** are often used as demonstrative pronouns.

Der nützt mir nichts.	*That one does not help me.*
Die ist nicht hier.	*She is not here.*
Das ist wahr.	*That is true.*

2. The demonstrative adjectives **dieser**, **diese**, and **dieses** are declined like **der**, **die**, **das**. (Determiners that are declined like the definite articles **der**, **die**, **das** are referred to as **der**-words.)

Wo wohnt **dieser** Mann?	*Where does this man live?*
Wir helfen **diesem** Mann.	*We are helping this man.*

	SINGULAR			*PLURAL*
	masculine	*feminine*	*neuter*	*all genders*
nominative	dies**er**	dies**e**	dies**es**	dies**e**
accusative	dies**en**			
dative	dies**em**	dies**er**	dies**em**	dies**en**
genitive	dies**es**		dies**es**	dies**er**

The demonstrative adjectives can also be used as demonstrative pronouns.

Dieser ist klein.	*This one is small.*
Diese nützen mir nichts.	*These do not help me.*

3. The uninflected form **dies** is frequently used for **dieses**.

dies Werkzeug
dies Notizbuch

Dies is the normal form to be used in the phrases **dies ist** *this is* and **dies sind** *these are.*

Dies ist meine Mütze.
Dies sind die Werkzeuge.

EXERCISES

A. Use the demonstrative **dies**.

1. Was ist dies? (ein Schraubenzieher) Dies....	Dies ist ein Schraubenzieher.
2. Was ist dies? (die Möbel) Dies....	Dies sind die Möbel.

3. Was ist dies? (mein Wagen) Dies....
   Dies ist mein Wagen.
4. Was ist dies? (meine Mütze) Dies....
   Dies ist meine Mütze.
5. Was ist dies? (ein paar Werkzeuge) Dies....
   Dies sind ein paar Werkzeuge.
6. Was ist dies? (ein Schraubenschlüssel) Dies....
   Dies ist ein Schraubenschlüssel.
7. Was ist dies? (eine Zange) Dies....
   Dies ist eine Zange.
8. Was ist dies? (Gegenstände des täglichen Gebrauchs) Dies....
   Dies sind Gegenstände des täglichen Gebrauchs.

B. Use the demonstrative adjective in the accusative.

1. (der Mann) Wir fragen....
   Wir fragen diesen Mann.
2. (das Rad) Wir wechseln....
   Wir wechseln dieses Rad.
3. (der Wagen) Wir nehmen....
   Wir nehmen diesen Wagen.
4. (die Zange) Wir brauchen....
   Wir brauchen diese Zange.
5. (das Geld) Wir sparen....
   Wir sparen dieses Geld.
6. (das Werkzeug) Wir haben....
   Wir haben dieses Werkzeug.
7. (die Werkzeuge) Wir gebrauchen....
   Wir gebrauchen diese Werkzeuge.

II. *POSSESSIVES*

Dies ist **mein** Mantel.
Dies ist **meine** Mütze.
In **meinem** Wagen
Von **unseren** Sachen

Massenproduktion überall — Kaufhaus in Ostberlin.

Mass production everywhere— a department store in East Berlin.

1. The possessives (or possessive adjectives) correspond to the subject pronouns.

ich	**mein**	wir	**unser**
du	**dein**	ihr	**euer**
er, es	**sein**	sie	**ihr**
sie	**ihr**	Sie	**Ihr**

2. The possessives are inflected according to the case and gender of the noun that they accompany. Their case forms in the singular follow the pattern of **ein, eine, ein**. (Determiners that are inflected like **ein, eine, ein** are referred to as **ein**-words.)

	SINGULAR masculine	*feminine*	*neuter*	*PLURAL all genders*
nominative	mein	mein**e**	mein	mein**e**
accusative	mein**en**	mein**e**	mein	mein**e**
dative	mein**em**	mein**er**	mein**em**	mein**em**
genitive	mein**es**	mein**er**	mein**es**	mein**er**

The other possessives take the same endings. **Euer** loses an **e** before inflectional endings: **eure, eurem, euren, eurer, eures.**

EXERCISES

A. Use a form of **mein**.

1. Hier ist die Mütze. Das ist....   Das ist meine Mütze.

2. Hier ist das Notizbuch. Das ist.... — Das ist mein Notizbuch.
3. Hier ist der Schlüssel. Das ist.... — Das ist mein Schlüssel.
4. Hier ist die Zange. Das ist.... — Das ist meine Zange.
5. Hier ist der Mantel. Das ist.... — Das ist mein Mantel.
6. Hier ist die Uhr. Das ist.... — Das ist meine Uhr.
7. Hier ist das Werkzeug. Das ist.... — Das ist mein Werkzeug.

B. Use the possessives in the dative case.

1. Das ist meine Wirtin. Ich helfe.... — Ich helfe meiner Wirtin.
2. Das ist ihr Mann. Sie antwortet.... — Sie antwortet ihrem Mann.
3. Das ist unsere Familie. Wir helfen.... — Wir helfen unserer Familie.
4. Das sind unsere Eltern. Wir helfen.... — Wir helfen unseren Eltern.
5. Das ist seine Universität. Er nützt.... — Er nützt seiner Universität.
6. Das sind seine Leute. Er antwortet.... — Er antwortet seinen Leuten.

C. Use the possessives in the accusative case.

1. Das ist mein Wagen. Ich brauche.... — Ich brauche meinen Wagen.
2. Das sind unsere Werkzeuge. Wir gebrauchen.... — Wir gebrauchen unsere Werkzeuge.
3. Das ist unser Geld. Wir sparen.... — Wir sparen unser Geld.
4. Das ist sein Gepäck. Er zeigt.... — Er zeigt sein Gepäck.
5. Das ist ihr Mantel. Sie hat.... — Sie hat ihren Mantel.
6. Das ist mein Beruf. Ich habe.... — Ich habe meinen Beruf.
7. Das ist eure Mutter. Ihr fragt.... — Ihr fragt eure Mutter.

III. *VERBS WITH DATIVE OBJECTS*

Kann ich **Ihnen** helfen?
Das nützt **mir** nichts.

In the second chapter, **antworten** was introduced as a verb that takes a dative object. Now we have two more verbs like it: **helfen** and **nützen**. **Helfen** is an irregular verb. The present tense is

ich	helfe	wir, sie, Sie	helfen
er, sie, es	hilft		
du	hilfst	ihr	helft

EXERCISE

Supply the pronoun in the dative.

1. Ich helfe Ihnen. (ich) Helfen Sie...? — Helfen Sie mir?
2. Er hilft dir. (er) Hilfst du...? — Hilfst du ihm?

3.	Wir helfen euch. (wir) Helft ihr... ?	Helft ihr uns?
4.	Sie hilft uns. (sie) Helfen wir... ?	Helfen wir ihr?
5.	Ihr helft ihm. (ihr) Hilft er... ?	Hilft er euch?
6.	Ich helfe Ihnen. (ich) Helfen Sie... ?	Helfen Sie mir?
7.	Du hilfst ihr. (du) Hilft sie... ?	Hilft sie dir?
8.	Sie helfen ihm. (Sie) Hilft er... ?	Hilft er Ihnen?

IV. *PREPOSITIONS WITH THE DATIVE*

nach dem Krieg
in dem Beutel
von unseren Sachen
in meinem Wagen

1. Some prepositions always require the following noun or pronoun to be in the dative case. The following prepositions are of this type.

aus	*out of*	**seit**	*since*
bei	*with, near*	**von**	*of, from*
mit	*with*	**zu**	*to*
nach	*after*		

aus dem Wagen	*out of the car*
bei den Eltern	*with the parents*
mit der Dame	*with the lady*
nach dem Gespräch	*after the conversation*
seit der Zeit	*since that time*
von der Stadt	*of (from) the city*
zu der Universität	*to the university*

2. Other prepositions require the dative only when they answer the question **wo?** *where located?* or **wann?** *when?*. The main prepositions of this kind are the following.

an	*at, on, of*	**über**	*over, above, about*
auf	*on, upon*	**unter**	*under, beneath*
hinter	*behind*	**vor**	*before, in front of*
in	*in, within*	**zwischen**	*between*
neben	*next to*		

Wo? In meinem Wagen.	*Where? In my car.*
Wann? Vor dem Krieg.	*When? Before the war.*

EXERCISES

A. Complete the sentences.

1.	(das Gedicht) Wir sprechen von....	Wir sprechen von dem Gedicht.
2.	(ein Gedicht)	Wir sprechen von einem Gedicht.

3.	(dieses Gedicht)	Wir sprechen von diesem Gedicht.
4.	(mein Wagen)	Wir sprechen von meinem Wagen.
5.	(meine Wirtin)	Wir sprechen von meiner Wirtin.
6.	(meine Eltern)	Wir sprechen von meinen Eltern.
7.	(der Dichter)	Wir sprechen von dem Dichter.
8.	(die Universität)	Wir sprechen von der Universität.
9.	(unsere Sachen)	Wir sprechen von unseren Sachen.

B. Answer with the preposition **in**.

1.	(die Universität) Wo ist er? Er ist....	Er ist in der Universität.
2.	(die Wohnung) Wo ist das Gepäck? Es ist....	Es ist in der Wohnung.
3.	(die Stadt) Wo ist die Wohnung? Sie ist....	Sie ist in der Stadt.
4.	(mein Mantel) Wo ist das Geld? Es ist....	Es ist in meinem Mantel.
5.	(mein Wagen) Wo ist die Zange? Sie ist....	Sie ist in meinem Wagen.
6.	(ihr Zimmer) Wo ist sie? Sie ist....	Sie ist in ihrem Zimmer.
7.	(sein Wagen) Wo ist er? Er ist....	Er ist in seinem Wagen.

V. *CONTRACTED FORMS*

im Beutel aus Leinen

One often contracts

in dem	*to*	**im**	*as in*	im Krieg, im Wagen
zu dem		**zum**		Ich gehe zum Wagen.
zu der		**zur**		Ich gehe zur Universität.
bei dem		**beim**		Das Gepäck ist beim Wagen.
an dem		**am**		das Rad am Wagen

VI. *GENITIVE*

Gegenstände **des** täglichen **Gebrauchs**

1. The genitive answers the question *whose?* or *of whom?*, *of what?* Feminine nouns and all nouns in the plural lack a special form for the genitive. Many masculine and neuter nouns—but not all of them—have the ending **-s** (or **-es**) in the genitive singular.

	masculine	*feminine*	*neuter*
nominative	der Mantel	die Mütze	das Handtuch
genitive	des Mantel**s**	der Mütze	des Handtuch**s**

2. Most masculine and neuter nouns have the ending **-es** in the genitive if their stem consists of one syllable, and **-s** if their stem consists of more than one syllable. Even multisyllable words may have **-es**, however, if they are stressed on the last syllable of the stem. They always have **-es** if their stem ends in **s**, **ß**, or **z**.

nominative	*genitive*
der Krieg	des Krieg**es**
das Geld	des Geld**es**
der Wagen	des Wagen**s**
das Werkzeug	des Werkzeug**s**
der Beruf	des Beruf**(e)s**
das Haus	des Haus**es**
der Fuß	des Fuß**es**
der Überfluß	des Überflu**sses**

EXERCISE

Use the genitive.

Example: das Gepäck, die Dame
das Gepäck der Dame

1. das Rad, der Wagen — das Rad des Wagens
2. das Zimmer, die Wirtin — das Zimmer der Wirtin
3. die Wohnung, die Eltern — die Wohnung der Eltern
4. die Zeit, der Krieg — die Zeit des Krieges
5. das Leben, die Stadt — das Leben der Stadt
6. der Gebrauch, das Werkzeug — der Gebrauch des Werkzeugs

Das Auto — Luxus oder Gegenstand des täglichen Gebrauchs?

The automobile—a luxury or an object of daily use?

VII. *ADJECTIVES*[1]

Gegenstände des **täglichen** Gebrauchs

After **der**-words adjectives take the endings **-e** or **-en**, the so-called weak endings.

	SINGULAR		
	masculine	*feminine*	*neuter*
nominative	**-e**	**-e**	**-e**
accusative	**-en**	**-e**	**-e**
dative	**-en**	**-en**	**-en**
genitive	**-en**	**-en**	**-en**

	PLURAL		
all cases	**-en**	**-en**	**-en**

	SINGULAR		
	masculine	*feminine*	*neuter*
nominative	der kleine Wagen	die kleine Dame	das kleine Zimmer
accusative	den kleinen Wagen	die kleine Dame	das kleine Zimmer
dative	dem kleinen Wagen	der kleinen Dame	dem kleinen Zimmer
genitive	des kleinen Wagens	der kleinen Dame	des kleinen Zimmers

	PLURAL *all genders*
nominative	die kleinen Wagen, Damen, Zimmer
accusative	die kleinen Wagen, Damen, Zimmer
dative	den kleinen Wagen, Damen, Zimmern
genitive	der kleinen Wagen, Damen, Zimmer

EXERCISE

Supply the inflected forms.

1. (die kleine Wohnung) Ich wohne in.... — Ich wohne in der kleinen Wohnung.
2. (die alte Mutter) Er ist bei.... — Er ist bei der alten Mutter.
3. (der kleine Hammer) Ich gebrauche.... — Ich gebrauche den kleinen Hammer.
4. (der alte Mann) Wir helfen.... — Wir helfen dem alten Mann.
5. (die alte Dame) Wir helfen.... — Wir helfen der alten Dame.
6. (der große Schraubenzieher) Ich brauche.... — Ich brauche den großen Schraubenzieher.

[1] See pages 41-42.

Salzburg. Auf dem Wege ins Konzert. Die Kleidung zeigt es: Wir leben in einer Verbrauchergesellschaft.

Salzburg. En route to a concert. The clothes make it obvious: We live in a consumer society.

7. (der frühe Bus) Wir nehmen.... — Wir nehmen den frühen Bus.
8. (das gute Werkzeug) Wir arbeiten mit.... — Wir arbeiten mit dem guten Werkzeug.

VIII. BRAUCHEN, GEBRAUCHEN

Ich **brauche** ein Werkzeug.
Wir **gebrauchen** täglich viele Dinge.

1. **Brauchen** *to need* is a verb that can occur either with an accusative object or with an infinitive (with **zu**).

Ich brauche wenig.	*I need little.*
Ich brauche das Geld.	*I need the money.*
Ich brauche heute nicht zu arbeiten.	*I need not work today.*

2. **Gebrauchen** *to use* is a verb that requires an accusative object.

Wir gebrauchen die Werkzeuge täglich.	*We use the tools daily.*

FRANKFURTER ALLGEMEINE ZEITUNG

KUNSTHANDEL — ANTIQUITÄTEN

Südd. Barockschrank

Originalbemalung vier Jahreszeiten, DM 3000,—. Zuschriften unter P D 247512 an die Frankfurter Allgemeine, 6 Ffm. 1, Postfach 3463.

Bauernschrank

antik, 1848 signiert, handgemalt, von Privat an Priv. zu verk. Tel. Frankfurt 06 11 / 77 98 21.

Moderne Grafiken

(Grieshaber, Hrdlicka, Janssen, Wunderlich u. v. a.) v. Priv. günst. angebot. Preisliste. Zuschriften unter P O 247371 an die Frankfurter Allgemeine, 6 Ffm. 1, Postfach 3463.

Ant. Schrank

Mahag. a. Eiche, 17. Jh. Bestzustand. Foto a. W., z. verkaufen. Tel. 0 57 25 / 61 65.

Standardwerk Meißener Porzellan

Katalog von Dr. Rainer Rückert zu der Meißen-Ausstellung von 1966, neuwertig, von Privat gegen Höchstgebot — nicht unter 900,— DM — zu verkaufen. Angebote erbeten unter P A 247368 an die Frankfurter Allgemeine, 6 Ffm. 1, Postfach 3463.

Briefm.-Prachtsammlung

alte und neue Saar 1920—1957, postfrisch, falzlos, Nettowert 5213,— DM, Verh.-Basis 3300,— DM. Zuschriften unter H K 247488 an die Frankfurter Allgemeine, 6 Ffm. 1, Postfach 3463.

2 gotische Glasgemälde

rheinisch, um 1480 bis 1520, Madonna mit Kind u. hl. Katharina, sehr seltene u. schöne Stücke aus guter Proveniecne v. Priv. zu verk. Angebote unter I B 247401 an die Frankfurter Allgemeine, 6 Ffm. 1, Postfach 3463.

Einige Gemälde, 19. Jh.

aus Privatbesitz abzug.: Kotsch, Pape, Schmutzler, P. Weber, A. v. Werner, Franz v. Stuck, Ehrentraud, Unterberger, Paede, Lenbach u. einige andere.

Anfragen unter V A 246477 an die Frankfurter Allgemeine, 6 Ffm. 1, Postfach 3463. (Auf Wunsch Foto.)

Privatverkauf.

Antike Brosche

Mittelstein 2,20 kt., 132 Brillanten 7 kt., 32 Rubine. Verh.-Bas. 11 600,—. Zu erfragen unter H H 247490 an die Frankfurter Allgemeine, 6 Ffm. 1, Postfach 3463.

Verkauf von Privat

Madonna m. Kind (got.)

ca. 85 cm hoch, Originalfassung. Zuschr. erb. unt. H G 247491 an die Frankfurter Allgemeine, 6 Ffm. 1, Postfach 3463.

Kupferstiche Jagdhunde

von Ridinger, 1730 (1 Wind-, 1 Schweißhund), 15×18 cm, je 200 DM, verk. Mohnfeld, 4005 Meerbusch, Düsseldorfer Str. 5, T. 0 21 05 / 38 54.

F. Mourlot:

Chagall Lithograph II

Silbermünzensammlung

von Privatsammler zu kaufen gesucht. Auch größere Sammlung. Sofortige Übernahme erwünscht. Reelle fachmännische Bewertung. Zuschriften unter Q D 247532 an die Frankfurter Allgemeine, 6 Ffm. 1, Postfach 3463.

Afrikan. Maskenmotiv

auf Wildlederhaut eingebrannt (Handarbeit), DM 110,—, Tel. 06 11 / 44 86 76.

Goldmedaillen

als Weihnachtspräs. od. f. Samml., kompl. Satz (4 Stück) 20% u. Ausgabepr. zu verk. Angeb. an 318 Wolfsburg, Postfach 200.

Lose Brillanten

Lose Rubinen u. Smaragde, sowie hochwertiger Brillantschmuck, u. a. ein Damenring, bestehend aus 52 fw. Brillanten, Ipr., à 0,04 Kt. u. einem 6kar. Smaragd aus Bahia (Brasilien) wird zum Preise von DM 11 800,— angeboten.

1 Pärchen (2×4 Karat, weiß, DM 74 000,—), 1 Pärchen (2×2,5 Karat, weiß, DM 38 000,—).

Zuschriften unter V B 246476 an die Frankfurter Allgemeine, 6 Ffm. 1, Postfach 3463.

Gottfried'sche Chronik

mit über 500 Merian-Kupfern, erstklassige, 3bändige Ausgabe, in selten gutem Zustand, für 5600,— zu verkaufen. Tel. 0 61 21 / 52 36 37.

Uwe Bremer

Mappe 4. Dimension, für 3800,— zu verkaufen. Tel. 0 61 21 / 52 37 37.

Verkaufe

Blumenaquarell

von Ida Kerkovius, Tel. 0 70 63 / 4 73.

Perserteppich

Saruk-Mahal, handgeknüpft, ca. 4×5, besonders schönes und leuchtendes Stück. Zuschriften unter G E 247359 an die Frankfurter Allgemeine, 6 Ffm. 1, Postfach 3463.

Ostpreuß. Mädchen mit Tonkrug

Öl auf Leinwand, 90×50 cm, von Prof. E. Bischoff, gegen Höchstgebot zu verkaufen. Auskunft und Angebot unter G F 246650 an die Frankfurter Allgemeine, 6 Ffm. 1, Postfach 3463.

Standuhr mit Mondphase

Louis seize Tischuhr, holzgesch. Gehäuse, alte Brücke Panderma, Sammlerst., u. versch. Ölgemälde umständehalber abzugeben. Zuschr. u. G L 246652 an die Frankfurter Allgemeine, 6 Ffm. 1, Postfach 3463.

Aachen-Lütticher Barockkommode

mass. Nußbaum geschnitzt, Louis-seize-Kommode mit Intarsien, Standuhr u. versch. Tischuhren zu verk. Tel. 06 11 / 50 17 09.

Schmuck-Brillanten

mit sehr gutem Schliff und unabhängigen Zertifikaten, zu verkaufen. 4.22 ct, top Wesselton, I. Pique, DM 40 100,— total. 6.03 ct, top Wesselton, I. Pique, DM 66 300,— total. Angebote unter Q K 247429 an die Frankfurter Allgemeine, 6 Frankfurt am Main 1, Postfach 3463.

Altägypt. Bronzefigur

Osiris, 21 cm, Hohlguß, vorzügl. erh., m. Expertise, DM 4300,—, Tel. 09 11 / 61 23 85.

Aus Nachlaß

Antiker Eichenholzschrank

3türig mit gotischem Buchfaltenmuster an Privat zu verkaufen. H. 146 B. 125 T. 60. Anfragen: Neerstdommer Mühle, Tel. 0 21 52 / 30 29.

Pantheon 1928/34

14 Bände, Ganzleinen, Bruckmann-Kunstzeitschrift, neuwertig, gegen Höchstgebot. Zuschriften unter M I 247394 an die Frankfurter Allgemeine, 6 Ffm. 1, Postfach 3463.

Brillant

18 Kar., lupenrein, Seltenheitsobj. m. Expert. Prof. Schloßmacher sowie Br. Armband, 21 gr. Br. zus. 31 Kar. zu verk. Angebote unter L K 247385 an die Frankfurter Allgemeine, 6 Ffm. 1, Postfach 3463.

Eichen-Barockschrank

(Kleiderschr.), 1. H., 18. Jahrh. mit geschweift. Kopf u. Intarsie, reichl. Verkröpfung auf d. Türen. H. 193, B. 160. **Eckschrank**, Eiche, geschw. Kopf, 2. H., 18. Jahrh., umfangr. Sammlung v. **Alt-Zinn u. Alt-Meißen**, 18. u. 19. Jahrh., **1 Kelim**, 356×225, altes, farbenprächtiges, seltenes Stück, preisg. an Privat abzugeben. Telefon 0 52 22 / 35 89.

Yves Klein

monochrom, blau, Lwd. 92×73, 1961, zu verkaufen. Angebote unter M E 247386 an die Frankfurter Allgemeine, 6 Ffm. 1, Postfach 3463.

Ihr Spez. f. preisw.

antike Uhren

Inform. anf. I. Deckert, 4 Düsseldorf-Obk., Leostr. 67, Tel. 5 30 22

Komplettes französisches Talerkabinett

(Fcus u. 5-Fr.-Stücke v. Louis XV. bis 5. Republik), 27 Stück in Schaukästen, zu verkaufen f. 1800,— DM. Angebote unter P K 247501 an die Frankfurter Allgemeine, 6 Ffm. 1, Postfach 3463.

EDELSTEINTISCH

RHODOCHROSIT, karminrosa, 103×48 cm, erlesenes Einzelstück. Tel. 0 61 92 / 31 32

KUNST

Gemälde — Kunstblätter
Stiche — Radierungen
Rahmungen traditionell und modern in eigener Werkstatt
Gemälde-Restaurierungen

SCHAEFER

62 Wiesbaden
nur Faulbrunnenstraße 11
Telefon 0 61 21 — 30 47 21

Inge Nolde

Blumenaquarell, 40×55 cm, signiert, von Privat zu verkaufen. Angebote unter H K 247365 an die Frankfurter Allgemeine, 6 Ffm. 1, Postfach 3463.

Brillantring

Solitär, 8 kt., weiß, DM 60 000,—, Armband, 17 kt., 20 000,—. Ruf 02 21 / 38 25 16.

Zinnsammlung

(alt), ca. 200 Teile — Karaffen, Becher, Krüge, Kannen, Teller, Leuchter versch. Größen —, gegen bar zu verkaufen. Zuschriften unter H K 247373 an die Frankfurter Allgemeine, 6 Ffm. 1, Postfach 3463.

Ausgrabungen Kleinasien

Gläser, Vasen, islam. 12. u. 16. Jhdt., röm. 1.—3. Jhdt., Keramik bis ca. 1000 v. Chr., v. Priv. zu verkaufen. Zuschriften u. H K 247374 an die Frankfurter Allgemeine, 6 Ffm. 1, Postfach 3463.

Sehr repräsentative

Burgunderwanduhr

(alle Teile original) für 1650,— DM z. verk. Zuschriften unter M G 247388 an die Frankfurter Allgemeine, 6 Ffm. 1, Postfach 3463.

Isfahan, Pflanzenfarben

aparte Musterung, feinste Knüpfung, beige Grund, 3,03×4,50 m, bester Zustand, privat zu verkaufen. Zuschriften unter H D 247362 an die Frankfurter Allgemeine, 6 Ffm. 1, Postfach 3463, oder Telefon 06 11 / 55 27 52.

Gr. Barocksofa

erstkl. Polst., preisw. zu verkaufen Tel. Ffm. 62 58 70.

Zu verkaufen aus Privatbesitz

Ölbild

(„eine Schachpartie"), 250 Jahre alt, von Velonis, 20×30 cm, mit großem vergoldetem Rahmen. Vatovec, Neu-Ulm, Insel 12, Tel. 07 31 / 7 67 84.

Ostasiat. Schreibtisch

Prunkstück, mit außergewöhnl. reicher meisterlicher Schnitzarbeit in Redwood, zu verkaufen. Zuschriften unter B G 246641 an die Frankfurter Allgemeine, 6 Ffm. 1, Postfach 3463.

Sumak-Teppich

2×3m, zu verkaufen, seltenes Stück für Liebhaber u. Kenner. Zuschriften unter B F 246640 an die Frankfurter Allgemeine, 6 Ffm. 1, Postfach 3463.

Das Interesse für Antiquitäten ist groß. Alte Sachen werden wieder wertvoll.

Antiques are in great demand. Old things become valuable again.

INDIVIDUAL STUDY: SELF-TESTING

1. *the notebook*
   das ______ — Notizbuch
2. *a notebook*
   ______ ______ — ein Notizbuch
3. *the towel*
   das ______ — Handtuch
4. *a towel*
   ______ ______ — ein Handtuch
5. *the overcoat*
   der ______ — Mantel
6. *an overcoat*
   ______ ______ — ein Mantel
7. *my overcoat*
   ______ ______ — mein Mantel
8. *This is my overcoat.*
   ______ ______ ______ ______ . — Dies is mein Mantel.
9. *This is my cap.*
   ______ ______ ______ ______ . — Dies ist meine Mütze.
10. *This is my luggage.*
    ______ ______ ______ ______ . — Dies ist mein Gepäck.
11. *the thing*
    das ______ — Ding
12. *the things*
    die ______ — Dinge (*or* Sachen)
13. *many things*
    ______ ______ — viele Dinge (*or* Sachen)
14. *to use*
    ______ — gebrauchen
15. *We use many things.*
    Wir ______ ______ ______ . — gebrauchen viele Dinge (*or* Sachen)
16. *to need*
    ______ — brauchen
17. *We need many things.*
    Wir ______ ______ ______ . — brauchen viele Dinge (*or* Sachen)
18. *We need only little.*
    Wir ______ ______ ______ — brauchen nur wenig
19. *It is true.*
    Es ist ______ . — wahr
20. *It is true, man needs only little.*
    Es ist wahr, der ______ ______ ______
    ______ . — Mensch braucht nur wenig
21. *my things*
    ______ Sachen — meine
22. *our things*
    ______ Sachen — unsere
23. *We speak of our things.*
    Wir sprechen von ______ ______ . — unseren Sachen

24. *clothing*
die ______ — Kleidung

25. *luggage*
das ______ — Gepäck

26. *furniture*
die ______ — Möbel

27. *daily use*
der ______ Gebrauch — tägliche

28. *objects of daily use*
Gegenstände des ______ ______ — täglichen Gebrauchs

29. *We mean objects of daily use.*
Wir ______ ______ ______ ______ ______ . — meinen Gegenstände des täglichen Gebrauchs

30. *only very few things*
nur sehr ______ ______ — wenige Sachen

31. *Can I help you?*
Kann ich ______ ______ ? — Ihnen helfen

32. *You can help me.*
Sie können ______ ______ . — mir helfen

33. *What do you need?*
Was ______ ______ ? — brauchen Sie

34. *What do you have?*
Was ______ ______ ? — haben Sie

35. *What do you say?*
Was ______ ______ ? — sagen Sie

36. *What is this?*
Was ______ ______ ? — ist dies

37. *This is a screwdriver.*
Dies ist ______ ______ . — ein Schraubenzieher

38. *This is a wrench.*
Dies ist ______ ______ . — ein Schraubenschlüssel

39. *a big wrench*
ein ______ ______ — großer Schraubenschlüssel

40. *It is big.*
Der ist ______ . — groß

41. *I need a hammer.*
Ich brauche ______ Hammer. — einen

42. *I need a small hammer.*
Ich brauche ______ ______ Hammer. — einen kleinen

43. *This is a small hammer.*
Dies ist ______ ______ Hammer. — ein kleiner

44. *I take the big hammer.*
Ich nehme ______ ______ Hammer. — den großen

45. *It is perhaps useful to me.*
Der ______ mir vielleicht. — nützt

46. *It is of no use to me.*
Der ______ ______ ______ . — nützt mir nichts

47. *This is our tool.*
Dies ist ______ ______ . — unser Werkzeug

48. *These are our tools.*
______ ______ unsere Werkzeuge. — Dies sind

49. *This is my family.*
______ ______ ______ ______ . — Dies ist meine Familie.

50. *These are my parents.*
______ ______ ______ ______ . — Dies sind meine Eltern.

51. *We can ask this man.*
Wir können ______ ______ fragen. — diesen Mann

52. *We can help this man.*
Wir können ______ ______ helfen. — diesem Mann

53. *We can help this family.*
Wir können ______ ______ helfen. — dieser Familie

54. *We can help these people.*
Wir können ______ ______ helfen. — diesen Leuten

55. *We can help them.*
Wir können ______ helfen. — ihnen

56. *Where are they?*
Wo ______ ______? — sind sie

57. *In the city.*
In ______ ______ . — der Stadt

58. *In the car.*
In ______ ______ . — dem Wagen

59. *In my car.*
In ______ ______ . — meinem Wagen

60. *In our car.*
In ______ ______ . — unserem Wagen

61. *We speak of our car.*
Wir sprechen ______ ______ ______ . — von unserem Wagen

62. *We speak of our small car.*
Wir sprechen ______ ______ ______ ______ . — von unserem kleinen Wagen

63. *We speak of her car.*
Wir sprechen ______ ______ ______ . — von ihrem Wagen

64. *We speak of her.*
Wir sprechen von ______ . — ihr

65. *She lives with the parents.*
Sie wohnt bei ______ ______ . — den Eltern

66. *She lives with them.*
Sie wohnt ______ ______ . — bei ihnen

67. *She lives with her parents.*
Sie wohnt ______ ______ ______ . — bei ihren Eltern

68. *She lives with her old parents.*
Sie wohnt ______ ______ ______ ______ . — bei ihren alten Eltern

69. *simple and thrifty*
______ und ______ — einfach...sparsam

70. *in affluence and without worries*
in ______ ______ ______ ______ — Überfluß und ohne Sorgen

71. *Where is the luggage?*
Wo ist ______ ______? — das Gepäck

72. *In the apartment.*
In ______ ______. — der Wohnung
73. *Not far from the university.*
Nicht weit von ______ ______. — der Universität
74. *Where does he live?*
Wo ______ ______ ? — wohnt er
75. *In the suburbs.*
In ______ ______. — den Vororten
76. *He does not need much.*
Er ______ ______ ______. — braucht nicht viel.
77. *He needs little.*
Er ______ ______. — braucht wenig
78. *He needs few things.*
Er ______ ______ ______. — braucht wenige Sachen
79. *He saves much time.*
Er ______ ______ ______. — spart viel Zeit
80. *He needs many tools.*
Er ______ ______ ______. — braucht viele Werkzeuge
81. *the use of the tools*
der Gebrauch ______ ______ — der Werkzeuge
82. *the life of the city*
das Leben ______ ______ — der Stadt
83. *the time of the war*
die Zeit ______ ______ — des Krieges
84. *the wheel of the car*
das Rad ______ ______ — des Wagens
85. *the room of the parents*
das Zimmer ______ ______ — der Eltern
86. *the money of the businessman*
das Geld ______ ______ — des Kaufmanns
87. *the apartment of the landlady*
die Wohnung ______ ______ — der Wirtin
88. *the job of the man*
der Beruf ______ ______ — des Mannes
89. *the family of this lady*
die Familie ______ ______ — dieser Dame
90. *the overcoat of this man*
der Mantel ______ ______ — dieses Mannes
91. *the objects of daily use*
die Gegenstände ______ ______ ______ — des täglichen Gebrauchs
92. *the worries of daily life*
die Sorgen ______ ______ ______ — des täglichen Lebens
93. *the furniture of the simple apartment*
die Möbel ______ ______ ______ — der einfachen Wohnung
94. *the suburbs of the big city*
die Vororte ______ ______ ______ — der großen Stadt
95. *the money of the old lady*
das Geld ______ ______ ______ — der alten Dame

96. *the furniture*
______ ______ — die Möbel (*pl.*)

97. *my furniture*
______ ______ — meine Möbel

98. *our furniture*
______ ______ — unsere Möbel

99. *That is correct.*
Das ist ______. — richtig

100. *Thank you.*
______ — Danke!

LEKTION VIER

DIE MENSCHEN

Jeder weiß, es gibt alte und junge, kranke und gesunde Menschen. Wenn man will, kann man noch andere Unterschiede sehen: gute und böse, kluge und dumme, lebhafte und langweilige Menschen, usw. (und so weiter). Aber man kann auch sagen, die Menschen sind alle gleich.

Heute ist unser Problem der Mensch und seine Umwelt. Es gibt bald zu viele Menschen auf der Welt. Kein Mensch weiß, wohin das führt.

Die deutsche Sprache kennt viele Sprichwörter und allgemeine Redensarten über die Menschen. Es gibt manchmal Situationen, wo man gern allgemeine Redensarten gebraucht, z.B. (zum Beispiel): Man muß die Menschen nehmen, wie sie sind. Die Menschen sind verschieden. Der Mensch kann nicht alles wissen. Man muß unter Menschen sein.

PEOPLE

Everybody knows that there are old and young, sick and healthy people. If one wants to, one can see still other differences: good and bad, smart and stupid, lively and boring people, etc. (and so forth). But one can also say, people are all alike.

Today our problem is man and his environment. Soon there will be too many people in the world. Nobody knows where that will lead.

The German language has [knows] many proverbs and common sayings about people. There are sometimes situations when one likes to use general expressions [clichés], e.g. (for example): You've got to take people as they are. People are different. You can't know everything. One has to be among people. [It's good to meet people.]

GESPRÄCH

A: Wer ist der Herr da drüben in dem grauen Anzug?
B: Ich weiß nicht. Ich kenne ihn nicht.
A: Und die Dame in dem blauen Kleid?
B: Das ist Frau Schwarz, die Frau des Direktors.
A: Ach so. Und wo ist ihr Mann?

CONVERSATION

A: Who is the gentleman over there in the gray suit?
B: I don't know. I don't know him.
A: And the lady in the blue dress?
B: That's Mrs. Schwarz, the director's wife.
A: Oh, I see. And where is her husband?

„Menschen"—junge Deutsche helfen in Florenz (Italien) nach der Überschwemmung.
"People"—young Germans help in Florence (Italy) after the flood.

B: Der steht dort am Fenster und spricht mit dem Jungen.

A: Und wer sind die jungen Mädchen, mit denen Frau Schwarz jetzt spricht?

B: Das sind die Töchter des Hauses. Sie kennen ja die Eltern, nicht wahr? Finden Sie nicht, daß die Töchter ihrer Mutter ähnlich sind?

A: Sie haben recht. Aber unter so vielen Menschen kann man kaum jemanden erkennen.

B: Ja, hier sind eine Menge Menschen heute abend.

B: He is standing there by the window talking with that boy.

A: And who are the young ladies with whom Mrs. Schwarz is talking now?

B: They are the daughters of the family. You know the parents, don't you? Don't you think that the daughters look like their mother?

A: You are right. But among so many people one can hardly recognize anybody.

B: Yes, there are a lot of people here tonight.

WORD LIST

NOUNS

der **Anzug, ⸚e**	*suit*
das **Beispiel, -e**	*example*
der **Direktor, -en**	*director*
das **Fenster, -**	*window*
die **Frau, -en**	*woman, Mrs.*
das **Haus, ⸚er**	*house, building*
der **Herr, -en**	*gentleman, Mr.*
der **Junge, -n**	*boy*, pl. *boys* or *young people*
das **Kleid, -er**	*dress*
das **Mädchen, -**	*girl*
die **Menge, -n**	*lot, crowd*
das **Problem, -e**	*problem*
die **Redensart, -en**	*common saying*
die **Sprache, -n**	*language*
die **Tochter, ¨**	*daughter*
die **Umwelt**	*environment*
der **Unterschied, -e**	*difference*
die **Welt, -en**	*world*

VERBS

erkennen	*to recognize*
finden	*to find*
führen	*to lead*
geben	*to give*
es gibt	*there is, there are*
kennen	*to know*
recht haben	*to be right*
sehen	*to see*
stehen	*to stand*
wissen	*to know*

OTHER WORDS

ach	*oh*
ähnlich (*with dative*)	*similar*
alle	*all*
alles	*everything*
allgemein	*general, common*
auf	*on, upon, at*
bald	*soon*
blau	*blue*
böse	*bad, evil*
da	*there*
daß	*that* (conjunction)
deutsch, Deutsch	*German*
dort	*there*
drüben	*on the other side*
dumm	*stupid*
gern	*gladly*
gesund	*healthy*
gleich	*equal, identical*
grau	*gray*

heute	*today*
heute abend	*tonight*
ja	*yes, indeed*
jemand	*somebody, anybody*
jetzt	*now*
jung	*young*
kaum	*hardly*
kein, keine, kein	*no [not a]*
klug	*intelligent, smart*
krank	*ill, sick*
langweilig	*boring, monotonous; slow*
lebhaft	*lively*
manchmal	*sometimes*
mit	*with*
über	*over, above, about*
unter	*under, among*
verschieden	*different*
vier	*four*
wer	*who*
wohin	*where to, where*
zu viele	*too many*

IDIOMS

Ach so.	*Oh, I see.*
Nicht wahr?	*Isn't it true?*
und so weiter (usw.)	*etcetera, and so forth (etc.)*
zum Beispiel (z.B.)	*for example (e.g.)*

GRAMMAR

I. WISSEN, KENNEN, KÖNNEN *TO KNOW*

Ich **weiß** nicht.
Ich **kenne** ihn nicht.
Man **kann** kaum jemanden **erkennen.**

1. The present tense of **wissen** is irregular.

ich, er, sie	weiß	wir, sie, Sie	wissen
du	weißt	ihr	wißt

2. The present tense of **kennen** is regular.

ich	kenne	wir, sie, Sie	kennen
er, sie, es	kennt		
du	kennst	ihr	kennt

3. Both **wissen** and **kennen** correspond to English *to know*, but **wissen** is used only in the sense of *to have knowledge of*, whereas **kennen** is used in the sense of *to be acquainted with.*

Ich weiß, er ist hier.	*I know he is here.*
Ich kenne die Dame.	*I know the lady.*

Junge und alte Menschen—„die Generationslücke".

Young and old people—"the generation gap."

4. Können is the German equivalent of the English *to know* used in the sense *to be able to.* (The present tense of **können** is irregular; the forms were presented on page 43.)

Können Sie Deutsch? *Do you know German?* [i.e., *Do you know how to speak German?*]

5. Still another distinction is between **kennen** *to know* and **erkennen** *to recognize.*

EXERCISES

A. Use the appropriate form of the verb.

1. (wissen) Denken Sie, daß er es...? — Denken Sie, daß er es weiß?
2. (kennen) Denken Sie, daß er die Dame...? — Denken Sie, daß er die Dame kennt?
3. (können) Denken Sie, daß er Deutsch...? — Denken Sie, daß er Deutsch kann?
4. (wissen) Denkst du, daß du es...? — Denkst du, daß du es weißt?
5. (kennen) Denkst du, daß du die Dame...? — Denkst du, daß du die Dame kennst?
6. (können) Denkst du, daß du Deutsch...? — Denkst du, daß du Deutsch kannst?

B. Write the sentences and insert a form of **wissen**, **kennen**, or **können**.

1. Jeder ..., es gibt alte und junge, kranke und gesunde Menschen. — Jeder weiß, es gibt alte und junge, kranke und gesunde Menschen.
2. Kein Mensch ..., wohin das führt. — Kein Mensch weiß, wohin das führt.
3. ... Sie den Herrn? — Kennen Sie den Herrn?
4. ... Sie Deutsch? — Können Sie Deutsch?
5. ... Sie, wer das ist? — Wissen Sie, wer das ist?
6. Wer sind die Mädchen da drüben? Ich ... es nicht. Ich ... sie nicht. — Wer sind die Mädchen da drüben? Ich weiß es nicht. Ich kenne sie nicht.

7.	… Sie mir sagen, wo die Dame wohnt?	Können Sie mir sagen, wo die Dame wohnt?
8.	Der Mensch … nicht alles wissen.	Der Mensch kann nicht alles wissen.
9.	… Sie, wer die Dame in dem blauen Kleid ist?	Wissen Sie, wer die Dame in dem blauen Kleid ist?
10.	Ja, das ist die Frau des Direktors. Ich … ihren Mann.	Ja, das ist die Frau des Direktors. Ich kenne ihren Mann.

II. GEBEN, ES GIBT

> **Es gibt** alte und junge, kranke und gesunde Menschen auf der Welt.

1. The present tense of **geben** is irregular.

ich	gebe	wir, sie, Sie	geben
er, sie, es	gibt		
du	gibst	ihr	gebt

Straßenszene in Bochum (Ruhrgebiet). „Die Menschen sind verschieden. Aber man kann auch sagen, die Menschen sind alle gleich."

Street scene in Bochum (Ruhr area) "People are different. But one can also say, people are all alike."

2. German uses **es gibt** to affirm the existence of something, the way English uses *there is* or *there are*. (To draw attention to a particular place, German uses **da ist, da sind.**)

Es gibt viele Menschen auf der Welt.
Es gibt ein Sprichwort, das heißt: Zeit ist Geld.

But:

Da ist ein Herr, der mit dir sprechen will. — *There is a gentleman who wants to talk with you.*

III. *WORD ORDER: MAIN CLAUSES AND DEPENDENT CLAUSES*

Finden Sie nicht, **daß** die Töchter ihrer Mutter ähnlich **sind**?

1. In the sentence above, **daß die Töchter ihrer Mutter ähnlich sind** is a dependent clause. Dependent clauses call for a completion by a main clause.

2. If a dependent clause is introduced by a conjunction, the finite form of the verb moves to the end of the clause.

Ich weiß, die Töchter **sind hier.**	*I know the daughters are here.*
Ich weiß, daß die Töchter **hier sind.**	*I know that the daughters are here.*

3. Main clauses keep their regular word order when they are followed by a dependent clause. When they are *preceded* by a dependent clause, their word order is inverted, as in questions.

Daß die Töchter hier sind, **weiß ich.**

Man kann noch andere Unterschiede sehen, wenn man will.
Wenn man will, **kann man** noch andere Unterschiede sehen.

Kein Mensch weiß, wohin das führt.
Wohin das führt, **weiß kein Mensch.**

EXERCISES

A. Make the necessary changes in word order.

1. Ich spare viel Zeit, wenn ich hier wohne.
   Wenn ich hier wohne, ... — Wenn ich hier wohne, spare ich viel Zeit.
2. Man kann viel Geld sparen, wenn man will.
   Wenn man will, ... — Wenn man will, kann man viel Geld sparen.
3. Ich kann Ihnen helfen, wenn Sie es wollen.
   Wenn Sie es wollen, ... — Wenn Sie es wollen, kann ich Ihnen helfen.
4. Ich kann kommen, wenn ich Zeit habe.
   Wenn ich Zeit habe, ... — Wenn ich Zeit habe, kann ich kommen.
5. Wir antworten Ihnen, wenn wir können.
   Wenn wir können, ... — Wenn wir können, antworten wir Ihnen.

Das Lärmbarometer. Von der Lautschwelle zum Düsenflugzeug.

Noise barometer. From silence to the jet airplane.

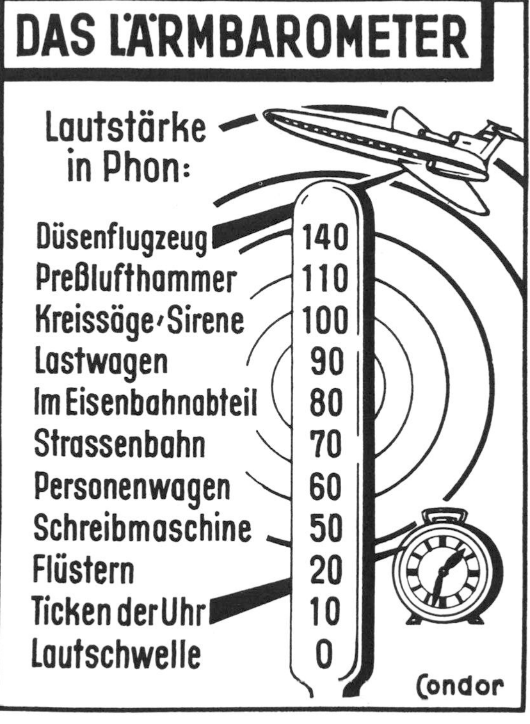

B. Complete the sentences.

Example: Die Töchter sind ihrer Mutter ähnlich.
Finden Sie nicht, daß die Töchter....
Finden Sie nicht, daß die Töchter ihrer Mutter ähnlich sind?

1. Die Menschen sind alle gleich.
   Man kann sagen, daß die Menschen....
   Man kann sagen, daß die Menschen alle gleich sind.
2. Es gibt alte und junge, kranke und gesunde Menschen.
   Jeder weiß, daß es....
   Jeder weiß, daß es alte und junge, kranke und gesunde Menschen gibt.
3. Der Mensch braucht wenig.
   Es ist wahr, daß der Mensch....
   Es ist wahr, daß der Mensch wenig braucht.
4. Er hat ein paar Werkzeuge in seinem Wagen.
   Er sagt, daß er....
   Er sagt, daß er ein paar Werkzeuge in seinem Wagen hat.
5. Sie haben recht.
   Ich weiß, daß Sie....
   Ich weiß, daß Sie recht haben.
6. Die Menschen sind verschieden.
   Wir finden, daß die Menschen....
   Wir finden, daß die Menschen verschieden sind.

IV. *VERBS WITH ACCUSATIVE OBJECTS*

1. **Antworten, helfen,** and **nützen** take an object in the dative case. Such verbs are called intransitive verbs.

2. A greater number of verbs take an object in the accusative case. They are called transitive verbs. Among them are **wissen, kennen, erkennen, sehen, nehmen, gebrauchen, brauchen,** and **fragen.**

Kennen Sie **den** Direktor?
Ich brauche **einen** Schraubenzieher.

V. *ACCUSATIVE OF PERSONAL PRONOUNS*

Ich kenne **ihn** nicht.

The object of a verb or preposition may be a pronoun as well as a noun. The accusative forms of the personal pronouns are as follows.

nominative	*accusative*
ich	**mich**
du	**dich**
er	**ihn**
sie	**sie**
es	**es**
wir	**uns**
ihr	**euch**
sie, Sie	**sie, Sie**

Kennen Sie **den Herrn**?	Ich kenne **ihn** nicht.
Kennen Sie **die Dame**?	Ich kenne **sie** nicht.
Kennen Sie **das Buch**?	Ich kenne **es** nicht.

EXERCISE

Use the direct object form of the personal pronoun.

Example: (der Herr) Kennen Sie...?
Kennen Sie ihn?

1. (die Wirtin) Kennen Sie...?	Kennen Sie sie?
2. (das Sprichwort) Kennen Sie...?	Kennen Sie es?
3. (der Direktor) Kennen Sie...?	Kennen Sie ihn?
4. (die Töchter) Kennen Sie...?	Kennen Sie sie?
5. (ich) Kennen Sie...?	Kennen Sie mich?
6. (wir) Kennen Sie...?	Kennen Sie uns?
7. (die Tochter) Kennen Sie...?	Kennen Sie sie?
8. (das Haus) Kennen Sie...?	Kennen Sie es?

VI. JEMAND

Man kann kaum **jemanden** erkennen.

Jemand *somebody* occurs only in the singular and has no gender. Its case forms are like those of the **der**-words.

nominative	jemand
accusative	jemand**en**
dative	jemand**em**
genitive	jemand**es**

VII. *QUESTION WORDS*

Wer ist der Herr da drüben?

1. The principal question words in German are the following.

Wer?	*Who?*	**Wie?**	*How?*
Was?	*What?*	**Wann?**	*When?*
Wo?	*Where?*	**Warum?**	*Why?*
Wohin?	*Where to?*	**Woher?**	*Where from?*

2. **Wer?** has inflected forms in the oblique cases (that is, in the accusative, dative, and genitive).

nominative	**Wer?**
accusative	**Wen?**
dative	**Wem?**
genitive	**Wessen?**

3. These question words can also function as relative adverbs when they introduce a dependent clause.

   Kein Mensch weiß, **wohin** das führt.
   Man muß die Menschen nehmen, **wie** sie sind.
   Es gibt manchmal Situationen, **wo** man gern allgemeine Redensarten gebraucht.

EXERCISE

Formulate questions starting with question words for which the following sentences provide answers.

Example: Der Bus geht um neun Uhr. Wann... ?
Wann geht der Bus?

1. Die Menschen sind verschieden. Wie... ? — Wie sind die Menschen?
2. Der Herr steht am Fenster. Wo... ? — Wo steht der Herr?

3.	Das ist der Direktor. Wer... ?	Wer ist das?
4.	Das ist ein Schraubenschlüssel. Was... ?	Was ist das?
5.	Der Bus geht in die Vororte. Wohin... ?	Wohin geht der Bus?
6.	Er kommt heute abend. Wann... ?	Wann kommt er?
7.	Wir fragen den Direktor. Wen... ?	Wen fragen wir?
8.	Wir sprechen mit dem Direktor. Mit wem... ?	Mit wem sprechen wir?

VIII. *MASCULINE NOUNS*

Some masculine nouns have the ending **-(e)n** in the oblique cases in the singular and in all cases in the plural.

SINGULAR

nominative	der	Herr	der	Mensch	der	Junge
accusative	den	Herr**n**	den	Mensch**en**	den	Junge**n**
dative	dem		dem		dem	
genitive	des		des		des	

PLURAL

nominative	die	Herr**en**	die	Mensch**en**	die	Junge**n**
accusative	die		die		die	
dative	den		den		den	
genitive	der		der		der	

Der Mensch und seine Umwelt.
Die Verschmutzung des Rheins.

Man and his environment.
Pollution of the Rhine.

EXERCISE

Answer with the noun phrase as a direct object.

Example: (der Direktor) Wen kennen Sie? Ich kenne....
Ich kenne den Director.

1. (Herr Eich) Wen kennen Sie? Ich kenne....	Ich kenne Herrn Eich.
2. (die Eltern) Wen kennen Sie? Ich kenne....	Ich kenne die Eltern.
3. (dieser Mensch) Wen kennen Sie? Ich kenne....	Ich kenne diesen Menschen.
4. (kaum jemand) Wen kennen Sie? Ich kenne....	Ich kenne kaum jemanden.
5. (der Herr in dem grauen Anzug) Wen kennen Sie? Ich kenne....	Ich kenne den Herrn in dem grauen Anzug.
6. (die Dame in dem blauen Kleid) Wen kennen Sie? Ich kenne....	Ich kenne die Dame in dem blauen Kleid.

IX. *PREPOSITIONS WITH THE DATIVE OR ACCUSATIVE*[1]

Es gibt bald zu viele Menschen **auf der Welt.**
Der steht **am Fenster.**
Unter so **vielen Menschen.**

1. The German words **Wo?** and **Wohin?** both correspond to English *Where?* **Wo?** refers to a place in the sense of location (*Where is it?*). **Wohin?** refers to a place in the sense of direction (*Where are you going?*) The two words may be used to determine the appropriate case of a noun when it occurs after certain prepositions.

2. As mentioned in the last chapter, the prepositions **an**, **auf**, **hinter**, **in**, **neben**, **über**, **unter**, **vor** and **zwischen** require the dative when they answer the question **Wo?** (or **Wann?**). They require the accusative when they answer the question **Wohin?**[2]

Wo gibt es zu viele Menschen?	Auf **der** Welt.
Wo steht er?	**Am** (= an dem) Fenster.
Wohin geht er?	Er geht **an das** Fenster.
Wohin kommt er?	Er kommt **in die** Stadt.

EXERCISES

A. The following questions begin with **Wo**? The preposition in each answer requires a dative.

Example: (die Stadt) Wo ist der Bus? Der Bus ist in....
Der Bus ist in der Stadt.

---

[1] See also pages 59-60.

[2] **An** and **über** require the accusative when they occur with verbs like **denken** or **sprechen**.

denken an	*to think of*
Wir denken an ihn.	*We think of him.*
sprechen über	*to speak about*
Wir sprechen über ihn.	*We speak about him.*

1. (der Vorort) Wo wohnen Sie? Ich wohne in.... — Ich wohne in dem Vorort.
2. (die Wohnung) Wo ist das Geld?
   Das Geld ist in.... — Das Geld ist in der Wohnung.
3. (das Zimmer) Wo ist die Mutter?
   Die Mutter ist in.... — Die Mutter ist in dem Zimmer.
4. (die Welt) Wo leben die Menschen?
   Die Menschen leben auf.... — Die Menschen leben auf der Welt.
5. (das Haus) Wo ist das Gepäck?
   Das Gepäck ist vor.... — Das Gepäck ist vor dem Haus.
6. (der Wagen) Wo sind die Werkzeuge?
   Die Werkzeuge sind in.... — Die Werkzeuge sind in dem Wagen.
7. (das Haus) Wo steht der Wagen?
   Der Wagen steht hinter.... — Der Wagen steht hinter dem Haus.

B. The following questions begin with **Wohin?** The preposition in each answer requires an accusative.

Example: (die Stadt) Wohin gehen Sie? Ich gehe in....
Ich gehe in die Stadt.

1. (das Zimmer) Wohin geht der Junge?
   Der Junge geht in.... — Der Junge geht in das Zimmer.
2. (die Vororte) Wohin geht der Bus?
   Der Bus geht in.... — Der Bus geht in die Vororte.
3. (der Vorort) Wohin kommen wir?
   Wir kommen in.... — Wir kommen in den Vorort.
4. (das Geschäft) Wohin geht der Herr?
   Der Herr geht in.... — Der Herr geht in das Geschäft.
5. (der Wagen) Wohin geht das Mädchen?
   Das Mädchen geht an.... — Das Mädchen geht an den Wagen.
6. (das Fenster) Wohin geht sie? Sie geht an.... — Sie geht an das Fenster.
7. (das Haus) Wohin geht er? Er geht hinter.... — Er geht hinter das Haus.

X. NEHMEN, SEHEN, SPRECHEN

The present tense of these verbs is irregular.

ich	**nehme**	**sehe**	**spreche**
er, sie, es	**nimmt**	**sieht**	**spricht**
du	**nimmst**	**siehst**	**sprichst**
wir, sie, Sie	**nehmen**	**sehen**	**sprechen**
ihr	**nehmt**	**seht**	**sprecht**

Man schafft sich seine eigene Umwelt.

People create their own environment.

XI. *RELATIVE PRONOUNS*

Und wer sind die jungen Mädchen, mit **denen** Frau Schwarz jetzt spricht?

1. The relative pronouns are identical with the definite articles, except in the genitive singular and plural, and in the dative plural.

	SINGULAR			*PLURAL*
	masculine	*feminine*	*neuter*	*all genders*
nominative	der	die	das	die
accusative	den	die	das	die
dative	dem	der	dem	**denen**
genitive	**dessen**	**deren**	**dessen**	**deren**

2. Relative clauses are dependent clauses. As in all dependent clauses, the finite verb form in relative clauses is at the end.

Der Mann, **der** an dem Fenster **steht**, ist der Direktor.
Die Dame, **die** mit dem Herrn **spricht**, ist die Frau des Direktors.

Der Mann, **dessen** Tochter mit Frau Schwarz **spricht**, ist der Direktor.
Die Dame, **deren** Tochter mit Frau Schwarz **spricht**, wohnt nicht hier.
Und wer sind die jungen Mädchen, mit **denen** Frau Schwarz jetzt **spricht**?

EXERCISE

Transform the (b) sentences into relative clauses.

Example: (a) Der Mann ist der Direktor.
(b) Er steht da.
Der Mann, ...
Der Mann, der da steht, ist der Direktor.

1.	(a) Die Dame ist seine Frau. (b) Sie steht da. Die Dame, ...	Die Dame, die da steht, ist seine Frau.
2.	(a) Das Mädchen ist seine Tochter. (b) Es steht da. Das Mädchen, ...	Das Mädchen, das da steht, ist seine Tochter.
3.	(a) Die Mädchen sind seine Töchter. (b) Sie stehen da. Die Mädchen, ...	Die Mädchen, die da stehen, sind seine Töchter.
4.	(a) Die Herren sind nicht von hier. (b) Sie stehen da. Die Herren, ...	Die Herren, die da stehen, sind nicht von hier.
5.	(a) Der Direktor hat zwei Töchter. (b) Ich kenne ihn. Der Direktor, ...	Der Direktor, den ich kenne, hat zwei Töchter.
6.	(a) Das Werkzeug ist im Wagen. (b) Ich brauche es. Das Werkzeug, ...	Das Werkzeug, das ich brauche, ist im Wagen.
7.	(a) Der Herr ist der Direktor. (b) Sie sehen ihn da. Der Herr, ...	Der Herr, den Sie da sehen, ist der Direktor.
8.	(a) Der Mann ist jetzt nicht hier. (b) Wir wollen ihm helfen. Der Mann, ...	Der Mann, dem wir helfen wollen, ist jetzt nicht hier.
9.	(a) Die Dame kennt uns nicht. (b) Wir wollen ihr helfen. Die Dame, ...	Die Dame, der wir helfen wollen, kennt uns nicht.
10.	(a) Die Leute kennen uns nicht. (b) Wir wollen ihnen helfen. Die Leute, ...	Die Leute, denen wir helfen wollen, kennen uns nicht.

INDIVIDUAL STUDY: SELF-TESTING

1. The opposite of **alt** is ______. — jung
2. The opposite of **krank** is ______. — gesund
3. The opposite of **schlecht** is ______. — gut
4. **usw.** stands for the German words
   ______ ______ ______. — und so weiter
5. **z.B.** stands for ______ ______. — zum Beispiel
6. The German word for a woman's *dress* is **das**
   ______. — Kleid
7. The German word for *suit* is **der** ______. — Anzug
8. *the world*
   die ______ — Welt
9. *the language*
   die ______ — Sprache
10. *the German language*
    die ______ ______ — deutsche Sprache
11. The German equivalent for *there is, there are*
    is ______ ______. — es gibt
12. *There is a problem.*
    ______ ______ ______ ______. — Es gibt ein Problem.
13. *There are problems.*
    ______ ______ ______. — Es gibt Probleme.
14. *There are good and bad people.*
    ______ ______ ______ ______ ______ ______. — Es gibt gute und böse (*or* schlechte) Menschen.
15. *There are old and young people.*
    ______ ______ ______ ______ ______ ______. — Es gibt alte und junge Menschen.
16. *There are smart and stupid people.*
    ______ ______ ______ ______
    ______ ______. — Es gibt kluge und dumme Menschen.
17. *There are differences.*
    ______ ______ ______. — Es gibt Unterschiede.
18. *People are different.*
    Die Menschen — sind verschieden
19. *People are all alike.*
    Die Menschen ______ ______ ______. — sind alle gleich
20. *One has to take people as they are.*
    Man muß ______ ______ ______,
    ______ ______ ______. — die Menschen nehmen, wie sie sind
21. *man and his environment*
    der Mensch und ______ ______ — seine Umwelt
22. *No one knows where that leads.*
    Kein Mensch ______, ______ ______ ______. — weiß, wohin das führt
23. *Where does that lead?*
    ______ ______ ______? — Wohin führt das?
24. *Where do you go?*
    ______ ______ ______? — Wohin gehen Sie (*or* gehst du)?
25. *Where are you?*
    ______ ______ ______? — Wo sind Sie (*or* bist du)?

26. *Who are you?*
______ ______ ______? — Wer sind Sie (*or* bist du)?

27. *What is that?*
______ ______ ______? — Was ist das?

28. *How does it go?*
______ ______ ______? — Wie geht es?

29. *What do you know?*
______ ______ ______? — Was wissen Sie (*or* weißt du)?

30. *I know nothing.*
______ ______ ______. — Ich weiß nichts.

31. *Do you know him?*
______ ______ ______? — Kennen Sie ihn (*or* Kennst du ihn)?

32. *Who is the gentleman over there?*
______ ______ ______ ______ ______ ______? — Wer ist der Herr da drüben?

33. *I do not know him.*
______ ______ ______ ______. — Ich kenne ihn nicht.

34. *Who is the lady?*
______ ______ ______ ______? — Wer ist die Dame?

35. *I do not know her.*
______ ______ ______ ______. — Ich kenne sie nicht.

36. *Who are the girls?*
______ ______ ______ ______ ? — Wer sind die Mädchen?

37. *I do not know them.*
______ ______ ______ ______. — Ich kenne sie nicht.

38. *Do you know German?*
______ ______ ______? — Können Sie Deutsch?

39. *Yes, a little.*
______, ______ ______. — Ja, ein bißchen.

40. *There are a lot of people here tonight.*
Hier sind ______ ______ ______
______ ______. — eine Menge Leute (*or* Menschen) heute abend

41. *One can hardly recognize anybody.*
Man kann ______ ______ ______. — kaum jemanden erkennen

42. *One cannot know everything.*
Man kann ______ ______ ______. — nicht alles wissen

43. *Where is he standing?*
Wo ______ ______? — steht er

44. *at* (near) *the window*
______ ______ — am Fenster

45. *Where does he go?*
Wohin ______ ______? — geht er

46. *to the window*
______ ______ ______ — an das Fenster (*or* zum Fenster)

47. *Where are the people?*
______ ______ die Leute? — Wo sind

48. *in the city*
______ ______ ______ — in der Stadt

49. *Where do they go?*
______ ______ ______? — Wohin gehen sie?

50. *into the city*
______ ______ ______ — in die Stadt

51. Jeder weiß es.
Wir ______ es. — wissen

52. Sprechen Sie Deutsch?
Ja, ich ______ Deutsch. — spreche

53. Er ______ auch Deutsch. — spricht

54. Ihr ______ kein Deutsch. — sprecht

55. Ich kann Deutsch.
______ Sie Deutsch? — Können

56. Wissen Sie, wer der Herr da drüben ist?
Nein, ich ______ ihn nicht. — kenne

57. Wer ist die Dame in dem blauen Kleid?
Ich ______ es nicht. — weiß

58. Kennen Sie ______ (dem/den)
Herrn in dem grauen Anzug? — den

59. Der Herr hat ______ (ein/eine/einen)
grauen Anzug. — einen

60. Die Dame hat ein blaues Kleid.
Das ist die Dame in ______ ______ Kleid. — dem blauen

61. Frau Schwarz spricht mit den jungen Mädchen. Wer sind die Mädchen, mit ______ Frau Schwarz spricht? — denen

62. Frau Schwarz spricht mit zwei Herren. Wer sind die Herren, mit ______ Frau Schwarz spricht? — denen

63. Wer ist der Herr, mit ______ Frau Schwarz jetzt spricht? — dem

64. Wer ist die Dame, mit ______ Frau Schwarz jetzt spricht? — der

65. Ist hier jemand, ______ ich kenne? — den

66. Da ist Herr Schwarz. Können Sie ______ nicht erkennen? — ihn

67. Da ist Frau Schmidt. Können Sie ______ nicht erkennen? — sie

68. Wo sind Sie?
Ich bin hier. Können Sie ______ nicht erkennen? — mich

69. Wir sind hier. Können Sie ______ nicht erkennen? — uns

70. Das sind die Töchter und ihre Mutter.
Finden Sie, daß die Töchter ______ Mutter ähnlich sind? — ihrer

71. Das sind die Töchter und ihre Eltern. Finden Sie, daß die Töchter ______ Eltern ähnlich sind?
— ihren

72. Ich kenne ihn, und ich helfe ______ (ihn/ihm).
— ihm

73. Ich frage ihn, und ich antworte ______ (ihn/ihm)
— ihm

74. Ich frage ihn, und er antwortet ______ (mich/mir).
— mir

75. Da ist Frau Schmidt. Wir wollen ______ fragen.
— sie

76. Wir fragen sie, und sie antwortet ______.
— uns

77. Die Menschen fragen uns, und wir antworten ______.
— ihnen

78. ______ ______ (Es gibt/Da sind) viele Sprichwörter.
— Es gibt

79. ______ ______ (Es gibt/Da sind) viele Menschen auf der Welt.
— Es gibt

80. ______ ______ (Es gibt/Da sind) viele Menschen in dem Zimmer.
— Da sind

81. ______ ______ (Es gibt/Da ist) ein Herr, der mit dir sprechen will.
— Da ist

82. Kein Mensch weiß, was er will.
Was er will, ______ ______ ______.
— weiß kein Mensch

83. Man kann noch andere Unterschiede sehen, wenn man will.
Wenn man will, ______ ______ ______ ______ ______ ______.
— kann man noch andere Unterschiede sehen

84. Wir wissen nicht, wo er ist.
Wo er ist, ______ ______ ______.
— wissen wir nicht

85. Er sagt nicht, was er will.
Was er will, ______ ______ ______.
— sagt er nicht

86. Ich weiß nicht, wann der Bus geht.
Wann der Bus geht, ______ ______ ______.
— weiß ich nicht

87. Der Mann, ______ da steht, ist der Direktor.
— der

88. Die Dame, ______ da steht, ist Frau Schwarz.
— die

89. Das Problem, ______ heute allgemein ist, heißt „Der Mensch und seine Umwelt."
— das

90. Der Herr, ______ Sie da sehen, ist der Direktor.
— den

91. Die Dame, ______ Sie da sehen, ist Frau Schmidt.
— die

92. Der Mann, ______ Tochter mit Frau Schmidt spricht, ist der Direktor. — dessen

93. Die Dame, ______ Tochter mit Frau Schwarz spricht, kennt dich. — deren

94. Und wer sind die jungen Mädchen, mit ______ Frau Schwarz jetzt spricht? — denen

95. Wo wohnen Sie? Ich wohne in ______ Stadt. — der

96. Wohin gehen Sie jetzt? Ich gehe in ______ Universität. — die

97. Wo steht der Wagen? Der Wagen steht hinter ______ Haus. — dem

98. Woher kommen Sie jetzt? Ich komme aus ______ (meine/meiner) Wohnung. — meiner

99. Wer steht bei ______ (die/der) Dame in dem blauen Kleid? — der

100. Wo steht der Wagen? Der Wagen steht vor ______ Haus. — dem

SIGMUND FREUD
(1856–1939)

Einführung in die Psychoanalyse

In der analytischen Behandlung geht nichts anderes vor, als ein Austausch von Worten zwischen dem Analysierten und dem Arzt. Der Patient spricht, erzählt von vergangenen Erlebnissen und gegenwärtigen Eindrücken, klagt, bekennt seine Wünsche und Gefühlsregungen. Der Arzt hört zu, sucht die Gedankengänge des Patienten zu dirigieren, mahnt, drängt seine Aufmerksamkeit nach gewissen Richtungen, gibt ihm Aufklärungen und beobachtet die Reaktionen von Verständnis oder von Ablehnung, welche er so beim Kranken hervorruft. Die ungebildeten Angehörigen unserer Kranken — denen nur Sichtbares und Greifbares imponiert, am liebsten Handlungen, wie man sie im Kinotheater sieht — versäumen es auch nie, ihre Zweifel zu äußern, wie man „durch bloßes Reden etwas gegen die Krankheit ausrichten kann". Das ist natürlich ebenso kurzsinnig wie inkonsequent gedacht. Es sind ja dieselben Leute, die so sicher wissen, daß sich die Kranken ihre Symptome „bloß einbilden". Worte waren ursprünglich Zauber und das Wort hat noch heute viel von seiner alten Zauberkraft bewahrt. Durch Worte kann ein Mensch den anderen selig machen oder zur Verzweiflung treiben, durch Worte überträgt der Lehrer sein Wissen auf die Schüler, durch Worte reißt der Redner die Versammlung der Zuhörer mit sich fort und bestimmt ihre Urteile und Entscheidungen. Worte rufen Affekte hervor und sind das allgemeine Mittel zur Beeinflussung der Menschen untereinander.

Vorlesungen zur Einführung in die Psychoanalyse (1922)

Introduction to Psychoanalysis

Nothing takes place in a psychoanalytic treatment but an interchange of words between the patient and the analyst. The patient talks, tells of his past experiences and present impressions, complains, confesses to his wishes and his emotional impulses. The doctor listens, tries to direct the patient's processes of thought, exhorts, forces his attention in certain directions, gives him explanations, and observes the reactions of understanding or rejection which he in this way provokes in him. The uninstructed relatives of our patients, who are only impressed by visible and tangible things—preferably by actions of the sort that are to be witnessed at the cinema—never fail to express their doubts whether "anything can be done about the illness by mere talking." That, of course, is both a short-sighted and an inconsistent line of thought. These are the same people who are so certain that patients are "simply imagining" their symptoms. Words were originally magic and to this day words have retained much of their ancient magical power. By words one person can make another blissfully happy or drive him to despair, by words the teacher conveys his knowledge to his pupils, by words the orator carries his audience with him and determines their judgements and decisions. Words provoke affects and are in general the means of mutual influence among men.

Translated by James Strachey

LEKTION FÜNF

RÜCKBLICK[1]

I. Wir **kennen** jetzt ein paar Sprichwörter und allgemeine Redensarten.

Man muß das Leben nehmen, wie es kommt.
Man muß die Menschen nehmen, wie sie sind.
Die Menschen sind verschieden.
Die Menschen sind alle gleich.
Man lebt nur einmal.
Man muß unter Menschen sein.
Zeit ist Geld.
Die Zeit vergeht schnell.
Der Mensch kann nicht alles wissen.
Leben und leben lassen.
Der Mensch braucht wenig.

II. Wir **wissen**, daß die Menschen verschieden sind.

Viele Menschen sind gut, andere sind schlecht oder böse.
Viele sind gesund, andere sind krank.
Viele sind klug, andere sind dumm.
Viele sind jung, andere sind alt.
Viele sind groß, andere sind klein.

Und die Sachen sind auch verschieden:
Sie sind billig oder teuer.
Der Bus kommt früh oder er kommt spät.
Wir haben viel Geld oder wenig Geld.

III. Wir **können** jetzt fragen und antworten.

Wir können sagen, was wir denken.
Wir können fragen, wie das heißt.

---

[1] **Rückblick:** *review.*

Ich frage, wo Sie wohnen.
Ich frage, wie Sie heißen.
Ich frage, wie spät es ist.
Jemand fragt, wann der Bus geht.
Niemand weiß, wohin der Bus geht.
Ich frage, was Sie brauchen.
Sie antworten, daß Sie nichts brauchen.
Ich sage, wie ich heiße.
Ich sage, wo ich wohne.

IV. Was können wir **machen**?

Wir können arbeiten und sparen.
Wir können helfen und nützen.
Wir können geben und nehmen.
Wir können kommen und gehen.
Wir können sprechen und zeigen.
Wir können sehen und erkennen.

V. **Wen** kennen wir?

Wir kennen eine Menge Menschen, lebhafte und langweilige.
Wir kennen den Herrn und die Dame, den Mann und die Frau, den Jungen und das Mädchen. Wir kennen auch die Eltern.
Die Leute leben alle einfach und sparsam.

VI. **Was** sind Sie von Beruf?

Ich bin Kaufmann. Frau Schwarz ist meine Wirtin. Der Herr da drüben ist ein Dichter. Der andere Herr ist der Direktor.

VII. Wir kennen auch ein paar Sachen, z.B. **Gegenstände** des täglichen Gebrauchs.

Das ist mein Buch. Hier ist meine Uhr. Wo ist unser Gepäck? Haben Sie ein Handtuch? Ist das Ihr Notizbuch? Er hat viel Geld.

Auch **Kleidung** kennen wir.
Hier ist mein Mantel.

Wo ist meine Mütze?
Wer ist der Herr in dem grauen Anzug?
Kennen Sie die Dame in dem blauen Kleid?

Und die **Werkzeuge** gebrauchen wir täglich.
Ich brauche einen Hammer und eine Zange.
Haben Sie einen großen Schraubenschlüssel?
Ich habe nur einen Schraubenzieher.
Wollen Sie das Rad wechseln? Das Werkzeug ist im Wagen.

EXERCISES

A. Use **ein, eine, ein** with the adjective.

Example: Die Dame ist alt.
Eine alte Dame.

1. Die Wohnung ist groß.
2. Der Wagen ist klein.
3. Das Mädchen ist klug.
4. Der Mann ist krank.
5. Die Frau ist jung.
6. Das Buch ist billig.
7. Das Beispiel ist gut.
8. Der Anzug ist grau.
9. Das Kleid ist blau.
10. Die Mütze ist alt.

B. Insert the dative.

Example: (die Universität) Ich wohne nicht weit von....
Ich wohne nicht weit von der Universität.

1. (das Mädchen) Wir sprechen von....
2. (die Eltern) Der junge Mann wohnt bei....
3. (der Krieg) Das ist die Situation nach....
4. (die Stadt) Wir wohnen in....
5. (das Haus) Der Wagen steht vor....
6. (der Wagen) Sie brauchen ein neues Rad an....
7. (die Welt) Es gibt viele Menschen auf....
8. (die Menschen) Es gibt viele Probleme unter....

C. Insert the accusative.

Example: (der Herr) Kennen Sie...?
Kennen Sie den Herrn?

1. (der Hammer) Ich brauche....
2. (die Zeit) Man spart....
3. (das Zimmer) Wir nehmen....
4. (der Dichter) Kennen Sie...?
5. (die Dame) Erkennen Sie...?
6. (das Geld) Der Kaufmann wechselt....
7. (der Mantel) Der Junge braucht....
8. (der Unterschied) Wer sieht...?

D. Use the genitive.

Example: das Gepäck, die Dame
das Gepäck der Dame

1. das Zimmer, die Wirtin
2. das Rad, der Wagen
3. die Wohnung, die Eltern
4. die Zeit, der Krieg
5. das Leben, der Mensch
6. die Tochter, der Mann
7. die Mütze, der Junge
8. die Dame, das Haus

E. Repeat the sentence, then say it again reversing the subject and object.

Example: Ich helfe Ihnen. Sie helfen....
Ich helfe Ihnen. Sie helfen mir.

1. Er antwortet mir. Ich antworte....
2. Wir helfen Ihnen. Sie helfen....
3. Ihr nützt uns. Wir nützen....
4. Du zeigst mir das Buch. Ich zeige....
5. Sie gibt uns das Geld. Wir geben....
6. Ich gebe Ihnen das Werkzeug. Sie geben....
7. Du antwortest uns. Wir antworten....
8. Sie hilft euch. Ihr helft....

F. In each pair of sentences, repeat the first and complete the second, following the pattern of the example.

Example: Ich sehe ihn. Sieht er... ?
Ich sehe ihn. Sieht er mich?

1. Wir sehen dich. Siehst du... ?
2. Ich kenne Sie. Kennen Sie... ?
3. Er erkennt dich. Erkennst du... ?
4. Ihr braucht ihn. Braucht er... ?
5. Sie sieht euch. Seht ihr... ?
6. Du kennst ihn. Kennt er... ?
7. Sie erkennen ihn. Erkennt er... ?
8. Wir brauchen euch. Braucht ihr... ?

G. In each pair of sentences, repeat the first and complete the second, following the pattern of the example.

Example: Wir sprechen mit ihm. Du....
Wir sprechen mit ihm. Du sprichst mit ihm.

1. Wir sehen ihn morgen. Du....
2. Wir nehmen den Bus. Du....
3. Wir geben ihm das Geld. Du....
4. Wir wissen es nicht. Du....
5. Wir können nicht kommen. Du....
6. Wir helfen den Leuten. Du....
7. Wir wollen ihnen helfen. Du....
8. Wir müssen ihnen helfen. Du....

H. Transform the following statements using relative clauses.

Example: Dieser Mann hat viel Geld.
Dies ist der Mann, der....
Dies ist der Mann, der viel Geld hat.

1. Diese Menschen arbeiten immer.
Dies sind die Menschen, die....
2. Dieses Haus ist zu alt.
Dies ist das Haus, das....
3. Diese Dame hat zwei Töchter.
Dies ist die Dame, die....
4. Diesem Jungen wollen wir helfen.
Dies ist der Junge, dem....
5. Dieser Frau müssen wir helfen.
Dies ist die Frau, der....
6. Diesen Hammer kann ich gebrauchen.
Dies ist der Hammer, den....
7. Diese Zange brauche ich.
Dies ist die Zange, die....
8. Dieses Werkzeug muß ich haben.
Dies ist das Werkzeug, das....
9. Diese Menschen kennen wir.
Dies sind die Menschen, die....
10. Diesen Menschen können wir nützen.
Dies sind die Menschen, denen....

INDIVIDUAL STUDY: SELF-TESTING

1. Nouns in German have one of three genders. They are either ______, or ______, or ______. — masculine...feminine...neuter
2. The definite articles that indicate gender are ______, ______, ______. — der, die, das
3. The indefinite articles are ______, ______, ______. — ein, eine, ein
4. In the plural, the definite article for all three genders in the nominative case is ______. — die
5. German nouns have various ways of forming the plural. Some don't change at all. Others may take an ending, or they may change their stem vowel. So far, we have learned one very frequent plural ending, which is ______. — -(e)n
6. The plural of **die Zeit** is ______ ______. — die Zeiten
7. The plural of **der Mensch** is ______ ______. — die Menschen
8. The plural of **die Frau** is ______ ______. — die Frauen
9. The plural of **der Herr** is ______ ______. — die Herren
10. The plural of **die Lektion** is ______ ______. — die Lektionen
11. If the noun in the singular ends in **-e**, the plural ending is ______ (**-n**/**-en**). — -n
12. The plural of **die Minute** is ______ ______. — die Minuten
13. The plural of **die Sache** is ______ ______. — die Sachen
14. The plural of **die Dame** is ______ ______. — die Damen
15. But we have also seen some other plural forms. What is the plural of **das Zimmer**? ______ ______ — die Zimmer
16. *I have two large rooms.* Ich habe ______ ______ ______. — zwei große Zimmer
17. What is the plural of **die Tochter**? ______ ______ — die Töchter
18. What is the plural of **der Gegenstand**? ______ ______ — die Gegenstände
19. *objects of daily use* ______ ______ ______ ______ — Gegenstände des täglichen Gebrauchs

20. German nouns and pronouns often undergo changes to indicate their case. The four cases are ______, ______, ______, ______. — nominative, accusative, dative, genitive
21. The cases are determined by the role of the noun or pronoun within the phrase or sentence. A sentence has a subject and a predicate. It may have an object. The subject is always in the ______ case. — nominative

22. A direct object is in the ______ case. — accusative
23. An indirect object is in the ______ case. — dative
24. We have learned the verbs **sehen**, **kennen**, **erkennen**, **fragen**, **nehmen**, **brauchen**, **gebrauchen**, and **wechseln**. When they have an object, it is in the ______ (dative/accusative). — accusative
25. Wir brauchen ______ (dem/den) Wagen. — den
26. Wir kennen ______ (dem/den) Herrn. — den
27. We have also learned the verbs **antworten**, **helfen**, and **nützen**. When they have an object, it is in the ______ (dative/accusative). — dative
28. Wir helfen ______ (die/der) Dame. — der
29. Ich antworte ______ (das/dem) Mädchen. — dem

30. The genitive case of many masculine and neuter nouns is characterized by the ending **-(e)s**. What is the genitive of **der Dichter**?
______ ______ — des Dichters
31. The genitive of **der Mann**?
______ ______ — des Mannes
32. The genitive of **der Gebrauch**?
______ ______ — des Gebrauchs (*or* Gebrauches)
33. The genitive of **das Zimmer**?
______ ______ — des Zimmers
34. Feminine nouns have no ending in the genitive singular or plural. What is the genitive of **die Frau**?
______ ______ — der Frau
35. What is the genitive of **die Frauen**?
______ ______ — der Frauen
36. We have also learned another genitive form of some masculine and neuter nouns. What is the genitive of **der Herr**?
______ ______ — des Herrn
37. Of **der Mensch**?
______ ______ — des Menschen

38. Cases are frequently determined by prepositions. **Von**, **nach**, **bei**, **zu**, and **aus** always require the ______ case. — dative
39. Nach ______ Krieg. — dem
40. Bei ______ Eltern. — den
41. Wir sprechen von ______ Damen. — den
42. The preposition **an**, **auf**, **hinter**, **in**, **neben**, **über**, **unter**, **vor**, and **zwischen** require either the dative or the ______. — accusative

43. They require the dative when they answer the question ______. — Wo?
44. They require the accusative when they answer the question ______. — Wohin?
45. Wo ist Frau Schwarz?
In ______ (ihre/ihrer) Wohnung. — ihrer
46. Wohin geht Frau Schwarz?
In ______ (ihre/ihrer) Wohnung. — ihre
47. Wo steht der Herr in dem grauen Anzug?
An ______ (das/dem) Fenster. — dem
48. Wohin geht der Herr in dem grauen Anzug?
An ______ (das/dem) Fenster. — das

49. Adjectives also have case endings. We distinguish between strong and ______ endings. — weak
50. "**Der**-words" are the definite articles and all determiners inflected like them, for example, the demonstrative determiner **dieser, diese, dieses**. If a **der**-word precedes the adjective, the ending of the adjective is ______ (strong/weak). — weak
51. There are only two weak endings. They are ______ and ______. — -e...-en
52. In the plural, the weak ending of adjectives in all cases and genders is ______. — -en
53. Kennen Sie die alt– Herren? — -en
54. Wir helfen den alt– Damen. — -en
55. Wie finden Sie die Kleider der jung– Mädchen? — -en
56. In the singular, the weak ending of all adjectives in the nominative is ______. — -e
57. Hier ist der alt– Mann, die jung– Frau und das klein– Mädchen. — -e...-e...-e
58. The weak ending of all adjectives in the dative and genitive singular is ______. — -en
59. Wir helfen dem alt– Mann, der jung– Frau und dem klein– Mädchen. — -en...-en...-en
60. Hier ist das Geld des alt– Mannes, das Gepäck der jung– Frau und der Mantel des klein– Mädchens. — -en...-en...-en
61. That leaves as the only difficulty the weak endings in the accusative singular. Preceding masculine nouns, the correct adjective ending after a **der**-word is ______. — -en
62. Ich brauche den groß– Wagen. — -en
63. Preceding feminine and neuter nouns, which adjective ending is correct after a **der**-word? Supply it:
Ich brauche die groß– Zange und das alt– Handtuch. — -e...-e

64. The strong adjective endings are the same as the **der**-word endings. Adjectives take strong endings in the absence of a **der**-word ending in the determiner.
Der alte Mann *but* ein alt– Mann. — -er
65. Das kleine Mädchen *but* ein klein– Mädchen. — -es
66. Der deutsche Junge *but* ein deutsch– Junge. — -er
67. Das deutsche Buch *but* mein deutsch– Buch. — -es
68. Wechseln Sie unser deutsch– Geld? — -es
69. Wechseln Sie das deutsch– Geld? — -e
70. *one, two, three, four, five*
______, ______, ______, ______, ______ — eins, zwei, drei, vier, fünf
71. Ein großes Zimmer, zwei groß– Zimmer — -e
72. Ein kleiner Junge, drei klein– Jungen — -e
73. Ein junges Mädchen, vier jung– Mädchen — -e

74. Give the personal pronouns in the nominative:
ich, du, ______, ______, ______,
______, ______, ______ — er, sie, es, wir, ihr, sie (Sie)
75. The personal pronoun for *you* (formal address) is the capitalized ______. — Sie
76. The formal-address pronoun requires the verb form to be in the 3rd person ______ (singular/plural). — plural
77. Fragen und antworten.
Ich frage, und Sie ______. — antworten
78. Kommen und gehen.
Ich komme, und Sie ______. — gehen
79. The accusative forms of **ich**, **du**, **er**, **sie**, **es** are ______, ______, ______, ______, ______. — mich, dich, ihn, sie, es
80. The accusative forms of **wir**, **ihr**, **sie** are
______, ______, ______. — uns, euch, sie
81. Wer ist der Herr? Ich kenne ______ nicht. — ihn
82. Wo ist das Werkzeug? Ich brauche ______. — es
83. Wo bist du? Ich kann ______ nicht sehen. — dich
84. Wir sind Herr und Frau Schwarz. Erkennen Sie ______ nicht? — uns
85. Wo sind die Werkzeuge? Ich will ______ heute abend gebrauchen. — sie
86. Wo seid ihr? Wir können ______ nicht sehen. — euch

87. **Können**, **wollen**, and **müssen** are called modal auxiliary verbs. They usually occur with the ______ form of other verbs. — infinitive
88. Ich helfe dir. Ich kann (will, muß) dir ______. — helfen

89. A characteristic word order pattern in German puts the finite verb form in second position. Er **ist** heute hier. Heute ______ ______ ______. — ist er hier

90. However, in questions which are not introduced by **wo**?, **wer**?, **wie**?, or some other question word, the finite verb form is moved to ______ (first/last) position. — first

91. Sie **haben** eine Wohnung in der Stadt. Ich kann fragen: „______ ______ ______ ______ ______ ______ ______?" — Haben Sie eine Wohnung in der Stadt?

92. Another word order pattern in which the finite verb form is not in second position occurs in dependent clauses. In dependent clauses, the finite verb form is shifted to ______ (first/last) position. — last

93. Ich spare viel Zeit. Ich wohne in der Stadt. Ich spare viel Zeit, wenn ______ ______ ______ ______ ______. — ich in der Stadt wohne

94. Das hat Zeit. Ich komme in die Stadt. Das hat Zeit, bis ______ ______ ______ ______ ______. — ich in die Stadt komme

95. Man kann sagen. Die Töchter sind ihrer Mutter ähnlich. Man kann sagen, daß ______ ______ ______ ______ ______ ______. — die Töchter ihrer Mutter ähnlich sind

96. Ich finde nicht. Man lebt in den Vororten billiger. Ich finde nicht, daß ______ ______ ______ ______ ______ ______. — man in den Vororten billiger lebt

97. If a finite verb form of a modal auxiliary (**können**, **wollen**, **müssen**, etc.) occurs in a main sentence with the infinitive of another verb, the infinitive goes to the ______ (first/second/last) position in the sentence. — last

98. Man arbeitet nicht immer. Man kann ______ ______ ______. — nicht immer arbeiten

99. Man ist unter Menschen. Man muß ______ ______ ______. — unter Menschen sein

100. Man weiß nicht alles. Man kann ______ ______ ______. — nicht alles wissen

Staatsanwalt: Stoppt Brühne-Film!
Faszination in Farbe
Bild
ZEITUNG
Prinzessin Anne nach schweren Blutungen operiert
Schon wieder Todes-Spritze
Lampe gerettet

LEKTION SECHS

LESEN UND SCHREIBEN

Es gibt viel zu lesen. Man hat gar nicht die Zeit, alles zu lesen. Wir lesen jeden Tag die Zeitung. Hin und wieder lesen wir auch ein Buch, dazwischen Zeitschriften.

Die Zeitung schreibt über die politischen Ereignisse, über Sport, Theater und Wirtschaft. Sie berichtet über das, was gestern gewesen ist. Sie schreibt auch über das, was wahrscheinlich morgen geschehen wird. Manchmal kann man zwischen den Zeilen lesen. Die Leute sprechen oft über das, was sie in der Zeitung gelesen haben. Schon als Kind hat man lesen und schreiben in der Schule gelernt.

Gott sei Dank schreiben die Menschen nicht soviel, wie sie lesen. Wir schreiben z.B. Briefe. Viele Leute schreiben noch mit der Hand. Aber es ist praktischer, mit der Schreibmaschine zu schreiben. Eine Unterschrift muß man mit Tinte schreiben oder mit dem Kugelschreiber, nicht mit Bleistift.

Meinen Sie nicht auch, daß man deutlich schreiben muß?

READING AND WRITING

There's much to read. One hasn't time to read everything. We read the newspaper every day. Now and then we also read a book, and in between, periodicals.

The newspaper tells about political events, sports, the theater, and the economy. It reports what happened yesterday. It also says what is likely to happen tomorrow. Sometimes one can read between the lines. People often talk about what they have read in the paper. Already as a child one has learned reading and writing in school.

Fortunately people do not write as much as they read. We write letters, for example. Many people still write by hand. But it is more practical to write with a typewriter. One must write one's signature with ink or with a ball-point pen, not with a pencil.

Don't you also think that one must write legibly [clearly]?

GESPRÄCH

A: Wir werden morgen ein Diktat schreiben.
B: Das hat gerade noch gefehlt.
A: Das Diktat wird nicht lang sein.

CONVERSATION

A: We'll write a dictation tomorrow.
B: That's just what we needed. [That exactly has been missing. Ironic.]
A: The dictation will not be long.

„Wir lesen jeden Tag die Zeitung." Die *Bildzeitung*, eine Tageszeitung mit hoher Auflage.
"We read the newspaper every day." The Bildzeitung*, a daily paper with a high circulation.*

B: Wie lange wird es dauern?
A: Nur zehn Minuten. Sie haben letztes Mal zu viele Fehler gemacht.
B: Ich habe zu wenig Zeit gehabt.
A: Das ist keine Entschuldigung.
B: Ich werde in Zukunft mehr Zeit haben. Dann werde ich auch weniger Fehler machen.
A: Hoffentlich.

B: How long will it last?
A: Only ten minutes. Last time you made too many mistakes.
B: I had too little time.
A: That's no excuse.
B: I'll have more time in the future. Then I'll make fewer mistakes.
A: Let's hope so.

WORD LIST

NOUNS

der **Bleistift, -e**	*pencil*
der **Brief, -e**	*letter*
das **Diktat, -e**	*dictation*
die **Entschuldigung, -en**	*excuse*
das **Ereignis, -se**	*event*
der **Fehler, -**	*mistake*
die **Hand, ⸚e**	*hand*
das **Kind, -er**	*child*
die **Kugel, -n**	*ball, sphere, bullet*
der **Kugelschreiber, -**	*ball-point pen*
das **Mal, -e**	*time*
die **Schreibmaschine, -n**	*typewriter*
die **Schule, -n**	*school*
der **Tag, -e**	*day*
das **Theater, -**	*theater*
die **Tinte, -n**	*ink*
die **Unterschrift, -en**	*signature*
die **Wirtschaft**	*economy*
die **Zeile, -n**	*line*
die **Zeitschrift, -en**	*magazine, periodical*
die **Zeitung, -en**	*newspaper*
die **Zukunft**	*future*

VERBS

berichten	*to report*
dauern	*to last*
fehlen	*to be missing*
geschehen	*to happen*
lernen	*to learn*
lesen	*to read*
meinen	*to think, believe*
schreiben	*to write*
werden	*to become*

OTHER WORDS

als	*as, when, than*
dazwischen	*in between*
deutlich	*distinct, clear, legible*
gar nicht	*not at all*
gerade	*just*
gestern	*yesterday*
hin und wieder	*now and then*
hoffentlich	*hopefully*
jeder, jede, jedes	*each, every*
lang (*adjective*)	*long*
lange (*adverb*)	*long*
letzt-	*last*
oft	*often*
politisch	*political*
praktisch	*practical*
sechs	*six*
soviel wie	*as much as*
wahrscheinlich	*probably*
wieder	*again*
zu	*to, too*
zwischen	*between*

GRAMMAR

I. LESEN

The present tense of **lesen** is irregular.

ich	**lese**	wir, sie, Sie	**lesen**
er, sie, es, du	**liest**	ihr	**lest**

II. *PAST PARTICIPLE*

Sie berichtet über das, was **gewesen** ist.
Man hat lesen und schreiben **gelernt.**
Ich habe wenig Zeit **gehabt.**
Sie haben Fehler **gemacht.**
Das hat gerade noch **gefehlt.**

1. In English, past participles help form the perfect tense (*You have* seen *it*) and the passive voice (*It was* printed); they also function as adjectives (*the* written *examination*). Past participles in German have similar functions.

2. The past participle of most German verbs is formed by adding the prefix **ge-** and the ending **-t**.

lernen	gelernt

The ending **-et** is used if the stem ends in **-d** or **-t**.

antworten	geantwortet
arbeiten	gearbeitet
enden	geendet

If the infinitive already has the prefix **ge-** (e.g., **gebrauchen**) or another unstressed prefix (e.g., **be-** in **berichten**), the past participle does not add another prefix.

gebrauchen	gebraucht
berichten	berichtet

3. The past participles of many irregular verbs end in **-en**.

geben	gegeben	schreiben	geschrieben
geschehen	geschehen	sehen	gesehen
helfen	geholfen	sein	gewesen
lesen	gelesen	sprechen	gesprochen
nehmen	genommen	werden	geworden

4. The perfect tense consists of a past participle and a form of an auxiliary verb, either **sein** or **haben**.

Er **hat** berichtet.	*He has reported.*
Es **ist** gewesen.	*It has been.*

The choice of which auxiliary to use with particular verbs is a problem we will return to later. For now, a handy rule is that when verbs are used with a direct object, the auxiliary **haben** is required.

EXERCISES

A. Transform into the perfect tense.

Example: Wir lernen Deutsch.
Wir haben Deutsch gelernt.

1. Wir machen viele Fehler.	Wir haben viele Fehler gemacht.
2. Wir sparen viel Zeit.	Wir haben viel Zeit gespart.
3. Wir wechseln das Geld.	Wir haben das Geld gewechselt.
4. Wir brauchen viel Geld.	Wir haben viel Geld gebraucht.
5. Wir sagen nichts.	Wir haben nichts gesagt.
6. Wir haben keine Zeit.	Wir haben keine Zeit gehabt.
7. Wir wohnen in der Stadt.	Wir haben in der Stadt gewohnt.
8. Wir arbeiten jeden Tag.	Wir haben jeden Tag gearbeitet.
9. Wir fragen die Eltern.	Wir haben die Eltern gefragt.
10. Wir lernen die Redensarten.	Wir haben die Redensarten gelernt.

B. Transform into the perfect tense. (Irregular past participles.)

Example: Wir lesen viele Bücher.
Wir haben viele Bücher gelesen.

1. Wir nehmen den Bus.	Wir haben den Bus genommen.
2. Wir sprechen mit dem Herrn.	Wir haben mit dem Herrn gesprochen.
3. Wir lesen es in der Zeitung.	Wir haben es in der Zeitung gelesen.
4. Wir helfen den alten Leuten.	Wir haben den alten Leuten geholfen.
5. Wir schreiben jeden Tag einen Brief.	Wir haben jeden Tag einen Brief geschrieben.
6. Wir sehen ihn oft im Theater.	Wir haben ihn oft im Theater gesehen.
7. Wir geben ihm einen Kugelschreiber.	Wir haben ihm einen Kugelschreiber gegeben.

III. *FUTURE*

Wir **werden** morgen ein Diktat **schreiben.**

1. In English, various constructions are used to express the future: *We are leaving tomorrow. He is going to be here soon. Shall I come back?* German also has various ways of express-

ing the future. The future can be expressed by a present-tense verb, especially when a time adverbial (**morgen, in zehn Minuten, bald,** etc.) makes the future meaning unambiguous.

Ich **komme** morgen.

A more elaborate way of expressing the future is to use a form of the auxiliary **werden** plus an infinitive.

Ich **werde** einen Brief **schreiben**.

2. When **werden** does not function as an auxiliary verb it means *to become, to get.*

Seine Eltern werden alt. *His parents are getting old.*

3. The present tense of **werden** is irregular.

ich	**werde**	wir / sie / Sie	**werden**
er / sie / es	**wird**		
du	**wirst**	ihr	**werdet**

„Es gibt viel zu lesen." Der Lesesaal in der Bibliothek der Freien Universität Berlin.
"There is much to read." The reading room in the library of the Free University of Berlin.

EXERCISES

A. Change into the future.

Example: Er schreibt Briefe.
Er wird Briefe schreiben.

1.	Er wechselt das Geld.	Er wird das Geld wechseln.
2.	Er hat keine Zeit.	Er wird keine Zeit haben.
3.	Er lernt Deutsch.	Er wird Deutsch lernen.
4.	Er macht viele Fehler.	Er wird viele Fehler machen.
5.	Er spart viel Zeit.	Er wird viel Zeit sparen.
6.	Er braucht ein paar Werkzeuge.	Er wird ein paar Werkzeuge brauchen.
7.	Er kommt in die Stadt.	Er wird in die Stadt kommen.
8.	Er geht zur Universität.	Er wird zur Universität gehen.
9.	Er wohnt bei den Eltern.	Er wird bei den Eltern wohnen.
10.	Er schreibt mit der Schreibmaschine.	Er wird mit der Schreibmaschine schreiben.

B. Answer the questions with **Hoffentlich ... bald**, using the present tense.

Example: Wann kommt er?
Hoffentlich kommt er bald.

1.	Wann kommt der Bus?	Hoffentlich kommt der Bus bald.
2.	Wann kommen die Briefe?	Hoffentlich kommen die Briefe bald.
3.	Wann kommt ihr?	Hoffentlich kommt ihr bald.
4.	Wann schreiben wir das Diktat?	Hoffentlich schreiben wir das Diktat bald.
5.	Wann helfen Sie mir?	Hoffentlich helfen Sie mir bald.
6.	Wann antwortest du mir?	Hoffentlich antwortest du mir bald.
7.	Wann sehen wir Sie?	Hoffentlich sehen wir Sie bald.
8.	Wann geben Sie mir das Buch?	Hoffentlich geben Sie mir das Buch bald.
9.	Wann lernen Sie die Lektion?	Hoffentlich lernen Sie die Lektion bald.
10.	Wann liest du die Zeitung?	Hoffentlich liest du die Zeitung bald.

C. Answer the questions with **Ich denke** using a construction with **werden**.

Example: Wann kommt er?
Ich denke, er wird bald kommen.

1.	Wann kommt der Bus?	Ich denke, der Bus wird bald kommen.
2.	Wann kommen die Briefe?	Ich denke, die Briefe werden bald kommen.
3.	Wann schreiben wir das Diktat?	Ich denke, wir werden das Diktat bald schreiben.
4.	Wann hilft er Ihnen?	Ich denke, er wird Ihnen bald helfen.
5.	Wann antwortet er uns?	Ich denke, er wird uns bald antworten.
6.	Wann sehen wir Sie?	Ich denke, wir werden Sie bald sehen.
7.	Wann kommt ihr zu uns?	Ich denke, ihr werdet bald zu uns kommen.
8.	Wann lernen wir die Lektion?	Ich denke, wir werden die Lektion bald lernen.
9.	Wann liest sie die Zeitung?	Ich denke, sie wird die Zeitung bald lesen.

IV. *WORD ORDER*

1. We have learned to distinguish between *finite* verb forms, which are inflected to show person, number, tense, and mood; and *infinite* verb forms, which are not thus determined. The infinitive and the past participle are both infinite verb forms.

2. The past participle combines with an auxiliary to express the perfect.

Ich **habe** das Buch **gelesen**.	*I have read the book.*

3. The infinitive combines with an auxiliary to express the future or a modality.

Ich **werde** das Buch **lesen**.	*I shall read the book.*
Ich **muß (kann, will)** das Buch **lesen**.	*I must (can, want to) read the book.*

4. In main clauses, the infinite verb forms usually stand at the end.

Er **wird** wahrscheinlich **kommen**.
Man **muß** eine Unterschrift mit Tinte **schreiben**.
Manchmal **kann** man zwischen den Zeilen **lesen**.
Ich **habe** jeden Tag die Zeitung **gelesen**.
Schon als Kind **hat** man das in der Schule **gelernt**.

But in dependent clauses (see p. 76), the finite verb form is in final position.

Die Zeitung berichtet über das, was **gewesen ist**.
Sie schreibt auch über das, was **geschehen wird**.

EXERCISE

A complex sentence is one that consists of a main clause and a dependent clause. Make dependent clauses of the following questions by fitting them into a complex sentence beginning **Wir sprechen über das...,** as shown in the example.

Example: Was hat er gesagt?
Wir sprechen über das, was er gesagt hat.

1.	Was hat er in der Schule gelernt?	Wir sprechen über das, was er in der Schule gelernt hat.
2.	Was habt ihr in der Zeitung gelesen?	Wir sprechen über das, was ihr in der Zeitung gelesen habt.
3.	Was haben die Leute gesagt?	Wir sprechen über das, was die Leute gesagt haben.
4.	Was hat der Junge gemacht?	Wir sprechen über das, was der Junge gemacht hat.
5.	Was hat das Mädchen geantwortet?	Wir sprechen über das, was das Mädchen geantwortet hat.
6.	Was haben wir täglich gebraucht?	Wir sprechen über das, was wir täglich gebraucht haben.
7.	Was hat letztes Mal gefehlt?	Wir sprechen über das, was letztes Mal gefehlt hat.
8.	Was hat uns genützt?	Wir sprechen über das, was uns genützt hat.
9.	Was haben die Zeitungen berichtet?	Wir sprechen über das, was die Zeitungen berichtet haben.
10.	Was haben die Leute uns gezeigt?	Wir sprechen über das, was die Leute uns gezeigt haben.

Eine neue Art des Lesens. Man bekommt die Information aus der Datenverarbeitungsmaschine.

A new kind of reading. Information retrieval from a data processing machine.

V. PLURAL OF NOUNS

1. In the first chapter we became familiar with the plural ending **-(e)n.**

die Zeit	die Zeiten	die Lektion	die Lektionen
die Uhr	die Uhren	die Minute	die Minuten

We also encountered other plural forms.

die Tochter	die Töchter	der Wagen	die Wagen
der Mann	die Männer	das Beispiel	die Beispiele

2. Generally, the singular of a noun provides no clue to its plural form, so the plural must be learned along with the gender of each new noun. Here is a summary of plural formations.

a. Ending **-en** or (if the singular ends in **-e**) **-n**

der Mensch	die Menschen	die Frau	die Frauen
der Junge	die Jungen	die Sache	die Sachen

b. *No plural ending*

das Mädchen	die Mädchen	der Schlüssel	die Schlüssel
das Fenster	die Fenster	der Fehler	die Fehler
das Theater	die Theater	der Kugelschreiber	die Kugelschreiber

c. Ending **-e**

das Ding	die Dinge	der Abend	die Abende
das Werkzeug	die Werkzeuge	der Tag /tak/	die Tage /ta·ge/

d. Ending **-er**

das Kleid	die Kleider
das Kind	die Kinder

e. *Vowel change* (*umlaut*) in the stem vowel

die Mutter	die Mütter	der Mantel	die Mäntel
die Tochter	die Töchter	der Hammer	die Hämmer

f. *Umlaut* and ending **-e**

die Stadt	die Städte	der Anzug	die Anzüge
die Hand	die Hände	der Gegenstand	die Gegenstände
		der Traum	die Träume

g. *Umlaut* and ending **-er**

das Buch	die Bücher	der Mann	die Männer
das Rad	die Räder		
das Haus	die Häuser /hoizer/		

h. Ending **-nen**

die Wirtin	die Wirtinnen

i. Ending **-se** (singular ending in **-s**)

das Ereignis	die Ereignisse	der Bus	die Busse

j. Ending **-s** (words of foreign origin)

das Hotel	die Hotels

k. *Replacement* by another word

der Kaufmann	die Kaufleute
der Geschäftsmann	die Geschäftsleute

EXERCISE

Change into the plural.

Example: Die Zeitung berichtet über die politischen Ereignisse.
Die Zeitungen berichten über die politischen Ereignisse.

1. Der Bus kommt bald.	Die Busse kommen bald.
2. Das Buch ist teuer.	Die Bücher sind teuer.
3. Die Dame wohnt hier nicht.	Die Damen wohnen hier nicht.
4. Die Uhr geht nicht richtig.	Die Uhren gehen nicht richtig.
5. Das Kind lernt lesen und schreiben.	Die Kinder lernen lesen und schreiben.
6. Die Mutter arbeitet immer.	Die Mütter arbeiten immer.
7. Die Zeitung kommt jeden Tag.	Die Zeitungen kommen jeden Tag.
8. Das Werkzeug nützt nichts.	Die Werkzeuge nützen nichts.
9. Das Diktat wird nicht lang sein.	Die Diktate werden nicht lang sein.

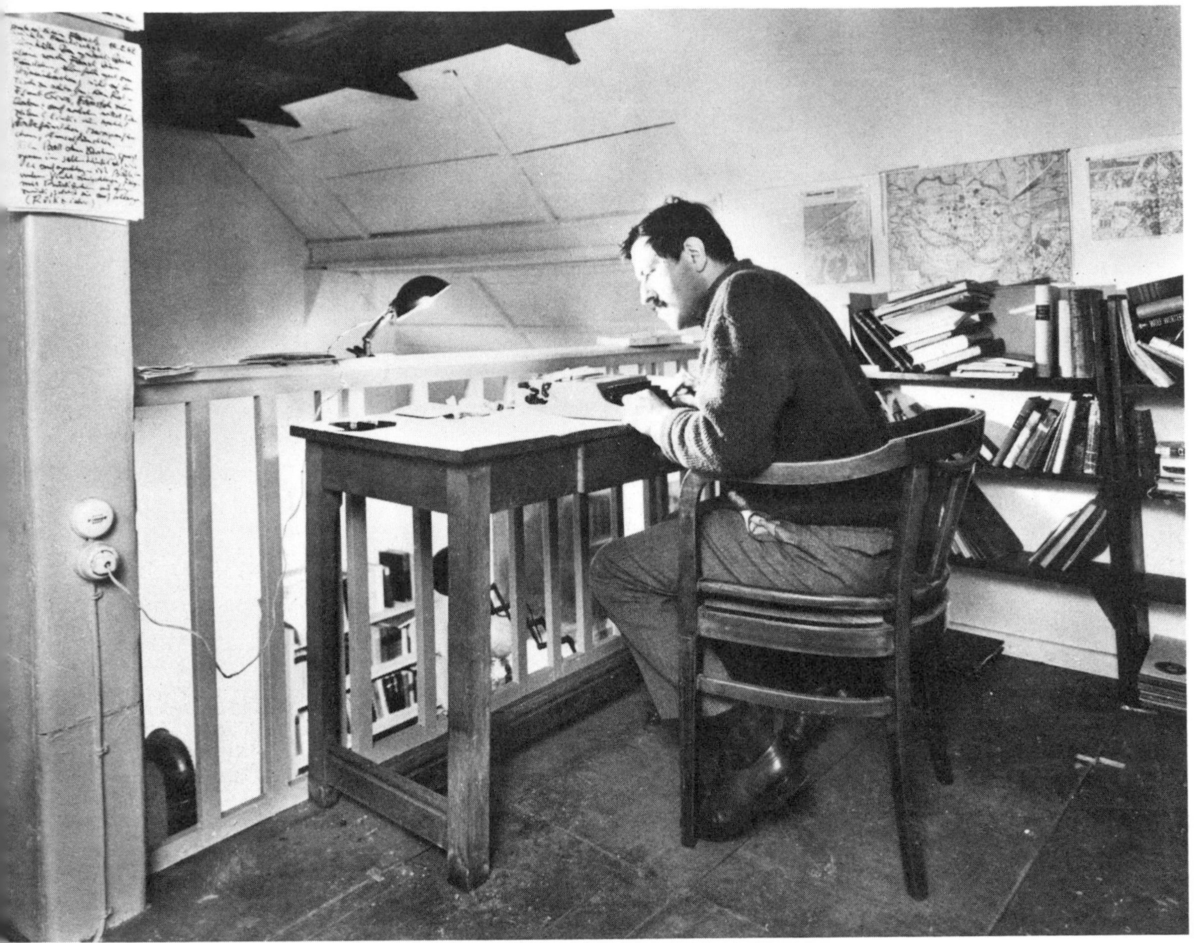

Das Schreiben als Beruf. Günter Graß, Deutschlands bekanntester lebender Schriftsteller.
Writing as a profession. Günter Grass, Germany's best known living writer.

10.	Der Mensch kann nicht alles wissen.	Die Menschen können nicht alles wissen.
11.	Das Mädchen wohnt bei den Eltern.	Die Mädchen wohnen bei den Eltern.
12.	Der Wagen kann hier nicht stehen.	Die Wagen können hier nicht stehen.
13.	Der Schraubenschlüssel ist zu klein.	Die Schraubenschlüssel sind zu klein.
14.	Die Wohnung wird bald teurer.	Die Wohnungen werden bald teurer.
15.	Das Haus ist nicht billig.	Die Häuser sind nicht billig.
16.	Der Tag ist kurz.	Die Tage sind kurz.
17.	Der Junge schreibt deutlich.	Die Jungen schreiben deutlich.
18.	Das Gespräch dauert lange.	Die Gespräche dauern lange.
19.	Der Brief wird hoffentlich kommen.	Die Briefe werden hoffentlich kommen.
20.	Die Unterschrift fehlt noch.	Die Unterschriften fehlen noch.

Eine besondere Art des Schreibens: Komponieren. Der Komponist Aribert Reimann.
A special kind of writing: composing music. The composer Aribert Reimann.

INDIVIDUAL STUDY: SELF-TESTING

1. Most verbs form the past participle with the prefix **ge-** and the ending **-(e)t**. What is the past participle of:
   haben ______ — gehabt
2. lernen ______ — gelernt
3. machen ______ — gemacht
4. antworten ______ — geantwortet
5. arbeiten ______ — gearbeitet

6. The past participle is used for the formation of the perfect tense. When the verb of **Wir machen einen Fehler** (*We're making a mistake*) is changed to the perfect tense, the sentence reads:
Wir haben ______ ______ ______. — einen Fehler gemacht

7. Put into the perfect tense:
Wir wohnen in der Stadt.
Wir ______ ______ ______ ______ ______. — haben in der Stadt gewohnt

8. Wir brauchen einen Wagen.
Wir ______ ______ ______ ______. — haben einen Wagen gebraucht

9. Wir arbeiten jeden Tag.
Wir ______ ______ ______ ______. — haben jeden Tag gearbeitet

10. Most verbs use the auxiliary **haben** for the perfect tense. But some verbs use the auxiliary ______. — sein

11. The past participle of **sein** is ______. — gewesen

12. *I have been.*
Ich ______ ______. — bin gewesen

13. *We have been here.*
Wir ______ ______ ______. — sind hier gewesen

14. *They have been in Berlin.*
Sie ______ ______ ______ ______. — sind in Berlin gewesen

15. Many verbs have a past participle with the ending **-en.** The past participle of **lesen** is ______. — gelesen

16. *People talk about what they have read in the paper.*
Die Leute sprechen über das, was sie in der Zeitung ______ ______. — gelesen haben

17. The past participle of **geben** is ______. — gegeben

18. *We have given you the money.*
Wir haben dir ______ ______ ______. — das Geld gegeben

19. Put into the perfect tense:
Wir lesen diese Bücher.
Wir ______ ______ ______ ______. — haben diese Bücher gelesen

20. Wer liest das?
Wer ______ ______ ______? — hat das gelesen

21. Ich lese jeden Tag die Zeitung.
Ich ______ ______ ______ ______ ______ ______. — habe jeden Tag die Zeitung gelesen

22. Ich gebe dir meinen Kugelschreiber.
Ich ______ ______ ______ ______ ______. — habe dir meinen Kugelschreiber gegeben

23. Wer gibt uns eine Schreibmaschine?
Wer ______ ______ ______ ______ ______? — hat uns eine Schreibmaschine gegeben

24. The auxiliary verb used for the future tense is ______. — werden

25. Put into the future tense:
Wir lesen diese Bücher.
Wir ______ ______ ______ ______. — werden diese Bücher lesen

26. Wer liest das?
Wer ______ ______ ______? — wird das lesen

27. Ich lese jeden Tag die Zeitung.
Ich ______ ______ ______ ______ ______ ______. — werde jeden Tag die Zeitung lesen

28. Ich gebe dir meinen Kugelschreiber.
Ich ______ ______ ______ ______ ______. — werde dir meinen Kugelschreiber geben

29. Wer gibt uns eine Schreibmaschine?
Wer ______ ______ ______ ______ ______? — wird uns eine Schreibmaschine geben

30. The present tense of **werden**:
ich ______, er ______, du ______;
wir und sie ______, ihr ______. — werde, wird, wirst; werden, werdet

31. *We will write a dictation tomorrow.*
Wir ______ ______ ______ ______ ______. — werden morgen ein Diktat schreiben

32. *The dictation will not be long.*
Das Diktat ______ ______ ______ ______. — wird nicht lang sein

33. *How long will it last?*
Wie ______ ______ ______ ______? — lange wird es dauern

34. *It will last only ten minutes.*
Es ______ ______ ______ ______ ______. — wird nur zehn Minuten dauern

35. *I'll have more time in the future.*
Ich ______ ______ ______ ______ ______ ______. — werde in Zukunft mehr Zeit haben

36. *I'll make fewer mistakes.*
Ich ______ ______ ______ ______. — werde weniger Fehler machen

37. *That will be simple.*
Das ______ ______ ______. — wird einfach sein

38. The future can also be expressed in German by using a present-tense form of the verb, particularly if other words in the sentence make the future meaning clear. Thus **Wir werden morgen ein Diktat schreiben** can also be expressed with a present tense verb:
Wir ______ ______ ______ ______. — schreiben morgen ein Diktat

39. The word which indicates that the future is involved in this sentence is the time adverb ______. — morgen

40. Similarly, the sentence **Er wird morgen kommen** can be said just as clearly with the verb in the present tense:
Er ______ ______.

— kommt morgen

41. Similarly:
Ich werde in Zukunft mehr Zeit haben.
Ich ______ ______ ______ ______ ______.

— habe in Zukunft mehr Zeit

42. Ich werde dir bald einen Brief schreiben.
Ich ______ ______ ______ ______ ______.

— schreibe dir bald einen Brief

43. Der Bus wird in zehn Minuten kommen.
Der Bus ______ ______ ______ ______.

— kommt in zehn Minuten

44. The modal auxiliaries **müssen, wollen,** and **können** occur in combination with an infinitive. When we add **müssen** to the sentence **Wir lesen auch jeden Tag die Zeitung,** it reads:
Wir ______ ______ ______ ______ ______ ______ ______.

— müssen auch jeden Tag die Zeitung lesen

45. Add the appropriate form of the modal indicated:
(müssen) Man schreibt eine Unterschrift mit Tinte, nicht mit Bleistift.
Man ______ ______ ______ ______ ______ ______, nicht mit Bleistift.

— muß eine Unterschrift mit Tinte schreiben

46. (wollen) Ich mache in Zukunft weniger Fehler.
Ich ______ ______ ______ ______ ______ ______.

— will in Zukunft weniger Fehler machen

47. (können) Das Buch ist nicht gut.
Das Buch ______ ______ ______ ______.

— kann nicht gut sein

48. (können) Ihr spart Geld.
Ihr ______ ______ ______.

— könnt Geld sparen

49. (wollen) Er sagt nichts.
Er ______ ______ ______.

— will nichts sagen

50. (müssen) Man spricht von diesem Problem.
Man ______ ______ ______ ______ ______.

— muß von diesem Problem sprechen

51. Using the sequence
ich ______, **er** ______, **du** ______;
wir und **sie** ______, **ihr** ______
give the present tense forms for:
sprechen ______, ______, ______;
______, ______

— spreche, spricht, sprichst; sprechen, sprecht

52. lesen ______, ______, ______; ______, ______ — lese, liest, liest; lesen, lest

53. nehmen ______, ______, ______; ______, ______ — nehme, nimmt, nimmst; nehmen, nehmt

54. sehen ______, ______, ______; ______, ______ — sehe, sieht, siehst; sehen, seht

55. helfen ______, ______, ______; ______, ______ — helfe, hilft, hilfst; helfen, helft

56. **Helfen** requires an indirect object, i.e., a complement in the dative case.
May I help you, Mr. Schwarz?
Kann ich ______ helfen, Herr Schwarz? — Ihnen

57. *That does not help me.*
Das hilft ______ nicht. — mir

58. *That does not help us.*
Das hilft ______ nicht. — uns

59. *That does not help them.*
Das hilft ______ nicht. — ihnen

60. *That does not help the cities.*
Das hilft ______ ______ nicht. — den Städten

61. The plural of **die Stadt** is ______ ______ — die Städte

62. Give the plural form of the following nouns:
das Buch, die ______ — Bücher

63. das Mädchen, die ______ — Mädchen

64. der Abend, die ______ — Abende

65. der Mensch, die ______ — Menschen

66. der Brief, die ______ — Briefe

67. die Tochter, die ______ — Töchter

68. der Fehler, die ______ — Fehler

69. das Sprichwort, die ______ — Sprichwörter

70. der Unterschied, die ______ — Unterschiede

71. das Zimmer, die ______ — die Zimmer

72. Heute lesen wir die Zeitung,
gestern haben wir die Zeitung gelesen,
morgen ______ wir die Zeitung lesen. — werden

73. Heute spare ich viel Zeit,
gestern habe ich ______ ______ ______,
morgen ______ ______ ______ ______ ______. — viel Zeit gespart...werde ich viel Zeit sparen

74. Heute arbeitet er nicht,
gestern hat er ______ ______, morgen ______ ______ ______ ______.

— nicht gearbeitet...wird er nicht arbeiten

75. Heute lernen wir eine Lektion,
gestern ______ ______ ______ ______ ______,
morgen ______ ______ ______ ______ ______.

— haben wir eine Lektion gelernt... werden wir eine Lektion lernen

76. Heute brauche ich ein paar Werkzeuge,
gestern ______ ______ ______ ______ ______ ______, morgen ______ ______ ______ ______ ______ ______.

— habe ich ein paar Werkzeuge gebraucht...werde ich ein paar Werkzeuge brauchen

77. Heute ist er in der Stadt,
gestern ______ ______ ______ ______ ______ ______,
morgen ______ ______ ______ ______ ______ ______.

— ist er in der Stadt gewesen...wird er in der Stadt sein

78. Die Zeitung schreibt über das, was jetzt ist; und die Zeitung berichtet über das, was gestern ______ ______.

— gewesen ist

79. Die Zeitung schreibt auch über das, was wahrscheinlich morgen ______ ______.

— sein wird

80. (die Zeile) eine Zeile, zwei ______

— Zeilen

81. (die Zeilen) zwischen ______ ______

— den Zeilen

82. (die Zeilen) Manchmal kann man auch zwischen ______ ______ lesen.

— den Zeilen

83. Answer using **In**:
(die Zeitung) Wo? ______ ______ ______.

— In der Zeitung.

84. (die Schule) Wo? ______ ______ ______.

— In der Schule.

85. (das Zimmer) Wo? ______ ______ ______.

— In dem Zimmer.

86. What is the contracted form of **in dem**? ______

— im

87. Answer using **Im**:
(das Zimmer) Wo ist der Direktor? ______ ______.

— Im Zimmer.

88. (der Wagen) Wo ist das Gepäck? ______ ______.

— Im Wagen.

89. (der Mantel) Wo ist der Schlüssel? ______ ______.

— Im Mantel.

90. Ich schreibe mit der Schreibmaschine.
Es ist praktisch, mit der Schreibmaschine zu ______.

— schreiben

91. Ich arbeite mit dem Schraubenschlüssel.
Es ist praktisch, ______ ______ ______
______ ______. — mit dem Schraubenschlüssel zu arbeiten

92. Ich wohne in der Nähe der Universität.
Es ist billiger, ______ ______ ______ ______
______ ______ ______. — in der Nähe der Universität zu wohnen

93. Ich lese jeden Tag die Zeitung.
Es ist gut, ______ ______ ______ ______
______ ______. — jeden Tag die Zeitung zu lesen

94. Wir werden morgen ein Diktat schreiben.
Morgen ______ ______ ______ ______
______. — werden wir ein Diktat schreiben

95. Ich werde in Zukunft mehr Zeit haben.
In Zukunft ______ ______ ______ ______
______. — werde ich mehr Zeit haben

96. Ich werde dann auch weniger Fehler machen.
Dann ______ ______ ______ ______ ______
______. — werde ich auch weniger Fehler machen

97. Sie werden hoffentlich nicht zu spät kommen.
Hoffentlich ______ ______ ______ ______
______ ______. — werden Sie nicht zu spät kommen

98. Es wird vielleicht nicht lange dauern.
Vielleicht ______ ______ ______ ______
______. — wird es nicht lange dauern

99. Ich bin gestern nicht hier gewesen.
Gestern ______ ______ ______ ______
______. — bin ich nicht hier gewesen

100. *That's no excuse!*
Das ______ ______ ______! — ist keine Entschuldigung

LEKTION **SIEBEN**

FAHREN UND GEHEN

In unseren Tagen geht kaum jemand zu Fuß. Fast jeder fährt seinen eigenen Wagen. Früher ging man oft zu Fuß, oder man fuhr mit der Straßenbahn. Für lange Strecken nahm man die Eisenbahn. Noch vor fünfzig Jahren fuhr man auf dem Lande fast nur mit Pferd und Wagen. Heute ist der Bauer ebenso motorisiert wie der Städter. Es scheint, daß die Menschen sich heute schneller bewegen. Wer macht heute noch die Reise von Europa nach Amerika zu Schiff? Man fliegt mit dem Flugzeug, besonders seitdem es die Düsenflugzeuge gibt.

Und doch wundert man sich ein bißchen, wenn man als Amerikaner nach Deutschland kommt. Man sieht viele Deutsche spazierengehen oder radfahren. Wer in der Woche im Büro oder im Geschäft sitzen muß, braucht am Wochenende Bewegung in der frischen Luft. Die Menschen fühlen sich nicht wohl, wenn sie am Sonntag nicht wenigstens einen langen Spaziergang gemacht haben. Früher sagte man, daß die Deutschen gern wandern. Aber das Wort „wandern" kommt allmählich aus der Mode.

DRIVING AND WALKING

In this day and age hardly anybody walks. Almost everybody drives his own car. Previously, people often walked or they took the streetcar. For long distances they took the train. Only fifty years ago, in the country one almost always went by horse and carriage. Today the farmer is just as motorized as the city dweller. It seems that people today are moving faster. Who today makes the trip from Europe to America by ship? One takes a plane, especially since we have jets.

And still, when the American comes to Germany, he is a little astonished. One sees many Germans taking a walk or riding a bike. Anyone who has to sit in his office or store during the week needs exercise in the fresh air over the weekend. People do not feel well if they have not at least gone for a long walk on Sunday. Formerly it was said that Germans like to hike. But the word wandern *(to hike) is gradually going out of style.*

GESPRÄCH

A: Ich gratuliere. Sie haben ein neues Auto gekauft.

B: Wir brauchten dringend einen neuen Wagen. Der alte Wagen fiel fast auseinander.

CONVERSATION

A: Congratulations. You bought a new car.

B: We needed a new car badly. The old one almost fell apart.

Verkehrsstockung auf der Autobahn. „Fast jeder fährt seinen eigenen Wagen."
Traffic jam on the Autobahn. "Almost everybody drives his own car."

A: Was für eine Marke ist dies? Solch einen großen Wagen sieht man selten.

B: Das ist ein amerikanischer Wagen. Er war gar nicht teuer. Es ist natürlich ein gebrauchter Wagen.

A: Wer hatte ihn denn vorher?

B: Der hat einem reichen Geschäftsmann gehört.

A: Ich glaube, Sie haben einen guten Kauf gemacht.

B: Das wird sich erst später zeigen.

A: What make is this? One rarely sees such a big car.

B: It's [That is] an American car. It was not at all expensive. It's a used car, of course.

A: Who owned it previously?

B: It belonged to a rich businessman.

A: I believe you made a good buy.

B: I'll find that out later. [That will show itself only later.]

WORD LIST

NOUNS

Amerika	*America*
der **Amerikaner, -**	*American*
das **Auto, -s**	*car*
der **Bauer, -n**	*farmer, peasant*
die **Bewegung, -en**	*movement, exercise*
das **Büro, -s**	*office*
der **Deutsche, -n**	*German*
Deutschland	*Germany*
das **Düsenflugzeug, -e**	*jet plane*
die **Eisenbahn, -en**	*railroad*
Europa	*Europe*
das **Flugzeug, -e**	*plane*
der **Fuß, ¨e**	*foot*
das **Geschäft, -e**	*business, store, office*
das **Jahr, -e**	*year*
der **Kauf, ¨e**	*buy, purchase*
das **Land, ¨er**	*country, land*
die **Luft**	*air*
die **Marke, -n**	*brand, make*
die **Mode, -n**	*fashion*
das **Pferd, -e**	*horse*
die **Reise, -n**	*trip, voyage*
das **Schiff, -e**	*ship, boat*
der **Sonntag, -e**	*Sunday*
der **Spaziergang, ¨e**	*walk*
der **Städter, -**	*city dweller*
die **Straßenbahn, -en**	*streetcar*
die **Strecke, -n**	*distance*
die **Woche, -n**	*week*
das **Wochenende, -n**	*weekend*
das **Wort, ¨er**	*word*

VERBS

auseinanderfallen, fiel auseinander, ist auseinandergefallen	*to fall apart*
(sich) bewegen	*to move*
fahren, fuhr, ist gefahren	*to drive; go by vehicle*
fallen, fiel, ist gefallen	*to fall*
fliegen, flog, ist geflogen	*to fly*
(sich) fühlen	*to feel*
gehen, ging, ist gegangen	*to go, walk*
gehören (*with dative*)	*to belong to*
gratulieren (*with dative*)	*to congratulate*
kaufen	*to buy*
radfahren, fuhr Rad, ist radgefahren	*to ride a bicycle*
scheinen, schien, geschienen	*to seem; shine*
sitzen, saß, gesessen	*to sit*
spazierengehen, ging spazieren, ist spazierengegangen	*to go for a walk*

Das Fahrrad ist noch immer ein beliebtes Verkehrsmittel.

The bicycle continues to be a popular means of transportation.

wandern	*to hike*
sich wundern	*to wonder, be amazed*

OTHER WORDS

allmählich	*gradually*
amerikanisch	*American*
besonders	*especially*
denn	*for, then*[1]
doch	*still*
dringend	*urgently*
ebenso . . . wie	*(just) as . . . as*
eigen-	*own*
erst	*only; first*
fast	*almost*
frisch	*fresh*
früher	*formerly*
fünfzig	*fifty*
für: was für ein	*what kind of*
kaum	*hardly*
motorisiert	*motorized*
natürlich	*naturally, of course*
neu	*new*
reich	*rich*
seitdem	*since*
selten	*rare*
sieben	*seven*
solch	*such*
vor	*before; ago*
vorher	*before, beforehand*
wenigstens	*at least*
wohl	*well*

IDIOMS

aus der Mode kommen	*to go out of style*
einen Spaziergang machen	*to go for a walk*
zu Fuß gehen	*to walk*
zu Schiff	*by ship*
in unseren Tagen	*in this day and age*

---

[1] As a conjunction **denn** means *for*. As an adverb of emphasis, it has no lexical equivalent in English.

GRAMMAR

I. FAHREN, FALLEN

ich	fahre	wir, sie, Sie	fahren	ich	falle	wir, sie, Sie	fallen
er, sie, es	fährt			er, sie, es	fällt		
du	fährst	ihr	fahrt	du	fällst	ihr	fallt

II. *PAST TENSE*

Früher **ging** man oft zu Fuß, oder man **fuhr** mit der Straßenbahn.
Wir **brauchten** dringend einen Wagen.
Er **war** gar nicht teuer.

1. German has several ways to express the past. In the sixth chapter we became familiar with the perfect tense, which consists of a past participle and a form of **haben** or **sein**. The perfect is commonly used in everyday German to express the past.

2. Germans employ another verbal form, the *past or imperfect* tense, mainly for narrating or reporting, and in writing. The tense is also used regulary in subordinate clauses.

3. The past tense of **sein** and **haben**, and of some other basic verbs, is not limited to the uses mentioned. The past tense forms of these verbs are used on all style levels, freely interchangeable with the perfect tense.

4. The past tense forms of **sein** and **haben** are as follows.

ich, er, sie, es	**war**	*I, he, she, it*	*was*	ich, er, sie, es	**hatte**	*I, he, she, it*	*had*
du	**warst**	*you*	*were*	du	**hattest**	*you*	*had*
wir, sie, Sie	**waren**	*we, they, you*	*were*	wir, sie, Sie	**hatten**	*we, they, you*	*had*
ihr	**wart**	*you*	*were*	ihr	**hattet**	*you*	*had*

5. Most German verbs may be classified as *weak* (regular) or *strong* (irregular).[2] The past tense forms of weak verbs follow a simple pattern.

---

[2] English also distinguishes between weak or regular verbs (*sail, sailed*) and strong or irregular verbs (*write, wrote*).

	sagen	**arbeiten**	*ENDING*
ich, er, sie, es	sagte	arbeitete	**-te**
du	sagtest	arbeitetest	**-test**
wir, sie, Sie	sagten	arbeiteten	**-ten**
ihr	sagtet	arbeitetet	**-tet**

To form the past tense of a regular verb, add the indicated endings to the stem. When the stem ends in **-d** or **-t** (as in **enden, arbeiten**), insert an **e** between the stem and the ending.

Berlin zur Hauptverkehrszeit.
Berlin during rush hour.

Früher fuhr man mit Pferd und Wagen. Römisches Relief in Maria Saal, Österreich.

In past times one got about in horse and carriage. Roman relief in Maria Saal, Austria.

6. Strong verbs are characterized by a change of their stem vowel in the past tense. The endings shown are added to the changed stem.[3]

	fahren	**gehen**	*ENDING*
ich, er, sie, es	fuhr	ging	**-**
du	fuhrst	gingst	**-st**
wir, sie, Sie	fuhren	gingen	**-en**
ihr	fuhrt	gingt	**-t**

III. *IRREGULAR PAST PARTICIPLES*

1. Since strong verbs frequently change their stem in the past participle as well as in their past tense forms, it is helpful to memorize three forms of each new strong verb encountered: infinitive, past tense, and past participle. Here are the three forms for the strong verbs encountered so far.

INFINITIVE	*PAST TENSE*	*PAST PARTICIPLE*	
beginnen	begann	hat	begonnen
denken	dachte	hat	gedacht
fahren	fuhr	ist/hat	gefahren

[3] For mixed cases like **wissen**, see III.3, below.

INFINITIVE	PAST TENSE	PAST PARTICIPLE	
fallen	fiel	ist	gefallen
finden	fand	hat	gefunden
fliegen	flog	ist/hat	geflogen
geben	gab	hat	gegeben
gehen	ging	ist	gegangen
geschehen	geschah	ist	geschehen
heißen	hieß	hat	geheißen
helfen	half	hat	geholfen
kommen	kam	ist	gekommen
lesen	las	hat	gelesen
nehmen	nahm	hat	genommen
scheinen	schien	hat	geschienen
schreiben	schrieb	hat	geschrieben
sehen	sah	hat	gesehen
sitzen	saß	hat/ist	gesessen
sprechen	sprach	hat	gesprochen
stehen	stand	hat/ist	gestanden
vergehen	verging	ist	vergangen
werden	wurde	ist	geworden

2. In the sixth chapter we saw that some verbs form their perfect with **haben**, others with **sein**. Sometimes either construction is possible, depending on the context or dialectical usage. Verbs like **fahren** and **fliegen** require **sein** when they are intransitive (**Wir sind in die Stadt gefahren**—no direct object mentioned) and **haben** when they are transitive (**Ich habe den Wagen drei Jahre gefahren—Wagen** is the direct object). The verbs **stehen** and **sitzen** use **haben** in some local dialects and **sein** in others. In Northern Germany, people say **Wir haben lange vor der Universität gestanden**. In Southern Germany and Austria, people say **Wir sind da gestanden**. Whenever a verb requires **sein** with the past participle, memorize the past participle along with the form **ist** as a reminder.

3. Several verbs have a stem vowel change in the past tense and past participle, yet they still take weak verb endings in the past tense. Here are five verbs of this kind.

wissen	wußte	gewußt
kennen	kannte	gekannt
können	konnte	gekonnt
müssen	mußte	gemußt
erkennen	erkannte	erkannt

EXERCISES

A. Change the finite verb forms in the following sentences to the present tense.

Example: Man ging zu Fuß.
Man geht zu Fuß.

1. Man fuhr mit der Straßenbahn. — Man fährt mit der Straßenbahn.
2. Für lange Strecken nahm man die Eisenbahn. — Für lange Strecken nimmt man die Eisenbahn.

3. Man flog mit dem Flugzeug. — Man fliegt mit dem Flugzeug.
4. Man sah viele Leute spazierengehen. — Man sieht viele Leute spazierengehen.
5. Man sagte, daß die Deutschen gern wandern. — Man sagt, daß die Deutschen gern wandern.
6. Man mußte in der Woche im Büro oder im Geschäft sitzen. — Man muß in der Woche im Büro oder im Geschäft sitzen.
7. Wir brauchten dringend einen neuen Wagen. — Wir brauchen dringend einen neuen Wagen.
8. Der alte Wagen fiel fast auseinander. — Der alte Wagen fällt fast auseinander.
9. Der Wagen war gar nicht teuer. — Der Wagen ist gar nicht teuer.
10. Wir hatten einen amerikanischen Wagen. — Wir haben einen amerikanischen Wagen.

B. Change the verbs in the following sentences from the perfect to the past tense.

Example: Der Wagen hat einem reichen Geschäftsmann gehört.
Der Wagen gehörte einem reichen Geschäftsmann.

1. Der Direktor hat ein neues Auto gekauft. — Der Direktor kaufte ein neues Auto.
2. Er hat einen langen Spaziergang gemacht. — Er machte einen langen Spaziergang.
3. Der Mann ist gestern hier gewesen. — Der Mann war gestern hier.
4. Schon als Kind hat man lesen und schreiben gelernt. — Schon als Kind lernte man lesen und schreiben.
5. Ich habe zu wenig Zeit gehabt. — Ich hatte zu wenig Zeit.
6. Die Leute haben die Reise zu Schiff gemacht. — Die Leute machten die Reise zu Schiff.
7. Das hat gerade noch gefehlt. — Das fehlte gerade noch.
8. Früher ist man viel mehr zu Fuß gegangen. — Früher ging man viel mehr zu Fuß.
9. Früher sind die Leute mit der Eisenbahn gefahren. — Früher fuhren die Leute mit der Eisenbahn.
10. Nur für lange Strecken hat man das Flugzeug genommen. — Nur für lange Strecken nahm man das Flugzeug.

C. Change from the present to the past tense.

Example: Wir lesen Bücher.
Wir lasen Bücher.

1. Ich lese jeden Tag die Zeitung. — Ich las jeden Tag die Zeitung.
2. Manchmal kann man zwischen den Zeilen lesen. — Manchmal konnte man zwischen den Zeilen lesen.
3. Die Leute sprechen über die Bücher. — Die Leute sprachen über die Bücher.
4. Wir fliegen mit einem Düsenflugzeug. — Wir flogen mit einem Düsenflugzeug.
5. Die Reise ist gar nicht teuer. — Die Reise war gar nicht teuer.
6. Seine Eltern leben in Berlin. — Seine Eltern lebten in Berlin.
7. Wir sparen viel Zeit. — Wir sparten viel Zeit.

Kinderwagen sind noch nicht aus der Mode gekommen.

Baby carriages are still fashionable.

8. Das ist keine Entschuldigung. — Das war keine Entschuldigung.
9. Solch einen großen Wagen sieht man selten. — Solch einen großen Wagen sah man selten.
10. Sie haben natürlich einen gebrauchten Wagen — Sie hatten natürlich einen gebrauchten Wagen.

D. Change the verbs from the past tense to the future, using the auxiliary **werden** plus the infinitive.

Example: Das zeigte sich erst später.
Das wird sich erst später zeigen.

1. Wir brauchten einen neuen Wagen. — Wir werden einen neuen Wagen brauchen.
2. Die Reise war gar nicht teuer. — Die Reise wird gar nicht teuer sein.
3. Fast jeder fuhr seinen eigenen Wagen. — Fast jeder wird seinen eigenen Wagen fahren.
4. Jeder flog mit dem Flugzeug. — Jeder wird mit dem Flugzeug fliegen.
5. Man sah viele Leute radfahren. — Man wird viele Leute radfahren sehen.
6. Man brauchte Bewegung in der frischen Luft. — Man wird Bewegung in der frischen Luft brauchen.
7. Das Wort „wandern" kam allmählich aus der Mode. — Das Wort „wandern" wird allmählich aus der Mode kommen.
8. Sie berichtete über die Reise. — Sie wird über die Reise berichten.
9. Wir sprachen über den guten Kauf. — Wir werden über den guten Kauf sprechen.
10. Er schrieb über seine Reise nach Europa. — Er wird über seine Reise nach Europa schreiben.

IV. *REFLEXIVE VERBS AND PRONOUNS*

Man **wundert sich** ein bißchen.
Es scheint, daß die Menschen **sich** schneller **bewegen**.
Die Menschen **fühlen sich** nicht wohl.
Das wird **sich** erst später **zeigen**.

1. A verb is reflexive when it is accompanied by a reflexive pronoun. A reflexive pronoun is a pronoun that refers back to the subject of the sentence (or clause). Genuine reflexive verbs always have a reflexive pronoun and cannot be used other than reflexively.

Ich wundere mich. *I wonder; I'm amazed.*

2. Many other verbs can be used either reflexively or with other objects, direct or indirect.

Ich frage mich.	*I'm asking myself.*
Ich frage dich.	*I'm asking you.*
Ich helfe mir.	*I'm helping myself.*
Ich helfe dir.	*I'm helping you.*

3. Reflexive verbs always have the auxiliary **haben** in the perfect tense.

Ich habe mich gewundert. *I wondered.*

4. The reflexive pronouns have the same forms as the personal pronouns, except in the third person singular and plural, where the form **sich** is used.

ich	wundere	**mich**	**ich**	helfe	**mir**
er / **sie** / **es**	wundert	**sich**	**er** / **sie** / **es**	hilft	**sich**
du	wunderst	**dich**	**du**	hilfst	**dir**
wir	wundern	**uns**	**wir**	helfen	**uns**
sie / **Sie**	wundern	**sich**	**sie** / **Sie**	helfen	**sich**
ihr	wundert	**euch**	**ihr**	helft	**euch**

EXERCISE

Substitute the subject as indicated and make the necessary changes.

Example: (Wir) Man wundert sich ein bißchen.
Wir wundern uns ein bißchen.

1. (Wir) Man bewegt sich heute schneller. — Wir bewegen uns heute schneller.
2. (Ich) Er fühlt sich heute nicht wohl. — Ich fühle mich heute nicht wohl.

3. (Ihr) Du fühlst dich da wahrscheinlich sehr wohl.	Ihr fühlt euch da wahrscheinlich sehr wohl.
4. (Du) Sie zeigt sich gern in dem neuen Kleid.	Du zeigst dich gern in dem neuen Kleid.
5. (Ich) Ihr wundert euch über die neue Mode.	Ich wundere mich über die neue Mode.
6. (Man) Ich frage mich, wie das gewesen ist.	Man fragt sich, wie das gewesen ist.
7. (Ich) Er kann sich nicht helfen.	Ich kann mir nicht helfen.
8. (Sie, *pl.*) Wir können uns nicht helfen.	Sie können sich nicht helfen.
9. (Jeder) Wir fragen uns, wer das gesagt hat.	Jeder fragt sich, wer das gesagt hat.
10. (Du) Wir bewegen uns zu wenig in der frischen Luft.	Du bewegst dich zu wenig in der frischen Luft.

V. *SEPARABLE PREFIXES*

> Der alte Wagen **fiel** fast **auseinander.**

1. Nouns, pronouns, prepositions, and adverbs may all be verbal complements. Such complements precede the infinite verb forms (the infinitive and the past participle) and follow the finite verb forms.

Er ist schnell gegangen.	Er hat sich bewegt.
Er geht schnell.	Er bewegt sich.

2. Sometimes a complement is felt to be so closely connected with a verb that in writing it is attached to infinite forms as a new prefix. The regular prefix **ge-** of the past participle becomes an infix (i.e., an element in the body or middle of the word). In speaking, the new prefix carries the main word stress.

Infinitive	auseinanderfallen
Past participle	auseinander**ge**fallen

3. These complements are called **separable** prefixes because when the verb is used in a finite form, the complement is separated from the verb and takes its normal place after it.

Der Wagen fällt (fiel) auseinander.

4. Only stressed prefixes are separable. Many verbs have unstressed prefixes and these never separate. Compare **weitergehen** (**weiter-** is stressed) and **vergehen** (**ver-** is not stressed):

Die Zeit geht weiter.
Die Zeit vergeht. } *Time goes by.*

5. German usage of prefixes is constantly evolving. At the moment, the infinitive and past participle of **radfahren** are written as single words. When the prefix **rad-** is separated in the finite forms, it is felt to have regained its original status as a noun, and it is written with a capital **R**.

Infinitive	**radfahren**
Past participle	**radgefahren**
Finite forms	**Er fährt (fuhr) Rad.**

In the case of **Auto fahren**, the process of development has not gone far enough for **Auto** to be written as a prefix, even though it is spoken as one.

Infinitive	**Auto fahren**
Past participle	**Er ist Auto gefahren.**
Finite forms	**Er fährt (fuhr) Auto.**

The word **spazierengehen** shows that even a verb can become a separable prefix. (The verb **spazieren** by itself means *to stroll.*)

Infinitive	**spazierengehen**
Past participle	**spazierengegangen**
Finite forms	**Er geht (ging) spazieren.**

6. There are innumerable possibilities for composing verbs with separable prefixes, using mainly prepositions and adverbs. Here are some examples of new verbs we can freely form with the prepositions introduced in earlier chapters.

arbeiten	**mit**arbeiten	*to cooperate*
fahren	**mit**fahren	*to come along (in a vehicle)*
gehen	**aus**gehen	*to go out*
geben	**aus**geben	*to spend (money)*
schreiben	**auf**schreiben	*to write down*
	vorschreiben	*to prescribe*
sprechen	**aus**sprechen	*to pronounce*
sehen	**an**sehen	*to regard*
lesen	**durch**lesen	*to read through*
kommen	**an**kommen	*to arrive*

Wandern in Österreich. Studenten in der Nähe von Salzburg.

Hiking in Austria. Students on a hike near Salzburg.

EXERCISE

Complete the sentences as indicated.

Example: (auseinanderfallen) Der Wagen fiel auseinander.
Der Wagen ist....
Der Wagen ist auseinandergefallen.

1. (radfahren) Wir fahren gern Rad. Wir sind gern....	Wir sind gern radgefahren.
2. (spazierengehen) Wir gehen am Sonntag spazieren. Wir sind am Sonntag....	Wir sind am Sonntag spazierengegangen.
3. (ankommen) Er kommt heute hier an. Er ist heute hier....	Er ist heute hier angekommen.
4. (ausgehen) Die Eltern gehen heute aus. Die Eltern sind heute....	Die Eltern sind heute ausgegangen.
5. (ausgeben) Sie geben immer viel Geld aus. Sie haben immer viel Geld....	Sie haben immer viel Geld ausgegeben.
6. (aufschreiben) Er schreibt die neuen Wörter auf. Er hat die neuen Wörter....	Er hat die neuen Wörter aufgeschrieben.
7. (mitfahren) Er fährt in dem neuen Wagen mit. Er ist in dem neuen Wagen....	Er ist in dem neuen Wagen mitgefahren.
8. (aussprechen) Sie sprechen das Wort nicht richtig aus. Sie haben das Wort nicht richtig....	Sie haben das Wort nicht richtig ausgesprochen.
9. (vorschreiben) Wer schreibt die neue Mode vor? Wer hat die neue Mode...?	Wer hat die neue Mode vorgeschrieben?

VI. *PREPOSITIONS WITH THE ACCUSATIVE*[4]

Für lange Strecken nahm man die Eisenbahn.

We have studied some prepositions that always require the noun or pronoun following them to be in the dative case, and other prepositions that require either a dative or an accusative. Now we add a small group of prepositions that always require the accusative case. They are:

durch	*through*	durch die Stadt	*through the city*
für	*for*	für den alten Wagen	*for the old car*
gegen	*against*	gegen den Krieg	*against the war*
ohne	*without*	ohne das Geld	*without the money*
um	*around, about*	um die Universität	*around the university*

[4] See also pp. 38, 59, 81.

EXERCISE

Determine the case required by the prepositions and complete the sentences.

Example: (die Stadt) Er kommt morgen in....
Er kommt morgen in die Stadt.

1. (der Vorort) Wir fahren immer durch.... — Wir fahren immer durch den Vorort.
2. (der Kugelschreiber) Ich schreibe gern mit.... — Ich schreibe gern mit dem Kugelschreiber.
3. (die Eltern) Die Tochter wohnt bei.... — Die Tochter wohnt bei den Eltern.
4. (die Reise) Sie spart schon für.... — Sie spart schon für die Reise.
5. (der Krieg) Die Leute sind gegen.... — Die Leute sind gegen den Krieg.
6. (der Direktor) Wir schreiben an.... — Wir schreiben an den Direktor.
7. (das Gepäck) Er kommt ohne.... — Er kommt ohne das Gepäck.
8. (das Düsenflugzeug) Er fliegt mit.... — Er fliegt mit dem Düsenflugzeug.
9. (die Universität) Er führt uns durch.... — Er führt uns durch die Universität.
10. (die Universität) Wir waren gestern in.... — Wir waren gestern in der Universität.
11. (die Welt) Das Flugzeug fliegt um.... — Das Flugzeug fliegt um die Welt.
12. (der Wagen) Er geht gerade an.... — Er geht gerade an den Wagen.

VII. *CONJUNCTIONS*

Früher ging man zu Fuß, **oder** man fuhr mit der Straßenbahn.
Man fliegt mit dem Flugzeug, besonders **seitdem** es die Düsenflugzeuge gibt.

1. Conjunctions are words that indicate a relationship between words, word groups, clauses, or sentences. In German as in English we have to distinguish between *coordinating* and *subordinating* conjunctions. Coordinating conjunctions connect two sentences and do not cause any change in word order. Three such conjunctions are **und**, **aber**, and **oder**.

2. Subordinating conjunctions combine a main clause with a dependent clause. They introduce the dependent clause and cause the finite form of the verb in that clause to be put at the end. Four conjunctions of this type are **wenn**, **seitdem**, **daß**, and **bis**.

EXERCISE

Connect the clauses with the conjunction indicated.

Example: (aber) Ich habe das Geld. Ich brauche es nicht.
Ich habe das Geld, aber ich brauche es nicht.

1. (wenn) Ich gebe dir das Geld. Du brauchst es. — Ich gebe dir das Geld, wenn du es brauchst.
2. (bis) Du kannst die Uhr haben. Ich brauche sie am Sonntag. — Du kannst die Uhr haben, bis ich sie am Sonntag brauche.
3. (oder) Wir kaufen einen neuen Wagen. Wir machen eine Reise nach Europa. — Wir kaufen einen neuen Wagen, oder wir machen eine Reise nach Europa.

4. (wenn) Wir müssen einen neuen Wagen kaufen. Wir wollen die lange Reise machen. — Wir müssen einen neuen Wagen kaufen, wenn wir die lange Reise machen wollen.
5. (daß) Ich weiß. Du kannst nicht mitkommen. — Ich weiß, daß du nicht mitkommen kannst.
6. (und) Ihr macht eine Reise. Ich muß arbeiten. — Ihr macht eine Reise, und ich muß arbeiten.

INDIVIDUAL STUDY: SELF-TESTING

1. The word order pattern that governs verbal complements is quite consistent; it applies to indirect and direct objects, adverbials, and separable prefixes. The rule is, a verbal complement precedes an infinite verb form, but follows a finite verb form. Thus, **auseinanderfallen**, but **Der Wagen fällt auseinander**. Similarly:
auseinandergehen: Die Leute gehen ______. — auseinander
2. radfahren: Viele Leute fahren ______. — Rad
3. zu Fuß gehen:
Ich ______ ______ ______. — gehe zu Fuß
4. mit dem Flugzeug fliegen:
Man ______ ______ ______ ______. — fliegt mit dem Flugzeug
5. gern Auto fahren:
Frau Schwarz ______ ______ ______. — fährt gern Auto
6. heute hier ankommen: Frau Schwarz ______ ______ ______ ______. — kommt heute hier an
7. die Eisenbahn nehmen: Die alten Leute ______ ______ ______. — nehmen die Eisenbahn
8. der alten Dame helfen: Der Junge ______ ______ ______ ______. — hilft der alten Dame
9. sich wundern: Die Leute ______ ______. — wundern sich
10. mitarbeiten: Die Töchter ______ ______. — arbeiten mit
11. die neuen Wörter aufschreiben: Ich ______ ______ ______ ______ ______. — schreibe die neuen Wörter auf

12. In subordinate (or dependent) clauses, the finite verb form stands at the end.
Er muß arbeiten.
Er sagt, daß ______ ______ ______. — er arbeiten muß

13. Die Menschen bewegen sich heute schneller.
Es scheint, daß ______ ______ ______
______ ______ ______.

— die Menschen sich heute schneller bewegen

14. Es gibt Düsenflugzeuge.
Man fliegt schneller, seitdem ______
______ ______.

— es Düsenflugzeuge gibt

15. Man kommt heute nach Deutschland.
Man wundert sich, wenn ______ ______
______ ______ ______.

— man heute nach Deutschland kommt

16. Man hat einen langen Spaziergang gemacht.
Man fühlt sich nicht wohl, wenn man nicht
______ ______ ______ ______ ______.

— einen langen Spaziergang gemacht hat

17. Separable prefixes carry the main stress of the verb. They are joined to the infinitive and the past participle. What is the past participle of:
auseinanderfallen ______

— auseinandergefallen

18. radfahren ______

— radgefahren

19. spazierengehen ______

— spazierengegangen

20. ausgeben ______

— ausgegeben

21. (viel Geld ausgeben)
Er gibt viel Geld für den Wagen aus.
Er hat ______ ______ ______ ______ ______
______.

— viel Geld für den Wagen ausgegeben

22. (im Geschäft mitarbeiten)
Die Töchter arbeiten im Geschäft mit.
Die Töchter haben ______ ______ ______.

— im Geschäft mitgearbeitet

23. (gerade ankommen)
Der Brief kommt gerade an. Der Brief ist ______
______.

— gerade angekommen.

24. (die Redensarten aufschreiben)
Ich schreibe die Redensarten auf.
Ich habe ______ ______ ______.

— die Redensarten aufgeschrieben

25. Weak (or regular) verbs form the past tense by adding to the stem the endings

ich, er	**-te**	wir, sie	**-ten**
du	**-test**	ihr	**-tet**

When the stem ends in **-d** or **-t**, another **e** is added between the stem and the ending. What is the past tense of:
ich sage ______ ______

— ich sagte

26. ich arbeite ______ ______

— ich arbeitete

27. ich antworte ______ ______

— ich antwortete

28. Strong (or irregular) verbs change their stem vowel in the past tense. Such verbs are best learned by quoting the infinitive, past tense, and past participle together with its appropriate auxiliary. Give the past tense and past participle with auxiliary for the following strong verbs:
fahren ______, ______ ______ — fuhr, ist gefahren
29. gehen ______, ______ ______ — ging, ist gegangen
30. nehmen ______, ______ ______ — nahm, hat genommen
31. fallen ______, ______ ______ — fiel, ist gefallen
32. lesen ______, ______ ______ — las, hat gelesen
33. schreiben ______, ______ ______ — schrieb, hat geschrieben
34. werden ______, ______ ______ — wurde, ist geworden
35. sprechen ______, ______ ______ — sprach, hat gesprochen
36. kommen ______, ______ ______ — kam, ist gekommen
37. helfen ______, ______ ______ — half, hat geholfen
38. finden ______, ______ ______ — fand, hat gefunden
39. geben ______, ______ ______ — gab, hat gegeben
40. scheinen ______, ______ ______ — schien, hat geschienen
41. sehen ______, ______ ______ — sah, hat gesehen
42. heißen ______, ______ ______ — hieß, hat geheißen

43. No universal rule tells whether a verb requires the auxiliary **sein** or **haben** in the perfect tense. But **haben** is always required when a verb is used reflexively or transitively. A verb is used transitively when it has a direct object. Wir erkennen ihn. Wir ______ (haben/sind) ihn erkannt. — haben
44. Reflexive verbs are accompanied by a reflexive pronoun. **Sich wundern** is a reflexive verb. Ich ______ (habe/bin) mich gewundert. — habe
45. **sich wundern**, perfect tense:
Er ______ ______ ______. — hat sich gewundert
46. Wir ______ ______ ______. — haben uns gewundert
47. Ihr ______ ______ ______. — habt euch gewundert
48. Die Dame ______ ______ ______. — hat sich gewundert
49. Die Damen ______ ______ ______. — haben sich gewundert
50. **Ich wundere mich**, past tense:
Ich ______ ______. — wunderte mich
51. **Er wundert sich**, future:
Er wird ______ ______. — sich wundern
52. **Das zeigt sich deutlich**, future:
Das ______ ______ ______ ______. — wird sich deutlich zeigen
53. **Er fühlt sich hier wohl**, future:
Er ______ ______ ______ ______ ______. — wird sich hier wohl fühlen

54. Ich weiß das nicht.
Ich wußte das nicht.
Ich habe das nicht ______. — gewußt

55. Wir kennen ihn gut.
Wir kannten ihn gut.
Wir ______ ______ ______ ______. — haben ihn gut gekannt

56. Wir können das nicht.
Wir konnten das nicht.
Wir ______ ______ ______ ______. — haben das nicht gekonnt

57. Der Tag vergeht schnell.
Der Tag verging schnell.
Der Tag ist ______ ______. — schnell vergangen

58. Ich gebrauche den Wagen oft.
Ich gebrauchte den Wagen oft.
Ich ______ ______ ______ ______ ______. — habe den Wagen oft gebraucht

59. Der gehört einem reichen Geschäftsmann.
Der gehörte einem reichen Geschäftsmann.
Der hat ______ ______ ______ ______. — einem reichen Geschäftsmann gehört

60. Die Zeitung berichtet über die Mode.
Die Zeitung berichtete über die Mode.
Die Zeitung hat ______ ______ ______ ______. — über die Mode berichtet

61. The preposition **über** requires the dative when it answers the question **Wo?**, the accusative when it answers the question **Wohin?** The accusative is also required if **über** is used after **berichten**, **sprechen**, **schreiben**, **lesen**, **arbeiten**, and other verbs of this type.
Die Zeitung berichtet über ______ (dem/den) Krieg. — den

62. Die Damen sprechen über ______ (die/der) Reise. — die

63. Der junge Mann schreibt über ______ (den/dem) deutschen Dichter. — den

64. Wir haben noch nichts über ______ (dem/das) Problem gehört. — das

65. The prepositions **durch**, **für**, **gegen**, **ohne**, and **um** always require the accusative.
Die Dame arbeitet für ______ (den/dem) Direktor. — den

66. Ich kann das Rad nicht wechseln ohne ______ (den/dem) Schraubenschlüssel. — den

67. Wir haben durch ______ (das/dem) Gespräch viel gelernt. — das

68. Die Straßenbahn fährt durch ______ (den/dem) Vorort. — den

69. Sind Sie für oder gegen ______ (die/der) Mode? — die

70. Sind Sie für oder gegen ______ (das/dem) Buch? — das
71. Das Flugzeug fliegt um ______ (die/der) Welt. — die

72. **Fahren** can be used transitively or intransitively. In the following sentence it is transitive; change it to the perfect tense.
Jeder fährt seinen eigenen Wagen.
Jeder ______ (hat/ist) seinen eigenen Wagen gefahren. — hat
73. The following sentence shows a typical use of **fahren** as an intransitive verb. Change it to the perfect.
Wir fahren mit der Eisenbahn.
Wir ______ (haben/sind) mit der Eisenbahn gefahren. — sind

74. Connect sentences (a) and (b) with the conjunction **oder**:
(a) Früher ging man zu Fuß.
(b) Man fuhr mit der Straßenbahn.
Früher ging man zu Fuß, oder ______ ______ ______ ______ ______. — man fuhr mit der Straßenbahn
75. Connect sentences (a) and (b) with the conjunction **wenn**:
(a) Früher ging man zu Fuß.
(b) Die Straßenbahn fuhr nicht.
Früher ging man zu Fuß, wenn ______ ______ ______ ______. — die Straßenbahn nicht fuhr
76. In number 74, the conjunction **oder** combines two sentences without causing a change in word order. The two sentences become two main clauses. The conjunction **oder** is a ______ (subordinating/coordinating) conjunction. — coordinating
77. In number 75, the conjunction **wenn** causes a change in word order. It makes sentence (b) into a dependent clause. **Wenn** is a ______ (subordinating/coordinating) conjunction. — subordinating
78. Connect (a) and (b) with the conjunction **seitdem**:
(a) Man fliegt mit dem Flugzeug.
(b) Es gibt Düsenflugzeuge.
Man fliegt mit dem Flugzeug, seitdem ______ ______ ______. — es Düsenflugzeuge gibt
79. **Seitdem** makes sentence (b) into a ______ (main/dependent) clause. — dependent

80. Connect (a) and (b) with the conjunction **und**:
(a) In unseren Tagen geht kaum noch jemand zu Fuß.
(b) Fast jeder fährt seinen eigenen Wagen.
In unseren Tagen geht kaum noch jemand zu Fuß, und ______ ______ ______ ______ ______ ______.

— fast jeder fährt seinen eigenen Wagen

81. **Und** is a ______ (subordinating/coordinating) conjunction.

— coordinating

82. Connect (a) and (b) with the conjunction **daß**:
(a) Es ist wahr.
(b) Die Menschen bewegen sich heute schneller.
Es ist wahr, daß ______ ______ ______ ______ ______ ______.

— die Menschen sich heute schneller bewegen

83. Connect (a) and (b) with **daß**:
(a) Es ist richtig.
(b) Viele Deutsche wandern gern.
Es ist richtig, daß ______ ______ ______ ______.

— viele Deutsche gern wandern

84. Connect (a) and (b) with **wenn**:
(a) Man wundert sich ein bißchen.
(b) Man kommt nach Deutschland.
Man wundert sich ein bißchen, wenn ______ ______ ______ ______.

— man nach Deutschland kommt

85. Connect (a) and (b) with **wenn**:
(a) Man fühlt sich nicht wohl.
(b) Man bewegt sich nicht in der frischen Luft.
Man fühlt sich nicht wohl, wenn ______ ______ ______ ______ ______ ______ ______ ______.

— man sich nicht in der frischen Luft bewegt

86. Connect (a) and (b) with **aber**:
(a) Früher ging man spazieren.
(b) Heute fährt man mit dem Auto.
Früher ging man spazieren, aber ______ ______ ______ ______ ______ ______.

— heute fährt man mit dem Auto

87. We have seen the word **bis** in the expression **bis morgen**. In this phrase it functions as a preposition. Like its equivalent *until* in English, **bis** can also function as a conjunction. It is a subordinating conjunction.
Connect (a) and (b) with **bis**:
(a) Er fühlt sich nicht wohl.
(b) Er hat einen langen Spaziergang gemacht.
Er fühlt sich nicht wohl, bis ______ ______ ______ ______ ______ ______.

— er einen langen Spaziergang gemacht hat

88. Connect (a) and (b) with **bis**:
(a) Es dauert lange.
(b) Er kauft ein neues Auto.
Es dauert lange, bis ______ ______
______ ______ ______. — er ein neues Auto kauft

89. We have frequently seen the question words **Wer? Was? Wo? Wohin?** The phrase **Was für ein**(**e**)**?** also functions as a question word.
What make is this?
______ ______ ______ Marke ist dies? — Was für eine

90. *What kind of car do you have?*
______ ______ ______ Wagen haben Sie? — Was für einen

91. *What kind of book is this?*
______ ______ ______ Buch ist dies? — Was für ein

92. *What kind of car did he buy?*
______ ______ ______ Wagen hat er gekauft? — Was für einen

93. Change into the singular:
Die alten Wagen fallen auseinander.
Der alte Wagen ______ auseinander. — fällt

94. Die Bauern fahren heute mit dem Auto.
Der Bauer ______ heute mit dem Auto. — fährt

95. Die Männer lesen gern die Zeitung.
Der Mann ______ gern die Zeitung. — liest

96. Die Geschäftsleute nehmen gern die Eisenbahn.
Der Geschäftsmann ______ gern die Eisenbahn. — nimmt

97. Alle sehen die neue Mode gern.
Niemand ______ die neue Mode gern. — sieht

98. Like **antworten**, **helfen**, und **nützen**, the verb **gehören** takes an object in the dative case.
______ (Wem/Wen) gehört der neue Wagen? — Wem

99. Wem hat der Wagen vorher gehört?
Der hat ______ (ein/einen/einem) reichen Geschäftsmann gehört. — einem

100. *Congratulations!*
Ich ______! — gratuliere

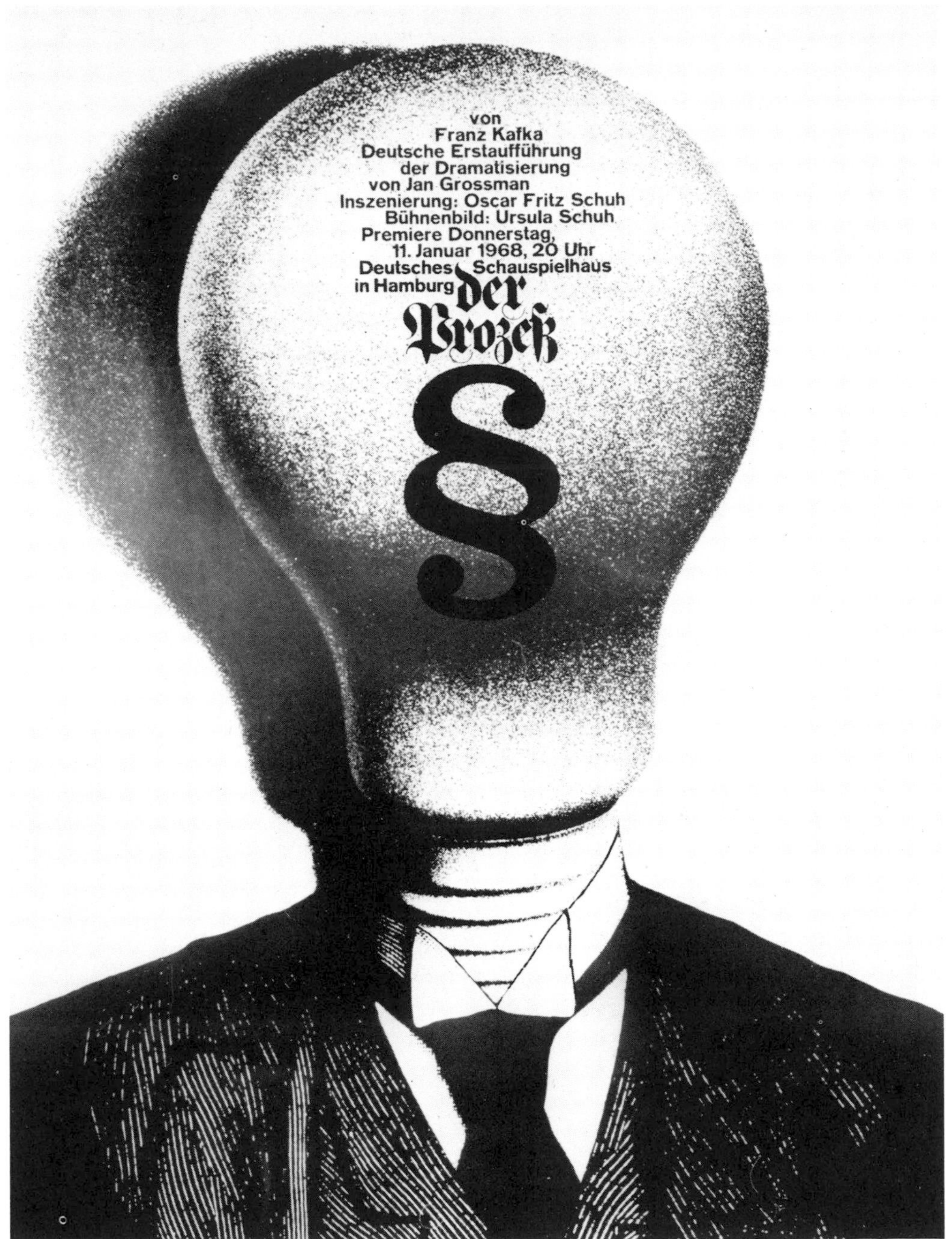

Der Einzelne in der Gesellschaft. Ankündigung einer Theateraufführung: *Der Prozeß* von Franz Kafka.

The individual and society. Announcement of a play: The Trial *by Franz Kafka.*

LEKTION ACHT

DENKEN UND MEINEN

THINKING AND BELIEVING

Die Massenmedien (Fernsehen, Rundfunk, Presse, Film) versorgen uns mit Nachrichten. Man sagt, die Massenmedien machen die öffentliche Meinung.

The mass media (television, radio, the press, movies) supply us with news. One says that the media make public opinion.

Jeder hat das Recht, sich eine eigene Meinung zu bilden. Jeder erwachsene Staatsbürger darf wählen. Früher durfte man mit einundzwanzig Jahren wählen, heute mit achtzehn Jahren. Was ist aber richtig und falsch in der Politik? Darüber sind die Meinungen verschieden. Man wird oft gefragt:

Everybody has the right to form his own opinion. Every adult citizen may vote. Formerly, one was allowed to vote at the age of 21, now at the age of 18. But what is right and wrong in politics? Opinions differ on this point. We are often asked:

Was halten Sie davon?
Wie denken Sie darüber?
Was meinen Sie?

Where do you stand?
[What do you hold about it?]
What do you think of it?
What is your opinion?

Und dann zeigt es sich, ob wir eine eigene Meinung haben, die wir vertreten können.

And then it becomes apparent whether we have an opinion of our own which we can represent.

Millionen von Staatsbürgern dürfen wählen. Viele meinen schon das Richtige zu tun, wenn sie ihre Partei und ihren Kandidaten wählen. Dann wird alles so kommen, wie es richtig ist, meinen sie. Doch die Dinge ändern sich von Tag zu Tag. Wir müssen uns dauernd mit den Nachrichten beschäftigen. Und manchmal muß man auch seine Meinung ändern. Was die Zukunft bringen wird—wer weiß es? Das Sprichwort sagt: Es kommt doch alles anders, als man denkt.

Millions of citizens are allowed to vote. Many people think they have done the right thing when they vote for their party and their candidate. Then, they suppose, everything will come out right. But things change from day to day. We constantly must occupy ourselves with the news. And sometimes we have to change our opinion. What the future will bring—who knows? As the proverb says: Things turn out differently than we expect.

GESPRÄCH

CONVERSATION

A: Die Preise steigen von Monat zu Monat. Das Brot kostet jetzt schon zwei Mark.

A: Prices go up from month to month. Bread [i.e., a loaf] already costs two marks.

B: Das gibt zu denken. Man sagt, wir bekommen wieder eine Inflation.

A: Man muß mit dem Pfennig rechnen, wenn das Geld reichen soll.

B: Ich finde wirklich, die Regierung hat die Pflicht, strenge Maßnahmen zu ergreifen. Wie denken Sie darüber?

A: Sie haben natürlich recht. Aber diese Regierung versteht leider nicht, was not tut. Die können ja nicht bis drei zählen.

B: Aber man hat doch großartige Pläne für die Zukunft gemacht. Das ist schon etwas, nicht wahr?

A: Das zählt nicht. Nicht erst in zehn Jahren, sondern jetzt muß es besser werden.

B: Das stimmt. Aber man muß mit den Tatsachen rechnen.

B: That is something to think about. People say we will have another inflation.

A: You must weigh every penny to make ends meet. [One must reckon with the penny if the money is to suffice.]

B: I really think it's the government's duty to resort to [apply] stern measures. What do you think [about it]?

A: You are of course right. But this government unfortunately doesn't understand what has to be done. They can't even count to three [i.e., they are stupid].

B: But they have made great plans for the future. That's something, isn't it?

A: That doesn't count. Things [it] must get better now, not in ten years.

B: That's true. But one has to take the facts into account.

WORD LIST

NOUNS

das **Brot, -e**	*bread*
das **Fernsehen**	*television*
der **Film, -e**	*film, movie*
die **Inflation**	*inflation*
der **Kandidat, -en**	*candidate*
die **Mark, -**	*mark*
das **Massenmedium, -medien**	*mass medium*
die **Maßnahme, -n**	*measure, step*
die **Meinung, -en**	*opinion*
die **Million, -en**	*million*
der **Monat, -e**	*month*
die **Nachricht, -en**	*news, information*
die **Partei, -en**	*party*
der **Pfennig, -e**	*penny*
die **Pflicht, -en**	*duty*
der **Plan, ¨-e**	*plan*
die **Politik**	*politics*
der **Preis, -e**	*price*
die **Presse**	*press*
das **Recht, -e**	*right*
die **Regierung, -en**	*government*
der **Rundfunk**	*radio*
der **Staatsbürger, -**	*citizen*
die **Tatsache, -n**	*fact*

VERBS

(sich) ändern	*to change*
bekommen, bekam, bekommen	*to obtain, get*
sich (mit etwas) **beschäftigen**	*to occupy oneself, be concerned (with something)*
bilden	*to form*

bringen, brachte, gebracht	*to bring*
dürfen, durfte, gedurft (darf)	*to be allowed to*
ergreifen, ergriff, ergriffen	*to take, seize, apply*
halten, hielt, gehalten	*to hold*
von (etwas) **halten**	*to think of*
kosten	*to cost*
not tun	*to be necessary*
rechnen	*to count, reckon, do arithmetic*
reichen	*to reach, be sufficient*
sollen	*to be to*
steigen, stieg, (ist) gestiegen	*to climb, rise*
stimmen	*to be correct*
tun, tat, getan	*to do*
versorgen	*to supply*
verstehen, verstand, verstanden	*to understand*
vertreten, vertrat, vertreten (vertritt)	*to represent*
wählen	*to vote, choose*
zählen	*to count*

OTHER WORDS

anders	*different*
besser	*better*
dann	*then*
darüber	*about it, above it*
dauernd	*always, continuously*
davon	*of it*
erwachsen	*adult*
etwas	*something, anything*
falsch	*wrong*
großartig	*great, grand, splendid*
leider	*unfortunately*
ob	*whether*
öffentlich	*public*
sondern	*but*
streng	*strict(ly)*
wirklich	*real(ly)*

IDIOMS

Das gibt zu denken.	*That is something to think about.*
nicht bis drei zählen können	*to be stupid*
mit dem Pfennig rechnen	*to be thrifty*

Denken und Meinen. Die politischen Parteien werben um den Wähler.

Thinking and believing. The political parties reach for the voter.

GRAMMAR

I. SOLLEN, DÜRFEN, TUN

The auxiliaries **sollen** *to be to, to be supposed to*; **dürfen** *to be allowed to*; and the verb **tun** *to do* are conjugated as follows.

		sollen	**dürfen**		**tun**
PRESENT TENSE	ich, er, sie, es	soll	darf	ich	tue
				er, sie, es	tut
	du	sollst	darfst		tust
	wir, sie, Sie	sollen	dürfen		tun
	ihr	sollt	dürft		tut
PAST TENSE	ich	sollte	durfte		tat
PAST PARTICIPLE		gesollt	gedurft		getan

II. *THE CARDINAL NUMBERS*[1]

1. In German as in English a distinction is made between cardinal numbers or **Grundzahlen** (*one, two, three*) and ordinal numbers or **Ordnungszahlen** (*first, second, third*).

2. The cardinal numbers are as follows.

0	null	11	elf	21	einundzwanzig
1	eins	12	zwölf	22	zweiundzwanzig
2	zwei	13	dreizehn	30	dreißig
3	drei	14	vierzehn	40	vierzig
4	vier	15	fünfzehn	50	fünfzig
5	fünf	16	sechzehn /zečtse·n/	60	sechzig /zečtsič/
6	sechs /zeks/			70	siebzig
7	sieben	17	siebzehn	80	achtzig
8	acht	18	achtzehn	90	neunzig
9	neun	19	neunzehn	100	hundert, einhundert
10	zehn	20	zwanzig	101	hunderteins
				200	zweihundert
				1000	tausend
				1 000 000	eine Million

---

[1] die Zahl, -en: *numeral, number.*

3. When spelled out, a number is generally written as one word, without a hyphen.

99	neunundneunzig
1655	eintausendsechshundertfünfundfünfzig

4. But when the number is greater than a million, separate words are used.

2 003 420 zwei Millionen dreitausendvierhundertzwanzig

5. Unlike English, German uses a comma to indicate decimal numbers.

DM 8,56	8 [Deutsch] marks and 56 pfennigs
7,625 km	7 kilometers and 625 meters

EXERCISES

A. Read the following numbers out loud.

Eins, zwei, drei, vier, fünf, sechs, sieben, acht, neun, zehn, elf, zwölf, dreizehn, vierzehn, fünfzehn, sechzehn, siebzehn, achtzehn, neunzehn, zwanzig.
Einundzwanzig, zweiundzwanzig, dreiundzwanzig, dreißig, vierzig, fünfzig, sechzig, siebzig, achtzig, neunzig, hundert, zweihundert, dreihundert, tausend.

B. Read out loud.

2	und	2	ist	4
4	und	5	ist	9
6	und	7	ist	13
3	und	1	ist	4
8	und	9	ist	17
10	und	6	ist	16
11	und	12	ist	23
14	und	17	ist	31
20	und	1	ist	21
40	und	26	ist	66

III. *DATES, DAYS, MONTHS, YEARS*

1. When the date (**das Datum, die Daten**) is written, whether in words or numbers, the day comes first, then the month, then the year. Thus, **1.12.1973** means December 1, 1973 (not January 12!).

2. The days of the week (**die Tage der Woche**) are:

am Montag
Dienstag
Mittwoch
Donnerstag
Freitag
Samstag (*or* Sonnabend)
Sonntag

Die Presse. „Die Massenmedien versorgen uns mit Nachrichten."
The Press. "The media supply us with news."

3. The months (**der Monat, die Monate**) are:

Januar	Juli
Februar	August
März	September
April	Oktober
Mai	November
Juni	Dezember

4. Years (**die Jahreszahl, die Jahreszahlen**) are read as follows:

1970 neunzehnhundertsiebzig (*not* tausendneunhundertsiebzig)

When mentioning a historical date in a sentence, one either cites the year without using a preposition or introduces it with the phrase **im Jahre**. One does *not* use the preposition **in** by itself, as in English.

Er war 1970 hier.
Er war im Jahre 1970 hier.

IV. *TIME*

1. There are two ways to ask, "What time is it?"

Wieviel Uhr ist es?
Wie spät ist es?

2. A variety of phrases are used for telling time or reading the clock (**die Uhr, die Uhren**). A distinction can be made between colloquial usage and official usage. For most purposes, hours are given on a 12-hour basis, as in English. Where an American says *A.M.*, a German may say **morgens** or **vormittags**; where an American says *P.M.*, a German may say **nachmittags** or **abends**. Official times, as on a flight schedule, are given on a 24-hour basis.

	COLLOQUIAL USAGE	*OFFICIAL USAGE*
8.00 Uhr	acht Uhr (morgens, abends)	acht Uhr
8.05	fünf nach acht	acht Uhr fünf
8.10	zehn nach acht	acht Uhr zehn
8.15	Viertel nach acht	acht Uhr fünfzehn
8.20	zwanzig nach acht, *or* zehn vor halb neun	acht Uhr zwanzig
8.25	fünf vor halb neun	acht Uhr fünfundzwanzig
8.30	halb neun	acht Uhr dreißig
8.35	fünf nach halb neun	acht Uhr fünfunddreißig
8.40	zehn nach halb neun, *or* zwanzig vor neun	acht Uhr vierzig
8.45	Viertel vor neun	acht Uhr fünfundvierzig
8.50	zehn vor neun	acht Uhr fünfzig
8.55	fünf vor neun	acht Uhr fünfundfünfzig

EXERCISE

Read out loud.

Example: Es ist 5 Minuten vor 12.
Es ist fünf Minuten vor zwölf.

1. Es ist 10 Minuten nach 9.
2. Es ist 5 Minuten vor 4.
3. Es ist 20 Minuten nach 10.
4. Es ist gerade 3 Uhr.
5. Es ist 18 Uhr 30.
6. Es ist 20 Uhr 15.
7. Es ist 11 Uhr 45.
8. Es ist 2 Minuten vor 7.
9. Es ist 1 Minute vor 8.
10. Es ist jetzt 7 Uhr 25.

V. *THE ORDINAL NUMBERS*

1. Ordinal numbers have inflectional endings like other adjectives.

Wir haben **ein zweites** Auto gekauft.
Das erste fiel fast auseinander.

der, die, das erste
zweite
dritte
vierte
fünfte
sechste /zekste/
siebte
achte
neunte
zehnte
elfte
zwölfte

der, die, das dreizehnte
vierzehnte
fünfzehnte
zwanzigste
einundzwanzigste
dreißigste
sechsundsechzigste
/zeksundsečtsičste/
hundertste
hunderterste
tausendste
millionste

2. When the ordinals are written in numerical form, they take a period, like an abbreviation.

der 1. Januar *January 1st*

EXERCISES

A. Read out loud.

der erste, der zweite, der dritte, der vierte, der fünfte, der sechste /zekste/, der siebte, der achte, der neunte, der zehnte, der elfte, der zwölfte, der sechzehnte /zextse·nte/, der zwanzigste, der einundzwanzigste, der dreißigste, der vierzigste, der hundertste, der hunderterste, der tausendste

B. Read out loud.

Example: Heute ist Montag, der 1. Februar.
Heute ist Montag, der erste Februar.

1. Heute ist Sonntag, der 4. Juli.
2. Gestern war Samstag, der 31. Oktober.
3. Morgen ist Dienstag, der 3. Januar.
4. Heute ist Mittwoch, der 5. November.
5. Gestern war Freitag, der 25. Dezember.
6. Morgen ist Donnerstag, der 11. März.
7. Heute ist Montag, der 7. April.
8. Gestern war Dienstag, der 30. Mai.
9. Morgen ist Mittwoch, der 6. Juni.
10. Heute ist Donnerstag, der 12. August.

VI. *ADVERBS*

Früher durfte man **erst** mit 21 Jahren wählen, heute mit 18 Jahren.

1. Adverbs modify verbs, adjectives, and other adverbs. Many words in German function only as adverbs: **gern**, **sehr**, **kaum**, **leider**. Other words function both as adjectives and as adverbs: **natürlich**, **früher**, **einfach**. No single adverbial ending corresponding to *-ly* in English is used in German.

dringend	*urgent, urgently*	Die dringende Reise....
		Wir brauchen dringend einen neuen Wagen.
natürlich	*natural, naturally*	Das natürliche Recht....
		Die Regierung hat natürlich die Pflicht, strenge Maßnahmen zu ergreifen.
einfach	*simple, simply*	Der einfache Mann....
		Er lebt einfach.
sparsam	*thrifty, thriftily*	Die sparsame Familie....
		Sie leben sparsam.
früher	*former, formerly*	Der frühere Direktor....
		Früher sagte man, daß die Deutschen gern wandern.

2. Word order of adverbs.

a. When a sentence starts with an adverb, inverted word order is used (i.e., the subject follows the finite verb form).

Man durfte **früher** erst mit 21 Jahren wählen.
Früher durfte man erst mit 21 Jahren wählen.

b. Some adverbs are felt to have a close connection with verbs. For example, **wohnen** normally does not occur alone but with an adverb or an adverbial phrase: **in München wohnen, allein wohnen, bei den Eltern wohnen.** Adverbials like these are called *adverbial verb complements*. (Separable prefixes of verbs belong in the same category: **zusammenwohnen** *to live together*.) Other adverbs are felt to have no such close connection with verbs: for example, **jetzt, bald, fast, leider, sehr, schon**. These words are called *free adverbs*. The word order rule is: free adverbs precede adverbial verb complements.

Er wohnt jetzt in München.
Er kommt bald nach Deutschland.
Der Wagen fiel fast auseinander.

c. Another way to classify adverbs and adverbial phrases is in terms of their semantic function. There are adverbial modifiers of *time* (**heute**, **bald**, **jeden Tag**),

Büro der Deutschen Presse Agentur (dpa) in Hamburg. „Man sagt, die Massenmedien machen die öffentliche Meinung."

Office of the Deutsche Presse Agentur *(dpa) in Hamburg, "People say that the media create public opinion."*

manner (**ein bißchen**, **gern**, **zu Fuß**), and *place* (**drüben**, **hier**, **in der frischen Luft**). Normally, adverbial modifiers follow one another in the sequence time—manner—place.

> Wir gehen manchmal in die Stadt.
> Er geht jeden Tag zu Fuß in die Universität.

EXERCISE

Start the sentences with the adverbials indicated, and make the necessary change in word order.

Example: (Früher) Man durfte erst mit 21 Jahren wählen.
Früher durfte man erst mit 21 Jahren wählen.

1. (Dann) Alles wird so kommen, wie es richtig ist.	Dann wird alles so kommen, wie es richtig ist.
2. (Natürlich) Die Regierung muß strenge Maßnahmen ergreifen.	Natürlich muß die Regierung strenge Maßnahmen ergreifen.
3. (Leider) Die Preise steigen von Monat zu Monat.	Leider steigen die Preise von Monat zu Monat.
4. (Manchmal) Das Geld reicht nicht.	Manchmal reicht das Geld nicht.
5. (Hoffentlich) Er wird nicht über Politik sprechen.	Hoffentlich wird er nicht über Politik sprechen.
6. (Jetzt) Ich will die Nachrichten hören.	Jetzt will ich die Nachrichten hören.
7. (Vielleicht) Es ist nicht gesund, immer nur mit dem Auto zu fahren.	Vielleicht ist es nicht gesund, immer nur mit dem Auto zu fahren.
8. (Später) Wir werden einen langen Spaziergang machen.	Später werden wir einen langen Spaziergang machen.
9. (Von Tag zu Tag) Die Dinge ändern sich.	Von Tag zu Tag ändern sich die Dinge.
10. (Hin und wieder) Er muß seine Meinung ändern.	Hin und wieder muß er seine Meinung ändern.

VII. *ADJECTIVES FUNCTIONING AS NOUNS*

Sie meinen, **das Richtige** zu tun.
Die Deutschen wandern gern.

When adjectives are used as nouns, they are capitalized but retain their adjectival endings. Past participles used as nouns behave the same way: **der Erwachsene**, *pl.* **die Erwachsenen**.

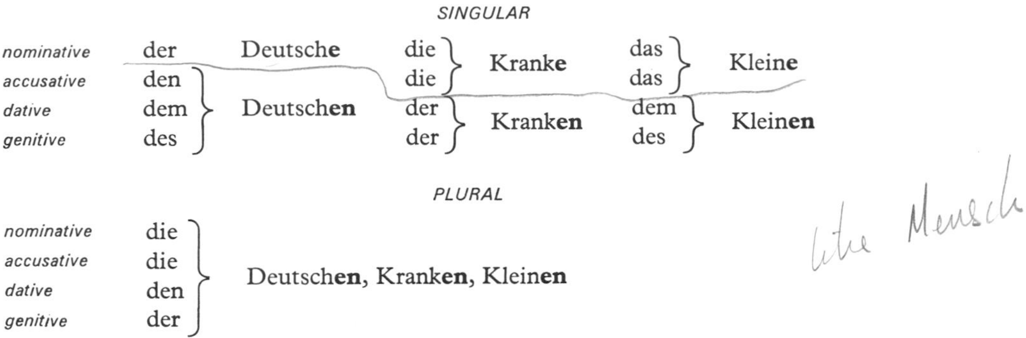

SINGULAR

nominative	der	Deutsch**e**	die	Krank**e**	das	Klein**e**
accusative	den	Deutsch**en**	die	Krank**e**	das	Klein**e**
dative	dem	Deutsch**en**	der	Krank**en**	dem	Klein**en**
genitive	des	Deutsch**en**	der	Krank**en**	des	Klein**en**

PLURAL

nominative	die	Deutsch**en**, Krank**en**, Klein**en**
accusative	die	Deutsch**en**, Krank**en**, Klein**en**
dative	den	Deutsch**en**, Krank**en**, Klein**en**
genitive	der	Deutsch**en**, Krank**en**, Klein**en**

Willy Brandt spricht mit Studenten. „Heute darf man mit achtzehn Jahren wählen."

Willy Brandt talking with students. "Today one has the right to vote at the age of eighteen."

EXERCISE

Change the subject and verb of each sentence to the plural.

Example: Der Deutsche geht gern spazieren.
Die Deutschen gehen gern spazieren.

1. Der Kranke braucht Bewegung in der frischen Luft. — Die Kranken brauchen Bewegung in der frischen Luft.
2. Der Reiche wohnt nicht in der Stadt. — Die Reichen wohnen nicht in der Stadt.
3. Der Erwachsene hat das Recht zu wählen. — Die Erwachsenen haben das Recht zu wählen.
4. Der Alte kann nicht mehr arbeiten. — Die Alten können nicht mehr arbeiten.
5. Der Kleine darf noch nicht Auto fahren. — Die Kleinen dürfen noch nicht Auto fahren.
6. Der Gesunde hat die Pflicht zu arbeiten. — Die Gesunden haben die Pflicht zu arbeiten.
7. Der Kluge rechnet mit dem Pfennig. — Die Klugen rechnen mit dem Pfennig.
8. Der Deutsche darf jetzt mit achtzehn Jahren wählen. — Die Deutschen dürfen jetzt mit achtzehn Jahren wählen.

VIII. *ADJECTIVE ENDINGS*

die großartig**en** Pläne/großartig**e** Pläne
die streng**en** Maßnahmen/streng**e** Maßnahmen

1. Adjectives take one set of endings (called *weak* endings) when they follow **der**-words. These endings (**-e** and **-en**) were discussed on page 62.

2. Adjectives take a different set of endings (called *strong* endings) when no **der**-word precedes them, or when they follow certain other modifiers. The strong endings are as follows.

	SINGULAR			*PLURAL*
	masculine	*feminine*	*neuter*	*all genders*
nominative	**-er**	**-e**	**-es**	**-e**
accusative	**-en**			
dative	**-em**	**-er**	**-em**	**-en**
genitive	**-en**		**-en**	**-er**

3. The strong endings are similar to the endings of **der**-words. One may therefore say that the strong endings of adjectives replace the endings of a missing **der**-word.

weak endings	*strong endings*
Wir haben da**s** deutsch**e** Geld gewechselt.	Wir haben deutsch**es** Geld.
Da**s** gut**e** Werkzeug ist teuer.	Gut**es** Werkzeug ist teuer.
Wer ist de**r** jung**e** Mann?	Jung**er** Mann! Wer sind Sie?
Er ist mit de**m** leicht**en** Gepäck gekommen.	Er fährt mit leicht**em** Gepäck.
Man wundert sich über di**e** streng**en** Maßnahmen.	Er ergreift streng**e** Maßnahmen.

4. "**Ein**-words" are the indefinite article **ein** and the possessives **mein**, **dein**, etc.; they were discussed on pages 41 and 57. **Ein**-words usually have strong endings, but they have no ending at all in three instances in the singular—in the masculine nominative and in the neuter nominative and accusative. When the **ein**-word has no ending, the following adjective takes a strong ending.

weak endings	*strong endings*
de**r** jung**e** Mann	ein jung**er** Mann
de**r** alt**e** Mantel	mein alt**er** Mantel
da**s** gut**e** Werkzeug	ein gut**es** Werkzeug

Whenever the **ein**-word has a strong ending of its own, the adjective following takes a weak ending.

5. After numerals, adjectives always take strong endings.

weak ending	*strong ending*
Ich habe die groß**en** Zimmer.	Ich habe zwei groß**e** Zimmer.

EXERCISE

Omit the article preceding the adjective and make the necessary change in the adjective ending.

Example: Wir wechseln das deutsche Geld.
Wir wechseln deutsches Geld.

1. Das frische Brot kostet jetzt zwei Mark.	Frisches Brot kostet jetzt zwei Mark.
2. Die großartigen Pläne kosten leider viel Geld.	Großartige Pläne kosten leider viel Geld.
3. Die Dame nimmt nur das leichte Gepäck für die Reise.	Die Dame nimmt nur leichtes Gepäck für die Reise.
4. Die frische Luft ist gesund.	Frische Luft ist gesund.
5. Die gebrauchten Wagen sind billig.	Gebrauchte Wagen sind billig.
6. Das gute Werkzeug ist teuer.	Gutes Werkzeug ist teuer.
7. Die Regierung muß leider die strengen Maßnahmen ergreifen.	Die Regierung muß leider strenge Maßnahmen ergreifen.
8. Für die langen Strecken nahm man die Eisenbahn.	Für lange Strecken nahm man die Eisenbahn.
9. Sie haben das letzte Mal zu viele Fehler gemacht.	Sie haben letztes Mal zu viele Fehler gemacht.

Wahlen in der DDR. Die politische Macht liegt bei einer einzigen Partei.

Voting in the GDR. All power rests with a single party.

IX. *PAST PARTICIPLES WITHOUT THE PREFIX* GE-

1. The past participle does not have the prefix **ge-** if the infinitive has an unstressed prefix. (See page 103.)

infinitive	*past participle*
berichten	berichtet
gebrauchen	gebraucht

2. We can now expand the rule and state that the past participle is formed with the prefix **ge-** only when the infinitive carries the main stress on the first syllable.[2]

infinitive	*past participle*
arbeiten	gearbeitet
antworten	geantwortet

3. Here are some past participles without the prefix **ge-**.

infinitive	*past participle*
bekommen	bekommen
beschäftigen	beschäftigt
bewegen	bewegt
ergreifen	ergriffen
erkennen	erkannt
gratulieren	gratuliert
versorgen	versorgt
verstehen	verstanden
vertreten	vertreten

[2] When the verb has a *stressed prefix*, the past participle is formed with **-ge-** as an infix: **radfahren**, past participle **radgefahren**.

EXERCISE

Change the verbs in the following sentences to the perfect tense.

Example: Er vertrat seine eigene Meinung.
Er hat seine eigene Meinung vertreten.

1. Die Zeitung berichtete über das Ereignis. — Die Zeitung hat über das Ereignis berichtet.
2. Die Zeitungen versorgten uns täglich mit Nachrichten. — Die Zeitungen haben uns täglich mit Nachrichten versorgt.
3. Die Autos bewegten sich sehr langsam. — Die Autos haben sich sehr langsam bewegt.
4. Früher bewegten sich die Menschen viel mehr in der frischen Luft. — Früher haben sich die Menschen viel mehr in der frischen Luft bewegt.
5. Die Eltern versorgten die jungen Leute mit Geld und Kleidung. — Die Eltern haben die jungen Leute mit Geld und Kleidung versorgt.
6. Er gratulierte uns zu dem neuen Auto. — Er hat uns zu dem neuen Auto gratuliert.
7. Schon als junger Mann beschäftigte er sich mit Politik. — Schon als junger Mann hat er sich mit Politik beschäftigt.
8. Er verstand die Amerikaner nicht. — Er hat die Amerikaner nicht verstanden.
9. Wir erkannten ihn erst später. — Wir haben ihn erst später erkannt.
10. Wir bekamen jeden Tag frisches Brot. — Wir haben jeden Tag frisches Brot bekommen.
11. Die Regierung ergriff strenge Maßnahmen. — Die Regierung hat strenge Maßnahmen ergriffen.

X. SONDERN, DOCH, JEDOCH

Doch die Dinge ändern sich von Tag zu Tag.
Nicht erst in zehn Jahren, **sondern** jetzt muß es besser werden.

1. The coordinating conjunctions **und**, **oder**, and **aber** were discussed in chapter seven (page 132). Two more coordinating conjunctions can now be added to the list: **doch** or **jedoch**, and **sondern**.

2. **Doch** as a conjunction also takes the form **jedoch**; it means *however*, and stresses a contrast after either a positive or a negative statement.[3]

Er ist hier gewesen, doch (jedoch) wir haben ihn nicht gesehen.
Er ist nicht hier gewesen, doch (jedoch) er wird bald kommen.

3. The conjunction **sondern**, meaning *but*, *rather*, or *on the contrary*, stresses a corrective statement and is only used after a negative construction.

Er ist nicht in die Universität gegangen, sondern er ist zu seinen Eltern gefahren.

---

[3] **Doch** can also function as an adverb meaning *still* or *yet* (**Und doch wundert man sich ein bißchen**, *And still one is a bit surprised*), and as an adverb of emphasis (**Ich habe es doch gar nicht gesagt**, *I did not say it at all*).

INDIVIDUAL STUDY: SELF-TESTING

1. In this unit we have encountered some words which belong to the semantic field of thinking. The general German word for *to think* is _____. — denken
2. The three forms one memorizes for each strong (or irregular) verb are the infinitive, past tense, and past participle. The three forms of **denken** are _____, _____, _____. — denken, dachte, gedacht
3. Wie denken Sie darüber?
   Past tense: Wie _____ _____ _____? — dachten Sie darüber
4. Perfect tense: Wie _____ _____ _____ _____? — haben Sie darüber gedacht
5. The usual German equivalent for *to understand* is _____. — verstehen
6. The three forms of this verb are _____, _____, _____. — verstehen, verstand, verstanden
7. *I do not understand you, Mr. Mann.*
   Ich _____ _____ _____, Herr Mann. — verstehe Sie nicht
8. *Do you understand me?*
   _____ _____ _____? — Verstehen Sie mich?
9. *Did you understand it?*
   Haben Sie _____ _____? — es verstanden
10. Another verb in the semantic field of thinking is **meinen**, sometimes the equivalent of English *to mean*, sometimes the equivalent of *to have an opinion*. Both *What do you mean?* and *What is your opinion?* are translated:
    Was _____ _____? — meinen Sie (*or* meinst du, meint ihr)
11. Past tense: Was _____ _____? — meinten Sie
12. Perfect tense: Was _____ _____ _____? — haben Sie gemeint
13. *opinion*
    die _____ — Meinung
14. Plural: die _____ — Meinungen
15. *the political opinion*
    die _____ _____ — politische Meinung
16. *He has his own opinion.*
    Er hat _____ _____ _____. — seine eigene Meinung
17. *He has changed his opinion.*
    Er hat _____ _____ _____. — seine Meinung geändert
18. Another verb in the same semantic field is **halten von**, *to think of, to judge.*
    What do you think of it?
    Was _____ _____ _____? — halten Sie (*or* hältst du, haltet ihr) davon

19. *I do not think much of it.*
Ich ______ ______ ______ ______.
— halte nicht viel davon

20. *We do not think much of the candidates.*
Wir ______ ______ ______ ______ ______ ______.
— halten nicht viel von den Kandidaten

21. Another verb in the same field is the German word for *to believe*:
______.
— glauben

22. *We do not believe that the government has made plans for the future.*
Wir ______ ______, ______ ______ ______ ______ ______ ______ ______ ______ ______.
— glauben nicht, daß die Regierung Pläne für die Zukunft gemacht hat

23. **Finden** is another verb for *to believe, to think.*
Finden Sie wirklich, daß er recht hat?
Past tense: ______ ______ ______, daß er recht hat?
— Fanden Sie wirklich

24. Another verb in this family is *to reckon with.*
mit etwas ______
— rechnen

25. *One has to take the facts into account.*
Man muß ______ ______ ______ ______.
— mit den Tatsachen rechnen

26. The original sense of **rechnen** is *to calculate with numbers.*
mit ______ rechnen
— Zahlen

27. **Rechnen** means doing arithmetic. Merely counting ("one, two, three," etc.) is not **rechnen**, but ______.
— zählen

28. Count out loud in German from one to ten:
1, 2, 3, 4, 5, 6, 7, 8, 9, 10
— eins, zwei, drei, vier, fünf, sechs, sieben, acht, neun, zehn

29. Count from one to ten in ordinal numbers: *the first, the second*, etc.
der ______, der ______, etc.
— erste, zweite, dritte, vierte, fünfte, sechste, siebte, achte, neunte, zehnte

30. Read out loud: 6, 16, 60.
______, ______, ______
— sechs /zeks/, sechzehn /zečtse·n/, sechzig /zečtsič/

31. *What time is it?*
Wie ______ ______ ______?
— spät ist es

32. *Or*: Wieviel ______ ______ ______?
— Uhr ist es

33. An announcer in a train station would read off the time *10:30* (*A.M.*) as ______ ______ ______.
— zehn Uhr dreißig

34. In colloquial language, one would report the same time as ______ ______. — halb elf (vormittags)

35. *8:55 (P.M.)* in official language would be: ______ ______ ______ — zwanzig Uhr fünfundfünfzig

36. In colloquial language, it is: ______ ______ ______ — fünf (Minuten) vor neun (abends)

37. Translate orally:
the 4th of July, 1776
der ______ ______ ______ — vierte Juli siebzehnhundertsechsundsiebzig

38. *in 1945* ______ — (im Jahre) neunzehnhundertfünfundvierzig

39. If in colloquial language you want to say that someone is slow and not very intelligent, you may use the expression:
He can't count to three.
Er ______ ______ ______ ______ ______. — kann nicht bis drei zählen

40. If you want to say that someone has to be very thrifty, you may use the expression:
He must weigh every penny.
Er ______ ______ ______ ______ ______. — muß mit dem Pfennig rechnen

41. *at the age of 18*
mit ______ ______ — achtzehn Jahren

42. *Formerly one could vote for the first time at age 21.*
Früher durfte man erst ______ ______ ______ ______. — mit einundzwanzig Jahren wählen

43. Normally, adverbs or adverbial phrases follow each other in the sequence time-manner-place. **Hier**, **da**, **am Fenster**, and **drüben** are adverbials of ______ (time/place/manner). — place

44. **Gestern**, **täglich**, **damals**, and **immer** are adverbials of ______. — time

45. **Sehr**, **gar nicht**, **allein**, and **gern** are adverbials of ______. — manner

46. Arrange the adverbials **nach München**, **gern**, and **immer** in the correct sequence:
Er ist ______ ______ ______ ______ gefahren. — immer gern nach München

47. Arrange the adverbials **gar nicht**, **hier**, and **damals** in the correct sequence:
Er ist ______ ______ ______ ______ gewesen. — damals gar nicht hier

48. Arrange the adverbials **allein**, **manchmal**, and **nach Europa** in the correct sequence:
Er ist ______ ______ ______ ______
gefahren. — manchmal allein nach Europa

49. We distinguish two sets of adjective endings: the weak and the strong endings. The two weak endings are **-e** and **-en**. They are used in the ______ (absence/presence) of **der**-words. — presence

50. der ______ (großer/große) Mann — große

51. die ______ (alte/alten) Männer — alten

52. mit dem ______ (leichtem/leichten) Gepäck — leichten

53. Strong adjective endings are used in the absence of **der**-words. They replace the missing **der**-word endings, which are: **-er**, **-em**, **-en**, **-e**, **-es**. In the phrase **mit dem leichten Gepäck**, when **dem** is omitted, the **-em** of **dem** is taken over by the adjective **leicht**. Thus:
with light baggage
mit ______ Gepäck — leichtem

54. das deutsch- Geld — -e

55. mit dem deutsch- Geld — -en

56. mit deutsch- Geld — -em

57. deutsch- Geld — -es

58. der jung- Mann — -e

59. jung- Mann — -er

60. After numerals, adjectives take strong endings.
zwei groß- Zimmer — -e

61. zehn lang- Jahre — -e

62. die lang- Jahre — -en

63. Since the **ein**-words in the masculine nominative and in the neuter nominative and accusative have no ending, the following adjective needs a strong ending.
ein ______ (neue/neuer) Wagen — neuer

64. der neu- Wagen — -e

65. unser neu- Wagen — -er

66. ein klein- Zimmer — -es

67. das klein- Zimmer — -e

68. sein klein- Zimmer — -es

69. ein deutsch- Buch — -es

70. das deutsch- Buch — -e

71. sein deutsch- Buch — -es

72. das gut- Werkzeug — -e

73. Gut- Werkzeug ist teuer. — -es

74. ein neu- Film — -er

75. der neu– Film — -e
76. ihr neu– Film — -er
77. der Erwachsene, ein Erwachsen– — -er

78. Using the sequence
ich ______, **er** ______, **du** ______;
wir und **sie** ______, **ihr** ______
supply the verb forms indicated:
dürfen, present tense: ______, ______, ______;
______, ______ — darf, darf, darfst; dürfen, dürft
79. **dürfen**, past tense: ______, ______, ______;
______, ______ — durfte, durfte, durftest; durften, durftet
80. **dürfen**, past participle: ______ — gedurft
81. **tun**, present tense: ______, ______, ______;
______, ______ — tue, tut, tust; tun, tut
82. **tun**, past tense: ______, ______, ______;
______, ______ — tat, tat, tatst; taten, tatet
83. **tun**, past participle:
Ich habe es nicht ______. — getan
84. *What has he done?*
Was ______ ______ ______? — hat er getan
85. *The government does not do anything.*
Die Regierung ______ nichts. — tut
86. **Not tun** means *to be necessary.*
He did not know what was necessary.
Er wußte nicht, was ______ ______. — not tat

87. Was rechnet man zu den Massenmedien?
Fernsehen, ______, ______, ______. — Rundfunk, Presse, Film
88. ______ (der/die/das) Rundfunk — der
89. ______ (der/die/das) Presse — die
90. ______ (der/die/das) Fernsehen — das
91. Die Massenmedien versorgen uns ______
Nachrichten. — mit
92. Die Eltern versorgen ______ (ihn/ihm) mit
Kleidung. — ihn
93. Er versorgt ______ (mich/mir) mit deutschen
Zeitungen. — mich
94. Verstehen Sie mich? Haben Sie mich ______? — verstanden
95. The three forms to memorize for **steigen** are:
steigen, stieg, ist ______ — gestiegen
96. Die Preise steigen von Monat zu Monat.
Die Preise ______ (haben/sind) von Monat
zu Monat gestiegen. — sind

97. The three forms to memorize for **bekommen** are:
bekommen, bekam, ______ ______ — hat bekommen

98. Shift into the past tense:
Im Jahre 1970 bekommt dieses Land eine neue Regierung.
Im Jahre 1970 ______ dieses Land eine neue Regierung. — bekam

99. Now the same sentence in the perfect:
Im Jahre 1970 ______ ______ ______ ______ ______ ______ ______. — hat dieses Land eine neue Regierung bekommen

100. *You are right.*
Sie ______ ______. — haben recht

Sudden Enlightenment *Engraving by Felix Hoffmann*

„Klares Bild", sagte der Hofrat. „Das ist die anständige Magerkeit, die militärische Jugend. Ich habe hier Wänste gehabt—undurchdringlich, beinahe nichts zu erkennen. . . ." Aber Hans Castorps Aufmerksamkeit war in Anspruch genommen von etwas Sackartigem, ungestalt Tierischem, dunkel hinter dem Mittelstamme Sichtbarem, . . . Großer Gott, es war das Herz, Joachims ehrliebendes Herz, was Hans Castorp sah!

Thomas Mann
Der Zauberberg (1924)

"Clear picture," said the Hofrat, "quite a decent leanness—that's the military youth. I've had paunches here—you couldn't see through them, hardly recognize a thing. . . ." But Hans Castorp's attention was taken up by something like a bag, a strange, animal shape, darkly visible behind the middle column, . . . Good God, it was the heart, it was Joachim's honour-loving heart, that Hans Castorp saw!

Translated by
H. T. Lowe-Porter

LEKTION NEUN

FÜHLEN UND HOFFEN

Vor einigen Jahren wurde der zweihundertste Geburtstag Ludwig van Beethovens gefeiert. In der ganzen Welt wurden Beethovenkonzerte gegeben. In Konzerthallen sowie im Fernsehen und Rundfunk hörte man die Neunte Symphonie, deren Höhepunkt die Musik zu Schillers Hymne „An die Freude" ist. Der Text beginnt mit den Worten

Freude, schöner Götterfunken,
Tochter aus Elysium.

Der Chor singt:

Seid umschlungen, Millionen!
Diesen Kuß der ganzen Welt!

Wer kann die Musik vergessen, die Beethoven zu diesen leidenschaftlichen Worten schrieb?

Das ist etwas ganz anderes als die Welt der Technik und der Datenverarbeitungsanlagen, in der wir leben. Die Politik, die Wirtschaft, die Wissenschaft, das alles ist noch nicht das ganze Leben. Wir kennen auch Gefühle und Stimmungen. Andere Menschen sind einem sympathisch oder unsympathisch. Auch die Dinge, die uns umgeben, haben wir gern, oder wir haben eine Abneigung gegen sie. Auf ein zukünftiges Ereignis freut man sich oder man fürchtet sich davor.

Heute sind wir grundsätzlich nüchtern und sachlich; zu Beethovens Zeit war es erlaubt, den Gefühlen Ausdruck zu geben. Man mag darüber denken, wie man will. Aber es darf nicht vergessen werden, daß auch im Zeitalter der Atomkraft und der Elektronik Gefühle und Stimmungen immer noch zum menschlichen Leben gehören. Solange es Menschen gibt, werden sie lachen und weinen, lieben und hassen, hoffen und verzweifeln.

FEELING AND HOPING

The two-hundredth anniversary of Ludwig van Beethoven's birthday was celebrated a few years ago. Beethoven concerts were given all over the world. In concert halls as well as on television and radio the Ninth Symphony was heard, the climax of which is the music to Schiller's "Ode to Joy" [hymn "To Joy"]. The text begins with the words

Joy, beautiful spark of the Gods,
Daughter from Elysium
[i.e., paradise].

The chorus sings:

Be embraced, ye millions!
This kiss for the whole world!

Who can forget the music which Beethoven wrote to these passionate words?

This is something completely different from the world of technology and data processing machines in which we live. Politics, economy, science, that is not all there is to life. We also have [know] feelings and moods. Other people seem agreeable or unpleasant to us. Even the things that surround us we like or dislike. One looks forward to a future event or one is afraid of it.

Today, we are sober and objective as a matter of principle. In Beethoven's time, it was permissible to express one's feelings. One may think of this what one wants. But it mustn't be forgotten that even in this age of atomic power and electronics, feelings and moods are still part of human life. As long as there are humans, they will laugh and cry, love and hate, hope and despair.

GESPRÄCH

A: Guten Tag. Wie geht es Ihnen?
B: Danke, mir geht es ganz gut. Nur das Wetter ist so schlecht.
A: Ich hoffe, es wird heute nicht wieder regnen.
B: Das kann man wohl sagen. Vierzehn Tage alles grau in grau, das ist ja schrecklich.
A: Nichts ist so deprimierend wie schlechtes Wetter. Und dazu holt man sich ja auch meistens noch einen Schnupfen.
B: Jedenfalls muß nun wohl bald der Frühling kommen. Ostern steht vor der Tür.
A: Ich freue mich schon auf den Sommer, wenn die Sonne scheint. Soviel steht fest, wir reisen dann wieder in den Süden, nach Italien oder Spanien.
B: Wir wollen diesen Sommer nach Amerika—Verwandte besuchen.
A: Phantastisch! Dahin möchte ich auch mal!
B: Fahren Sie doch mit uns!
A: Das geht leider nicht. Aber darüber sprechen wir später. Ich bin jetzt in Eile. Auf Wiedersehen!
B: Auf Wiedersehen bis morgen.

CONVERSATION

A: Hi! How are you?
B: Fine, thanks. [Thanks, it goes quite well with me.] Only, the weather is so bad.
A: I hope it won't rain again today.
B: You can say that again. For two weeks everything has been drab and gray [gray in gray]. Just terrible!
A: Nothing is so depressing as bad weather. In addition one usually catches a cold.
B: At any rate, spring must come soon. Easter is just around the corner [stands at the door].
A: I am looking forward to the summer when the sun shines. This much is certain: we are going south again, to Italy or Spain.
B: We are going to America this year. Visiting relatives.
A: Fantastic! I would like to go there too one day.
B: Then come along with us!
A: Unfortunately that's not possible [won't go]. But we'll talk about it later. Right now I'm in a hurry. Good-bye!
B: See you tomorrow.

WORD LIST

NOUNS

die **Abneigung**	*dislike*
die **Atomkraft**	*atomic power*
der **Ausdruck, ⸚e**	*expression*
der **Chor, ⸚e**	*chorus*
die **Datenverarbeitung**	*data processing*
die **Datenverarbeitungsanlage, -n**	*data processing machine*
die **Eile**	*hurry, haste*
die **Elektronik**	*electronics*
die **Freude, -n**	*joy*
der **Frühling**	*spring*
der **Geburtstag, -e**	*birthday*
das **Gefühl, -e**	*feeling*
der **Götterfunken, -**	*divine spark*
der **Höhepunkt, -e**	*climax*
die **Hymne, -n**	*hymn*
Italien	*Italy*
das **Konzert, -e**	*concert*
die **Konzerthalle, -n**	*concert hall*
der **Kuß, ⸚(ss)e**	*kiss*
die **Musik**	*music*
Ostern	*Easter*

der **Schnupfen** — *cold, sniffle*
der **Sommer** — *summer*
die **Sonne** — *sun*
Spanien — *Spain*
die **Stimmung, -en** — *mood*
der **Süden** — *south*
die **Symphonie, -n** — *symphony*
die **Technik** — *technology*
der **Text, -e** — *text*
die **Tür, -en** — *door*
der **Verwandte, -n** — *relative*
das **Wetter** — *weather*
die **Wissenschaft, -en** — *science (one of the arts or sciences)*
das **Zeitalter, -** — *age, era*

VERBS

besuchen — *to visit*
danken (*with dative*) — *to thank*
erlauben — *to allow*
feiern — *to celebrate*
feststehen, stand fest, festgestanden — *to be certain, established*
sich (auf etwas) **freuen** — *to look forward (to something)*
sich (vor etwas) **fürchten** — *to be afraid (of something)*
gern haben — *to like*
hassen — *to hate*
hoffen — *to hope*
holen — *to fetch, get*
hören — *to hear*
lachen — *to laugh*
lieben — *to love*
mögen, mochte, gemocht — *to like*
regnen — *to rain*
reisen — *to travel*
singen, sang, gesungen — *to sing*
umgeben, umgab, umgeben — *to surround*
umschlingen, umschlang, umschlungen — *to embrace*
vergessen, vergaß, vergessen — *to forget*
verzweifeln — *to despair*
weinen — *to cry, weep*

OTHER WORDS

dahin — *there, in (towards) that direction*
davor — *in front of it*
dazu — *in addition to it*
einige — *several, some*
erlaubt — *permissible*
ganz — *completely, quite; whole*
gegen — *against, toward*
grundsätzlich — *in principle*
jedenfalls — *at any rate*
leidenschaftlich — *passionate*
mal (= **einmal**) — *once*
meistens — *mostly, usually*
menschlich — *human*
noch nicht — *not yet*
nüchtern — *sober*
phantastisch — *fantastic*
sachlich — *objective*
schön — *beautiful*
schrecklich — *terrible*
solange — *as long as*
soviel — *so much, that much*
sowie — *as well as*
sympathisch — *agreeable, likeable*
unsympathisch — *unpleasant*
verwandt — *related*
wohl — *well; presumably*
zukünftig — *future*

IDIOMS

Guten Tag! — *Hi! Good day!*
Auf Wiedersehen! — *Good-bye!*
Danke. — *Thank you.*
Wie geht es Ihnen? — *How are you?*
Das geht nicht. — *That does not work [go]. That is impossible.*
Soviel steht fest. — *That much is certain.*
Ostern steht vor der Tür. — *Easter is just around the corner.*
in Eile sein — *to be in a hurry*

GRAMMAR

I. MÖGEN, VERGESSEN

The auxiliary **mögen** and the verb **vergessen** are conjugated as follows.

		mögen		**vergessen**
present tense	ich, er, sie, es	mag	ich	vergesse
			er, sie, es, du	vergißt
	du	magst		
	wir, sie, Sie	mögen		vergessen
	ihr	mögt		vergeßt
past tense	ich, er, sie, es	mochte		vergaß
	du	mochtest		vergaßt
	wir, sie, Sie	mochten		vergaßen
	ihr	mochtet		vergaßt
past participle		gemocht		vergessen

II. *PASSIVE*

> Vor einiger Zeit **wurde** der zweihundertste Geburtstag Ludwig van Beethovens **gefeiert.**
> In der ganzen Welt **wurden** Beethovenkonzerte **gegeben.**
> Aber es darf nicht **vergessen werden**, daß....

1. Normally, a verb that is used transitively can be put into the passive by using a form of the auxiliary **werden** and the past participle of the verb. German has two equivalents for English *by* in passive constructions: **von** (which requires the following noun or pronoun to be in the dative case), and **durch** (which requires an accusative).

Er fährt den Wagen.	*He drives the car.*
Der Wagen wird **von** ihm gefahren.	*The car is driven* by *him.*
Wir wählen die Regierung.	*We elect the government.*
Die Regierung wird **durch** uns gewählt.	*The government is elected* by *us.*

Der zweihundertste Geburtstag Ludwig van Beethovens. „Freude, schöner Götterfunken, Tochter aus Elysium."

The two-hundredth anniversary of Beethoven's birthday. "Joy, beautiful divine spark, Daughter from Paradise."

2. Verbs that take only a dative object can be transformed into passive constructions with **es** as the subject. The dative object remains unchanged.

Viele Leute helfen mir.	*Many people are helping me.*
Es wird mir von vielen Leuten geholfen.	*I am being helped by many people.*

The **es** may be omitted. Then the dative object introduces the sentence.

Mir wird von vielen Leuten geholfen.

3. Reflexive verbs, impersonal verbs (e.g., **regnen**), and verbs without objects (e.g., **kommen**, **wohnen**, **stehen**) do not occur in passive constructions.

4. Sometimes an active construction with the subject **man** is used in German where a passive construction is used in English.

In Konzerthallen sowie im Fernsehen und Rundfunk **hörte man** die Neunte Symphonie.	*In concert halls as well as on television and radio the Ninth Symphony* was heard.

5. **Werden** used as a main verb meaning *to become* has the past particle **geworden**.

Er wird krank. Er wurde krank. Er ist krank geworden.

However, when **werden** is used as an auxiliary to form passive constructions, **geworden** is shortened to **worden** in the perfect tense.

Der Geburtstag ist in diesem Jahr nicht **gefeiert worden**.	*The birthday has not been celebrated this year.*

EXERCISES

A. Change the sentences from active to passive. (The indefinite pronoun **man** disappears.)

Example: Man feierte den zweihundertsten Geburtstag Ludwig van Beethovens.
Der zweihundertste Geburtstag Ludwig van Beethovens wurde gefeiert.

1. Man gab Beethovenkonzerte in der ganzen Welt.	Beethovenkonzerte wurden in der ganzen Welt gegeben.
2. Man hörte die Neunte Symphonie im Fernsehen und im Rundfunk.	Die Neunte Symphonie wurde im Fernsehen und im Rundfunk gehört.
3. Man vergaß für einige Zeit die Wirtschaft und die Politik.	Die Wirtschaft und die Politik wurden für einige Zeit vergessen.
4. Man sagte nur wenige Worte.	Nur wenige Worte wurden gesagt.
5. Man wählte die neue Regierung.	Die neue Regierung wurde gewählt.
6. Man machte großartige Pläne.	Großartige Pläne wurden gemacht.
7. Man ergriff strenge Maßnahmen.	Strenge Maßnahmen wurden ergriffen.
8. Man sparte viel Zeit.	Viel Zeit wurde gespart.
9. Man zeigte die neuen Kleider.	Die neuen Kleider wurden gezeigt.
10. Man las diese Bücher in der Schule.	Diese Bücher wurden in der Schule gelesen.

B. Change the sentences from active to passive. (The subject is turned into a prepositional phrase with **von**.)

Example: Viele Leute lesen Zeitschriften.
Zeitschriften werden von vielen Leuten gelesen.

1. Viele Leute kaufen amerikanische Autos.	Amerikanische Autos werden von vielen Leuten gekauft.
2. Der Junge bringt die Zeitung.	Die Zeitung wird von dem Jungen gebracht.
3. Wir lesen jeden Tag die Zeitung.	Die Zeitung wird jeden Tag von uns gelesen.
4. Er braucht selten den großen Schraubenschlüssel.	Der große Schraubenschlüssel wird selten von ihm gebraucht.
5. Wir feiern wieder den Geburtstag des Dichters.	Der Geburtstag des Dichters wird wieder von uns gefeiert.
6. Die Staatsbürger wählen die neue Regierung.	Die neue Regierung wird von den Staatsbürgern gewählt.
7. Die Leute verstehen kaum die politischen Probleme.	Die politischen Probleme werden von den Leuten kaum verstanden.
8. Die Massenmedien machen die öffentliche Meinung.	Die öffentliche Meinung wird von den Massenmedien gemacht.

9. Die Welt der Technik und der Datenverarbeitungsanlagen umgibt uns. — Wir werden von der Welt der Technik und der Datenverarbeitungsanlagen umgeben.
10. Sie machen hin und wieder diesen Fehler. — Dieser Fehler wird hin und wieder von Ihnen (ihnen) gemacht.

C. Change the passive verbal construction from the past tense to the perfect.

Example: Der Geburtstag wurde in diesem Jahr nicht gefeiert.
Der Geburtstag ist in diesem Jahr nicht gefeiert worden.

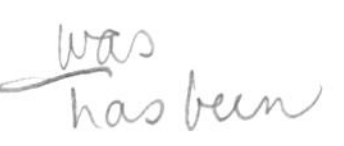

1. Die Zeitschriften wurden von vielen Leuten gelesen. — Die Zeitschriften sind von vielen Leuten gelesen worden.
2. Das Konzert wurde im Fernsehen gegeben. — Das Konzert ist im Fernsehen gegeben worden.
3. Das Buch wurde vor zweihundert Jahren geschrieben. — Das Buch ist vor zweihundert Jahren geschrieben worden.
4. Das Gepäck wurde noch nicht gefunden. — Das Gepäck ist noch nicht gefunden worden.
5. Die Inflation wurde noch nicht vergessen. — Die Inflation ist noch nicht vergessen worden.
6. Zu viele Fehler wurden gemacht. — Zu viele Fehler sind gemacht worden.
7. Die Nachricht wurde im Rundfunk und im Fernsehen gegeben. — Die Nachricht ist im Rundfunk und im Fernsehen gegeben worden.
8. Es wurde mit schlechtem Wetter gerechnet. — Es ist mit schlechtem Wetter gerechnet worden.
9. Es wurde gesagt, daß die Reisen billiger werden. — Es ist gesagt worden, daß die Reisen billiger werden.
10. Es wurden nur wenige Worte gesprochen. — Es sind nur wenige Worte gesprochen worden.

D. Change the sentences from active to passive. (The dative object remains unchanged.)

Example: Viele Leute helfen mir.
Mir wird von vielen Leuten geholfen.

1. Viele Leute schreiben uns. — Uns wird von vielen Leuten geschrieben.
2. Nur wenige Leute glauben ihm. — Ihm wird nur von wenigen Leuten geglaubt.
3. Die Erwachsenen helfen den Kindern. — Den Kindern wird von den Erwachsenen geholfen.
4. Seine Verwandten schreiben ihm. — Ihm wird von seinen Verwandten geschrieben.
5. Er berichtet mir. — Mir wird von ihm berichtet.
6. Die Leute glauben der Regierung nicht. — Der Regierung wird von den Leuten nicht geglaubt.
7. Die Wissenschaft hilft der Wirtschaft. — Der Wirtschaft wird von der Wissenschaft geholfen.

Links: Die Alten. Was fühlen sie, worauf hoffen sie?
Left: The senior citizens. What are their feelings and hopes?

Rechts: Drehorgelmann in Westberlin. Es bedarf nur wenig, um Kindern eine Freude zu machen.
Right: Organ grinder in West Berlin. It does not take much to make children happy.

8.	Sie antworten mir auf deutsch.	Mir wird von Ihnen (ihnen) auf deutsch geantwortet.
9.	Die Leute danken ihm sehr.	Ihm wird von den Leuten sehr gedankt.
10.	Alle Leute helfen dir gern.	Dir wird von allen Leuten gern geholfen.

III. *IMPERATIVE (command form)*

Seid umschlungen, Millionen!
Fahren Sie doch mit uns!

1. The imperative is a verb construction used to give commands or make direct requests. Commands may be formal or informal. The German equivalent of *please* after commands is **bitte!**

2. If one normally uses the pronoun **Sie** in speaking to the person addressed, the *formal* imperative is used. It is simply the present tense form of the verb, followed by the pronoun.

   Fahren Sie! **Gehen Sie!** **Antworten Sie!** **Tun Sie das!**

   These commands differ from questions (**Fahren Sie? Gehen Sie?**) only in intonation—the voice does not rise at the end.

3. However, if one normally addresses the person or persons as **du** (plural, **ihr**), the *informal* imperative is used.

a. In the singular, the imperative form is regularly the simple stem.

Komm! Geh! Sag es mir! Tu es nicht!

On a more elaborate level of style (that is, in consciously refined speech), an **-e** is added to these forms.

Komme! Gehe! Sage! Schreibe!

b. In the plural, the imperative form is regularly the stem with the ending **-t**.

Kommt! Geht! Sagt! Schreibt!

c. Verbs whose stem ends in **-t** or **-d** add the ending **-et** in the plural and always take the ending **-e** in the singular.

Antworte! Antwortet! Finde! Findet!

4. Verbs that have a vowel change in the second and third person singular present tense, change this vowel also in the singular form of the informal imperative.

PRESENT TENSE	*IMPERATIVE*	
	singular	*plural*
ich gebe, du gibst, er gibt	gib!	gebt!
ich helfe, du hilfst, er hilft	hilf!	helft!
ich lese, du liest, er liest	lies!	lest!
ich nehme, du nimmst, er nimmt	nimm!	nehmt!
ich sehe, du siehst, er sieht	sieh!	seht!
ich spreche, du sprichst, er spricht	sprich!	sprecht!
ich vergesse, du vergißt, er vergißt	vergiß!	vergeßt!

„Gefühle und Stimmungen gehören immer noch zum menschlichen Leben."

"Feelings and moods are still part of human life."

Werden is an exception.

ich werde, du wirst, er wird — werde! — werdet!

5. Reflexive verbs have the reflexive pronoun following the verb in the imperative.

Fürchte dich!	**Fürchtet euch!**	**Fürchten Sie sich!**
Freu(e) dich!	**Freut euch!**	**Freuen Sie sich!**

6. The imperative forms of **sein** are **Sei! Seid! Seien Sie!**

Sei schnell!	*Be quick!*
Seid nicht böse!	*Don't be angry!*
Seien Sie nicht so langweilig!	*Don't be so slow!*

7. The passive imperative requires the auxiliary **sein** instead of **werden**.

Seid umschlungen, Millionen!

EXERCISE

Change the command form from informal to formal.

Example: Geh nach Hause!
Gehen Sie nach Hause!

1.	Nimm doch ein Zimmer in der Nähe der Universität!	Nehmen Sie doch ein Zimmer in der Nähe der Universität!
2.	Sei mir nicht böse!	Seien Sie mir nicht böse!
3.	Komm schnell!	Kommen Sie schnell!
4.	Hilf mir!	Helfen Sie mir!
5.	Antworte mir auf deutsch!	Antworten Sie mir auf deutsch!
6.	Lies dieses Buch!	Lesen Sie dieses Buch!
7.	Vergiß nicht, uns zu schreiben!	Vergessen Sie nicht, uns zu schreiben!
8.	Sprich mit dem Direktor!	Sprechen Sie mit dem Direktor!
9.	Sag mir, was das kostet!	Sagen Sie mir, was das kostet!
10.	Fahr nicht so schnell!	Fahren Sie nicht so schnell!

Die Jugend singt es in ihren Liedern: „Solange es Menschen gibt, werden sie lachen und weinen, lieben und hassen, hoffen und verzweifeln."

Young people sing it in their songs: "As long as there are human beings, they will laugh and cry, love and hate, hope and despair."

IV. *REFLEXIVE PRONOUNS IN THE DATIVE*

Man holt **sich** leicht einen Schnupfen.

1. We saw (p. 128) that reflexive pronouns may be in the accusative or dative case.

Ich wundere mich. Ich helfe mir.

2. If a verb has a reflexive pronoun plus another object, the object is always in the accusative and the reflexive pronoun in the dative.

sich (etwas) denken	Ich denke mir die Sache anders.
sich (etwas) erlauben	Darf ich mir einige Worte erlauben?
sich (etwas) holen	Ich hole mir einen Schnupfen.
sich (etwas) kaufen	Ich kaufe mir einen neuen Wagen.
sich (etwas) machen	Ich mache mir einen guten Tag.
sich (etwas) nehmen	Ich nehme mir deinen Bleistift.

EXERCISE

Change the sentences as indicated.

Example: (Du) Man holt sich leicht einen Schnupfen.
Du holst dir leicht einen Schnupfen.

1. (Ich) Dürfen wir uns das Werkzeug holen?	Darf ich mir das Werkzeug holen?
2. (Er) Ich nehme mir die kleine Zange.	Er nimmt sich die kleine Zange.
3. (Wir) Ich erlaube mir eine Reise nach Europa.	Wir erlauben uns eine Reise nach Europa.
4. (Die Leute) Wir bilden uns eine eigene Meinung.	Die Leute bilden sich eine eigene Meinung.
5. (Er) Wir kaufen uns einen neuen Wagen.	Er kauft sich einen neuen Wagen.
6. (Ihr) Du sparst dir viel Zeit.	Ihr spart euch viel Zeit.
7. (Das Mädchen) Machst du dir ein neues Kleid?	Macht das Mädchen sich ein neues Kleid?
8. (Jeder) Wir denken uns die Sache ganz anders.	Jeder denkt sich die Sache ganz anders.
9. (Wir) Einige Leute wollen sich ein gutes Leben machen.	Wir wollen uns ein gutes Leben machen.
10. (Ihr) Du kannst dir jeden Tag die Zeitung holen.	Ihr könnt euch jeden Tag die Zeitung holen.

V. DA-*COMPOUNDS:* DAFÜR, DAVON, DAZU, DARÜBER, DAGEGEN, DARAUF

Darüber sprechen wir später.
Man fürchtet sich **davor**.
Wie denken Sie **darüber**?
Was halten Sie **davon**?

1. In English the pronoun *it* freely follows prepositions: *I am afraid of it.* In German the prepositions form compounds with the particle **da-**.

Ich fürchte mich **davor**.

2. When the preposition begins with a vowel, an **r** is inserted between it and **da-**.

darauf, darüber, darum

3. These compounds are used to refer to things and abstractions, but never to persons.

	Ich freue mich auf den Geburtstag.	Ich freue mich **darauf**.
But:	Sie freuen sich auf den Vater.	Sie freuen sich **auf ihn**.
	Wie denken Sie über den Plan?	Wie denken Sie **darüber**?
But:	Wie denken Sie über den Direktor?	Wie denken Sie **über ihn**?
	Wir haben uns vor der Inflation gefürchtet.	Wir haben uns **davor** gefürchtet.
But:	Wir haben uns vor dem Direktor gefürchtet.	Wir haben uns **vor ihm** gefürchtet.

EXERCISE

Replace the prepositional phrase with a **da**-compound.

Example: Wir sprechen später über Ihre Reise.
Wir sprechen später darüber.

1.	Wir freuen uns auf die Reise.	Wir freuen uns darauf.
2.	Die Leute fürchten sich vor der Inflation.	Die Leute fürchten sich davor.
3.	Wir sprechen gerade über das Konzert.	Wir sprechen gerade darüber.
4.	Wir denken oft an das Gespräch.	Wir denken oft daran.
5.	Was wissen Sie von dem Buch?	Was wissen Sie davon?
6.	Wir hoffen auf gutes Wetter.	Wir hoffen darauf.
7.	Wir lachen über die neue Mode.	Wir lachen darüber.
8.	Die Leute glauben nicht mehr an die Politik der Regierung.	Die Leute glauben nicht mehr daran.
9.	Sie haben nicht auf meine Frage geantwortet.	Sie haben nicht darauf geantwortet.
10.	Die Zeitung hat über das Ereignis berichtet.	Die Zeitung hat darüber berichtet.

VI. *GENITIVE OF NAMES*

der Geburtstag Ludwig van Beethovens

1. The marker **-s** without an apostrophe is added to names to show the genitive.

   Goethe**s** Gedichte   Ursula**s** Mantel

2. If the name ends in **s**, **ß**, **x**, **z**, the genitive **-s** is replaced by an apostrophe.

   Fritz' Mantel

3. The name can follow or precede the noun.

   Ludwig van Beethovens Geburtstag
   or der Geburtstag Ludwig van Beethovens

4. **Herr** receives the declensional ending **-n** in the genitive.

   Her**rn** Weber**s** Wagen

EXERCISE

Combine the names and nouns into genitive phrases.

Example: Frau Schwarz, die Töchter
Frau Schwarz' Töchter

1.	Direktor Braun, die Familie	Direktor Brauns Familie
2.	Doktor Buchmann, das Gepäck	Doktor Buchmanns Gepäck
3.	Professor Jung, die Bücher	Professor Jungs Bücher
4.	Herr Meier, das Haus	Herrn Meiers Haus
5.	Thomas Mann, die Briefe	Thomas Manns Briefe
6.	Günter Eich, die Gedichte	Günter Eichs Gedichte
7.	Günter Grass, die politische Meinung	Günter Grass' politische Meinung
8.	Friedrich von Schiller, die Hymne an die Freude	Friedrich von Schillers Hymne an die Freude
9.	Deutschland, die Massenmedien	Deutschlands Massenmedien
10.	Amerika, die Flugzeuge	Amerikas Flugzeuge

VII. *AUXILIARIES FUNCTIONING AS MAIN VERBS*

Dahin **möchte** ich auch mal.

1. **Ich möchte** is a form (the second subjunctive) of the auxiliary **mögen.** Without analyzing subjunctive forms at this time, we may simply learn this frequently used phrase as a vocabulary item. The English equivalent for **ich möchte** is *I would like to....*

ich, er, sie, es	möchte	wir, sie, Sie	möchten
du	möchtest	ihr	möchtet

2. The German words **können**, **mögen**, **müssen**, **dürfen**, **sollen**, and **wollen** often serve as modal auxiliaries to other verbs; they may also occur with verbal complements, like main verbs.

Er kann lesen und schreiben.	*He can read and write.*
Er kann es.	*He can do it.*

3. Often when a modal appears to be the main verb of a sentence, another verb is implicit or understood, and the sentence is actually an elliptic construction.

Dahin möchte ich auch mal (*i.e.*, reisen).	*I'd like to go there too one day.*
Wir wollen diesen Sommer nach Europa (*i.e.*, fahren, fliegen, reisen...).	*We want to go to Europe this summer.*
Das darfst du nicht (*i.e.*, tun).	*You may not do that.*

Kohlenzeche in Dortmund. Kann das Kind seine Welt vor dem technischen Zeitalter retten?

Coal mine at Dortmund. Will the child be able to save his world from the technological age?

VIII. MAN *(no declension)*

Andere Menschen sind **einem** sympathisch oder unsympathisch.

The indefinite pronoun **man** cannot be declined; it occurs only in the nominative singular. The substitute for the dative is **einem**, for the accusative **einen**.

Man hilft anderen Leuten, aber andere Leute helfen **einem** nicht immer.	*You help* [one helps] *other people, but other people don't always help* you.
Man kann von hier die Leute sehen, aber die Leute können **einen** nicht sehen.	*From here you* [one] *can see the people, but the people cannot see* you.

IX. WORTE, WÖRTER

Some nouns have two plural forms with different meanings. **Die Wörter** denotes unconnected words, as in **Wörterbuch** *dictionary*. **Die Worte** are words meaningfully connected in utterances or discourse, as in **die Worte des Dichters**.

INDIVIDUAL STUDY: SELF-TESTING

1. Germans often greet each other with the words:
   ______ ______! — Guten Tag!
2. *How are you?*
   Wie ______ ______ ______? — geht es Ihnen (dir/euch)
3. *Thank you.*
   ______. — Danke.
4. *I feel pretty good.*
   Mir ______ ______ ______ ______. — geht es ganz gut
5. *I'm in a hurry.*
   Ich ______ ______ ______. — bin in Eile
6. *the birthday*
   der ______ — Geburtstag
7. *to celebrate*
   ______ — feiern
8. *We celebrate his birthday.*
   Wir ______ ______ ______. — feiern seinen Geburtstag
9. *some time ago*
   vor ______ ______ — einiger Zeit
10. *Some time ago we celebrated his birthday.*
    Vor ______ ______ ______ ______ ______
    ______. — einiger Zeit feierten wir seinen Geburtstag
11. *His birthday was celebrated.*
    Sein ______ ______ ______. — Geburtstag wurde gefeiert
12. *several years ago*
    vor ______ ______ — einigen Jahren
13. *Ludwig van Beethoven's birthday*
    der ______ ______ ______ ______ — Geburtstag Ludwig van Beethovens
14. *his 200th birthday*
    sein ______ ______ — zweihundertster Geburtstag
15. *all over the world*
    in ______ ______ ______ — der ganzen Welt
16. *Beethoven concerts were given all over the world.*
    In der ganzen Welt ______ ______
    ______. — wurden Beethovenkonzerte gegeben
17. *The music was written by Beethoven.*
    Die Musik wurde ______ ______ ______. — von Beethoven geschrieben
18. *The hymn was written by Schiller.*
    Die Hymne ______ ______ ______
    ______. — wurde von Schiller geschrieben
19. *The words were sung by the chorus.*
    Die Worte ______ ______ ______ ______
    ______. — wurden von dem Chor gesungen

20. *The concert was heard by many people.*
Das Konzert ______ ______ ______ ______ ______.
— wurde von vielen Leuten gehört

21. *I would like to hear the Ninth Symphony.*
Ich ______ ______ ______ ______ ______.
— möchte die Neunte Symphonie hören

22. *We would like to travel south.*
Wir ______ ______ ______ ______ ______.
— möchten in den Süden reisen

23. *Would you like to come with us?*
______ ______ ______ ______ ______?
— Möchten Sie mit uns kommen?

24. *Come with us!*
______ ______ ______ ______!
— Kommen Sie mit uns!

25. *Come with us, Peter!*
______ ______ ______, Peter!
— Komm mit uns

26. *Unfortunately that is not possible.*
Das ______ leider nicht.
— geht

27. *The weather is so bad.*
Das ______ ______ ______ ______.
— Wetter ist so schlecht

28. *I hope it won't rain again today.*
Ich hoffe, ______ ______ ______ ______ ______ ______.
— es wird heute nicht wieder regnen

29. *You can say that again.*
Das kann ______ ______ ______.
— man wohl sagen

30. *Easter is just around the corner.*
Ostern ______ ______ ______ ______.
— steht vor der Tür

31. *That must not be forgotten.*
Das ______ ______ ______ ______.
— darf nicht vergessen werden

32. *We'll speak about that later.*
Wir sprechen später ______.
— darüber

33. *Don't be afraid of that.*
Fürchten Sie sich nicht ______.
— davor

34. *I'm looking forward to that.*
Ich ______ ______ ______.
— freue mich darauf

35. *That much is certain.*
Soviel ______ ______.
— steht fest

36. *The periodicals are read by many people.*
Die Zeitschriften ______ ______ ______ ______ ______.
— werden von vielen Leuten gelesen

37. *The periodicals have been read by many people.*
Die Zeitschriften ______ ______ ______ ______ ______ ______.
— sind von vielen Leuten gelesen worden

38. *The government is elected by the citizens.*
Die Regierung ______ ______ ______ ______ ______.
— wird von den Staatsbürgern (*or* durch die Staatsbürger) gewählt

39. *The government has been elected by the citizens.*
Die Regierung ______ ______ ______ ______ ______ ______.

— ist von den Staatsbürgern (*or* durch die Staatsbürger) gewählt worden

40. *Too many mistakes were made.*
Zu viele Fehler ______ ______.

— wurden gemacht

41. *Too many mistakes have been made.*
Zu viele Fehler ______ ______ ______.

— sind gemacht worden

42. *I would like to read this book.*
Ich ______ ______ ______ ______.

— möchte dieses Buch lesen

43. *Mr. Strauß, give me the book, please.*
Herr Strauß, ______ ______ ______ ______ ______, ______.

— geben Sie mir das Buch, bitte.

44. *Peter, give me your book, please.*
Peter, ______ ______ ______ ______, ______.

— gib mir dein Buch, bitte

45. *This is Mr. Hoffmann's book.*
Dies ist______ ______ ______.

— Herrn Hoffmanns Buch

46. *Peter, help me, please!*
Peter, ______ ______, ______!

— hilf mir, bitte

47. *Take your luggage, Mr. Meier!*
______ ______ ______ ______, Herr Meier!

— Nehmen Sie Ihr Gepäck

48. *Answer me in German, Peter!*
______ ______ ______ ______, Peter!

— Antworte mir auf deutsch

49. *Don't drive so fast, Mrs. Berger!*
______ ______ ______ ______ ______, Frau Berger!

— Fahren Sie nicht so schnell

50. *Don't be angry, Mrs. Scholl!*
______ ______ ______ ______, Frau Scholl!

— Seien Sie nicht böse

51. Answer the question:
Wer kauft sich einen neuen Wagen?
Wir ______ ______ ______ ______ ______.

— kaufen uns einen neuen Wagen

52. Wer bildet sich eine eigene Meinung?
Ich ______ ______ ______ ______ ______.

— bilde mir eine eigene Meinung

53. Wer holt sich die Zeitung?
Du ______ ______ ______ ______.

— holst dir die Zeitung

54. Wer holt sich einen Schnupfen?
Ihr ______ ______ ______ ______.

— holt euch einen Schnupfen

55. Wer nimmt sich die Zeitung von heute?
Ich ______ ______ ______ ______ ______ ______.

— nehme mir die Zeitung von heute

56. Er denkt oft an das Mädchen.
Er denkt oft ______ (daran/an sie). — an sie

57. Die Leute fürchten sich vor der Inflation.
Die Leute fürchten sich ______ (davor/vor ihr). — davor

58. Freuen Sie sich auf den Sommer?
Ja, ich freue mich ______ (darauf/auf ihn). — darauf

59. Was denken Sie von dem Direktor?
Was denken Sie ______ (davon/von ihm)? — von ihm

60. Wir wundern uns über die Nachricht.
Wir wundern uns ______ (darüber/über sie). — darüber

61. The indefinite pronoun **man** is not used in the dative and accusative. In numbers 61 to 65 fill the gap with a form of **ein**.
Man hilft andern Leuten, aber andere helfen ______ nicht immer. — einem

62. Man darf es nicht zeigen, wenn ______ dieser Mensch unsympathisch ist. — einem

63. Man kann hier alles sehen, aber die Leute können ______ nicht sehen. — einen

64. Man findet die Stadt phantastisch, wenn sie ______ neu ist. — einem

65. Man muß antworten, wenn die Leute ______ fragen. — einen

66. Das Auto gehört Herrn Brandt.
Das ist ______ ______ Auto. — Herrn Brandts

67. Der Kugelschreiber gehört Ute.
Das ist ______ Kugelschreiber. — Utes

68. Das Haus gehört Doktor von Braun.
Das ist ______ ______ ______ Haus. — Doktor von Brauns

69. Der Mantel gehört Hans.
Das ist ______ Mantel. — Hans'

70. Ludwig van Beethoven hat diese Musik geschrieben.
Das ist die Musik ______ ______ ______. — Ludwig van Beethovens

71. Man glaubt mir. Mir wird geglaubt.
Man hilft mir. Mir ______ ______. — wird geholfen

72. Man dankt mir.
Mir ______ ______. — wird gedankt

73. Man gratuliert uns.
Uns ______ ______. — wird gratuliert

74. Man antwortet ihm.
Ihm ______ ______. — wird geantwortet

75. Man schreibt ihr.
Ihr ______ ______. — wird geschrieben

76. Viele Leute helfen uns.
Uns wird ______ ______ ______
______. — von vielen Leuten geholfen

77. Deine Verwandten schreiben dir.
Dir ______ ______ ______ ______
______. — wird von deinen Verwandten geschrieben

78. Nur wenige Leute glauben ihm.
Ihm ______ ______ ______ ______
______ ______. — wird nur von wenigen Leuten geglaubt

79. Meine Mutter gratuliert mir.
Mir ______ ______ ______ ______
______. — wird von meiner Mutter gratuliert

80. Die Regierung antwortet uns.
Uns ______ ______ ______ ______
______. — wird von der Regierung geantwortet

81. The opposite of **weinen** is ______. — lachen
82. The opposite of **hassen** is ______. — lieben
83. The opposite of **verzweifeln** is ______. — hoffen
84. The opposite of **Ich fürchte mich davor** is
Ich ______ ______ ______. — freue mich darauf

85. Wir wollen diesen Sommer nach Amerika—Verwandte besuchen.
Wir wollen unsere Verwandt- besuchen. — -en
86. Er ist ein Verwandt- von mir. — -er
87. Wir sind Verwandt- von ihm. — -e
88. Die Verwandt- leben in Amerika. — -en
89. Die Erwachsen- helfen den Kindern. — -en
90. Ein Erwachsen- hat das Recht zu wählen. — -er
91. Die Deutsch- dürfen jetzt mit achtzehn Jahren wählen. — -en
92. Er ist krank. Ein Krank- braucht nicht zu arbeiten. — -er
93. Die Krank- gehen spazieren. — -en
94. Wir helfen den Krank-. — -en
95. Haben Sie Verwandt- in Deutschland? — -e

96. *drab and gray*
grau ______ ______ — in grau

97. *For two weeks everything was drab and gray.*
Vierzehn Tage war ______ ______ ______ ______. — alles grau in grau

98. *That is terrible.*
Das ist ja ______. — schrecklich

99. *I am looking forward to the summer when the sun shines.*
Ich freue mich ______ ______ ______, ______ ______ ______ ______. — auf den Sommer, wenn die Sonne scheint

100. *See you tomorrow!*
Auf ______ ______ ______! — Wiedersehen bis morgen

ALBERT EINSTEIN
(1879–1955)

Die Religiosität der Forschung

Sie werden schwerlich einen tiefer schürfenden wissenschaftlichen Forscher finden, dem nicht eine eigentümliche Religiosität eigen ist. Diese Religiosität unterscheidet sich aber von derjenigen des naiven Menschen. Letzterem ist Gott ein Wesen, von dessen Sorgfalt man hofft, dessen Strafe man fürchtet — ein sublimiertes Gefühl von der Art der Beziehung des Kindes zum Vater —, ein Wesen, zu dem man gewissermaßen in einer persönlichen Beziehung steht, so respektvoll diese auch sein mag.

Der Forscher aber ist von der Kausalität allen Geschehens durchdrungen. Die Zukunft ist ihm nicht minder notwendig und bestimmt wie die Vergangenheit. Das Moralische ist ihm keine göttliche, sondern eine rein menschliche Angelegenheit. Seine Religiosität liegt im verzückten Staunen über die Harmonie der Naturgesetzlichkeit, in der sich eine so überlegene Vernunft offenbart, daß alles Sinnvolle menschlichen Denkens und Anordnens dagegen ein gänzlich nichtiger Abglanz ist. Dies Gefühl ist das Leitmotiv seines Lebens und Strebens, insoweit dieses sich über die Knechtschaft selbstischen Wünschens erheben kann. Unzweifelhaft ist dieses Gefühl nahe verwandt demjenigen, das die religiös schöpferischen Naturen aller Zeiten erfüllt hat.

Mein Weltbild (1955)

Religion and Scientific Research

You will rarely find a deeply searching scientific mind that is not at the same time peculiarly religious. This religiosity, however, is different from that of the naïve person. For the latter, God is a being whose watchful care one desires, whose punishment one fears—a sublime feeling similar to the relationship between father and child—a being to whom one has a somewhat personal relationship, respectful as it may be.

The researcher, however, is immersed in the causality of things. The future to him is no less necessary and determined than the past. Moral matters to him do not concern God but are purely human problems. His religiosity is a rapt wonderment at the harmony of the laws of nature in which such a superior reason manifests itself that all sensible human thinking and planning by comparison is merely a shadow. This feeling is the guideline of the researcher's life and work, insofar as it can rise above servitude to selfish wishes. Undoubtedly this feeling is closely related to the one which creative religious leaders have known through all the ages.

LEKTION ZEHN

RÜCKBLICK

I. Was lesen Sie?

Ich lese jeden Tag die Zeitung. Ich lese manchmal Zeitschriften. Ich lese gerade ein großartiges Buch. Die Presse versorgt uns mit Nachrichten. Manchmal kann man zwischen den Zeilen lesen.

II. Was schreiben Sie?

Ich schreibe jede Woche einen Brief an meine Verwandten. Wir haben heute ein Diktat geschrieben. Die meisten Leute schreiben mit der Schreibmaschine, nur eine Unterschrift muß mit der Hand geschrieben werden.

III. Fahren Sie oder gehen Sie zu Fuß?

Wir gehen gern spazieren. Am Wochenende machen wir meistens einen langen Spaziergang. Manchmal muß ich den Bus oder die Straßenbahn nehmen. Natürlich haben wir unseren eigenen Wagen. Mit dem Flugzeug fliege ich selten, auch fahre ich nicht gern mit der Eisenbahn.

IV. Reisen Sie gern?

Ja, natürlich. Wir wollen diesen Sommer nach Europa. Wir werden unsere Verwandten in Deutschland besuchen. Vor zwei Jahren waren wir im Süden Europas, in Italien und Spanien. Es war phantastisch. Wir hatten uns einen gebrauchten Wagen für die Reise gekauft. Es war ein guter Kauf.

V. Verstehen Sie etwas von Politik?

Man sagt, die Massenmedien machen die öffentliche Meinung. Man muß sich natürlich mit Politik beschäftigen. Wir haben unsere eigene Meinung. Wie kann man wählen, wenn man die politischen Probleme nicht kennt? Mit achtzehn Jahren hat jeder Staatsbürger das Recht zu wählen.

VI. Können Sie rechnen?

Heute muß jeder rechnen können. Die Preise steigen von Monat zu Monat. Man muß mit dem Pfennig rechnen, wenn das Geld reichen soll. Wir haben schon lange eine Inflation. Die Regierung sagt, daß sie strenge Maßnahmen ergreifen will. Aber das nützt nichts.

VII. Verstehen Sie etwas von Musik?

Es gibt nur wenige Menschen, die gar kein Gefühl für Musik haben. Einige mögen die neue Musik von heute, andere hören gern eine Symphonie. Politik, Wirtschaft und Wissenschaft sind nicht das ganze Leben, auch Theater und Musik gehören dazu. Die Menschen sind nicht nur sachlich und nüchtern, sie kennen auch Gefühle und Stimmungen.

VIII. Haben Sie alles verstanden?

In dieser Lektion finden Sie nur Wörter und Ausdrücke, die Sie schon kennen. Machen Sie eigene Gespräche über

a. eine Reise nach Europa
b. die Massenmedien
c. Ihr Auto
d. ein Konzert

EXERCISES

A. Change the verbs to the perfect tense.

Example: Wir sparen viel Zeit.
Wir haben viel Zeit gespart.

1. Wir machen einen langen Spaziergang.
2. Wir kaufen ein neues Auto.
3. Wir haben einen amerikanischen Wagen.
4. Wir gebrauchen den Wagen selten.
5. Wir wählen die neue Regierung.
6. Wir rechnen nicht mit der Inflation.
7. Wir zählen die Minuten.
8. Wir feiern seinen Geburtstag.
9. Wir haben ihn gern.
10. Wir glauben ihm nicht.

B. Answer the question, beginning with **Ich habe**... and using **schon** and the perfect tense.

Example: Wann liest du das Buch?
Ich habe das Buch schon gelesen.

1. Wann hilfst du der Dame?
2. Wann schreibst du den Brief?
3. Wann siehst du den Film?
4. Wann beginnst du die Arbeit?
5. Wann fragst du ihn?
6. Wann lernst du die Lektion?
7. Wann antwortest du ihm?
8. Wann denkst du daran?
9. Wann gratulierst du ihm?
10. Wann besuchst du ihn?

C. Sein oder haben?

1. Er ______ (ist/hat) mit der Eisenbahn gefahren.
2. Er ______ (ist/hat) strenge Maßnahmen ergriffen.
3. Er ______ (ist/hat) fast auseinandergefallen.
4. Er ______ (ist/hat) sich sehr gewundert.
5. Er ______ (ist/hat) sich hier nicht wohl gefühlt.
6. Er ______ (ist/hat) gestern abend gekommen.
7. Er ______ (ist/hat) jeden Tag spazierengegangen.
8. Er ______ (ist/hat) einen langen Spaziergang gemacht.
9. Er ______ (ist/hat) nach Europa geflogen.
10. Er ______ (ist/hat) uns einen Brief aus München geschrieben.

D. Restate the sentences, beginning with **Es war richtig, daß**... and using the past tense.

Example: Er hat die Straßenbahn genommen.
Er war richtig, daß er die Straßenbahn nahm.

1. Er hat ihm das Geld gegeben.
2. Er ist mit dem neuen Wagen gefahren.
3. Er hat mit dem Direktor gesprochen.
4. Er hat seinen Eltern geholfen.
5. Er ist aus dem Zimmer gegangen.
6. Er hat jeden Tag die Zeitung gelesen.
7. Er hat ihr manchmal geschrieben.
8. Er ist nicht nach Amerika gekommen.
9. Er hat mir schnell die Zeitung gebracht.
10. Er hat den Film schon gesehen.

E. Transform into the passive.

Example: Er kaufte den Wagen.
Der Wagen wurde von ihm gekauft.

1. Wir feierten den Geburtstag.
2. Er fand das Geld.
3. Sie schrieb den Brief.
4. Wir wählten die Regierung.
5. Sie versorgten die Eltern.
6. Viele Leute hörten das Konzert.
7. Alle lasen die Zeitung.
8. Er holte das Gepäck.
9. Sie vergaß die ganze Sache.
10. Wir erkannten die Situation.

F. Wie sagt man auf deutsch?

1. One must write legibly.
2. Sometimes one can read between the lines.
3. What make is this?
4. I believe you made a good buy.
5. That will be seen [show itself] only later.
6. Germans like to hike.
7. The word **wandern** is gradually going out of style.
8. That is something completely different.
9. One may think of this what one wants.
10. Every adult citizen has the right to vote.

G. Redensarten.

1. That is no excuse.
2. That is just what we needed [what was missing].

3. Congratulations!
4. That does not count.
5. Of course you are right.
6. One has to take the facts into account.
7. That is something to think about.
8. You can say that again.
9. That is terrible!
10. Fantastic!

H. Sagen Sie mir bitte!

1. das Datum von heute
2. den Tag der Woche
3. wieviel Uhr es ist
4. wann Sie Geburtstag haben
5. wann in diesem Jahr Ostern ist
6. was für ein Auto Sie haben
7. wieviel das Auto jetzt kostet
8. wieviel ein Brief nach Deutschland kostet
9. wieviel Deutsche Mark man für einen Dollar bekommt
10. wieviel amerikanisches Geld man für eine Mark bekommt

I. Insert an appropriate verb.

Example: Die Zeitung ______ über das, was gestern gewesen ist.
Die Zeitung schreibt (*or* berichtet) über das, was gestern gewesen ist.

1. Schon als Kind hat man lesen und schreiben in der Schule ______.
2. Sie haben letztes Mal viele Fehler ______.
3. Wenn das Geld reichen soll, muß man mit dem Pfennig ______.
4. Früher ist man oft zu Fuß ______.
5. Für lange Strecken hat man die Straßenbahn ______.
6. Vor einigen Jahren wurde der zweihundertste Geburtstag Ludwig van Beethovens ______.
7. In der ganzen Welt wurden Beethovenkonzerte ______.
8. Es ist nicht immer erlaubt, seinen Gefühlen Ausdruck zu ______.
9. Man mag darüber eine andere Meinung ______.
10. Es kommt doch alles anders, als man ______.

J. Antworten Sie bitte!

1. Wohin wollen Sie in diesem Sommer fahren?
2. Wie kann man von hier nach Europa reisen?
3. Warum schreiben viele Leute mit der Schreibmaschine?
4. Wie soll man eine Unterschrift schreiben?
5. Mit wieviel Jahren darf man wählen?
6. Was meint man mit dem Ausdruck Massenmedien?
7. Heute ist fast jeder motorisiert. Wie fuhr man früher?
8. Beethovens Geburtstag war der 16. Dezember 1770. Wann war sein zweihundertster Geburtstag?
9. Was lesen Sie gern?
10. Was haben Sie im letzten Monat gelesen?

INDIVIDUAL STUDY: SELF-TESTING

1. *the sixth lesson*
   die ______ Lektion — sechste
2. *the seventh lesson*
   die ______ Lektion — siebte
3. *the eighth lesson*
   die ______ Lektion — achte
4. *the ninth lesson*
   die ______ Lektion — neunte
5. *the tenth lesson*
   die ______ Lektion — zehnte
6. *the first lesson of this book*
   die ______ ______ ______ ______ — erste Lektion dieses Buches
7. *the first lessons*
   die ______ ______ — ersten Lektionen

8. What is the plural of:
   der Mensch?
   ______ ______ — die Menschen
9. das Mädchen
   ______ ______ — die Mädchen
10. der Abend
    ______ ______ — die Abende
11. das Kind
    ______ ______ — die Kinder
12. der Mantel
    ______ ______ — die Mäntel
13. der Anzug
    ______ ______ — die Anzüge
14. das Buch
    ______ ______ — die Bücher
15. die Wirtin
    ______ ______ — die Wirtinnen
16. der Bus
    ______ ______ — die Busse
17. der Kaufmann
    ______ ______ — die Kaufleute

18. Make the subject and verb plural:
    Der Kaufmann kann das Geld nicht wechseln.
    Die ______ ______ das Geld nicht wechseln. — Kaufleute können
19. Change the same sentence into the past tense:
    Die Kaufleute ______ das Geld nicht wechseln. — konnten
20. *The merchant has not changed the money.*
    Der Kaufmann ______ ______ ______ ______
    ______. — hat das Geld nicht gewechselt

21. *Who will change the money?*
Wer ______ ______ ______ ______? — wird das Geld wechseln

22. *The merchant will not change the money.*
Der Kaufmann ______ ______ ______ ______
______. — wird das Geld nicht wechseln

23. *The money is not being changed.*
Das Geld ______ ______ ______. — wird nicht gewechselt

24. *The money was not changed.*
Das Geld ______ ______ ______. — wurde nicht gewechselt

25. *The money has not been changed.*
Das Geld ______ ______ ______ ______. — ist nicht gewechselt worden

26. *Who is reading the book?*
Wer ______ ______ ______? — liest das Buch

27. *Who has read the book?*
Wer ______ ______ ______ ______? — hat das Buch gelesen

28. *The book has been read by many people.*
Das Buch ______ ______ ______ ______
______ ______. — ist von vielen Leuten gelesen worden

29. *We had to read the third book.*
Wir ______ ______ ______ ______ ______. — mußten das dritte Buch lesen

30. *Read the second book!* (formal command)
______ ______ ______ ______ ______! — Lesen Sie das zweite Buch!

31. *The old car nearly fell apart.*
Der alte Wagen ______ ______ ______. — fiel fast auseinander

32. *The old car will soon fall apart.*
Der alte Wagen ______ ______ ______. — wird bald auseinanderfallen

33. *The old car has fallen apart.*
Der alte Wagen ______ ______. — ist auseinandergefallen

34. *We arrived at six o'clock.* (past tense)
Wir ______ um sechs Uhr ______. — kamen...an

35. *When will he arrive?*
Wann wird ______ ______? — er ankommen

36. *He has just arrived.*
Er ______ gerade ______. — ist...angekommen

37. *He is taking a walk.*
Er ______ ______. — geht spazieren

38. *He always went for a walk.* (past tense)
Er ______ ______ ______. — ging immer spazieren

39. *We will go for a walk now.*
Wir werden ______ ______. — jetzt spazierengehen

40. *We often went for a walk.* (perfect tense)
Wir ______ oft ______. — sind...spazierengegangen

41. *Do you change German money?*
Wechseln Sie ______ Geld? — deutsches

42. *I'll give you the German money.*
Ich werde Ihnen das ______ Geld geben. — deutsche

43. *We only have light luggage.*
Wir haben nur ______ Gepäck. — leichtes
44. *To whom does the light luggage belong?*
Wem gehört das ______ Gepäck? — leichte
45. *He travels with light luggage.*
Er reist mit ______ Gepäck. — leichtem
46. *She has two big rooms.*
Sie hat zwei ______ Zimmer. — große
47. *She lives in two big rooms.*
Sie wohnt in zwei ______ Zimmern. — großen
48. *Big rooms are expensive.*
______ Zimmer sind teuer. — Große
49. *The big rooms are expensive.*
Die ______ Zimmer sind teuer. — großen
50. *This is a used car.*
Dies ist ______ ______ ______. — ein gebrauchter Wagen
51. *The used car is not expensive.*
Der ______ Wagen ist nicht teuer. — gebrauchte
52. *We bought a used car.*
Wir haben ______ ______ ______ gekauft. — einen gebrauchten Wagen
53. *We have made a good buy.*
Wir haben ______ ______ ______ ______. — einen guten Kauf gemacht
54. *That will show up later.*
Das wird sich ______ ______ ______. — erst später zeigen

55. *We are a little astonished.*
Wir wundern ______ ein bißchen. — uns
56. *The children are afraid.*
Die Kinder ______ ______. — fürchten sich
57. *We are not afraid.*
Wir ______ ______ nicht. — fürchten uns
58. *Who is afraid?*
Wer ______ ______? — fürchtet sich
59. *Are you afraid, Peter?*
______ ______ ______, Peter? — Fürchtest du dich
60. *Are you afraid, Mrs. Schwarz?*
______ ______ ______, Frau Schwarz? — Fürchten Sie sich
61. *Don't be afraid!* (Sie)
______ ______ ______ nicht! — Fürchten Sie sich

62. Man holt sich meistens einen Schnupfen.
Ich hole ______ meistens einen Schnupfen. — mir
63. Man kann sich einen guten Tag machen.
Ihr könnt ______ einen guten Tag machen. — euch
64. Man muß sich einen neuen Wagen kaufen.
Du mußt ______ einen neuen Wagen kaufen. — dir
65. Einige Leute denken sich die Sache anders.
Ich denke ______ die Sache anders. — mir

66. Frau Brandt hat Geburtstag. Heute ist Frau Brandts Geburtstag.
Herr Brandt hat Geburtstag. Heute ist ______ ______ Geburtstag. — Herrn Brandts

67. Fritz hat Geburtstag.
Heute ist ______ ______. — Fritz' Geburtstag

68. Ludwig van Beethoven hat die Symphonien geschrieben.
Das sind die Symphonien ______ ______ ______. — Ludwig van Beethovens

69. Man sagte kaum ein Wort darüber.
Kaum ein Wort wurde ______ ______. — darüber gesagt

70. Man sprach jeden Tag Deutsch.
Deutsch wurde ______ ______ ______. — jeden Tag gesprochen

71. Er kommt morgen.
Hoffentlich ______ ______ morgen. — kommt er

72. Sie schreibt mit der Schreibmaschine.
Manchmal ______ ______ mit der Schreibmaschine. — schreibt sie

73. Ich fahre mit der Eisenbahn.
Wahrscheinlich ______ ______ mit der Eisenbahn. — fahre ich

74. Wir sind zu spät gekommen.
Leider ______ ______ zu spät gekommen. — sind wir

75. Wir sind nicht zu spät gekommen.
Es ist nicht wahr, daß wir ______ ______ ______ ______. — zu spät gekommen sind

76. Er ist nicht in Deutschland gewesen.
Es ist nicht wahr, daß er ______ ______ ______ ______. — in Deutschland gewesen ist

77. Er arbeitet in der frischen Luft.
Er fühlt sich wohl, wenn er ______ ______ ______ ______ ______. — in der frischen Luft arbeitet

78. Er hat einen neuen Wagen.
Er fährt immer in die Stadt, seitdem er ______ ______ ______ ______. — einen neuen Wagen hat

79. Die neuen Wagen sind teuer.
Wir brauchen einen neuen Wagen, aber ______ ______ ______ ______ ______. — die neuen Wagen sind teuer

80. Man fuhr mit der Straßenbahn.
Früher ging man zu Fuß, oder ______ ______ ______ ______ ______. — man fuhr mit der Straßenbahn

81. Was sagen Sie zu dem Kauf?
Was sagen Sie dazu?
Was denken Sie über die Musik?
Was denken Sie ______? — darüber

82. Was haben Sie gegen die Sache?
Was haben Sie ______? — dagegen
83. Freuen Sie sich auf das Konzert?
Freuen Sie sich ______? — darauf
84. Fürchten Sie sich vor der Reise?
Fürchten Sie sich ______? — davor
85. Fürchten Sie sich vor dem Direktor?
Fürchten Sie sich ______ ______? — vor ihm
86. Denken Sie an Ihre Pflicht!
Denken Sie ______! — daran
87. Denken Sie an Ihre Kinder!
Denken Sie ______ ______! — an sie
88. Können Sie mit dem Wörterbuch arbeiten?
Können Sie ______ arbeiten? — damit
89. Möchten Sie mit Ihren Verwandten arbeiten?
Möchten Sie ______ ______ arbeiten? — mit ihnen

90. Ihr seid erwachsen.
Die ______ haben das Recht zu wählen. — Erwachsenen
91. Er ist alt.
Der ______ kann nicht mehr arbeiten. — Alte
92. Er ist ein Deutscher.
Der ______ darf mit achtzehn Jahren wählen. — Deutsche

93. Die Tage der Woche sind:
Montag, ______, ______, ______, ______, ______, ______. — Dienstag, Mittwoch, Donnerstag, Freitag, Samstag (*or* Sonnabend), Sonntag

94. Die Monate sind:
Januar, ______, ______, ______, ______, ______, ______, ______, ______, ______, ______, ______. — Februar, März, April, Mai, Juni, Juli, August, September, Oktober, November, Dezember

95. *Today* heißt auf deutsch ______. — heute
96. *tomorrow* ______ — morgen
97. *yesterday* ______ — gestern
98. *ten years from now* ______ ______ ______ — in zehn Jahren
99. *several years ago* ______ ______ ______ — vor einigen Jahren
100. *Thank you.* ______ — Danke!

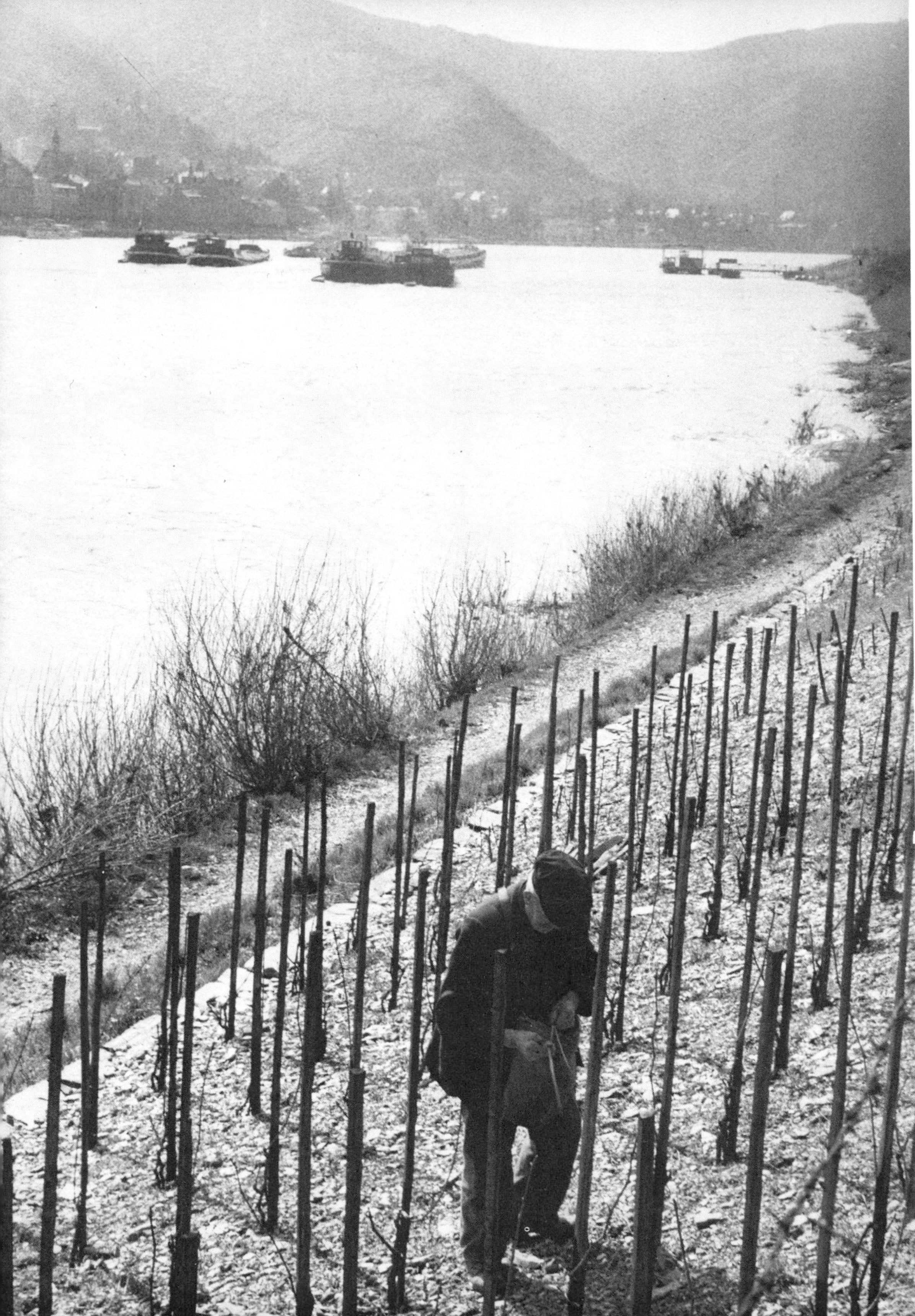

LEKTION ELF

LAND UND LEUTE

Wo wird Deutsch gesprochen? Die deutschsprechenden Menschen in Europa leben in verschiedenen Staaten: in der Bundesrepublik Deutschland (BRD), in der Deutschen Demokratischen Republik (DDR), in der Bundesrepublik Österreich und in der Schweiz. Über neunzig Millionen Menschen in Europa sprechen Deutsch, davon leben über sechzig Millionen in der Bundesrepublik Deutschland.

Das Gebiet der BRD ist ungefähr so groß wie die beiden Staaten New York und Pennsylvania zusammen. Die BRD wird oft einfach Westdeutschland genannt. Westdeutschland ist ein Bundesstaat mit zehn Ländern. Bayern im Süden ist das größte, der Stadtstaat Bremen im Norden ist das kleinste Land. Die andern heißen der Größe nach: Niedersachsen, Baden-Württemberg, Nordrhein-Westfalen, Hessen, Rheinland-Pfalz, Schleswig-Holstein, Saarland und Hamburg.

Die Bundesrepublik ist nicht sehr groß, und doch finden wir ganz verschiedene Landschaften. Im Süden haben wir die Alpen, weiter nördlich die Mittelgebirge und ganz im Norden das Norddeutsche Tiefland. Wie in allen Industriestaaten haben die Menschen auch in Deutschland die Landschaft sehr verändert. Sie haben Fabriken und Häuser gebaut, Flüsse reguliert, Kanäle gegraben, und ein Netz von Straßen und Eisenbahnen angelegt.

Ebenso wie andere mitteleuropäische Länder ist Westdeutschland dicht bevölkert. Die größten Städte sind Hamburg, München und Düsseldorf. Berlin war früher die Hauptstadt Deutschlands, heute nimmt es politisch eine besondere Stellung ein. Es ist durch die Mauer geteilt, trotzdem leben in Westberlin allein mehr Menschen als in einer andern westdeutschen Stadt.

deutschprechend *German-speaking*
der **Staat, -en** *state*
die **Bundesrepublik** *Federal Republic*
Österreich *Austria*
die **Schweiz** *Switzerland*

das **Gebiet, -e** *area, region*
ungefähr *approximately*
die **beiden** *the two*
zusammen *together*
nennen, a, a *to call*
Bayern *Bavaria*
der **Norden** *North*
die **Größe, -n** *size; greatness*
Niedersachsen *Lower Saxony*
die **Pfalz** *Palatinate*

die **Landschaft, -en** *landscape*
die **Alpen** *Alps*
nördlich *north*
das **Mittelgebirge, -** *mountains of medium elevation*
das **Tiefland** *lowland*
verändern *to change*
die **Fabrik, -en** *factory*
bauen *to build*
der **Fluß, ¨(ss)e** *river*
regulieren *to regulate*
der **Kanal, ¨e** *canal*
graben, u, a *to dig*
das **Netz, -e** *net*
die **Straße, -n** *street, highway*
anlegen *to build*
dicht *dense(ly)*
bevölkert *populated*
München *Munich*
die **Hauptstadt, ¨e** *capital*
einnehmen, a, o *to occupy*
besonder- *special*
die **Stellung, -en** *place, position*
die **Mauer, -n** *wall*
teilen *to divide*
trotzdem *yet*

Der Rhein, Deutschlands berühmtester Fluß. Winzer bei der Arbeit im Weinberg.
The Rhine, Germany's most famous river. Winegrower at work in his vineyard.

Die Bundesrepublik ist nicht reich an Rohstoffen. Im Norddeutschen Tiefland findet man Erdöl, aber die Jahresproduktion ist nur klein. Der wichtigste Rohstoff ist Kohle, die im Ruhrgebiet und im Saarland gefunden wird. Die Mitgliedschaft der Bundesrepublik in der Europäischen Wirtschaftsgemeinschaft (EWG) und in der Europäischen Gemeinschaft für Kohle und Stahl (Montanunion) ist wirtschaftlich und politisch von großer Bedeutung.

Österreich hat eine Bevölkerung von ungefähr sieben Millionen Menschen. Die Hauptstadt ist Wien. Bis 1918 war es die Hauptstadt eines Reiches von über vierzig Millionen. Wien hat immer noch den Charakter seiner früheren geschichtlichen Größe bewahrt. Andere Großstädte sind Graz, Linz, Salzburg und Innsbruck. Österreich ist reich an Wäldern und hat eine blühende Papier- und Holzindustrie entwickelt. Sehr wichtig ist auch der Fremdenverkehr für die Wirtschaft des kleinen Landes.

Die Schweiz spielt als traditionell neutrales Land eine besondere Rolle. Die Bevölkerung spricht teils Deutsch (72%), teils Französisch (20%), Italienisch (ungefähr 7%) und Rätoromanisch (1%). Die Dialekte der deutschen Schweiz nennt man Schwyzertütsch.

Die Deutsche Demokratische Republik liegt zwischen der BRD und der Oder-Neiße-Linie im Osten Europas. Die DDR hat eine Bevölkerung zwischen siebzehn und achtzehn Millionen. Die Regierung ist in Ostberlin. An Rohstoffen ist die DDR nicht reicher als die BRD, doch ist sie ein bedeutender Industriestaat im Ostblock. Zwischen der DDR und dem Westen ist eine streng bewachte Grenze: der eiserne Vorhang.

der **Rohstoff, -e** *raw material*
das **Erdöl** *petroleum*
die **Jahresproduktion** *yearly production*
wichtig *important*
die **Kohle, -n** *coal*
die **Mitgliedschaft** *membership*
EWG *European Economic Community*
die **Gemeinschaft** *community*
der **Stahl** *steel*
die **Bedeutung** *significance*
die **Bevölkerung** *population*
Wien *Vienna*
das **Reich, -e** *empire*
geschichtlich *historical*
bewahren *to preserve*
der **Wald, ¨er** *forest*
blühend *flourishing*
das **Papier, -e** *paper*
das **Holz** *wood, timber*
entwickeln *to develop*
der **Fremdenverkehr** *tourism*
traditionell *traditional(ly)*
eine Rolle spielen *to play a part*
teils . . . teils *partly . . . partly*
das **Prozent** *percent*
Rätoromanisch *Romansh*
der **Dialekt, -e** *dialect*
liegen, a, e *to lie*
bedeutend *important, significant*
[**bedeuten** *to mean, signify*]
bewachen *to guard*
die **Grenze, -n** *border*
eisern *iron (adjective)*
der **Vorhang, ¨e** *curtain*

GESPRÄCH IM REISEBÜRO

A: Wieviel kostet ein Zimmer mit Bad im Hotel Fernsicht?

B: Ein Zimmer mit Bad kostet fünfzig Mark.

A: Sind da jetzt Zimmer frei? Ich brauche ein Zimmer für vierzehn Tage.

B: Da müßte ich einmal anrufen. Ich glaube kaum, daß Sie jetzt in der Saison da unterkommen können.

A: Ich hätte schreiben sollen. Aber ich dachte, für eine Person wäre es immer möglich, irgendwo unterzukommen.

B: Sie haben ganz recht. Wenn im Hotel Fernsicht nichts frei ist, werden Sie schon irgendwo anders unterkommen.

das **Reisebüro** *travel agency*
das **Bad** *bath*
die **Fernsicht** *(far) view*
frei *free, vacant*
anrufen *to call*
die **Saison** *season*
unterkommen *to find accommodations*
möglich *possible*
irgendwo *somewhere*
anders *else*

A: Aber bitte nur in einem Hotel, das ruhig und schön gelegen ist. Ich möchte mich einmal richtig ausruhen.
B: Da könnten wir verschiedene sehr gute Pensionen anrufen. Die sind etwas außerhalb der Stadt gelegen, aber Sie haben ja Ihren Wagen. Da spielt die Entfernung keine Rolle.

ruhig *quiet*
gelegen *situated*
sich ausruhen *to take a rest*
die **Pension, -en** *boardinghouse*
außerhalb (*gen.*) *outside*
die **Entfernung, -en** *distance*

WORD STUDY

The vowels given after strong verbs are the stem vowels of the past tense and past participle. Thus, **binden, a, u** stands for **binden, band, gebunden.**

	NOUNS		*VERBS and OTHER WORDS*	
1.	der **Staat, -en**	*state*		
	die **Stadt, ¨e**	*city*		
	der **Stadtstaat**	*city state*		
2.	der **Bund, ¨e**	*federation*	**binden, a, u**	*to bind*
	der **Bundesstaat, -en**	*federal state*	**verbinden, a, u**	*to unite*
	die **Bundesrepublik**	*federal republic*		
3.	das **Volk, ¨er**	*people*	**bevölkern**	*to populate*
	die **Bevölkerung**	*population*		
	der **Volkswagen, -**	*VW*		
4.	**Europa**	*Europe*	**europäisch**	*European* (*adjective*)
	der **Europäer, -**	*European* (*noun*)	**mitteleuropäisch**	*Central European*
5.	die **Größe, -n**	*size; greatness*	**groß, größer, der größte**	*great, large*
	der Größe nach	*according to size*		
	die **Großstadt, ¨e**	*big city*	**vergrößern**	*to increase*
6.	der **Norden**	*the North*	**nördlich**	*northern, north*
	der **Süden**	*the South*	**südlich**	*southern, south*
	der **Osten**	*the East*	**östlich**	*eastern, east*
	der **Westen**	*the West*	**westlich**	*western, west*

> Wer fremde Sprachen nicht kennt, weiß nichts von seiner eigenen.
> Goethe

GRAMMAR

I. PRESENT PARTICIPLE

die **deutschsprechenden** Menschen
eine **blühende** Papier- und Holzindustrie

1. The present participle is formed by adding **-d** to the infinitive.

sprechen   sprechen**d**
blühen   blühen**d**

2. **Tun** *to do* and **sein** *to be* are exceptions. Their present participles are **tuend** and **seiend**.

eine **wohltuende** Behandlung   *a pleasant treatment*

3. The present participle is equivalent to English adjectives ending in *-ing* that are derived from verbs.

deutschsprechend   *German-speaking*
blühend   *flourishing*

4. When the present participle functions as an adjective, it takes the usual strong or weak endings, depending on the determiner that precedes it.

die deutschsprechend**en** Menschen
eine blühend**e** Industrie
ein reisend**er** Geschäftsmann

5. The present participle is an infinite verb form, like the past participle and the infinitive. Remember that separable prefixes do not separate from infinite verb forms.

Die Menschen sprechen Deutsch.
die deutschsprechenden Menschen

Der Wagen fällt auseinander.
der auseinanderfallende Wagen

EXERCISES

A. Change the verb to a present participle and use it as an adjective.

Example: Der Mann arbeitet.
Der arbeitende Mann

1. Der Mensch denkt.
2. Der Junge lacht.
3. Das Kind spielt.
4. Das Mädchen weint.
5. Das Auto fährt.
6. Die Saison beginnt.
7. Die Mode wechselt.
8. Der Frühling kommt.
9. Die Industrie blüht.
10. Das Geld fehlt.

Freudenberg bei Siegen, eine typische Kleinstadt mit Fachwerkhäusern.
Freudenberg near Siegen, a typical little town with half-timbered houses.

B. Use present participles, as in Exercise A. Remember that the separable prefix does not separate from the present participle.

Example: Die Herren sprechen Deutsch.
Die deutschsprechenden Herren

1. Die Tatsachen stehen fest.
2. Die Autos fallen auseinander.
3. Die Kinder fahren Rad.
4. Die Schiffe kommen an.
5. Die Frauen arbeiten mit.
6. Die Leute gehen spazieren.
7. Die Länder arbeiten zusammen.
8. Die Geschäftsleute sprechen Englisch.
9. Die Eltern fahren mit.

II. *PAST PARTICIPLES AS ADJECTIVES*

eine streng **bewachte** Grenze
ein **gebrauchter** Wagen

Past participles can function as adjectives, the same as in English. They take weak and strong endings, depending on the determiner that precedes them.

das gebraucht**e** Auto
die gebraucht**en** Autos
ein gebraucht**es** Auto

EXERCISE

Use the past participle as an adjective.

Example: (gebrauchen) der ______ Wagen
der gebrauchte Wagen

1. (wählen) die ______ Regierung
2. (steigen) die ______ Preise
3. (ändern) ein ______ Datum
4. (lesen) die ______ Bücher
5. (sprechen) das ______ Wort
6. (finden) ein ______ Gegenstand
7. (wechseln) das ______ Geld
8. (beginnen) das ______ Gespräch
9. (teilen) die ______ Stadt
10. (vergehen) der ______ Sommer
11. (bewachen) die streng ______ Grenze
12. (entwickeln) die wenig ______ Industrie
13. (bevölkern) ein dicht ______ Land
14. (gebrauchen) ein selten ______ Wagen

III. *COMPARISON OF ADJECTIVES AND ADVERBS*

die **größten** Städte
der **wichtigste** Rohstoff
weiter nördlich

1. With German adjectives and adverbs, as with their English counterparts, we distinguish the base form, called the *positive*, from two levels of comparison, the *comparative* and the *superlative.*

2. In English, some adjectives form their comparatives and superlatives with *more* and *most,* others take the endings *-er* and *-est.* In German, all adjectives take **-er** in the comparative and **-(e)st** in the superlative.

schön	schöner	schönst-
wichtig	wichtiger	wichtigst-

3. If the positive form ends in **-d** or **-t**, the superlative takes **-est** instead of -**st**.

schlecht	schlechter	schlechtest-
dicht	dichter	dichtest-
weit	weiter	weitest-
rund *round*	runder	rundest-

When present participles are used as adjectives, they have levels of comparison also. In the superlative, their form is an exception to the rule just stated: although they end in **-d**, they add only **-st** [not **-est**].

die blühendste Industrie
die bedeutendste Rolle
die deprimierendste Nachricht

4. Monosyllabic adjectives ending in **-sch** have a superlative form ending in **-est**.

falsch	falscher	falschest-
frisch	frischer	frischest-

Polysyllabic words do not have the extra **-e-**.

der sympathischste Mensch
die praktischsten Maßnahmen

5. Adjectives ending in **-er** and **-el** eliminate the **-e-** before the **-er** ending in the comparative.

teuer		teurer	teuerst-
dunkel	*dark*	dunkler	dunkelst-

6. A number of adjectives take an umlaut in the comparative and superlative.

alt	älter	ältest-	jung	jünger	jüngst-
groß	größer	größt-	lang	länger	längst-
gesund	gesünder	gesündest-	klug	klüger	klügst-

7. Some adjectives have irregular comparative and superlative forms. Three of the most basic are:

gut		besser	best-
viel		mehr	meist-
hoch	*high*	höher	höchst-

8. Comparative and superlative adjective forms behave like other adjectives and take the usual strong and weak endings.

das schönste Mädchen   die wichtigsten Probleme

9. When the comparative form of an adjective follows the noun (and verb), it does not take an adjective ending.

der ältere Herr   Der Herr ist älter.

10. When a superlative follows the noun, it takes one of two forms. It may take the usual adjective ending (if a noun can be supplied).

Von allen Frauen ist sie die schönste (Frau).	*Of all women she is the most beautiful.*

Or it may take the form **am . . . -en**.

Hier ist die Landschaft am schönsten.	*Here the scenery is most beautiful.*
Hier ist das Leben am einfachsten.	*Here life is most simple.*

Die Nordsee bei Amrum. Die Küste bedeutet wirtschaftlich den Zugang zum Meer. Daneben bietet sie zahllosen Menschen Erholung.

The North Sea at Amrum. Economically the seacoast means access to the ocean. It is also a recreational area for countless persons.

11. Adjectives functioning as *adverbs* have an uninflected comparative form, that is, a form without the usual adjective endings.

adjective	*adverb*
der schnellere Wagen	Der Wagen fährt schneller.

The superlative of adverbs always takes the form **am . . . -en.**

Der Wagen fährt am schnellsten.
die am dichtesten bevölkerten Länder

12. The German equivalent of *than* after a comparative is **als.**

mehr als zehn Prozent

The German equivalent of *as . . . as* is **ebenso** (or **so**) **. . . wie.**

Das Gebiet der Bundesrepublik ist ungefähr so groß wie die beiden Staaten New York und Pennsylvania zusammen.

Westdeutschland ist ebenso dicht bevölkert wie andere mitteleuropäische Länder.

EXERCISES

A. Supply the comparative and superlative forms of the adjective.

Example: Dieser Mann ist reich.
Der zweite Mann ist noch ______.
Der zweite Mann ist noch reicher.
Der dritte Mann ist ______ ______.
Der dritte Mann ist der reichste.

1. Dieses Problem ist wichtig.
Das zweite Problem ist noch ______.
Das dritte Problem ist ______ ______.

2. Dieses Kind ist lebhaft.
Das zweite Kind ist noch ______.
Das dritte Kind ist ______ ______.

3. Dieses Hotel ist schlecht.
Das zweite Hotel ist noch ______.
Das dritte Hotel ist ______ ______.

4. Dieser Brief ist langweilig.
Der zweite Brief ist noch ______.
Der dritte Brief ist ______ ______.

Bensberg im Rheinland. Alte und neue Architektur in enger Nachbarschaft. Ein modernes Wohnhaus erinnert an die alte Burg.

Bensberg, Rhineland. Old and new architecture in close proximity. A modern apartment house is reminiscent of the old castle.

5. Dieses Gebiet ist groß.
   Das zweite Gebiet ist noch ______.
   Das dritte Gebiet ist ______ ______.

6. Dieser Wagen ist alt.
   Der zweite Wagen ist noch ______.
   Der dritte Wagen ist ______ ______.

7. Dieses Haus ist teuer.
   Das zweite Haus ist noch ______.
   Das dritte Haus ist ______ ______.

8. Dieses Buch ist gut.
   Das zweite Buch ist noch ______.
   Das dritte Buch ist ______ ______.

9. Diese Dame ist jung.
   Die zweite Dame ist noch ______.
   Die dritte Dame ist ______ ______.

10. Diese Maßnahme ist praktisch.
    Die zweite Maßnahme ist noch ______.
    Die dritte Maßnahme ist ______ ______.

B. Supply the adverbial superlative.

Example: Die Wagen fahren schnell.
Dieser Wagen fährt ______ ______.
Dieser Wagen fährt am schnellsten.

1. Die Männer arbeiten ruhig.
   Dieser Mann arbeitet ______ ______.

2. Die Kinder sprechen deutlich.
   Dieses Kind spricht ______ ______.

3. Die Zeitungen kommen spät.
   Diese Zeitung kommt ______ ______.

4. Die Mädchen singen schön.
   Dieses Mädchen singt ______ ______.

5. Die Reisen kosten viel.
   Diese Reise kostet ______ ______.

6. Die Frauen sprechen lebhaft.
   Diese Frau spricht ______ ______.

7. Die Busse fahren weit.
   Dieser Bus fährt ______ ______.

8. Die Anzüge sitzen gut.
   Dieser Anzug sitzt ______ ______.

9. Die Familien leben billig.
   Diese Familie lebt ______ ______.

10. Die Jungen spielen großartig.
    Dieser Junge spielt ______ ______.

Da **müßte** ich einmal anrufen.
Ich **hätte** schreiben sollen.
Ich dachte, es **wäre** möglich.
Da **könnten** wir verschiedene sehr gute Pensionen anrufen.
Ich **möchte** mich einmal richtig ausruhen.

1. *Forms*

a. Finite verb forms are determined according to person, number, tense, and mood. Most grammarians distinguish three moods: indicative, subjunctive, and imperative. In previous chapters, except for the special form **möchte** and the imperatives (discussed pp. 170–172, 175–176), all the finite forms used were in the indicative.

b. German uses the subjunctive mood for several important purposes. In English, subjunctive forms only rarely come to our attention (e.g., *Long* live *the president!* or *If I* were *only there!*).

Wesseling bei Köln. Industrie und Landwirtschaft auf engem Raum. Wenige Meter von der Ölraffinerie beginnt der Kohlacker.
Wesseling near Cologne. Industry and agriculture in a limited space. A few yards from the oil refinery a cabbage field begins.

Hansaviertel Berlin. Moderne Wohnbauten in der Großstadt: das Problem der Übervölkerung auf engem Raum.

Hansa quarter, Berlin. Modern housing in large cities: the problem of overpopulation in limited space.

c. German has two sets of subjunctive verb forms, called Subjunctive I and Subjunctive II. The Subjunctive I forms will be discussed later.

d. The Subjunctive II forms of weak verbs are identical with the past tense indicative forms of the same verbs.

indicative	*subjunctive II*
Er **wohnte** hier.	Ich dachte, er **wohnte** hier.

c. The Subjunctive II forms of strong verbs are produced by adding the endings **-e**, **-est**, **-en**, **-et** to the past tense stem. The stem vowel is changed to an umlaut whenever possible (that is, when the stem vowel is **a**, **o**, **u**, or **au**). Only a few verbs (**sollen** and **wollen** are important examples) do not change the stem vowel to an umlaut.

	PAST TENSE INDICATIVE		*SUBJUNCTIVE II*	
sprechen	ich er	sprach	ich er	spräche
	du	sprachst	du	sprächest
	wir sie	sprachen	wir sie	sprächen
	ihr	spracht	ihr	sprächet

	PAST TENSE INDICATIVE		SUBJUNCTIVE II	
fliegen	ich, er	flog	ich, er	flöge
	du	flogst	du	flögest
	wir, sie	flogen	wir, sie	flögen
	ihr	flogt	ihr	flöget
wissen	ich, er	wußte	ich, er	wüßte
	du	wußtest	du	wüßtest
	wir, sie	wußten	wir, sie	wüßten
	ihr	wußtet	ihr	wüßtet
gehen	ich, er	ging	ich, er	ginge
	du	gingst	du	gingest
	wir, sie	gingen	wir, sie	gingen
	ihr	gingt	ihr	ginget

2. *Subjunctive II of* **haben, sein, werden,** *and the modal auxiliaries*

	PRESENT INDICATIVE		PAST INDICATIVE		SUBJUNCTIVE II	
haben	ich	habe	ich, er	hatte	ich, er	hätte
	er	hat				
	du	hast	du	hattest	du	hättest
	wir, sie	haben	wir, sie	hatten	wir, sie	hätten
	ihr	habt	ihr	hattet	ihr	hättet
sein	ich	bin	ich, er	war	ich, er	wäre
	er	ist				
	du	bist	du	warst	du	wärest
	wir, sie	sind	wir, sie	waren	wir, sie	wären
	ihr	seid	ihr	wart	ihr	wäret
werden	ich	werde	ich, er	wurde	ich, er	würde
	er	wird				
	du	wirst	du	wurdest	du	würdest
	wir, sie	werden	wir, sie	wurden	wir, sie	würden
	ihr	werdet	ihr	wurdet	ihr	würdet

„Wien hat noch immer den Charakter seiner früheren geschichtlichen Größe bewahrt." Prachtvolle Paläste und großzügige Straßen bestimmen noch heute das Bild der Stadt.

"Vienna has preserved the character of its former historical greatness." Even today, magnificent palaces and wide streets determine the image of the city.

		PRESENT INDICATIVE		*PAST INDICATIVE*		*SUBJUNCTIVE II*
können	ich, er	kann	ich, er	konnte	ich, er	könnte
	du	kannst	du	konntest	du	könntest
	wir, sie	können	wir, sie	konnten	wir, sie	könnten
	ihr	könnt	ihr	konntet	ihr	könntet
mögen	ich, er	mag	ich, er	mochte	ich, er	möchte
	du	magst	du	mochtest	du	möchtest
	wir, sie	mögen	wir, sie	mochten	wir, sie	möchten
	ihr	mögt	ihr	mochtet	ihr	möchtet
müssen	ich, er	muß	ich, er	mußte	ich, er	müßte
	du	mußt	du	mußtest	du	müßtest
	wir, sie	müssen	wir, sie	mußten	wir, sie	müßten
	ihr	müßt	ihr	mußtet	ihr	müßtet

		PRESENT INDICATIVE		*PAST INDICATIVE*		*SUBJUNCTIVE II*
dürfen	ich, er	darf	ich, er	durfte	ich, er	dürfte
	du	darfst	du	durftest	du	dürftest
	wir, sie	dürfen	wir, sie	durften	wir, sie	dürften
	ihr	dürft	ihr	durftet	ihr	dürftet
sollen	ich, er	soll	ich, er	sollte	ich, er	sollte
	du	sollst	du	solltest	du	solltest
	wir, sie	sollen	wir, sie	sollten	wir, sie	sollten
	ihr	sollt	ihr	solltet	ihr	solltet
wollen	ich, er	will	ich, er	wollte	ich, er	wollte
	du	willst	du	wolltest	du	wolltest
	wir, sie	wollen	wir, sie	wollten	wir, sie	wollten
	ihr	wollt	ihr	wolltet	ihr	wolltet

3. *Uses of the subjunctive*

The subjunctive is used:

a. for indirect quotations, especially those which follow introductory phrases with **sagen**, **denken**, or similar verbs.

Ich dachte, es **wäre** möglich.	*I thought it would be possible.*
Er sagte, er **würde** kommen.	*He said he would come.*

b. in conditional clauses. These uses will be explained later.

c. in speaking, to give the impression of special politeness (by avoiding the directness of the indicative).

direct	*polite*
Da muß ich einmal anrufen.	Da müßte ich einmal anrufen.
Kannst du mich im Auto mitnehmen?	Könntest du mich im Auto mitnehmen?

4. *Double infinitive.*

The following sentence consists of a subjunctive form of a modal and a past infinitive.

Ich sollte geschrieben haben. *I should have written.*

This construction is often rearranged so that the subjunctive is taken over by **haben**, followed by a double infinitive.

Ich hätte schreiben sollen.

Similarly:

Ich möchte dort gewesen sein. Ich hätte dort sein mögen.	*I would have liked to be there.*
Ich müßte es ihm geschrieben haben. Ich hätte es ihm schreiben müssen.	*I should have written it to him.*
Ich könnte das nicht getan haben. Ich hätte das nicht tun können.	*I could not have done it.*

EXERCISES

A. Change the sentences to indirect quotations by introducing them with the phrase **Sie sagten, ...**

Example: Sie haben einen neuen Wagen gekauft.
Sie sagten, sie....
Sie sagten, sie hätten einen neuen Wagen gekauft.

1. Sie können morgen kommen. Sie sagten, sie....
2. Sie werden morgen kommen. Sie sagten, sie....
3. Sie mögen nicht hier wohnen. Sie sagten, sie....
4. Sie haben uns angerufen. Sie sagten, sie....
5. Sie haben sich darüber gewundert. Sie sagten, sie....
6. Sie dürfen das nicht tun. Sie sagten, sie....
7. Sie fahren mit der Eisenbahn. Sie sagten, sie....
8. Sie gehen gern spazieren. Sie sagten, sie....
9. Sie kommen vielleicht nach Amerika. Sie sagten, sie....
10. Sie müssen vorher Englisch lernen. Sie sagten, sie....

B. Express politeness by using the subjunctive.

Example: Können Sie mich im Auto mitnehmen?
Könnten Sie mich im Auto mitnehmen?

1. Darf ich Sie in München besuchen?
2. Sie müssen ein bißchen deutlicher schreiben.
3. Haben Sie ein Zimmer frei?
4. Ich mag es ihm nicht sagen.
5. Ist es möglich, daß er kommt?
6. Können Sie das Geld wechseln?
7. Werden Sie uns helfen?
8. Kannst du mir das Buch holen?
9. Kann ich Sie später sprechen?
10. Du mußt deine Eltern anrufen.

V. DETERMINERS AND ADJECTIVE ENDINGS

andere mitteleuropäische Länder
verschiedene gute Pensionen

1. Weak and strong adjective endings have been discussed before (pp. 41–42, 62–63, and 152–153). Remember: when an adjective is preceded by a **der**-word, it takes a weak

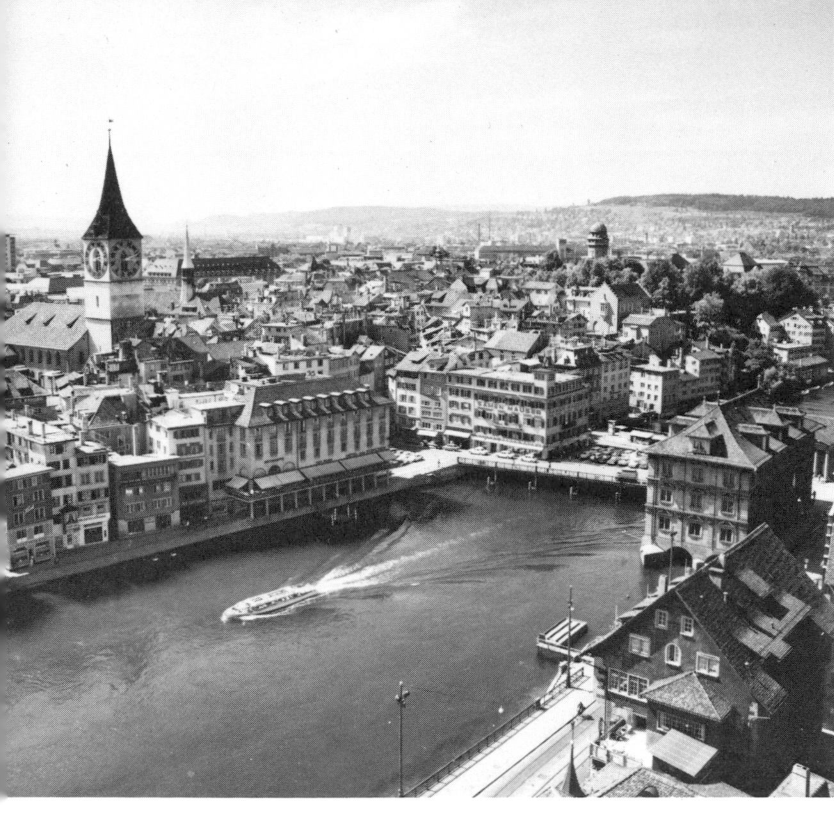

Zürich, eine Stadt im deutschsprechenden Teil der Schweiz.

Zurich, a city in the German-speaking part of Switzerland.

ending: **die großen Zimmer**. When no determiner precedes it, or when it follows certain other kinds of determiners (e.g., a numeral), it takes a strong ending: **deutsches Geld, zwei große Zimmer.**

2. Here is a list of plural determiners that require strong endings in adjectives that follow them.

andere	*other*	**mehrere**	*several*
einige	*a few*	**verschiedene**	*several, various*
etliche	*several*	**viele**	*many*
folgende	*the following*	**wenige**	*few*
manche	*some*		

3. The strong endings in the plural are:

nominative	**-e**	Ander**e** mitteleuropäisch**e** Länder sind reich.
accusative	**-e**	Nennen Sie ander**e** mitteleuropäisch**e** Länder.
dative	**-en**	Die Leute kommen aus ander**en** mitteleuropäisch**en** Ländern.
genitive	**-er**	Das Gebiet ander**er** mitteleuropäisch**er** Länder ist kleiner.

4. Some plural determiners require weak endings in the subsequent adjectives.

alle	*all*	alle reich**en** Leute
beide	*both*	beide groß**en** Zimmer
sämtliche	*all*	sämtliche europäisch**en** Länder

EXERCISE

Replace the article by the determiner given in parentheses and change the subsequent adjective if necessary.

Example: (andere) die mitteleuropäischen Länder
andere mitteleuropäische Länder

1. (viele) die deutschen Zeitschriften
2. (einige) die politischen Probleme
3. (verschiedene) die billigen Pensionen
4. (mehrere) die strengen Maßnahmen
5. (alle) die wichtigen Rohstoffe
6. (viele) die guten Straßen
7. (beide) die alten Eltern
8. (manche) die teuren Hotels
9. (drei) die großen Städte
10. (sämtliche) die jungen Leute

INDIVIDUAL STUDY: SELF-TESTING

1. *a travel agency*
ein ______ — Reisebüro
2. *a boardinghouse*
eine ______ — Pension
3. *outside the city*
außerhalb ______ ______ — der Stadt
4. *a room with private bath*
ein ______ ______ ______ — Zimmer mit Bad
5. *somewhere else*
______ ______ — irgendwo anders
6. *You will find accommodations somewhere else.*
Sie werden ______ ______ ______. — irgendwo anders unterkommen
7. *during the season*
in ______ ______ — der Saison
8. *You are quite right.*
Sie ______ ______ ______. — haben ganz recht
9. *I would like to take a good rest.*
Ich ______ ______ ______ ______ ______. — möchte mich einmal richtig ausruhen
10. *Distance is no problem.*
Die Entfernung ______ ______ ______. — spielt keine Rolle
11. *The hotel is beautifully located.*
Das Hotel ist ______ ______. — schön gelegen

12. The comparative of **alt** is **älter**.
The comparative of **jung** is ______. — jünger
13. Der Wagen ist älter.
der ältere Wagen
Die Tochter ist jünger.
die ______ Tochter — jüngere

14. die ______ Töchter — jüngeren
15. The superlative of **alt** is **ältest-**.
the oldest car
der ______ Wagen — älteste
16. The superlative of **jung** is **jüngst-**.
the youngest daughter.
die ______ Tochter — jüngste
17. *the largest city*
die ______ Stadt — größte
18. *the most important raw material*
der ______ Rohstoff — wichtigste
19. *the longest distance*
die ______ Entfernung — längste (*or* weiteste)
20. *the best boardinghouse*
die ______ Pension — beste
21. *the most expensive hotel*
das ______ Hotel — teuerste
22. *more than seventy per cent*
mehr ______ ______ ______ — als siebzig Prozent
23. *Hamburg is bigger than Munich.*
Hamburg ist ______ ______ ______. — größer als München
24. *He is older than she.*
Er ist ______ ______ ______. — älter als sie
25. *Germany is more densely populated than America.*
Deutschland ist ______ ______ ______ ______. — dichter bevölkert als Amerika
26. *The Ruhr area is the most densely populated area.*
Das Ruhrgebiet ist ______ ______ ______ ______ ______. — das am dichtesten bevölkerte Gebiet
27. *The Federal Republic belongs to the most densely populated areas in the world.*
Die Bundesrepublik gehört zu ______ ______ ______ ______ ______ ______ ______. — den am dichtesten bevölkerten Gebieten der Welt
28. *Other Central European countries are as densely populated as the BRD.*
Andere ______ ______ ______ ______ ______ ______ ______ ______ ______. — mitteleuropäische Länder sind ebenso dicht bevölkert wie die BRD
29. *He is as old as she.*
Er ist ______ ______ ______ ______. — ebenso alt wie sie
30. *Coal is as important as steel.*
Kohle ist ______ ______ ______ ______. — ebenso wichtig wie Stahl
31. *Petroleum is an important raw material.*
Erdöl ist ______ ______ ______. — ein wichtiger Rohstoff
32. Some plural determiners (such as **viele**, **einige**, **verschiedene**, and numerals) require a strong ending; others (such as **alle**, **beide**, and **sämtliche**) require a weak ending in the adjective that follows them.
many important raw materials
viele ______ ______ — wichtige Rohstoffe

33. *all important raw materials*
alle ______ ______
— wichtigen Rohstoffe

34. *several young girls*
einige ______ ______
— junge Mädchen

35. *the young girls*
die ______ ______
— jungen Mädchen

36. *all young girls*
alle ______ ______
— jungen Mädchen

37. *two young girls*
zwei ______ ______
— junge Mädchen

38. *various very good boardinghouses*
verschiedene ______ ______ ______
— sehr gute Pensionen

39. *a few expensive hotels*
einige ______ ______
— teure Hotels

40. *an expensive hotel*
ein ______ ______
— teures Hotel

41. *We could call various good boarding houses.*
Wir könnten ______ ______ ______ ______.
— verschiedene gute Pensionen anrufen

42. *Could you give me the book?*
______ ______ ______ ______ ______
______?
— Könnten Sie mir das Buch geben?

43. *I would like to read.*
Ich ______ ______.
— möchte lesen

44. *Would you like to go for a walk?*
______ ______ ______?
— Möchten Sie spazierengehen?

45. *I would like to take a good rest.*
Ich ______ ______ ______ ______ ______.
— möchte mich einmal richtig ausruhen

46. *I thought it would be possible.*
Ich dachte, ______ ______ ______.
— es wäre möglich

47. *I thought he would be in his room.*
Ich dachte, ______ ______ ______ ______
______.
— er wäre in seinem Zimmer

48. *I would have to call him.*
Ich ______ ihn einmal anrufen.
— müßte

49. *You should call him.*
Sie ______ ihn anrufen.
— sollten

50. *They said they wanted to call him.*
Sie sagten, sie ______ ______ ______.
— wollten ihn anrufen

51. *They said they would not come.*
Sie sagten, sie ______ ______ ______.
— würden nicht kommen

52. *They said they had called us.*
Sie sagten, sie ______ ______ ______.
— hätten uns angerufen

53. *They said you should call us.*
Sie sagten, Sie ______ ______ ______.
— sollten uns anrufen

54. *Would you help us?*
______ ______ ______ ______?
— Würden Sie uns helfen?

55. *Are there rooms free now?*
Sind da ______ ______ ______?
— jetzt Zimmer frei

56. *I hardly think so.*
Ich ______ ______. — glaube kaum

57. *I will find accommodations somewhere else.*
Ich werde schon ______ ______ ______. — irgendwo anders unterkommen

58. Separable prefixes do not separate from infinite verb forms (that is, from the infinitive, present participle, or past participle).
They have found accommodations somewhere else.
Sie sind schon irgendwo anders ______. — untergekommen

59. *The old car almost disintegrated.*
Der alte Wagen fiel fast ______. — auseinander

60. *The old car has almost disintegrated.*
Der alte Wagen ist ______ ______. — fast auseinandergefallen

61. *the disintegrating car*
der ______ ______ — auseinderfallende Wagen

62. *The gentlemen speak German.*
Die Herren ______ ______. — sprechen Deutsch

63. *The gentlemen spoke German.*
Die Herren ______ ______. — sprachen Deutsch

64. *the German-speaking people*
die ______ Menschen — deutschsprechenden

65. *The buses arrived.*
Die Busse ______ ______. — kamen an

66. *The buses have arrived.*
Die Busse sind ______. — angekommen

67. *the incoming buses*
die ______ Busse — ankommenden

68. The German name for *Austria* is:
______ — Österreich

69. *Switzerland*
die ______ — Schweiz

70. *Bavaria*
______ — Bayern

71. *The Alps*
______ — die Alpen

72. *Munich*
______ — München

73. *Lower Saxony*
______ — Niedersachsen

74. *the Palatinate*
die ______ — Pfalz

75. *the Rhine*
der ______ — Rhein

76. Supply the appropriate verb form.
(nennen) Die BRD wird oft einfach Westdeutschland ______. — genannt

77. (bauen) Die Menschen haben Fabriken und Häuser ______. — gebaut

78. (graben) Sie haben Kanäle ______. — gegraben
79. (anlegen) Sie haben ein dichtes Netz von Straßen und Eisenbahnen ______. — angelegt
80. (bewahren) Wien hat immer noch den Charakter seiner früheren geschichtlichen Größe ______. — bewahrt
81. (entwickeln) Österreich hat eine blühende Papier- und Holzindustrie ______. — entwickelt
82. (teilen) Berlin ist durch die Mauer in Ostberlin und Westberlin ______. — geteilt
83. (finden) Kohle wird im Ruhrgebiet und im Saarland ______. — gefunden
84. (spielen) Die Schweiz hat als neutrales Land schon immer eine besondere Rolle ______. — gespielt
85. (bewachen) Die Grenze zwischen der DDR und dem Westen wird streng ______. — bewacht

86. Supply the correct completion:
BRD heißt ______ ______. — Bundesrepublik Deutschland
87. DDR heißt ______ ______ ______. — Deutsche Demokratische Republik
88. Die Regierung der BRD hat ihren Sitz in ______ (München/Berlin/Bonn). — Bonn
89. In der Bundesrepublik Deutschland leben über ______ (sechzig/achtzig) Millionen Menschen. — sechzig
90. Die BRD ist ein Bundesstaat, dem ______ (zehn/fünfzehn/zwanzig) Länder angehören. — zehn
91. Das nördlichste Land der BRD ist ______ (Hamburg/Schleswig-Holstein). — Schleswig-Holstein
92. Das größte Land der BRD ist ______ (Bayern/Rheinland-Westfalen). — Bayern
93. Die größte Stadt der BRD ist ______ (Düsseldorf/Hamburg/München). — Hamburg
94. Erdöl wurde im ______ (Saarland/ Norddeutschen Tiefland) gefunden. — Norddeutschen Tiefland
95. In der Schweiz sprechen etwa ______ (50%/60%/70%) Deutsch. — 70%
96. EWG heißt ______ ______. — Europäische Wirtschaftsgemeinschaft
97. Die Europäische Gemeinschaft für Kohle und Stahl heißt auch ______. — Montanunion
98. Die Oder-Neiße-Linie liegt im ______ (Westen/Osten) Europas. — Osten

99. *But we'll speak about that tomorrow.*
Aber darüber ______ ______ ______. — sprechen wir morgen
100. *See you tomorrow!*
Auf ______ ______ ______! — Wiedersehen bis morgen

Vor dem Gesetz steht ein Türhüter. Zu diesem Türhüter kommt ein Mann vom Lande und bittet um Eintritt in das Gesetz. Aber der Türhüter sagt, daß er ihm jetzt den Eintritt nicht gewähren könne. Der Mann überlegt und fragt dann, ob er also später werde eintreten dürfen. „Es ist möglich", sagt der Türhüter, „jetzt aber nicht".

Franz Kafka
Der Prozess (1925)

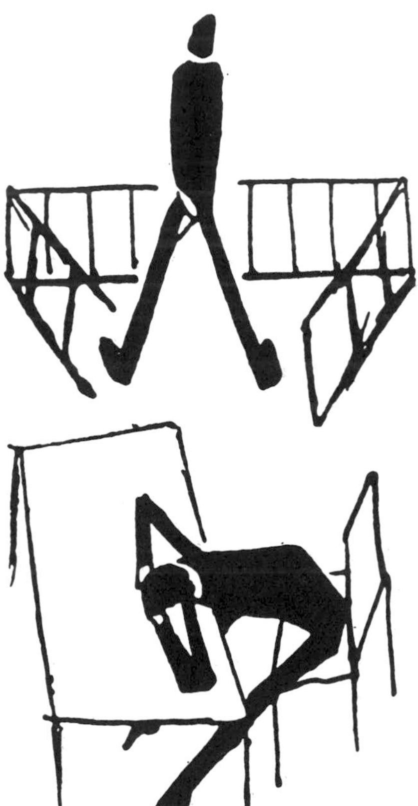

Before the Law stands a doorkeeper. To this doorkeeper there comes a man from the country who begs for admittance to the Law. But the doorkeeper says that he cannot admit the man at the moment. The man, on reflection, asks if he will be allowed, then, to enter later. "It is possible," answers the doorkeeper, "but not at this moment."

Translated by
Willa and Edwin Muir

The Trial *Drawings by Franz Kafka*

LEKTION ZWÖLF

STAAT UND GESELLSCHAFT

Wir wissen, daß der Präsident der Vereinigten Staaten ein wichtiger Mann ist. Er ist verantwortlich für die Politik seines Landes und für die Durchführung der Gesetze.

Der Präsident der Bundesrepublik Deutschland nimmt eine ganz andere Stellung ein. Er ist das Staatsoberhaupt und vertritt sein Land international, aber seine Rechte sind sehr gering. Die Macht liegt bei der Bundesregierung, deren Chef der *Bundeskanzler* ist. Er bestimmt die Politik und ist dafür verantwortlich. Die Regierung steht aber unter der Aufsicht des *Bundestags*. Das ist das Parlament des Landes, das genauso vom Volk gewählt wird wie der Kongreß in den USA.

Was wählen die Deutschen? Die beiden großen Parteien in Westdeutschland sind die CDU/CSU und die SPD. CDU/CSU ist eine Abkürzung für die Christlich-Demokratische Union und ihre bayrische Schwesterpartei, die Christlich-Soziale Union. Die SPD ist die schon vor über hundert Jahren gegründete Sozialdemokratische Partei Deutschlands. Es gibt auch mehrere kleinere Parteien, die aber neben den großen Parteien einen schweren Stand haben.

Die Bundesrepublik Deutschland besteht seit 1949. Seitdem hat man eine große Zahl von Gesetzen erlassen, die dem Staat eine moderne soziale Ordnung geben. Einige Themen wurden in den letzten Jahren so oft und so heftig diskutiert, daß sie zu Schlagworten geworden sind, z.B. das Mitbestimmungsrecht der Arbeiter in den Betrieben, die Gleichberechtigung der Frauen und die Einführung der sogenannten Volksaktien, das sind kleine Aktien für breite Schichten der Bevölkerung mit kleinen Einkommen.

Staat und Gesellschaft in der DDR sehen ganz anders aus als in der Bundesrepublik. Die Gesellschaftsordnung ist sozialistisch, und die führende Rolle in Staat und Gesellschaft spielt die Sozialistische Einheitspartei Deutschlands (SED). Während

die **Gesellschaft** *society*

die **Vereinigten Staaten** *United States*
verantwortlich *responsible*
die **Durchführung** *enforcement*
das **Gesetz, -e** *law*

das **Staatsoberhaupt** *head of state*
gering *limited*
die **Macht** *power*
der **Chef, -s** *chief, head*
der **Kanzler** *chancellor*
bestimmen *to determine*
die **Aufsicht** *supervision, control*
genau *exact(ly)*

die **Abkürzung** *abbreviation*
christlich *Christian*
die **Schwester, -n** *sister*

gründen *to found*
mehrere *several*
neben *next to*
schwer *difficult*
der **Stand** *standing, position*
bestehen, a, a *to exist*
erlassen, ie, a *to enact*
die **Ordnung** *order, system*
das **Thema,** *pl.* **Themen** *topic*
heftig *forceful(ly)*
diskutieren *to discuss*
das **Schlagwort, -e** *slogan*
die **Mitbestimmung** *codetermination*
der **Arbeiter, -** *worker*
der **Betrieb, -e** *factory*
die **Gleichberechtigung** *equal rights*
die **Einführung** *introduction*
sogenannt *so-called*
die **Aktie, -n** *share, stock*
breit *broad*
die **Schicht, -en** *class, group*
das **Einkommen, -** *income*
aussehen, a, e *to appear, look*
die **Einheit** *unity*
während *while*

Westdeutschland ein Bundesstaat ist (ähnlich wie die USA), hat man im Osten ein zentralistisches System.

Österreich und die Schweiz dagegen sind wie Westdeutschland demokratische Bundesstaaten. In Österreich ist der Bundespräsident das Staatsoberhaupt. Er hat nicht viel mehr Macht als der Bundespräsident in der BRD. Auch in Österreich trägt der Bundeskanzler die Verantwortung für die Regierungsgeschäfte. In der Schweiz ist der Bundespräsident zwar der Vorsitzende der Regierung, seine Amtszeit dauert aber nur ein Jahr.

tragen, u, a *to carry*
die **Verantwortung** *responsibility*
die **Regierungsgeschäfte** *affairs of state*
zwar . . . aber *indeed . . . but*
der **Vorsitzende** *chairman*
die **Amtszeit** *term of office*

GESPRÄCH ÜBER DEUTSCHE ZEITUNGEN

A: Ich möchte mich über die deutsche Presse informieren. Können Sie mir da nicht helfen? Sie sind doch Journalist.

B: Was wollen Sie denn wissen? Woran sind Sie interessiert? An Tageszeitungen, Illustrierten oder Wochenblättern? Oder wollen Sie nur wissen, was man in Deutschland heute liest?

sich informieren über (*with accusative*) *to gather information about*
interessiert an *interested in*
die **Tageszeitung** *daily paper*
das **Wochenblatt,** *pl.* **-blätter** *weekly paper*

A: Ich möchte eine deutsche Zeitung abonnieren. Ich weiß nur nicht welche. Wie ist es mit den Tageszeitungen?

abonnieren *to subscribe to*
welch(-er, -e, -es) *which one*

B: Da gibt es sehr viele. „Die Welt" ist eine unabhängige Zeitung, die man überall kaufen kann. Sie ist konservativ.

die **Welt** *world*
unabhängig *independent*
überall *everywhere*

A: Kennen Sie auch die „Süddeutsche Zeitung"?

B: Die liberale „Süddeutsche Zeitung" erscheint in München. Sie bringt besonders viel über Kultur, also Musik, Theater und so weiter. Eine gute Zeitung ist auch die konservative „Frankfurter Allgemeine Zeitung." Sie wird viel von Geschäftsleuten gelesen.

erscheinen, ie, ie *to come out, appear*
also *that is to say*

A: Wahrscheinlich werde ich gar nicht genug Zeit haben, jeden Tag eine deutsche Zeitung zu lesen. Wie ist es mit den Wochenblättern?

genug *enough*

B: Da kann ich Ihnen „Die Zeit" empfehlen. Sie wird im Ausland viel gelesen. Das ist eine Wochenzeitung für Politik, Wirtschaft und Kultur, die in Hamburg herauskommt.

empfehlen, a, o *to recommend*
im Ausland *abroad*
herauskommen *to come out*

A: Ich höre oft, daß Leute von dem „Spiegel" sprechen. Was für eine Zeitung ist das?

der **Spiegel** *mirror*
was für ein *what kind of*

B: Das ist ein Wochenmagazin, das oft sehr kritisch ist. Im „Spiegel" kann man oft Nachrichten lesen, die in andern Zeitungen nicht zu finden sind.

kritisch *critical*

WORD STUDY

NOUNS		*VERBS and OTHER WORDS*	
1. die **Abkürzung, -en**	*abbreviation*	**abkürzen**	*to abbreviate*
		kurz, kürzer, der kürzeste	*short*
2. das **Recht, -e**	*right*	**berechtigen**	*to entitle*
die **Berechtigung**	*license*		
die **Gleichberechtigung**	*equal rights*		
3. die **Einführung**	*introduction*	**einführen**	*to introduce, to import*
die **Einfuhr, -en**	*import*		
4. das **Geschäft, -e**	*business*		
der **Geschäftsmann,** *pl.* **Geschäftsleute**	*businessman*		
die **Regierungsgeschäfte**	*affairs of state*		

DER BESTE STAAT

„Woran erkenn ich den besten Staat"? Woran du die beste Frau kennst!
daran, mein Freund, daß man von beiden nicht spricht.

Schiller

GRAMMAR

I. NOUN FORMATION

die **Einführung** kleiner Aktien
die **Durchführung** der Gesetze
die **Gleichberechtigung** der Frauen

A characteristic feature of contemporary German is the ease with which nouns can be derived from other words. Verbs, adjectives, pronouns, adverbs, prepositions, numerals, and even interjections can all be nominalized. Sometimes one simply puts a neuter article in front of the word (and when writing, capitalizes it). Sometimes one adds a noun ending. Occasionally, the stem vowel changes. So far, we have encountered nouns formed in the following ways.

Eine Sitzung des Bundestags in Bonn. „Der Bundestag ist das Parlament des Landes, das genauso vom Volk gewählt wird wie der Kongreß in den USA."
A session of the Bundestag in Bonn. "The Bundestag is the country's parliament, elected by the people just like the Congress in the United States."

1. *From verbs*

a. The simple infinitive is used. The nouns are always neuter.

leben	*to live*	das **Leben**	*life*
fernsehen	*to watch television*	das **Fernsehen**	*television*
einkommen	*to come in* (money, fees, etc.)	das **Einkommen**	*income*

b. The ending **-ung** is added to the stem of the infinitive. These nouns are always feminine. The plural adds **-en**.

einführen	*to introduce*	die **Einführung**	*introduction*
bewegen	*to move*	die **Bewegung**	*movement*
regieren	*to rule*	die **Regierung**	*government*

c. The stem is used without an ending.

kaufen	*to buy*	der **Kauf**, *pl.* **Käufe**	*purchase*
kleiden	*to dress*	das **Kleid**, *pl.* **Kleider**	*dress*
danken	*to thank*	der **Dank** (*no pl.*)	*thanks*

SED Parteitag in der DDR. Die Deutsche Demokratische Republik ist ein zentralistisch regiertes Land.

SED Party Congress in the GDR. The German Democratic Republic is a country with a centralist government.

2. *From adjectives*

a. The ending **-e** and an umlaut (if possible) are used. These nouns are always feminine.

groß	*great, large*	die **Größe**	*size*
gut	*good*	die **Güte**	*goodness, quality*
breit	*broad*	die **Breite**	*breadth*

b. Adjective endings are used (see pp. 151, 152–153).

deutsch	*German*	der, die, das **Deutsche** ein **Deutscher**	*German*
krank	*ill*	der, die, das **Kranke** ein **Kranker**	*patient*

c. The ending **-keit** is added to the adjective. These nouns are always feminine.

wichtig	*important*	die **Wichtigkeit**	*importance*
möglich	*possible*	die **Möglichkeit**	*possibility*
unabhängig	*independent*	die **Unabhängigkeit**	*independence*

3. *From verbs, nouns, or adjectives*
With the ending **-schaft**. These nouns are always feminine.

wissen	*to know*	die **Wissenschaft**	*science*
(all)gemein	*common*	die **Gemeinschaft**	*community*
das **Mitglied**	*member*	die **Mitgliedschaft**	*membership*
der **Geselle**	*companion*	die **Gesellschaft**	*society*

EXERCISES

A. Give the nouns ending in **-ung** derived from the verbs shown.

Example: durchführen
die Durchführung

einführen	ordnen
stellen	abkürzen
mitbestimmen	meinen
regieren	wohnen
bewegen	entschuldigen
bedeuten	bevölkern

B. Give the nouns derived from the following adjectives and verbs.

groß	gebrauchen
fühlen	wissen
kaufen	danken
leben	unterschreiben
wichtig	unabhängig

II. WELCHER, WELCHE, WELCHES

Ich weiß nur nicht **welche.**

1. **Welch-** takes the same endings as the **der**-words.

	SINGULAR			*PLURAL*
	masculine	*feminine*	*neuter*	*all genders*
nominative	welch**er**	welch**e**	welch**es**	welch**e**
accusative	welch**en**			
dative	welch**em**	welch**er**	welch**em**	welch**en**
genitive	welch**es**		welch**es**	welch**er**

Stimmzettel für eine Bundestagswahl. Der Wähler hat zwei Stimmen: eine für den Abgeordneten seines Wahlkreises, eine zweite für die Landesliste seiner Partei.

Sample ballot for the Bundestag. The voter casts two votes: one directly for the regional candidate of his choice, the other for his party's list of candidates.

Stimmzettel

für die Bundestagswahl im Wahlkreis 138 Wiesbaden am 28. September 1969

Sie haben 2 Stimmen

M U S T E R

	hier Erststimme für die Wahl eines Wahlkreisabgeordneten		
1	**Krockert, Horst** Pfarrer, Wiesbaden-Mz Kastel, Johannes-Goßner-Str. 14	SPD Sozialdemokratische Partei Deutschlands	◯
2	**Weimer, August** Angestellter, Wiesbaden-Bierstadt, Bodelschwinghstr. 49	CDU Christlich Demokratische Union Deutschlands	◯
3	**Faust, Margot** Hausfrau, Wiesbaden, Hof Adamstal	FDP Freie Demokratische Partei	◯
4	**Dr. Klette, Otto** Gewerkschaftssekretär i. R., Wiesbaden, Luxemburgplatz 1	ADF Aktion Demokratischer Fortschritt	◯
5			◯
6			◯
7	**Fuhlrott, Horst-Jürgen** Augenoptikermeister, Idstein, Am Rodchen 12	NPD Nationaldemokratische Partei Deutschlands	◯
8	**Boettner, Roderich** Altredakteur, Wiesbaden, Aarstraße 71	UAP Unabhängige Arbeiter-Partei (Deutsche Sozialisten)	◯

hier Zweitstimme für die Wahl einer Landesliste (Partei)			
◯	SPD	**Sozialdemokratische Partei Deutschlands** Leber, Frau Freyh, Gscheidle, Borner, Dr. Schmidt	1
◯	CDU	**Christlich Demokratische Union Deutschlands** Dr. Dregger, Dr. Martin, Zink, Frau Dr. Walz, Dr. Gotz	2
◯	FDP	**Freie Demokratische Partei** Mischnick, Freiherr von Kuhlmann-Stumm, Wurbs, Dr. Menne, Dr. Staratzke	3
◯	ADF	**Aktion Demokratischer Fortschritt** Professor Dr. Hofmann, Malkomes, Professor Dr. Bartsch, Podlipny, Dr. Senzig	4
◯	EP	**Europa Partei** Schneider, Kruger, Müllner, Wehlan, Vetterlein	5
◯	GPD	**Gesamtdeutsche Partei** Dr. Preißler, Dr. Schlunder, Huber, Frau Rendel, Weiner	6
◯	NPD	**Nationaldemokratische Partei Deutschlands** Dr. Buck, Kaye, Rohrbach, Mogge, Muller-Brandt	7
◯			8

2. **Welcher, welche, welches** can be used as an interrogative determiner.

Welcher Mann?	*Which man?*
Welche Frau?	*Which woman?*
Welche Leute?	*Which people?*

Adjectives following **welch-** take weak endings, as they do after all **der**-words.

Welcher alte Mann?	*Which old man?*
Welchen alten Mann meinen Sie?	*Which old man do you mean?*
In welcher deutschen Stadt?	*In which German city?*

3. **Welch-** can be used as an interrogative pronoun.

Hier sind die Bücher. Welches gehört dir? *Here are the books. Which one is yours?*

4. Like all other interrogative pronouns, **welch-** can be used as a subordinating conjunction to introduce an indirect question.

Ich möchte eine deutsche Zeitung abonnieren. Ich weiß nur nicht, welche (ich abonnieren soll).

5. When followed by **sein**, the interrogative pronoun **welch-** always takes the ending **-es**, whether singular or plural.

Welches ist Ihr Mantel? Welches sind Ihre Bücher?

EXERCISES

A. Ask questions with **welch-** as shown by the model.

Example: Der amerikanische Präsident ist ein wichtiger Mann.
Welcher Präsident ist ein wichtiger Mann?

1. Das westdeutsche Parlament wird gewählt.
2. Die großen Parteien bestehen schon lange.
3. Einige Themen wurden heftig diskutiert.
4. Der Direktor ist dafür verantwortlich.
5. Der deutsche Bundeskanzler war in den Vereinigten Staaten.
6. Die deutsche Zeitung ist liberal.
7. Das Wochenmagazin ist sehr kritisch.
8. Die kleinen Aktien sollen bald eingeführt werden.

B. Supply the appropriate endings in writing.

Example: Welch– Buch gehört Ihnen?
Welches Buch gehört Ihnen?

1. Welch– Wort verstehen Sie nicht?
2. Welch– Journalist schreibt für „Die Welt"?
3. Welch– Thema ist in den letzten Jahren heftig diskutiert worden?
4. Welch– Stellung nimmt der Präsident der BRD ein?
5. Welch– Parteien haben einen schweren Stand?
6. Welch– Gesetze wurden erlassen?
7. Welch– Land ist am dichtesten bevölkert?
8. In welch– Land leben über sechzig Millionen Deutsche?
9. Welch– Rohstoff findet man vor allem im Ruhrgebiet und im Saarland?

C. Supply the appropriate endings in writing.

Example: Welch– deutsch– Wochenmagazin ist oft sehr kritisch?
Welches deutsche Wochenmagazin ist oft sehr kritisch?

1. Welch- wichtig- Rohstoff wird vor allem im Ruhrgebiet und im Saarland gefunden?
2. In welch– mitteleuropäisch– Land leben die meisten Deutschen?

3. In welch– bayrisch– Stadt leben Ihre Verwandten?
4. Über welch– neu– Gesetze wollen Sie sich informieren?
5. An welch– deutsch– Zeitungen sind Sie interessiert?
6. Welch– deutsch– Zeitung möchten Sie abonnieren?
7. Welch– groß– Parteien gibt es in der BRD?
8. Welch– wichtig– Gesetze hat der Bundestag erlassen?
9. In welch– klein– Pension haben Sie gewohnt?
10. Welch– neu– Wagen haben Sie sich gekauft?

III. *TWO-PART CONJUNCTIONS*

Der Bundespräsident ist **zwar** der Vorsitzende der Regierung, seine Amtszeit dauert **aber** nur ein Jahr.

1. Each part of a two-part conjunction falls in a different clause of a complex sentence.

2. Either part in its respective clause may occur as a coordinating or a subordinating conjunction, or it may function as an adverbial modifier at the beginning or within the clause.

„Die Mauer". Nicht nur Berlin ist durch die Mauer in zwei Teile geteilt, sondern von Norden nach Süden ist die Grenze zwischen Ost- und Westdeutschland befestigt und streng bewacht.
"The Wall." Not only is Berlin divided by the wall, but the entire border between East and West Germany is fortified and heavily guarded from North to South.

3. Depending on its function, the conjunction determines the word order within the clause.

   a. A coordinating conjunction leaves the regular word order unchanged.

   b. A subordinating conjunction requires the finite verb form to be at the end of the clause.

   c. An adverbial at the beginning of the clause causes the finite verb to precede the subject (inverted word order).

4. The most frequent two-part conjunctions are the following.

a.

ADVERBIAL...	*COORDINATING CONJUNCTION*	
zwar...	**aber**	*it is true...but*
entweder...	**oder**	*either...or*
nicht nur...	**sondern auch**	*not only...but also*

Zwar ist der Präsident der Vorsitzende, aber seine Amtszeit dauert nur ein Jahr.
Entweder kommst du, oder wir fahren ohne dich.
Er ist nicht nur jung, sondern er ist auch klug.

b.

ADVERBIAL...	*ADVERBIAL*	
teils...	**teils**	*partly...partly*
weder...	**noch**	*neither...nor*
bald...	**bald**	*at times...at times*
erst...	**dann**	*first...then*
einerseits...	**andererseits**	*on the one hand...on the other hand*

Teils freuten wir uns, teils glaubten wir nicht daran.
Weder waren sie reich, noch waren sie sehr arm.
Bald regnete es, bald schien die Sonne.
Erst regnete es, dann schien die Sonne.
Einerseits hat er recht, andererseits ist die Sache nicht so einfach.

c.

SUBORDINATING CONJUNCTION...	*ADVERBIAL*	
wenn...	**dann**	*if...then*
je (plus a comparative)...	**desto** (plus a comparative)	*the* (plus a comparative)...*the* (plus a comparative)

Wenn es den ganzen Tag regnet, dann werden wir nicht kommen.
Je mehr es im Frühling regnet, desto besser ist es.

EXERCISE

Connect the clauses using the two-part conjunctions as indicated.

Example: (zwar...aber) Die Eltern sind nicht mehr jung. Sie reisen noch sehr gern.
Zwar sind die Eltern nicht mehr jung, aber sie reisen noch sehr gern.

1. (erst...dann) Ich möchte mich einmal richtig ausruhen. Ich werde die Arbeit machen.
2. (je...desto) Das Hotel ist schön gelegen. Es ist teuer.
3. (weder...noch) Er gehört zu unserer Partei. Wir haben ihn gewählt.

Nationalratswahlen in Österreich. Das vorläufige Wahlergebnis auf unserm Bild zeigt 78 Mandate für die ÖVP (Österreichische Volkspartei), 81 für die SPÖ (Sozialistische Partei Österreichs) und 6 für die FPÖ (Freiheitliche Partei Österreichs).

Parliamentary election in Austria. The provisional election returns show 78 seats for the ÖVP, 81 for the SPÖ, and 6 for the FPÖ.

4. (entweder...oder) Wir fahren mit der Eisenbahn. Wir müssen einen neuen Wagen haben.
5. (wenn...dann) Wir fahren nach Europa. Wir kommen auch nach München.
6. (zwar...aber) Der Anzug war sehr teuer. Er ist sehr gut.
7. (bald...bald) Die Leute wählen einen liberalen Kandidaten. Sie wählen einen konservativen Kandidaten.
8. (einerseits...andererseits) Das Land ist nicht sehr groß. Es hat eine blühende Industrie.
9. (zwar...aber) Der Präsident vertritt sein Land international. Seine Rechte sind sehr gering.

IV. *ADJECTIVES WITH PREPOSITIONS*

verantwortlich **für** die Politik
interessiert **an** der deutschen Presse

1. In German, as in English, some adjectives are regularly followed by prepositional phrases.

interessiert **an** der Presse — interested *in* the press

2. English and German often use different prepositions in these phrases. One simply has to learn which prepositions in German follow particular adjectives.

3. To determine the case of the noun or pronoun in such prepositional phrases, remember these rules:

a. One group of prepositions (**aus, bei, mit**, etc.; see p. 59) always require the dative.

b. Another group of prepositions (**durch, für, gegen**, etc.; see p. 131) always require the accusative.

Wahlen in der Schweiz. Die verschiedenen Kantone haben ihr eigenes Wahlsystem. Hier wählen die versammelten Bürger von Glarus (Nordostschweiz) ihre Vertreter in direkter Wahl.
Elections in Switzerland. Each canton has its own system. Here in Glarus (North-East Switzerland), the assembled citizens elect their representatives by direct vote.

c. A third group of prepositions (**an**, **auf**, **hinter**, **in**, **neben**, **über**, **unter**, **vor**, **zwischen**; see pp. 59, 81) sometimes require the dative, sometimes the accusative. If one of these prepositions refers to location (the phrase answers the question **wo?**), it requires the dative. If it refers to movement and direction (the phrase answers the question **wohin?**), it requires the accusative. When, however, such prepositions are used in combination with adjectives, the questions **wo?** and **wohin?** may not apply. One must therefore memorize which case is required after the various adjective-and-preposition combinations.

4. Here are some of the adjectives which have occurred so far, and the prepositions with which they may be combined.

böse auf (*acc.*), **über** (*acc.*)	*mad at, angry with*
frei von	*free from*
interessiert an (*dat.*)	*interested in*
kritisch gegen	*critical of*
reich an (*dat.*)	*rich in*
streng mit	*strict with*
unabhängig von	*independent of*
veranwortlich für	*responsible for*
verwandt mit	*related with*
wichtig für	*important for*

EXERCISE

Example: (die deutsche Presse) Wir sind interessiert an ______.
Wir sind interessiert an der deutschen Presse.

1. (wichtige Rohstoffe) Amerika ist reich an ______.
2. (mein neuer Wagen) Sie sind verantwortlich für ______.
3. (der Geschäftsmann) Die Leute sind böse auf ______.
4. (meine Familie) Ich möchte gern unabhängig sein von ______.
5. (unsere Familie) Der Dichter ist verwandt mit ______.
6. (die Kinder) Die Mutter ist sehr streng mit ______.
7. (die neuesten Nachrichten) Wir sind immer interessiert an ______.
8. (ein kleiner Staat) Die Rohstoffe sind besonders wichtig für ______.
9. (diese Regierung) Die Zeitungen sind oft sehr kritisch gegen ______.
10. (deprimierende Nachrichten) Die Zeitung ist heute einmal frei von ______.

INDIVIDUAL STUDY: SELF-TESTING

1. *the President of the United States*
der ______ ______ ______ ______ — Präsident der Vereinigten Staaten
2. *an important man*
ein ______ ______ — wichtiger Mann
3. *state and society*
Staat und ______ — Gesellschaft
4. *the policy of his country*
die ______ ______ ______ — Politik seines Landes
5. *the enforcement of laws*
die ______ ______ ______ — Durchführung der Gesetze
6. *a totally different position*
eine ______ ______ ______ — ganz andere Stellung
7. *the head of state*
das ______ — Staatsoberhaupt
8. *He represents his country.*
Er ______ ______ ______. — vertritt sein Land
9. *His rights are very limited.*
Seine ______ ______ ______ ______. — Rechte sind sehr gering
10. *The power is with the Federal Chancellor.*
Die ______ ______ ______ ______. — Macht liegt beim Bundeskanzler
11. *He determines the policy.*
Er ______ ______ ______. — bestimmt die Politik
12. *He is responsible for it.*
Er ______ ______ ______. — ist dafür verantwortlich

13. *under the supervision of the Bundestag*
unter ______ ______ ______ ______ — der Aufsicht des Bundestags

14. Some plural determiners (such as **einige, mehrere, viele, wenige,** and cardinal numbers) require a strong ending in the adjective that follows them; others (such as **alle, beide, sämtliche,** and the **der**-words) require a weak ending.
two great parties
zwei ______ ______ — große Parteien

15. *the two great parties*
die ______ ______ ______ — beiden großen Parteien

16. *both great parties*
beide ______ ______ — großen Parteien

17. *other great parties*
andere ______ ______ — große Parteien

18. *all great parties*
alle ______ ______ — großen Parteien

19. *several smaller parties*
mehrere ______ ______ — kleinere Parteien

20. *They have a hard time.*
Sie haben ______ ______ ______. — einen schweren Stand

21. *since* 1949
seit ______ — neunzehnhundertneunundvierzig

22. *since then*
______ — seitdem

23. *since the war*
______ ______ ______ — seit dem Krieg

24. *since the time*
______ ______ ______ — seit der Zeit

25. *to enact laws*
Gesetze ______ — erlassen

26. *to enforce laws*
Gesetze ______ — durchführen

27. *the enforcement of laws*
die ______ ______ ______ — Durchführung der Gesetze

28. *to play a leading role*
eine führende ______ ______ — Rolle spielen

29. *to subscribe to a newspaper*
eine Zeitung ______ — abonnieren

30. *to carry the responsibility*
die Verantwortung ______ — tragen

31. *to discuss the topics*
die Themen ______ — diskutieren

32. The equivalents of *which* or *which one(s)* in German are **welcher, welche, welches.**
Which expression is best?
______ Ausdruck ist der beste? — Welcher

33. *Which other expressions do you know?*
______ anderen Ausdrücke kennen Sie? — Welche

34. *Which hotel can you recommend?*
______ Hotel können Sie empfehlen? — Welches

35. *I would like to subscribe to a German newspaper.*
Ich möchte ______ ______ ______ ______. — eine deutsche Zeitung abonnieren

36. *I just don't know to which one.*
Ich ______ ______ ______ ______. — weiß nur nicht welche

37. *I would like to buy a new car.*
Ich ______ ______ ______ ______ ______. — möchte ein neues Auto kaufen

38. *I just don't know which one.*
Ich ______ ______ ______ ______. — weiß nur nicht welches

39. *I would like to use another expression.*
Ich ______ ______ ______ ______ ______. — möchte einen anderen Ausdruck gebrauchen

40. *I just don't know which one.*
Ich ______ ______ ______ ______. — weiß nur nicht welchen

41. Hier sind die Zeitungen.
Welch– gehört Ihnen? — -e

42. Hier sind die Bücher.
Welch– gehört Ihnen? — -es

43. Hier sind die Mäntel.
Welch– gehört Ihnen? — -er

44. Hier sind die Bleistifte.
Welch– (*singular*) wollen Sie haben? — -en

45. Hier sind die Werkzeuge.
Welch– (*plural*) wollen Sie haben? — -e

46. *How about daily papers?*
Wie ______ ______ ______ ______? — ist es mit Tageszeitungen

47. *How about a walk?*
Wie ______ ______ ______ ______ ______? — ist es mit einem Spaziergang

48. *How about a concert tonight?*
Wie ______ ______ ______ ______ ______ heute abend? — ist es mit einem Konzert

49. *How about the Hotel Fernsicht?*
Wie ______ ______ ______ ______ ______ ______? — ist es mit dem Hotel Fernsicht

50. *That I can recommend to you.*
Das kann ich ______ ______. — Ihnen empfehlen

51. *How about "Der Spiegel"?*
Wie ______ ______ ______ ______ „______"? — ist es mit dem „Spiegel"

52. *That I can recommend to you.*
Den ______ ______ ______ ______. — kann ich Ihnen empfehlen

53. *It is widely read abroad.*
Der wird ______ ______ viel gelesen. — im Ausland

54. *The weekly magazine is published in Hamburg.*
Das Wochenmagazin ______ ______ ______ ______. — kommt in Hamburg heraus

55. *It is a paper that is published in Hamburg.*
Es ist ______ ______, ______ ______ ______ ______. — eine Zeitung, die in Hamburg heraus-kommt

56. Insert the correct word:
Ich möchte mich ______ die deutsche Presse informieren. — über

57. Wir freuen uns ______ das neue Wochenmagazin. — auf

58. Wir wundern uns ______ die amerikanischen Zeitungen. — über

59. Wir sind interessiert ______ „der Süddeutschen Zeitung". — an

60. Die Zeitung ist sehr kritisch ______ die Regierung. — gegen

61. Die Zeitung ist unabhängig ______ den Parteien. — von

62. Welcher Journalist ist verantwortlich ______ die Wirtschaft? — für

63. Woran sind Sie interessiert?
Ich bin an ______ (illustrierte/illustrierten) Zeitschriften interessiert. — illustrierten

64. Wovon ist die Zeitung unabhängig?
Die Zeitung ist unabhängig von ______ (die/der) Regierung. — der

65. Woran ist das Land reich?
Das Land ist reich an ______ (Rohstoffe/Rohstoffen). — Rohstoffen

66. Join the two clauses using **Zwar...aber:**
Es ist kalt. Wir gehen doch spazieren.
Zwar ______ ______ ______, aber ______ ______ ______ ______. — ist es kalt...wir gehen doch spazieren

67. Der Anzug ist teuer. Er sitzt gut.
Zwar ______ ______ ______ ______, ______ ______ ______ ______. — ist der Anzug teuer, aber er sitzt gut

68. **Entweder...oder:**
Er fährt mit uns. Er muß den Bus nehmen.
Entweder ______ ______ ______ ______,
______ ______ ______ ______ ______ ______.

— fährt er mit uns, oder er muß den Bus nehmen

69. Wir fliegen mit dem Flugzeug. Wir nehmen die Eisenbahn.
Entweder ______ ______ ______ ______
______, ______ ______ ______ ______ ______.

— fliegen wir mit dem Flugzeug, oder wir nehmen die Eisenbahn

70. **Weder...noch:**
Der Kandidat ist uns sympathisch. Wir haben ihn gewählt.
Weder ______ ______ ______ ______ ______,
______ ______ ______ ______ ______.

— ist der Kandidat uns sympathisch, noch haben wir ihn gewählt

71. Er ist an deutschen Zeitungen interessiert. Er weiß viel davon.
Weder ______ ______ ______ ______ ______
______, ______ ______ ______ ______ ______.

— ist er an deutschen Zeitungen interessiert, noch weiß er viel davon

72. **Je...desto:**
Die Wohnung ist größer. Sie ist teurer.
Je ______ ______ ______ ______, ______
______ ______ ______.

— größer die Wohnung ist, desto teurer ist sie

73. Die Reise dauert länger. Wir brauchen mehr Gepäck.
Je ______ ______ ______ ______, ______
______ ______ ______ ______

— länger die Reise dauert, desto mehr Gepäck brauchen wir

74. Die Arbeiter in den Betrieben wollen mitbestimmen. Welches Recht wollen sie haben?
Sie wollen das ______ haben.

— Mitbestimmungsrecht

75. Die Frauen wollen gleiche Rechte haben wie die Männer.
Sie wollen die ______.

— Gleichberechtigung

76. Kleine Aktien für breite Schichten der Bevölkerung sind die sogenannten ______.

— Volksaktien

77. SED ist eine Abkürzung für:
______ ______ ______

— Sozialistische Einheitspartei Deutschlands

78. CDU ist eine Abkürzung für:
______ ______ ______

— Christlich-Demokratische Union

79. CSU ist eine Abkürzung für:
______ ______ ______

— Christlich-Soziale Union

80. CDU und CSU werden oft zusammen genannt. Die CSU ist die ______ der CDU. — Schwesterpartei
81. Die älteste Partei in der Bundesrepublik ist die SPD. Das ist eine Abkürzung für:
______ ______ ______ — Sozialdemokratische Partei Deutschlands
82. Wer ist das Staatsoberhaupt der Bundesrepublik?
Der ______ (Bundeskanzler/Bundespräsident) — Bundespräsident
83. Wer ist der Chef der Regierung in der BRD ebenso wie in Österreich?
Der ______ — Bundeskanzler
84. Wie heißt das Parlament in der Bundesrepublik Deutschland?
Der ______ — Bundestag
85. Während Westdeutschland ein Bundesstaat ist, hat man in der DDR ein ______ System. — zentralistisches

86. Supply the correct past participle.
Die Situation sieht da ganz anders aus.
Früher hat die Situation ganz anders ______. — ausgesehen
87. Wer vertritt hier die Regierung?
Er hat seit Jahren seine Regierung hier ______. — vertreten
88. Wer trägt dafür die Verantwortung?
Die Regierung hat dafür die Verantwortung ______. — getragen
89. Die Bundesrepublik besteht seit 1949.
Vorher hat die BRD noch nicht ______. — bestanden
90. Können Sie mir nicht ein gutes Hotel empfehlen?
Ich habe das Hotel Fernsicht schon immer ______. — empfohlen
91. Die Zeitung erscheint täglich. Nur heute ist sie nicht ______. — erschienen
92. Können Sie mir nicht helfen?
Sie haben mir doch immer ______. — geholfen
93. Ich möchte eine deutsche Zeitung abonnieren.
Ich habe schon eine Wochenzeitung ______. — abonniert
94. Wir diskutieren gern über diese Themen. Wir haben in den letzten Jahren oft darüber ______. — diskutiert
95. Aus den Themen werden leicht Schlagworte.
Einige Themen sind schon zu Schlagworten ______. — geworden

96. Wie heißt auf deutsch:
"*The Mirror*"?
„Der ______" — Spiegel

97. *"The World"*
„Die ______" — Welt

98. *"The Time(s)"*
„Die ______" — Zeit

99. *I won't have enough time to read a German newspaper every day.*
Ich werde gar nicht genug Zeit haben, ______ ______ ______ ______ ______ ______ ______. — jeden Tag eine deutsche Zeitung zu lesen

100. *You can say that again.*
Das ______ ______ ______ ______. — kann man wohl sagen

Rheinbrücke bei Köln. Was früher zu Fuß oder mit bescheidenen Aufwendungen geschafft wurde, erfordert heute gewaltige Anlagen.
Rhine bridge at Cologne. What used to be achieved on foot or with modest outlays today requires enormous investments.

LEKTION DREIZEHN

HANDEL UND VERKEHR

In Handel und Verkehr ist die Bundesrepublik eng mit ihren westeuropäischen Nachbarn verbunden. Westdeutschland ist in erster Linie ein Industrieland und muß Rohstoffe und Lebensmittel aus andern Ländern einführen. Zur Bezahlung dieser Einfuhren dient der Export von Industrieprodukten. Weil die Bundesrepublik so sehr auf den Handel mit andern Ländern angewiesen ist, sind die Deutschen natürlich an einer wirtschaftlichen Integration Europas stark interessiert. Aber auch die USA spielen im Außenhandel der BRD eine sehr wichtige Rolle. Unter den Ländern, aus denen Waren eingeführt werden, stehen die USA an erster Stelle; unter den Ländern, nach denen Waren ausgeführt werden, stehen die USA an dritter Stelle. Was führt die BRD aus? Vor allem Maschinen, Autos und überhaupt fertige Industrieprodukte.

Auch im Verkehr wird die Zusammenarbeit mit den europäischen Nachbarn immer enger. Der europäische Durchgangsverkehr, also der Verkehr von einem Land durch ein zweites in ein drittes, geht zum größten Teil durch die Bundesrepublik Deutschland, wodurch die deutschen Autobahnen an das europäische Fernstraßennetz angeschlossen werden. So führt die sogenannte HAFRABA-Autobahn von Hamburg im Norden über Frankfurt am Main nach Basel. Durch die „Hollandlinie" ist das Ruhrgebiet an die Autobahn in Holland angeschlossen. Die „Vogelfluglinie" verbindet Deutschland über die Insel Fehmarn mit Skandinavien. Man braucht nur noch 18,5 km mit der Fähre zu fahren. Auch andere Projekte werden international geplant. Das interessanteste Projekt ist der Rhein-Main-Donaukanal, der die Nordsee mit dem Schwarzen Meer verbinden wird.

Wenn man von europäischer Wirtschafts- und Verkehrspolitik spricht, müssen auch die Eisenbahnen erwähnt werden. Während die Eisenbahnen für den Personenverkehr in den USA heute nur noch wenig wichtig sind, werden sie in Europa von vielen Leuten

der **Handel** *trade*
der **Verkehr** *traffic, transportation*
eng *close(ly); narrow(ly)*
der **Nachbar, -n** *neighbor*
verbinden, a, u *to connect*
die **Linie, -n** *line, place*
die **Lebensmittel** (*pl.*) *foodstuffs*
die **Bezahlung** *payment*
dienen *to serve*
das **Produkt, -e** *product*
weil *because*
angewiesen auf (*acc.*) *dependent on*
stark *strong(ly)*
der **Außenhandel** *foreign trade*
die **Ware, -n** *merchandise*
die **Stelle, -n** *place, position*
ausführen *to export*
überhaupt *in general*
fertig *finished*

die **Zusammenarbeit** *cooperation*
der **Durchgangsverkehr** *through traffic*

wodurch *so that, whereby*

das **Fernstraßennetz** *net of interstate highways*
anschließen, o, o *to link up with*

der **Vogelflug** *flight of birds*
die **Insel, -n** *island*
km (Kilometer) *kilometer*
die **Fähre, -n** *ferry*
planen *to plan*
die **Donau** *Danube*
das **Schwarze Meer** *Black Sea*

erwähnen *to mention*

benutzt. Sehr bequem sind die modernen Transeuropazüge. Es sind die sogenannten TEE-Züge (Trans-Europa-Express).

In der DDR sind Handel und Verkehr fast ganz auf die Länder im Osten Europas eingestellt. Im Außenhandel steht die Sowjetunion in Einfuhr und Ausfuhr an erster Stelle.

benutzen *to use*
der **Zug, ⸚e** *train*

eingestellt auf (*acc.*) *oriented toward*

EINE ANZEIGE

Statt eines Gesprächs sehen wir uns in dieser Lektion einmal eine Zeitungsanzeige an. Eine Bank zeigt an, daß sie eine freie Stelle hat. Der Text ist fast wörtlich aus einer deutschen Tageszeitung genommen:

die **Anzeige, -n** *advertisement*

statt (*gen.*) *instead of*
sich (etwas) **ansehen, a, e** *to look at*
anzeigen *to announce, to advertise*
wörtlich *literally, word for word*

> Wir sind eine deutsche Spezialbank mit einem großen Kundenkreis. Für unsere elektronische Datenverarbeitung brauchen wir einen Programmierer. Wenn Sie über gute Kenntnisse und praktische Erfahrung verfügen, können Sie sich in unserem jungen EDV-Team schnell eine selbständige Position erarbeiten. Spezielle Bankkenntnisse sind nicht Voraussetzung. Wir bieten Ihnen einen modernen Arbeitsplatz im Zentrum Münchens, gutes Gehalt und alle zeitgemäßen Sozialleistungen. Schreiben Sie bitte Ihre Bewerbung mit den nötigen Unterlagen unter dem Stichwort „Bank-Programmierer" an unsere Personalabteilung, München, Postfach 30. Ihre Bewerbung wird selbstverständlich vertraulich behandelt.

die **Spezialbank** *special bank*
der **Kundenkreis** *clientele*
der **Kunde, -n** *customer*
der **Programmierer** *programmer*
die **Kenntnis, -se** *knowledge*
die **Erfahrung, -en** *experience*
verfügen über (*acc.*) *to possess*
selbständig *independent*
erarbeiten *to attain*
die **Voraussetzung** *requirement*
bieten, o, o *to offer*
der **Arbeitsplatz** *place of work*
das **Gehalt, ⸚er** *salary*
zeitgemäß *up-to-date*
die **Sozialleistung** *fringe benefit*
die **Bewerbung** *application*
nötig *necessary*
die **Unterlagen** (*pl.*) *documents*
das **Stichwort, ⸚er** *code word; cue*
die **Personalabteilung** *personnel department*
das **Postfach, ⸚er** *Post Office Box*
selbstverständlich *of course; obvious(ly)*
vertraulich *confidential(ly)*
behandeln *to treat*

WORD STUDY

NOUNS		*VERBS and OTHER WORDS*	
1. die **Zahl, -en**	*number*	**zählen**	*to count*
die **Bezahlung**	*payment*	**bezahlen**	*to pay (for)*

NOUNS		*VERBS and OTHER WORDS*	
2. der **Verkehr**	*traffic*	**verkehren** (**mit jemandem**)	*to associate (with somebody)*
der **Straßenverkehr**	*street traffic*		
der **Personenverkehr**	*passenger traffic*		
der **Durchgangsverkehr**	*through traffic*		
die **Verkehrspolizei**	*traffic police*		
3. der **Flug, ⸚e**	*flight*	**fliegen, flog, (hat/ist) geflogen**	*to fly*
das **Flugzeug, -e**	*plane*		
die **Fluglinie, -n**	*airline*		
4. die **Straße, -n**	*street*	**auf der Straße**	*in the street*
die **Landstraße, -n**	*highway*		
die **Fernstraße, -n**	*interstate highway*		
die **Wasserstraße, -n**	*waterway*		
5. der **Zug, ⸚e**	*train*	**ziehen, zog, gezogen**	*to pull, draw*
der **Personenzug, ⸚e**	*passenger train*		
der **Güterzug, ⸚e**	*freight train*		

> Man soll auf Reisen gehen, um die Menschen kennenzulernen? Die andern lernt man zu Hause besser kennen, aber in der Fremde sich selbst.
>
> Grillparzer

GRAMMAR

I. PREPOSITIONS REQUIRING THE GENITIVE

> statt ein**es** Gespräch**s**

Certain prepositions require the genitive in their noun or pronoun object. Most of these prepositions are used mainly in written or official language. In everyday speech, prepositions with a genitive occur less often.

angesichts	*in view of*
angesichts der Entfernung	*in view of the distance*

anstatt (*or* **statt**)	*instead of*
anstatt eines Briefes	*instead of a letter*
aufgrund	*because of, on the basis of*
aufgrund einer Zeitungsanzeige	*on the basis of an ad*
außerhalb	*outside*
außerhalb der Stadt	*outside the city*
betreffs	*in reference to*
betreffs Ihres Briefes	*in reference to your letter*
einschließlich	*including*
einschließlich der Sozialleistungen	*including fringe benefits*
infolge	*due to*
infolge des schlechten Wetters	*due to the bad weather*
innerhalb	*inside, within*
innerhalb des eisernen Vorhangs	*inside the Iron Curtain*
längs	*alongside*
längs des Kanals	*along the canal*
trotz	*in spite of*
trotz der Inflation	*in spite of the inflation*
während	*during*
während des Tages	*during the day*
wegen	*because of*
wegen des Krieges	*because of the war*

EXERCISES

A. Form prepositional phrases.

Example: (statt) die praktische Erfahrung
statt der praktischen Erfahrung

1. (angesichts) der große Kundenkreis
2. (anstatt) das billige Hotel
3. (aufgrund) die letzten Nachrichten
4. (betreffs) das neue Projekt
5. (einschließlich) die nötigen Unterlagen
6. (infolge) der schnelle Verkehr
7. (längs) die große Straße
8. (trotz) die vielen Menschen
9. (während) das ganze Jahr
10. (wegen) die neue Mode

B. Rephrase the sentences, placing the prepositional phrase first and making the necessary rearrangement in word order.

Example: Wir müssen statt der billigen Pension das teure Hotel nehmen.
Statt....
Statt der billigen Pension müssen wir das teure Hotel nehmen.

1. Wir machen unseren Spaziergang trotz des schlechten Wetters.
Trotz....
2. Mehrere alte Häuser stehen längs der breiten Straße.
Längs....
3. Wir müssen angesichts der großen Entfernung ein Flugzeug nehmen.
Angesichts....

Neue Methoden des Gütertransports. Container werden vom Schiff auf die Eisenbahn verladen.

New methods of transporting goods. Containers being unloaded from ship to rail.

4. Er hat den Arbeitsplatz aufgrund seiner langen Erfahrung bekommen.
   Aufgrund....
5. Sie liest die Anzeigen statt der Nachrichten.
   Statt....
6. Ich kann Ihnen betreffs Ihrer Bewerbung erst heute antworten.
   Betreffs....
7. Die Reise hat einschließlich des Fluges nach Europa 1000 Dollar gekostet.
   Einschließlich....
8. Der Präsident wohnt während seiner Amtszeit im Weißen Haus.
   Während....
9. Die Deutschen sind wegen des Handels mit den Nachbarländern an der wirtschaftlichen Integration Europas interessiert.
   Wegen....

II. VERBS WITH PREPOSITIONS

Wenn Sie **über** praktische Erfahrung **verfügen,** können Sie sich schnell eine selbständige Position erarbeiten.

1. Several verbs must or can be combined with prepositional objects. The case of the object depends upon the prepostion. So far in this book the following verbs have occurred which may be combined with a prepositional object.

sich ausruhen von	*to take a rest from*
berichten über (*accusative*)	*to report on*
sich beschäftigen mit	*to work at, occupy oneself with*
denken an (*accusative*)	*to think of*

fragen nach	*to ask about*
sich freuen auf (*accusative*)	*to look forward to*
sich fürchten vor (*dative*)	*to be afraid of*
gehören zu	*to belong to*
glauben an (*accusative*)	*to believe in*
gratulieren zu	*to congratulate on*
halten von	*to think of*
sich informieren über (*accusative*)	*to gather information about*
lachen über (*accusative*)	*to laugh at*
rechnen mit	*to count on, expect*
sprechen über (*accusative*), von	*to speak of, about*
verfügen über (*accusative*)	*to be in command of, possess*
versorgen mit	*to supply with*
verzweifeln über (*accusative*), an (*dative*)	*to despair of*
sich wundern über (*accusative*)	*to wonder about*

Links: Hamburg, der größte deutsche Hafen. Zuschauer an den Landungsbrücken spüren einen Hauch der weiten Welt.
Left: Hamburg, Germany's largest port. Spectators at the "Landungsbrücken" seek to catch a glimpse of the wide, wide world.
Rechts: Der Autozug ist eine beliebte Art, bequem ans Reiseziel zu gelangen und dort gleich sein Auto zur Verfügung zu haben. Viele Nordeuropäer fahren so durch Deutschland in den Süden.
Right: The auto train is a popular way for the vacationer to get comfortably to his destination and still have his car available there. Many North Europeans use this method to travel through Germany to southern Europe.

2. The case of the noun or pronoun object depends on the preposition involved. But remember that when the preposition is **an, auf, hinter, in, neben, über, unter, vor,** or **zwischen,** the case cannot be predicted by any rule; it must be memorized for each verb-and-preposition combination.

EXERCISES

A. Write the following sentences and insert the correct preposition.

1. Wir möchten Sie ______ Ihrer Meinung fragen.
2. Ich möchte Ihnen ______ Ihrem Geburtstag gratulieren.
3. Fürchten Sie sich ______ dem Verkehr in der Stadt?
4. Freuen Sie sich ______ die Reise im kommenden Sommer?
5. Der Journalist will sich ______ das Projekt informieren.
6. Verfügen Sie ______ praktische Erfahrungen in der elektronischen Datenverarbeitung?

7. Der junge Mann denkt ______ eine selbständige Position.
8. Ein Programmierer kann ______ einem guten Gehalt rechnen.
9. Was halten Sie ______ der Anzeige in der Zeitung?
10. Der Direktor hat ______ seine Bewerbung nur gelacht.

B. Write sentences using the words given. The verbs should be in the present tense.

Example: Die Regierung, sich informieren über, die öffentliche Meinung.
Die Regierung informiert sich über die öffentliche Meinung.

1. Das Land, verfügen über, der wichtige Rohstoff.
2. Die Familie, sprechen von, die kranke Mutter.
3. Der junge Mann, rechnen mit, ein gutes Gehalt.
4. Die Dame, fragen nach, ein gutes Hotel.
5. Wer, lachen über, der kleine Wagen?
6. Wer, sich fürchten vor, der Verkehr auf der Autobahn?
7. Wir, sich freuen auf, der Sommer an der Nordsee.
8. Die Bank, verfügen über, ein großer Kundenkreis.
9. Der Direktor, sich informieren über, der Export von Industrieprodukten.
10. Die Bundesrepublik, gehören zu, die Europäische Wirtschaftsgemeinschaft.

III. WO-*COMPOUNDS*: WODURCH, WOBEI, WOFÜR, WORAN, *etc.*

Der europäische Durchgangsverkehr geht durch Deutschland, **wodurch** die Autobahnen an das europäische Fernstraßennetz angeschlossen werden.

1. If a relative clause refers to a particular noun or pronoun preceding it, and the relation of the clause and the antecedent is expressed by a preposition, a relative pronoun is used.

Das war die **Nachricht, über die** wir uns gewundert haben.
Das ist das **Konzert**, **auf das** ich mich freue.

2. However, if the relative clause refers to an entire clause preceding it (not to a particular noun or pronoun), **wo-** is used instead of the relative pronoun and combines with the preposition. (If the preposition begins with a vowel, an **-r-** is inserted).

Wir gehen morgen ins Konzert, **worauf** wir uns sehr freuen.

3. The **wo-** compounds are:

wobei, wodurch, wofür, womit, wonach, wovon, wovor, wozu, woran, worauf, woraus, worin, worüber, worum, worunter

4. The **wo-** compounds are also used as question words instead of prepositions with **was.**

Ich frage ihn nach dem Datum. **Wonach** frage ich ihn?
Der Kaufmann fragt: „**Womit** kann ich Ihnen dienen?"

However, **wo-** compounds do not replace prepositions with pronouns referring to people.

Ich frage ihn nach seiner Schwester. **Nach wem** frage ich ihn?

Trotz Warenhäusern und Selbstbedienungsgeschäften ist der traditionelle Markt im Freien immer noch beliebt.

In spite of department and self-service stores, the traditional open-air market is still popular.

EXERCISE

Connect each pair of sentences by a **wo**-compound.

Example: Morgen gehen wir ins Konzert. Wir freuen uns sehr darauf.
Morgen gehen wir ins Konzert,....
Morgen gehen wir ins Konzert, worauf wir uns sehr freuen.

1. Es wird vielleicht eine Inflation geben. Viele Leute fürchten sich **davor**.
   Es wird vielleicht eine Inflation geben,....
2. Er hat uns oft geholfen. Wir danken ihm sehr **dafür**.
   Er hat uns oft geholfen,....
3. Er ist gestern bei schlechtem Wetter spazierengegangen. **Dabei** hat er sich einen Schnupfen geholt.
   Er ist gestern bei schlechtem Wetter spazierengegangen,....
4. Er hat ihr zum Geburtstag gratuliert. Sie hat gar nicht **damit** gerechnet.
   Er hat ihr zum Geburtstag gratuliert,....
5. Er ist heute nicht in die Universität gekommen. Wir haben uns **darüber** gewundert.
   Er ist heute nicht in die Universität gekommen,....
6. Man kann in diesem Jahr billig nach Europa reisen. Wir sind sehr **daran** interessiert.
   Man kann in diesem Jahr billig nach Europa reisen,....
7. Das Land hat schlechte Straßen. Die Regierung ist **dafür** verantwortlich.
   Das Land hat schlechte Straßen,....
8. Er hat den Fehler immer wieder gemacht. Wir haben natürlich **darüber** gelacht.
   Er hat den Fehler immer wieder gemacht,....
9. Er hat keinen Fehler gemacht. Wir haben ihm **dazu** gratuliert.
   Er hat keinen Fehler gemacht,....
10. Der europäische Durchgangsverkehr geht zum größten Teil durch Deutschland. **Dadurch** werden die Autobahnen an das europäische Fernstraßennetz angeschlossen.
    Der europäische Durchgangsverkehr geht zum größten Teil durch Deutschland,....

IV. *PASSIVE WITH* SEIN *OR* WERDEN

wodurch die Autobahnen an das Fernstraßennetz **angeschlossen werden**
Durch die „Hollandlinie“ **ist** das Ruhrgebiet an die Autobahn in Holland **angeschlossen.**

1. The passive discussed earlier (pages 166-167) is focused on the action taking place. The auxiliary **werden** is combined with a past participle.

active	*passive*
Er tut die Arbeit.	**Die Arbeit wird getan.**
He is doing the work.	*The work is being done.*

This construction is sometimes called the *true passive.*

2. If the focus is on the result of the action, the passive may be formed by combining the auxiliary **sein** with a past participle. This construction is referred to as the *statal passive* (also called *false* or *apparent passive*).

true passive	*statal passive*
Das Land wird entwickelt.	**Das Land ist wenig entwickelt.**
The area is being developed.	*The area is little developed.*
Der Durchgangsverkehr wird erlaubt.	**Der Durchgangsverkehr ist erlaubt.**
Through traffic is being allowed.	*Through traffic is allowed.*

The past participle no longer functions as a verb but as an adjective which can be moved from predicative to attributive position.

Die Arbeit ist getan.	*The work is done.*
die getane Arbeit	*the finished work*

U-bahn in Berlin. In großen Städten helfen Schnellverkehrsmittel wie Untergrundbahn, Stadtbahn, Bus und Straßenbahn, den Massenverkehr zu bewältigen.

Subway in Berlin. In large cities rapid transit systems such as the subway, suburban railroad, bus, and streetcar help to cope with mass traffic.

Luftverschmutzung, eine Begleiterscheinung des Massenverkehrs. An diesem Grenzübergang von der Schweiz nach Deutschland stehen Saugpumpen zum Aufsaugen der Auspuffgase.

Air pollution, a by-product of mass traffic. This crossing point between Switzerland and Germany has four pumps to suck up exhaust fumes.

EXERCISES

A. Change the verbs in the following sentences to the passive with **werden**.

Example: Man tut die Arbeit.
Die Arbeit....
Die Arbeit wird getan.

1. Man schreibt Briefe mit der Schreibmaschine.
   Briefe....
2. Man vergißt die Abkürzungen leicht.
   Die Abkürzungen....
3. Man reguliert die großen Flüsse.
   Die großen Flüsse....
4. Man entwickelt die weiten Gebiete.
   Die weiten Gebiete....
5. Man versorgt die alten Leute.
   Die alten Leute....
6. Man fürchtet die Inflation.
   Die Inflation....
7. Man benutzt die Transeuropazüge gern.
   Die Transeuropazüge....
8. Man braucht den Wagen jeden Tag.
   Der Wagen....
9. Man wählt das Parlament alle vier Jahre.
   Das Parlament....
10. Man schließt die Autobahnen an das europäische Fernstraßennetz an.
    Die Autobahnen....

B. Shift the past participle from predicative to attributive position.

Example: Die Arbeit ist getan.
Die _____ Arbeit
Die getane Arbeit

1. Die Briefe sind geschrieben.
   Die _____ Briefe
2. Die Stadt ist vergessen.
   Die _____ Stadt
3. Der Fluß ist reguliert.
   Der _____ Fluß
4. Die Waren sind bezahlt.
   Die _____ Waren
5. Die Waren sind eingeführt.
   Die _____ Waren
6. Der Wagen ist gebraucht.
   Der _____ Wagen
7. Der Präsident ist gewählt.
   Der _____ Präsident
8. Die Bücher sind gefunden.
   Die _____ Bücher
9. Die Häuser sind noch nicht gebaut.
   Die noch nicht _____ Häuser
10. Die Grenzen sind streng bewacht.
    Die streng _____ Grenzen

INDIVIDUAL STUDY: SELF-TESTING

1. *traffic*
   der _____ — Verkehr
2. *trade*
   der _____ — Handel
3. *foreign trade*
   der _____ — Außenhandel
4. *merchandise*
   die _____ — Ware
5. *industrial product*
   das _____ — Industrieprodukt
6. *finished industrial product*
   das _____ _____ — fertige Industrieprodukt
7. *foodstuffs*
   die _____ — Lebensmittel
8. *export*
   die _____ — Ausfuhr (*or* der Export)
9. *to export*
   _____ — ausführen
10. *import*
    die _____ — Einfuhr (*or* der Import)
11. *to import*
    _____ — einführen
12. *cooperation*
    die _____ — Zusammenarbeit

13. *close cooperation*
die ______ ______ — enge Zusammenarbeit

14. *The cooperation is becoming closer and closer.*
Die ______ ______ ______ ______. — Zusammenarbeit wird immer enger

15. *through traffic*
der ______ — Durchgangsverkehr

16. *to be in first place*
an ______ ______ ______ — erster Stelle stehen

17. *The USA is in first place.*
Die USA ______ ______ ______ ______. — stehen an erster Stelle

18. *in the first place, first of all*
in ______ ______ — erster Linie

19. *Germany is first of all an industrial country.*
Deutschland ist ______ ______ ______
______ ______. — in erster Linie ein Industrieland

20. *for the most part*
zum ______ ______ — größten Teil

21. *The traffic goes for the most part through the BRD.*
Der Verkehr ______ ______ ______ ______
______ ______ ______. — geht zum größten Teil durch die BRD

22. *above all*
______ ______ — vor allem

23. *Germany exports above all machines and automobiles.*
Deutschland ______ ______ ______ ______
______ ______ ______. — führt vor allem Maschinen und Autos aus

24. *in general*
______ — überhaupt

25. *finished industrial products in general*
______ ______ ______ — überhaupt fertige Industrieprodukte

26. *advertisement*
die ______ — Anzeige

27. *vacancy*
die ______ ______ — freie Stelle

28. *clientele*
der ______ — Kundenkreis

29. *customer*
der ______ — Kunde

30. *experience*
die ______ — Erfahrung

31. *salary*
das ______ — Gehalt

32. *fringe benefits*
die ______ — Sozialleistungen

33. *application*
die ______ — Bewerbung

34. *Post Office Box*
das ______ — Postfach

35. *confidential*
______ — vertraulich

36. *The application is treated confidentially.*
Die ______ ______ ______ ______. — Bewerbung wird vertraulich behandelt

37. *the necessary documents*
die ______ ______ — nötigen Unterlagen

38. *an independent position*
eine ______ ______ — selbständige Position

39. *of course, obviously*
______ — selbstverständlich

40. *He is doing the work.*
Er ______ ______ ______. — tut die Arbeit

41. If the passive is focused on the action taking place, the auxiliary **werden** is used. If the focus is on the result of the action, the auxiliary **sein** is used.
The work is being done.
Die Arbeit ______ ______. — wird getan

42. *The work is done.*
Die Arbeit ______ ______. — ist getan

43. *the finished work*
die ______ ______ — getane Arbeit

44. *He is paying for the merchandise.*
Er bezahlt die ______. — Ware

45. *The merchandise is being paid for.*
Die Ware ______ ______. — wird bezahlt

46. *The merchandise is paid for.*
Die Ware ______ ______. — ist bezahlt

47. *the paid merchandise*
die ______ ______ — bezahlte Ware

48. *He uses the car.*
Er ______ ______ ______. — gebraucht den Wagen

49. *The car is being used.*
Der Wagen ______ ______. — wird gebraucht

50. *The car is used* [a used one].
Der Wagen ______ ______. — ist gebraucht

51. *the used car*
der ______ ______ — gebrauchte Wagen

52. Supply the correct preposition.
Das Land ist ______ den Handel mit andern Ländern angewiesen. — auf

53. Die DDR ist ______ die Länder im Osten eingestellt. — auf

54. Die Bundesregierung ist eng ______ ihren westeuropäischen Nachbarn verbunden. — mit

55. Der Export dient ______ Bezahlung der Einfuhren. — zur

56. Der Programmierer muß ______ gute Kenntnisse verfügen. — über

57. Die Bewerbung soll ______ die Personalabteilung geschrieben werden. — an

58. Der junge Mann kann ______ einem guten Gehalt rechnen. — mit

59. Der Direktor wird mit ihm ______ das Gehalt sprechen. — über

60. Er wird ihm ______ der neuen Stellung gratulieren. — zu

61. Supply the past participle.
(anschließen) Das Ruhrgebiet ist an die Autobahn in Holland ______. — angeschlossen

62. (verbinden) Durch die „Vogelfluglinie" ist Deutschland mit Skandinavien ______. — verbunden

63. (sprechen) Es wird viel von europäischer Wirtschaftspolitik ______. — gesprochen

64. (tun) Es wird viel für die wirtschaftliche Integration Europas ______. — getan

65. (erarbeiten) Der Mann hat sich eine selbständige Position ______. — erarbeitet

66. Prepositions with a genitive object.
ein Gespräch:
statt eines Gesprächs
ein Brief:
statt ______ ______ — eines Briefes

67. der Kanal:
längs ______ ______ — des Kanals

68. der Durchgangsverkehr:
infolge ______ ______ — des Durchgangsverkehrs

69. die Entfernung:
angesichts ______ ______ — der Entfernung

70. eine Zeitungsanzeige:
aufgrund ______ ______ — einer Zeitungsanzeige

71. die modernen Transeuropazüge:
trotz ______ ______ ______ — der modernen Transeuropazüge

72. die nötigen Unterlagen:
wegen ______ ______ ______ — der nötigen Unterlagen

73. die lange Reise:
während ______ ______ ______ — der langen Reise

74. die alten Leute:
einschließlich ______ ______ ______ — der alten Leute

75. **Wo**-compounds as question words.
Er fragt uns nach dem Datum.
Wonach fragt er uns?
Er verfügt über die nötigen Kenntnisse.
______ verfügt er? — Worüber

76. Er freut sich auf das Konzert.
______ freut er sich? — Worauf

77. Er fürchtet sich vor dem Verkehr.
______ fürchtet er sich? — Wovor

78. Er wundert sich über die Preise.
______ wundert er sich? — Worüber

79. Er gehört zur Personalabteilung.
______ gehört er? — Wozu

80. Er lacht über die neue Mode.
______ lacht er? — Worüber

81. Er rechnet mit einem guten Gehalt.
______ rechnet er? — Womit

82. If the relative clause refers to a particular noun or pronoun, use a relative pronoun. If the relative clause refers to the entire clause preceding it, use a **wo**-compound.
Es hat den ganzen Sommer hier geregnet, ______ (worüber/über das) ich Ihnen schon berichtet habe. — worüber

83. Ich werde mich einmal richtig ausruhen, ______ (worauf/auf das) ich mich schon lange gefreut habe. — worauf

84. Die Zeitung schreibt heute über das interessante Thema, ______ (worüber/über das) wir gestern diskutiert haben. — über das

85. Das ist das Projekt, ______ (worüber/über das) wir uns informieren wollen. — über das

86. Die Preise sind immer weiter gestiegen, ______ (womit/mit denen) man nicht gerechnet hatte. — womit

87. Er gehört zu der alten Familie, ______ (wozu/zu der) auch der Präsident gehört. — zu der

88. Der Rhein-Main-Donaukanal wird die Nordsee mit ______ ______ ______ verbinden. — dem Schwarzen Meer

89. Die „Vogelfluglinie" verbindet Deutschland über die Insel Fehmarn mit ______. — Skandinavien

90. Die HAFRABA-Autobahn führt von Hamburg im Norden über Frankfurt am Main nach ______. — Basel

91. HAFRABA ist eine Abkürzung für ______, ______, ______. — Hamburg, Frankfurt, Basel

92. In der Anzeige wird von einem EDV-Team gesprochen. EDV ist eine Abkürzung für ______ ______. — elektronische Datenverarbeitung

93. TEE ist eine Abkürzung für ______. — Trans-Europa-Express

94. Westdeutschland muß in erster Linie Rohstoffe und ______ aus anderen Ländern einführen. — Lebensmittel

95. Zur Bezahlung der Einfuhren dient der Export von ______. — Industrieprodukten

96. Der Verkehr von einem Land durch ein zweites in ein drittes heißt ______. — Durchgangsverkehr

97. Eine Bank, die viele Kunden hat, hat einen großen ______. — Kundenkreis

98. Eine Bewerbung um die freie Stelle muß an die ______ geschrieben werden. — Personalabteilung

99. Die Bewerbung wird selbstverständlich ______ behandelt. — vertraulich

100. *Thank you!* ______ — Danke! (*or* Danke schön!)

LEKTION VIERZEHN

KUNST UND WISSENSCHAFT

Hat der Staat etwas mit dem *Theater* zu tun? In Deutschland sehr viel, denn die meisten Theater werden vom Staat subventioniert. Wenn das nicht so wäre, dann würde es in der Bundesrepublik nicht ungefähr zweihundert Theater geben, die ein festes Ensemble haben und neun bis elf Monate im Jahr spielen. Die Statistik zeigt, daß in der Bundesrepublik über zwanzig Millionen Menschen im Jahr ein Theater besuchen; und für die Deutschen ist es etwas Selbstverständliches, daß die Theater vom Staat unterstützt werden.

Im Spielplan findet man Neues und Altes, Deutsches und Ausländisches. Junge deutsche Dichter experimentieren mit neuen Formen des Dramas, doch mehr als ein Drittel aller in Deutschland aufgeführten Stücke sind von ausländischen Autoren. Daneben werden die Klassiker, besonders auch Shakespeare, nach wie vor gespielt.

Und was hat der Staat mit der *Wissenschaft* zu tun? Auch sehr viel, denn in Deutschland werden zum Beispiel alle Universitäten vom Staat unterhalten. Wenn das nicht so wäre, dann würde das Studium an den deutschen Universitäten sehr viel mehr kosten. Die Länder sind zwar grundsätzlich selbständig in Fragen der Kultur, und sie unterhalten die Schulen und Universitäten ohne Bonn und die Bundesregierung, aber die Aufgaben der wissenschaftlichen Forschung werden immer teurer. Daher braucht man die Hilfe der Bundesregierung in Fragen der Kernforschung, der Raumfahrt und bei anderen großen Projekten.

Auch die Pflege der deutschen Sprache im Ausland und der Austausch von Lehrern und Studenten sind Aufgaben der Regierung in Bonn und nicht der einzelnen Länder.

die **Kunst, ⸚e** *art*
subventionieren *to subsidize*
fest *permanent*
das **Ensemble** *company of actors*
unterstützen *to support*
der **Spielplan** *repertory*
ausländisch *foreign*
die **Form, -en** *form*
das **Drittel, -** *third*
aufführen *to perform*
das **Stück, -e** *play; piece*
daneben *in addition*
nach wie vor *now as ever*
unterhalten, ie, a *to maintain*
das **Studium** *studying*
die **Frage, -n** *question, problem*
die **Aufgabe, -n** *task*
die **Forschung** *research*
daher *therefore*
die **Hilfe** *help*
Kern- *nuclear*
die **Raumfahrt** *space travel*
die **Pflege** *cultivation*
der **Austausch** *exchange*
der **Lehrer, -** *teacher*
einzeln *individual*

Riesenantenne bei Raisting (Oberbayern) zum Empfang von Satellitenfunksendungen. „Bei großen Projekten braucht man die Hilfe der Bundesregierung."
Giant antenna near Raisting (Upper Bavaria) for satellite communication reception. "Large projects require the help of the Federal Government."

Zum kulturellen Leben gehört heute natürlich auch das *Fernsehen*. Wenn man fragt, ob der Staat etwas mit dem Fernsehen zu tun hat, so heißt die Antwort: Ja, das Fernsehen steht als gemeinnützige Institution unter öffentlicher Kontrolle, aber wir können nicht von einer Zensur der Regierung über die Programme sprechen. Interessant ist es, daß das in den USA so wichtige Reklamefernsehen in der BRD nur eine geringe Rolle spielt. Dafür bezahlen die Leute jeden Monat pro Haushalt eine kleine Gebühr für Radio und Fernsehen.

Zwanzig europäische Länder haben sich zur „Eurovision" zusammengeschlossen, um besondere Programme in mehrere Länder zu übertragen. Auch das ist ein Schritt zum vereinigten Europa.

Wir haben gesehen, daß die Länder, in denen Deutsch gesprochen wird, in Wirtschaft, Staat und Gesellschaft sehr verschieden sind. Aber in Kunst, Theater, Literatur und Wissenschaft besteht eine bemerkenswerte Zusammenarbeit. Werke von deutschen, österreichischen und schweizerischen Autoren werden in diesen Ländern ohne Unterschied gedruckt und gelesen oder im Theater aufgeführt. Auch zum östlichen Deutschland gibt es einige literarische Brücken. Schauspieler spielen oft in Berlin, dann in Wien oder in Zürich. Sie gehen von einer Bühne zur anderen. Filme und Fernsehprogramme werden ausgetauscht. Professoren aus Deutschland werden auf einen Lehrstuhl in Österreich oder in der Schweiz berufen, und umgekehrt.

So kann man sagen, daß es trotz politischer Trennung doch so etwas wie ein gemeinsames deutschsprachiges Kulturleben gibt.

die **Antwort, -en** *answer*
gemeinnützig *nonprofit*
öffentlich *public*
die **Zensur** *censorship*
die **Reklame** *advertising*
pro Haushalt *per household*
die **Gebühr, -en** *fee*
sich zusammenschließen, o, o *to join forces*
übertragen, u, a *to transmit*
vereinigen *to unite*
bemerkenswert *remarkable*
das **Werk, -e** *work*
drucken *to print*
die **Brücke, -n** *bridge*
der **Schauspieler, -** *actor*
die **Bühne, -n** *stage*
austauschen *to exchange*
auf einen Lehrstuhl berufen *to offer a professorship*
umgekehrt *vice versa*
die **Trennung** *separation*
so etwas wie *something like*
gemeinsam *common*

GESPRÄCH AN DER THEATERKASSE

A: Haben Sie noch zwei gute Plätze für morgen abend?

B: Sie meinen für das neue Stück von Günter Grass? Die Aufführung ist schon lange ausverkauft.

A: Wie schade! Ich dachte, an der Kasse gibt es immer noch Karten.

B: Nicht bei einer Premiere.

A: Wie wäre es denn mit heute abend? Was gibt es da?

B: „Der Besuch der alten Dame" von Dürrenmatt. Da könnten Sie noch gute Plätze im Parkett bekommen. Oder auch im ersten Rang.

die **Theaterkasse** *box office*
der **Platz, ¨-e** *seat, place*
morgen abend *tomorrow night*
die **Aufführung** *performance*
ausverkauft *sold out*
Wie schade! *What a pity!*
die **Karte, -n** *ticket*
die **Premiere** *first performance*
heute abend *tonight*
der **Besuch, -e** *visit*
das **Parkett** *orchestra*
der **Rang, ¨-e** *balcony*

A: Gott sei Dank! Wieviel kosten die Karten?
B: Parkett fünfzehn Mark. Das ist in der zehnten Reihe. Im ersten Rang hätte ich noch zwei Karten für zwanzig Mark.
A: Wann beginnt die Aufführung?
B: Um acht. Und dauert bis kurz nach zehn.
A: Geben Sie mir bitte die Karten im ersten Rang.
B: Gern. Das macht vierundvierzig Mark, einschließlich Steuer.

die **Reihe, -n** *row*
die **Steuer, -n** *tax*

WORD STUDY

	NOUNS		VERBS and OTHER WORDS	
1.	die **Forschung**	*research*	**forschen**	*to do research, explore*
	der **Forscher, -**	*researcher, explorer*		
	die **Kernforschung**	*nuclear research*		
	der **Kern, -e**	*nucleus, core*		
	die **Weltraumforschung**	*space science*		
	der **Raum**	*space*		
2.	die **Fahrt, -en**	*trip*	**fahren, fuhr, ist gefahren**	*to drive, ride*
	der **Fahrer, -**	*driver*		
	die **Raumfahrt**	*space travel*		
	die **Schiffahrt**	*navigation*		
	die **Luftfahrt**	*aviation*		
3.	der **Nutzen**	*profit*	**nützen, nutzen**	*to be useful*
			benutzen	*to use*
			nützlich	*useful*
			nutzlos	*useless*
			gemeinnützig	*nonprofit*
			eigennützig	*selfish*
4.	die **Bemerkung, -en**	*remark*	**bemerken**	*to observe, remark*
			bemerkbar	*noticeable*
			bemerkenswert	*remarkable*
5.	der **Austausch**	*exchange*	**austauschen**	*to exchange*
	der **Austauschstudent, -en**	*exchange student*		
	der **Meinungsaustausch**	*exchange of opinions*		

Theater in der Bundesrepublik. „Mathis der Maler" von Paul Hindemith in der Hamburgischen Staatsoper. „Die meisten Theater werden vom Staat subventioniert."

Theater in the Federal Republic. "Mathis the Painter," by Paul Hindemith, in the Hamburg State Opera. "Most German theaters are subsidized by the government."

Alle Dichter und Schriftsteller, welche in den Superlativ verliebt sind, wollen mehr als sie können.

Nietzsche

GRAMMAR

I. *SUBJUNCTIVE*

Wenn das nicht so **wäre**, dann **würde** es in der Bundesrepublik nicht zweihundert Theater geben.
Wenn das nicht so **wäre**, dann **würde** das Studium sehr viel mehr kosten.
Wie **wäre** es mit heute abend? Da **könnten** Sie noch gute Plätze im Parkett bekommen.
Im ersten Rang **hätte** ich noch zwei Karten.

1. *Forms*

a. German has two sets of subjunctive verb forms, called Subjunctive I and Subjunctive II. The forms and uses of Subjunctive II were discussed earlier (pp. 204–209).

b. For all verbs except **sein**, the Subjunctive I forms consist of the stem of the infinitive plus the same endings used for Subjunctive II.

-e	ich, er, sie, es	gebe	schreibe	sehe
-est	du	gebest	schreibest	sehest
-en	wir, sie, Sie	geben	schreiben	sehen
-et	ihr	gebet	schreibet	sehet

c. The subjunctive I forms of **sein** are irregular.

ich, er, sie, es	sei
du	seist
wir, sie, Sie	seien
ihr	seiet

„Eugen Onegin" von Tschaikowski im Württembergischen Staatstheater. Das Stuttgarter Ballet ist weltberühmt.

A production of Tchaikovsky's "Eugene Onegin" in the Wurttemberg State Theater, home of the world-famous Stuttgart Ballet.

2. *Uses*

a. To *express a wish*, Subjunctive I is used.

Gott **sei** Dank!	*Thank God!*
Es **lebe** der Präsident!	*Long live the President!*

b. For *indirect quotations*, both forms of the subjunctive are used. Here are some examples using Subjunctive I.

Er sagte, er **sei** krank.	*He said he was ill.*
Er sagte, er **habe** kein Geld.	*He said he had no money.*
Man dachte, er **könne** Deutsch sprechen.	*People thought he could speak German.*

Subjunctive II is tending to replace Subjunctive I, particularly when the Subjunctive I form is identical with the present indicative form (i.e., in the first person singular and in the first and third person plural).

Ich sagte, ich **hätte** [*instead of* **habe**] kein Geld.
Wir (sie) sagten, wir (sie) **hätten** [*instead of* **haben**] kein Geld.

In colloquial German, the subjunctive in indirect quotations is frequently replaced by the indicative.

Ich dachte, an der Kasse **gibt** [*instead of* **gebe**] es immer noch Karten.

c. In *conditional clauses* expressing an assumption that the speaker regards as contrary to fact, Subjunctive II must be used.

Wenn das nicht so **wäre**, dann...	*If that were not so, then....*

In the main clause, where the conclusion based upon the contrary-to-fact assumption is expressed, one often uses a Subjunctive II form of **werden** (**ich würde**, etc.) plus an infinitive.

Wenn das nicht so **wäre**, dann **würde** das Studium sehr viel mehr **kosten**.	*If that were not so, the tuition fees would be much higher.*
Wenn er **käme**, **würden** wir uns **freuen**.	*If he came, we would be delighted.*

d. In *polite questions and requests*, Subjunctive II is used (see pp. 208–209).

Wie **wäre** es mit der Aufführung heute abend?	*How would you like to see the performance tonight?*
Könnten Sie mir bitte das Geld wechseln?	*Could you please change the money?*

EXERCISES

A. Change the sentences into indirect discourse by adding the introductory phrase **Ich dachte, ...** and using Subjunctive I.

Example: Heute ist Montag.
Ich dachte, heute sei Montag.

1. Er freut sich auf die Reise nach Europa.
2. Man kann noch gute Plätze bekommen.
3. Die Aufführung beginnt um acht Uhr.
4. Die Aufführung ist schon lange ausverkauft.
5. Es gibt ein Stück von Dürrenmatt.

Kölner Opernhaus. Moderne Architektur im Theaterbau der Nachkriegszeit. „Es gibt ungefähr zweihundert Theater in der Bundesrepublik, die ein festes Ensemble haben und neun bis elf Monate im Jahr spielen."

Cologne Opera House. Modern architecture in post-war theater building. "There are about two hundred theaters in the BRD with a permanent company of actors playing nine to eleven months a year."

6. Die Plätze sind in der ersten Reihe.
7. Der Staat hat nichts mit dem Theater zu tun.
8. Das Theater wird vom Staat subventioniert.
9. Der Spielplan ist sehr traditionell.
10. Das Reklamefernsehen spielt keine große Rolle.

B. Combine the clauses to form a compound sentence. Start with the contrary-to-fact assumption, and use **würde(n)** plus infinitive in the main clause.

Example: Wir gehen ins Theater.
Wenn wir Geld hätten, ...
Wenn wir Geld hätten, würden wir ins Theater gehen.

1. Wir kaufen ein neues Auto.
   Wenn wir Geld hätten, ...
2. Wir machen jeden Tag einen Spaziergang.
   Wenn das Wetter besser wäre, ...
3. Das Studium kostet sehr viel Geld.
   Wenn der Staat die Universitäten nicht unterhielte, ...
4. Das Studium ist für viele junge Leute zu teuer.
   Wenn das so wäre, ...
5. Wir besuchen Sie im Sommer in München.
   Wenn Sie da wären, ...
6. Wir fahren alle in einem Wagen.
   Wenn der Wagen groß genug wäre, ...
7. Ich informiere mich über das neue Fernsehprogramm.
   Wenn ich Zeit hätte, ...
8. Das Reklamefernsehen spielt eine große Rolle.
   Wenn die Leute nicht jeden Monat eine Gebühr für Rundfunk und Fernsehen bezahlten, ...
9. Wir bekommen keine Karten für die Aufführung heute abend.
   Wenn ich die Theaterkasse nicht vorher angerufen hätte, ...
10. Die Vorstellung ist schon lange ausverkauft.
    Wenn es eine Premiere wäre, ...

II. *TIME ADVERBIALS*

> Haben Sie zwei gute Plätze für **morgen abend?**
> Wie wäre es denn mit **heute abend?**

heute vormittag	*this morning*
heute nachmittag	*this afternoon*
heute abend	*this evening*
heute nacht	*tonight*
morgen früh	*tomorrow morning*
morgen abend	*tomorrow evening*
heute früh	*this morning*
gestern früh	*yesterday morning*
gestern abend	*yesterday evening, last night*
gestern nacht	*last night*
übermorgen	*day after tomorrow*
vorgestern	*day before yesterday*
jeden Tag	*every day*
jedes Jahr	*every year*
jeden zweiten Tag	*every second day*
alle zwei Jahre	*every second year*
alle drei Monate	*every three months*
heute in einer Woche (*or* heute in acht Tagen)	*a week from today*
heute in zwei Wochen (*or* heute in vierzehn Tagen)	*two weeks from today*
heute vor einer Woche (*or* heute vor acht Tagen)	*a week ago today*
heute vor zwei Wochen (*or* heute vor vierzehn Tagen)	*two weeks ago today*
einmal in der Woche (*or* einmal die Woche)	*once a week*
zweimal im Jahr	*twice a year*
wochenlang	*for weeks on end*
tagelang	*for days*
auf Wochen im voraus	*weeks in advance*

EXERCISE

Supply the appropriate time adverbial (in writing).

Example: Heute haben wir den 24. Juni. Wann ist der 1. Juli?
Der 1. Juli ist....
Der 1. Juli ist heute in einer Woche.

1. Heute haben wir den ersten Juli. Wann war der 24. Juni?
   Der 24. Juni war....
2. Heute ist der 31. August. Wann ist der 2. September?
   ... ist der 2. September.
3. Heute ist der 15. April. Wann war der 13. April?
   ... war der 13. April.
4. Wir haben ihn immer im Januar, März, Mai, Juli, September und November besucht.
   Wie oft haben wir ihn besucht?
   Wir haben ihn alle ... besucht.

5. Wir haben ihn immer am Montag und Donnerstag besucht. Wie oft haben wir ihn besucht?
   Wir haben ihn zweimal ... besucht.
6. Die Vorstellung ist morgen um acht Uhr.
   Das ist nicht morgen früh, sondern morgen....
7. Wir waren gestern um zehn Uhr bei der Theaterkasse.
   Das war nicht gestern abend, sondern gestern....
8. Er fährt immer im August nach Europa. Wie oft fährt er nach Europa?
   Er fährt jedes ... nach Europa.
9. Heute ist der erste Februar. Die Aufführungen sind bis etwa April ausverkauft.
   Die Aufführungen sind auf Wochen ... ausverkauft.
10. Wir sind 1964, 1966, 1968, 1970, 1972 usw. in Europa gewesen.
    Das heißt, wir sind alle ... in Europa gewesen.

III. *EXTENDED MODIFIERS*

Ein Drittel aller in Deutschland aufgeführten Stücke sind von ausländischen Autoren.
Das in Amerika so wichtige Reklamefernsehen spielt in Deutschland eine geringe Rolle.

German attributive adjectives can themselves be qualified by further modifiers. Such extended modifiers can be comprehended more easily if they are broken down into relative clauses.

Ein Drittel aller **in Deutschland aufgeführten** Stücke sind von ausländischen Autoren.	Ein Drittel aller Stücke, die in Deutschland aufgeführt werden, sind von ausländischen Autoren.
Das **in Amerika so wichtige** Reklamefernsehen spielt in Deutschland eine geringe Rolle.	Das Reklamefernsehen, das in Amerika so wichtig ist, spielt in Deutschland eine geringe Rolle.
Die **in Deutschland viel gekaufte** Wochenzeitschrift wird auch im Ausland gern gelesen.	Die Wochenzeitschrift, die in Deutschland viel gekauft wird, wird auch im Ausland gern gelesen.

EXERCISES

Dissolve the extended modifiers into relative clauses.

Example: Die vor allem im Ruhrgebiet und im Saarland gefundene Kohle ist der wichtigste Rohstoff.
Die Kohle, die....
Die Kohle, die vor allem im Ruhrgebiet und im Saarland gefunden wird, ist der wichtigste Rohstoff.

1. Der für die Politik verantwortliche Mann ist der Bundeskanzler.
   Der Mann, der....

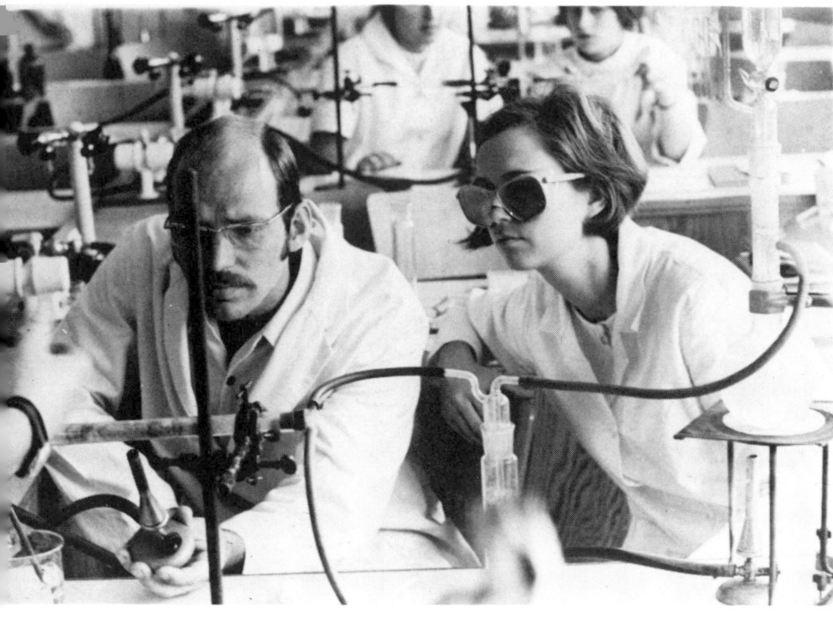

Lehrerausbildung in der DDR. Vorbereitung der Lehrer auf Laboratoriumsversuche in der Schule.

Teacher training in the GDR. Preparation for demonstration experiments in the school laboratory.

2. Die schon vor über hundert Jahren gegründete Sozialdemokratische Partei Deutschlands ist die älteste Partei in der Bundesrepublik.
   Die Sozialdemokratische Partei Deutschlands, die....
3. Einige der in den letzten Jahren heftig diskutierten Themen sind zu Schlagworten geworden.
   Einige der Themen, die....
4. Die im Ausland viel gelesene Wochenzeitung „Die Zeit" kommt in Hamburg heraus.
   Die Wochenzeitung „Die Zeit", die....
5. Das in Hamburg herauskommende Wochenmagazin „Der Spiegel" ist oft sehr kritisch.
   Das Wochenmagazin „Der Spiegel", das....
6. Mehr als ein Drittel aller in Deutschland aufgeführten Stücke sind von ausländischen Autoren.
   Mehr als ein Drittel aller Stücke, die....
7. Von deutschen, österreichischen und schweizerischen Autoren geschriebene Werke werden in den deutschsprechenden Ländern ohne Unterschied gedruckt und gelesen oder im Theater aufgeführt.
   Werke, die....
8. Wegen des zum größten Teil durch Deutschland gehenden Durchgangsverkehrs ist die Bundesrepublik an einer europäischen Verkehrspolitik interessiert.
   Wegen des Durchgangsverkehrs, der....
9. Die deutschen Autobahnen sind durch die von Hamburg im Norden über Frankfurt am Main nach Basel führende sogenannte HAFRABA-Autobahn an das europäische Fernstraßennetz angeschlossen.
   Die deutschen Autobahnen sind durch die sogenannte HAFRABA-Autobahn, die....
10. Der von der Nordsee bis zum Schwarzen Meer gehende Rhein-Main-Donaukanal wird die längste Wasserstraße Europas werden.
    Der Rhein-Main-Donaukanal, der....

IV. NOMINAL ADJECTIVES

etwas **Selbstverständliches**
Altes und **Neues**
Deutsches und **Ausländisches**

1. Adjectives functioning as nouns are capitalized. They take weak or strong endings according to the determining words that precede them. (See pp. 151–152.)

2. Nominalized adjectives take *weak* endings in these cases:

a. after **der**-words. **Der**-words are words that inflect like the definite articles **der, die, das**. Here are some of them:

dieser, diese, dieses	*this*
jener, jene, jenes	*that*
jeder, jede, jedes	*every*
mancher, manche, manches	*many a*
solcher, solche, solches	*such*
welcher, welche, welches	*which*

b. after the inflected forms of **ein**-words.

das Haus eines Reichen

c. after **alles**, **vieles**, and **einiges**.

alles Gute, vieles Wichtige, einiges Neue

nominative	alles Gut**e**
accusative	alles Gut**e**
dative	allem Gut**en**
genitive	alles Gut**en**

d. after **alle**, **beide**, and **sämtliche**.

alle Deutschen, beide Erwachsenen, sämtliche Neuen

nominative	alle Deutsch**en**
accusative	alle Deutsch**en**
dative	allen Deutsch**en**
genitive	aller Deutsch**en**

3. Nominalized adjectives take *strong* endings:

a. when no determiner precedes them.

Altes und Neues steht auf dem Spielplan.

b. after **etwas**, **viel**, **nichts**, **wenig**, **manch**, **mehr**, and the uninflected forms of **ein**-words (**ein**, **kein**, **mein**, **dein**, **sein**, **unser**, **euer**, **ihr**).

etwas Selbstverständliches
viel Gutes
nichts Besonderes
wenig Neues
manch Interessantes

mehr Traditionelles
ein Erwachsener
kein Deutscher
unser Jüngster *our youngest*

c. after **viele**, **wenige**, **manche**, **einige**, **andere**, **mehrere**, **ein paar**, and **numerals.**

viele Deutsche	andere Erwachsene
wenige Interessierte	mehrere Unabhängige
manche Kranke (*also* Kranken)	ein paar Neutrale
einige Verwandte	zwei Alte

nominative	viele Deutsch**e**
accusative	viele Deutsch**e**
dative	vielen Deutsch**en**
genitive	vieler Deutsch**er**

EXERCISES

A. Supply the correct adjective endings.

Example: (schwer) etwas ______
etwas Schweres

1. (neu) nichts ______
2. (wahr) alles ______
3. (interessant) wenig ______
4. (richtig) manches ______
5. (gut) viel ______
6. (falsch) etwas ______
7. (wichtig) vieles ______
8. (neu) einiges ______
9. (gemeinsam) wenig ______
10. (schön) manches ______

Student in München. „In Deutschland werden alle Universitäten vom Staat unterhalten."

A student in Munich. "In Germany, all universities are financed by the government."

Entwicklungshilfe. Deutsche freiwillige Helferin in einem Kindergarten in Brasilien. Die Durchführung der Agrarhilfe, der technischen Hilfe, sowie der Bildungs- und Wissenschaftshilfe in den Entwicklungsländern ist Aufgabe der Bundesregierung in Bonn.

Development aid program. German volunteer helper in a kindergarten in Brazil. The Federal Government in Bonn is in charge of agricultural and technical aid, as well as aid in education and science for the developing countries.

B. Write the following sentences and supply the correct endings.

1. Viele Deutsch– lernen Englisch in der Schule.
2. Alle Deutsch– , die achtzehn Jahre alt sind, können wählen.
3. Mehrere Reich– haben eine Bank gegründet.
4. Sämtliche Erwachsen– sollen helfen.
5. Nur wenige Interessiert– sind zu der Aufführung gekommen.
6. Einige Dumm– haben es immer noch nicht verstanden.
7. Diese Krank– werden gut behandelt.
8. Beide Alt– leben heute in München.
9. Ein paar Verwandt– von uns leben in Hamburg.
10. Alle Unabhängig– sind für das neue Gesetz.

INDIVIDUAL STUDY: SELF-TESTING

1. *art*
   die ______ — Kunst
2. *science*
   die ______ — Wissenschaft
3. *play, drama*
   das ______ — Stück
4. *author*
   der ______ — Autor
5. *teacher*
   der ______ — Lehrer
6. *student*
   der ______ — Student
7. *actor*
   der ______ — Schauspieler
8. *to perform*
   ______ — aufführen
9. *performance*
   die ______ — Aufführung
10. *to exchange*
    ______ — austauschen
11. *exchange*
    der ______ — Austausch
12. *to ask*
    ______ — fragen
13. *question*
    die ______ — Frage
14. *to answer*
    ______ — antworten
15. *answer*
    die ______ — Antwort
16. *to help*
    ______ — helfen
17. *help*
    die ______ — Hilfe
18. *to drive*
    ______ — fahren
19. *trip, ride*
    die ______ — Fahrt
20. *to do research*
    ______ — forschen
21. *research*
    die ______ — Forschung
22. *scientific*
    ______ — wissenschaftlich
23. *scientific research*
    die ______ ______ — wissenschaftliche Forschung

24. *nuclear research*
die ______ — Kernforschung

25. *space travel*
die ______ — Raumfahrt

26. *Strong* adjective endings are used after **etwas**, **viel**, **nichts**, **wenig**, **manch**, **mehr**, and uninflected **ein**-words; also after the plural determiners **viele**, **wenige**, **manche**, **einige**, **andere**, **mehrere**, **ein paar**, and numerals. *Weak* endings are used after **der**-words, inflected **ein**-words; also after **alles**, **vieles**, **einiges**, and the plural determiners **alle**, **beide**, **sämtliche**.
something new
etwas ______ — Neues

27. *nothing important*
nichts ______ — Wichtiges

28. *everything good*
alles ______ — Gute

29. *much evil*
viel ______ — Böses

30. *a few adults*
einige ______ — Erwachsene

31. *many relatives*
viele ______ — Verwandte

32. *an old one* [man]
ein ______ — Alter

33. *many a rich one* [man]
mancher ______ — Reiche

34. *every neutral one* [man]
jeder ______ — Neutrale

35. *all Germans*
alle ______ — Deutschen

36. Supply the time adverbial.
last night at eight
______ ______ ______ ______ — gestern abend um acht

37. *last night at twelve*
______ ______ ______ ______ — gestern nacht um zwölf

38. *the day before yesterday*
______ — vorgestern

39. *the day after tomorrow*
______ — übermorgen

40. *yesterday morning*
______ ______ — gestern früh

41. *for weeks on end*
______ — wochenlang

42. *weeks in advance*
auf ______ ______ ______ — Wochen im voraus

43. *a week ago today*
heute ______ ______ ______ — vor einer Woche (*or* vor acht Tagen)

44. *a week from today*
heute ______ ______ ______ — in einer Woche (*or* in acht Tagen)

45. *once a week*
______ ______ ______ ______ — einmal in der Woche (*or* einmal die Woche)

46. *Theaters are supported by the state.*
Die Theater ______ ______ ______ ______. — werden vom Staat unterstützt

47. *Universities are maintained by the state.*
Die Universitäten ______ ______ ______ ______. — werden vom Staat unterhalten

48. *Special programs are transmitted by Eurovision.*
Besondere Programme ______ ______ ______ ______. — werden von Eurovision übertragen

49. *Professors are offered a chair* [professorship] *by the universities.*
Professoren ______ ______ ______ ______ ______ ______ ______ ______. — werden von den Universitäten auf einen Lehrstuhl berufen

50. *Works by young authors are being printed.*
Werke von ______ ______ ______ ______. — jungen Autoren werden gedruckt

51. Supply the correct preposition.
Das Studium ______ den deutschen Universitäten kostet wenig. — an

52. Die Theater spielen neun bis elf Monate ______ Jahr. — im

53. Junge Dichter experimentieren ______ neuen Formen des Dramas. — mit

54. Auch die Klassiker werden nach wie ______ gespielt. — vor

55. Das Fernsehen steht ______ öffentlicher Kontrolle. — unter

56. Die Leute bezahlen ______ Haushalt eine kleine Gebühr für Radio und Fernsehen. — pro

57. Zwanzig Länder haben sich ______ Eurovision zusammengeschlossen. — zur

58. Auch ______ östlichen Deutschland gibt es einige literarische Brücken. — zum

59. Schauspieler gehen von einer Bühne ______ andern. — zur

60. Auch das ist ein Schritt ______ vereinigten Europa. — zum

61. Es gibt immer noch Karten ______ der Kasse. — an
62. Nicht ______ einer Premiere. — bei

63. Subjunctive I or II in indirect quotations. Use Subjunctive I unless it is identical with the present indicative form.
Die Karten sind nicht teuer. Ich dachte, die Karten ______ (*Subjunctive*) viel teurer. — seien
64. Wir können noch gute Plätze im Parkett bekommen. Er sagte, wir ______ (*Subj.*) noch gute Plätze im Parkett bekommen. — könnten
65. Wir haben zwei Plätze in der ersten Reihe. Wir sagten, wir ______ (*Subj.*) zwei Plätze in der ersten Reihe. — hätten
66. Wann beginnt die Aufführung? Sie sagte, die Aufführung ______ (*Subj.*) um acht Uhr. — beginne
67. Die Aufführung ist schon lange ausverkauft. Sie sagt, die Aufführung ______ (*Subj.*) schon lange ausverkauft. — sei
68. Sie gibt mir die besten Karten. Sie sagt, sie ______ (*Subj.*) mir die besten Karten. — gebe
69. Die Aufführung heute abend ist eine Premiere. Sie sagt, die Aufführung heute abend ______ (*Subj.*) eine Premiere. — sei
70. Der Staat muß die Theater unterstützen. Der Bundeskanzler sagte, der Staat ______ (*Subj*). die Theater unterstützen. — müsse
71. Von einer Zensur durch die Regierung kann man nicht sprechen. Ich dachte, von einer Zensur durch die Regierung ______ (*Subj.*) man nicht sprechen. — könne
72. Das Reklamefernsehen spielt in der BRD eine geringe Rolle. Ich dachte, das Reklamefernsehen ______ (*Subj.*) in der BRD eine geringe Rolle. — spiele

73. In conditional clauses expressing a contrary-to-fact assumption, Subjunctive II is used.
Er kommt nicht. Aber wenn er ______ (*Subjunctive*), würden wir uns freuen. — käme
74. Er fährt nicht. Aber wenn er ______ (*Subj.*), würde er uns mitnehmen. — führe
75. Er sieht uns nicht. Aber wenn er uns ______ (*Subj.*), würde er mit uns sprechen. — sähe
76. Wir bekommen keine Karten. Aber wenn wir sie ______ (*Subj.*), würden wir gern in die Aufführung gehen. — bekämen

77. Er geht nicht in die Aufführung des neuen Stückes. Aber wenn er ______ (*Subj.*), würde er es nicht verstehen. — ginge

78. Es gibt noch kein vereinigtes Europa. Aber wenn es das ______ (*Subj.*), würde Europa auch eine gemeinsame Regierung haben. — gäbe

79. Er kann uns nicht helfen. Und wenn er es ______ (*Subj.*), würde er es doch nicht tun. — könnte

80. Die meisten Theater werden vom Staat subventioniert. Wenn das nicht so ______ (*Subj.*), dann würde es nicht so viele Theater geben. — wäre

81. Viele Deutsche denken, daß Amerika sehr reich sei. Es ist die Meinung viel– Deutsch– , daß Amerika sehr reich sei. — -er...-er

82. Dieser Kranke ist arm. Man muß dies– Krank– helfen. — -em...-en

83. In der alten Stadt ist manches Schöne zu sehen. Außer manch– Schön– gibt es aber auch viel Deprimierendes. — -em...-en

84. Nur wenige Erwachsene wurden gefragt. Man möchte auch die Meinung ander– Erwachsen– hören. — -er...-er

85. Auf dem Spielplan findet man Altes und Neues. Der Spielplan verbindet Altes mit Neu– . — -em

86. A relative clause can be transformed into an extended modifier.
Das Reklamefernsehen, das in den USA so wichtig ist: das in den USA so wichtige Reklamefernsehen.
Das Studium, das an den deutschen Universitäten viel billiger ist: das an ______ ______ ______ ______ ______ ______. — den deutschen Universitäten viel billigere Studium

87. Die Länder, die in Fragen der Kultur selbständig sind: die in ______ ______ ______ ______ ______. — Fragen der Kultur selbständigen Länder

88. Die Zeitung, die von den Parteien unabhängig ist: die von ______ ______ ______ ______. — den Parteien unabhängige Zeitung

89. Das Stück, das von einem österreichischen Autor geschrieben ist: das von ______ ______ ______ ______ ______. — einem österreichischen Autor geschriebene Stück

90. Die Leute, die für das Projekt verantwortlich sind: die für ______ ______ ______ ______. — das Projekt verantwortlichen Leute

91. Die Zusammenarbeit, die für die Kernforschung so wichtig ist: die für ______ ______ ______ ______ ______. — die Kernforschung so wichtige Zusammenarbeit

92. Wo kauft man Karten? Karten für die Theateraufführung kauft man an der ______. — Theaterkasse

93. Wenn es keine Karten mehr gibt, heißt es: „Die Aufführung ist ______." — ausverkauft

94. Wenn das Stück zum ersten Mal gegeben wird, dann ist die Aufführung eine ______. — Premiere

95. Zwei Karten kosten vielleicht vierzig Mark. Man bezahlt aber vierundvierzig Mark, das ist einschließlich ______. — Steuer

96. Wenn der Staat die Theater mit Geld unterstützt, dann sagt man, die Theater werden vom Staat ______. — subventioniert

97. In Deutschland bezahlen die Leute jeden Monat pro Haushalt eine kleine ______ für Radio und Fernsehen. — Gebühr

98. Trotz politischer ______ gibt es doch so etwas wie ein gemeinsames deutschsprachiges Kulturleben. — Trennung

99. Dürrenmatt lebt in der Schweiz. Er ist ein ______ Autor. — schweizerischer

100. Wie heißt das Stück von Dürrenmatt, das heute abend aufgeführt wird? „Der ______ ______ ______ ______." — Besuch der alten Dame

RICARDA HUCH
(1864–1947)

Deutschland

Von dem Volke, das Tacitus geschildert hat, ... das Gold und Silber gering achtete und sich nicht darum kümmerte, was für Schätze seine Erde barg, von dem Volk auch, das eine großartige, zugleich monarchische, aristokratische und demokratische Verfassung schuf, beweglich, umfassend, entwicklungsfähig wie die Natur selbst, deren Oberhaupt das Haupt des Abendlandes war, ist das gegenwärtige deutsche Volk so weit entfernt, daß es kaum dasselbe zu sein scheint.... Auch der einzelne Mensch, wenn er, gealtert, an seine Kindheit und Jugend zurückdenkt, wo er so weich, so gläubig und zugleich so ungestüm und herb und schneidend im Urteil war, möchte zweifeln, ob er derselbe ist, und doch werden sich von allen Phasen seines Daseins Spuren in seiner heutigen Erscheinung finden lassen. Deutschland ist jetzt ein Land rastloser und oft freudloser Arbeit, nüchterner Sachlichkeit, praktischen Zielen zugewandt, großstädtisch und auch großspurig, grell und laut; aber wer es aufmerksam durchwandert, wird doch auch dem alten Deutschland begegnen, seinen raunenden Wäldern, seinen grundlosen Brunnen, seinen verwilderten Ruinen, seinen Liedern, seinen Phantasien, seinen ernsten treuen Menschen, die der Gerechtigkeit nachjagen.

Deutschland (1951)

Germany

The Germans today hardly seem to be the same people that Tacitus described, . . . a people that paid little attention to gold and silver and that did not care about the hidden treasures of its soil; that developed a grandiose constitution—at once monarchic, aristocratic, and democratic —as flexible, comprehensive, and changeable as nature itself; whose leader was the head of the western world. . . . An individual also, when he has grown old and thinks back to his childhood and youth when he was so soft and trusting, yet also so rash and rude and sharp in his judgments, might want to doubt whether he is the same person; but in his present appearance there can always be found vestiges of all previous phases of his life. Germany today is a land of restless and often joyless work, of sober materialism, directed towards practical goals, urban and flashy, shrill and loud. But anyone who walks about with his eyes open will still find the old Germany, her whispering forests, her deep wells, her overgrown ruins, her songs, her dreams, her serious and faithful people striving for a just life

LEKTION FÜNFZEHN

RÜCKBLICK

I. Land und Leute

1. Wo wird in Europa Deutsch gesprochen?
2. Wie viele Menschen in Europa sprechen Deutsch als ihre Muttersprache?
3. Wie viele Menschen leben heute in der Bundesrepublik Deutschland? Sind es vierzig, sechzig oder achtzig Millionen?
4. Wie viele Menschen leben heute in Österreich? Sind es zwanzig, zwölf oder sieben Millionen?
5. In welcher Stadt ist die Regierung der Bundesrepublik Deutschland?
6. Wie heißt die Hauptstadt von Österreich?
7. Welches ist das größte Land in der Bundesrepublik? Ist es Bayern oder Nordrhein-Westfalen?
8. Welches ist die größte Stadt in der BRD? Ist es München oder Hamburg?
9. Die Kohle ist der wichtigste Rohstoff Westdeutschlands. Wo wird die Kohle vor allem gefunden?
10. Was bedeutet die Abkürzung EWG?

II. Staat und Gesellschaft

1. Wie heißt der Chef der deutschen Bundesregierung? Ist es der Bundespräsident oder der Bundeskanzler?
2. Wie heißt das Parlament in der BRD?
3. Wie ist die Gesellschaftsordnung in der DDR?
4. Was bedeutet die Abkürzung SED?
5. Wer ist heute der Bundeskanzler in der BRD?
6. Wie heißen die großen Parteien in Westdeutschland?
7. Welches sind die Aufgaben des Bundespräsidenten in Westdeutschland und in Österreich?
8. Was bedeutet das Schlagwort „Mitbestimmungsrecht der Arbeiter in den Betrieben"?
9. Was bedeutet das Schlagwort „Gleichberechtigung der Frauen"?
10. Was sind „Volksaktien"?

III. Handel und Verkehr

1. Aus welchem Land führt die Bundesrepublik Deutschland die meisten Waren ein?
2. Welches Land steht im Außenhandel der Deutschen Demokratischen Republik an erster Stelle?
3. Was sind die sogenannten TEE-Züge?
4. Was ist die HAFRABA-Autobahn?
5. In welchem Land liegt Basel?
6. Was ist der Rhein-Main-Donaukanal?
7. Welche Länder werden durch die „Vogelfluglinie" verbunden?
8. Welches sind die Produkte, die die Bundesrepublik ausführt?
9. Was muß die BRD einführen?
10. Welcher große europäische Fluß geht durch Österreich?

IV. Kunst und Wissenschaft

1. Auf welchen Gebieten besteht eine Zusammenarbeit der deutschsprachigen Länder?
2. Wie heißt die Organisation, zu der sich die europäischen Länder zur Übertragung besonderer Fernsehprogramme zusammengeschlossen haben?
3. Wer muß für Rundfunk und Fernsehen eine monatliche Gebühr bezahlen?
4. Was hat der Staat mit dem Theater zu tun?
5. Wie ist es möglich, daß das Studium an den deutschen Universitäten so wenig kostet?
6. Warum unterstützt die Regierung den Austausch von Lehrern und Studenten zwischen der Bundesrepublik und andern Ländern?
7. Wann braucht man die Regierung bei den Aufgaben der wissenschaftlichen Forschung?
8. Wie sieht der Spielplan der deutschen Theater aus?
9. Kennen Sie einige deutschsprachige Schriftsteller und Dichter?
10. Wie nennt man die verschiedenen schweizerischen Dialekte des Deutschen?

V. *List words that have to do with* ***politics.***

Examples: die Regierung
das Staatsoberhaupt
der Bundestag

VI. *List words in the area of* ***economics.***

Examples: der Außenhandel
der Arbeitsplatz
die Personalabteilung

VII. *List words in the area of the* ***arts and sciences.***

Examples: die Literatur
die Wissenschaft
der Schauspieler

VIII. *List words in the area of European geography— the names of countries, rivers, cities, etc.*

Examples: die Nordsee
Italien
München

EXERCISES

A. Give a noun that corresponds to the verb.

Example: antworten
die Antwort

1. aufführen
2. fragen
3. untersuchen
4. forschen
5. fahren
6. bemerken
7. besuchen
8. bezahlen
9. fliegen
10. zählen
11. verkehren
12. ausführen
13. planen
14. anzeigen
15. kennen
16. arbeiten
17. bevölkern
18. bedeuten
19. leben
20. kaufen

B. Turn the conjugated verb form into a present participle and use it as an adjective.

Example: Die Saison beginnt.
die beginnende Saison

1. Das Geld fehlt.
2. Der Frühling kommt.
3. Das Auto fährt.
4. Die Mode wechselt.
5. Der Mensch forscht.
6. Die Trennung besteht.
7. Die Partei regiert.
8. Die Verwandten leben.
9. Die Preise steigen.
10. Die Geschäftsleute reisen.

C. Write the following sentences and insert the missing expressions.

1. Es gibt keine Karten für heute abend. Die Vorstellung ist schon lange ______.
2. Das macht vierundvierzig Mark ______ Steuer.
3. Ich will einmal bei dem Hotel anrufen. Ich glaube kaum, daß Sie jetzt in der Saison da ______ können.
4. Ich möchte ein Zimmer haben, das ruhig und schön ______ ist.
5. Sie haben ja Ihren Wagen. Da spielt die Entfernung keine ______.
6. Eine gute Zeitung ist die „Frankfurter ______ Zeitung“.
7. Die liberale „Süddeutsche Zeitung“ ______ in München.
8. Wenn Sie eine Wochenzeitung abonnieren wollen, dann kann ich Ihnen „Die Zeit“ ______.
9. Die Zeitungsanzeige in Lektion Dreizehn ist fast wörtlich aus einer deutschen Tageszeitung ______.
10. Die Bank hat viele Kunden. Sie hat einen großen ______.

D. Write sentences using the words given.

Example: Wir, gestern abend, Theater.
Wir sind gestern abend im Theater gewesen.

1. Besser, Karten, vorher, Theaterkasse, kaufen.
2. Bald, neues Stück, Premiere, aber, auf Wochen im voraus, ausverkauft.
3. Im Fernsehen, heute abend, Programm, aus der Schweiz.
4. Zeitung, heute früh, Nachricht, Reise, Präsident, nach Europa.
5. Leute, dieses Jahr, reisen, wenig, Wetter, schlecht.
6. Bitte, Zimmer, ruhig, mit Bad, für vierzehn Tage, eine Person.
7. Ich, kennen, Pension, außerhalb der Stadt, nicht teuer.
8. Bank, München, anzeigen, moderner Arbeitsplatz, gutes Gehalt.
9. Bewerbung, schreiben, Personalabteilung, selbstverständlich, vertraulich.
10. Wir, nicht genug Zeit, Anzeigen lesen, jeden Tag.

E. Suggestions for written exercises.

1. Write a few sentences in German about newspapers and magazines.
2. Write a few sentences about a visit to the theater.
3. Write a letter to a travel agency inquiring about a vacation in Germany.
4. Write a letter applying for the position in a bank mentioned in an advertisement.
5. Write a few sentences about „Deutschland: Land und Leute“.

INDIVIDUAL STUDY: SELF-TESTING

1. Die Menschen haben Fabriken und Häuser ______ (gebaut/gebildet). — gebaut
2. Sie haben Kanäle ______ (entwickelt/gegraben) — gegraben
3. Sie haben Flüsse ______ (regiert/reguliert). — reguliert
4. Sie haben ein dichtes Netz von Straßen und Eisenbahnen ______ (aufgeführt/angelegt). — angelegt
5. Die Kohle wird vor allem im Ruhrgebiet und im Saarland ______ (gefunden/erarbeitet). — gefunden
6. Österreich hat eine blühende Papier- und Holzindustrie ______ (entwickelt/gebildet). — entwickelt
7. Die Sozialdemokratische Partei Deutschlands wurde schon vor über hundert Jahren ______ (erlassen/gegründet). — gegründet
8. In der DDR ______ (spielt/bestimmt) die SED die führende Rolle. — spielt
9. In der DDR sind Handel und Verkehr fast ganz auf die Länder im Osten Europas ______ (angeschlossen/eingestellt). — eingestellt
10. Die Bundesrepublik ist auf den Handel mit andern Ländern ______ (angewiesen/verbunden). — angewiesen
11. Einige Länder haben sich zusammengeschlossen, um besondere Fernsehprogramme zu ______ (unterhalten/übertragen). — übertragen
12. Professoren aus Deutschland werden auf einen Lehrstuhl in Österreich oder in der Schweiz ______ (berufen/gewechselt) und umgekehrt. — berufen
13. Man braucht die Hilfe der Regierung in Fragen der Kernforschung und ______ (bei/mit) andern großen Projekten. — bei
14. Die Einfuhren aus den USA stehen ______ (in/an) erster Stelle. — an
15. Die Bundesrepublik ist nicht reich ______ (an/in) Rohstoffen. — an
16. Die Montanunion ist politisch und wirtschaftlich ______ (zu/von) großer Bedeutung. — von
17. Die Pension ist etwas ______ (aus/außerhalb) der Stadt gelegen. — außerhalb

18. Die politische Macht liegt ______ (bei/mit) der Bundesregierung. — bei
19. Das Parlament wird ______ (beim/vom) Volk gewählt. — vom
20. Die Zeitung bringt besonders viel ______ (über/um) Kultur, also Musik, Theater usw. — über

21. Das Geschäft blüht: das blühende Geschäft
Der Mensch denkt: der ______ Mensch — denkende
22. Das Kind spielt: das ______ Kind — spielende
23. Die Männer arbeiten: die ______ Männer — arbeitenden
24. Das Wort fehlt: das ______ Wort — fehlende
25. Die Zeitung erscheint wöchentlich: die wöchentlich ______ Zeitung — erscheinende

26. Hamburg und München sind **große** Städte, aber die **größte** deutsche Stadt ist Berlin.
Holz und Erdöl sind **wichtige** Rohstoffe, aber der ______ Rohstoff ist Kohle. — wichtigste
27. Karl und Wilhelm sind **junge** Studenten, aber der ______ Student ist Peter. — jüngste
28. Hans und Walter sind **gute** Arbeiter, aber der ______ Arbeiter ist Robert. — beste
29. Das Theater und das Hotel sind **alte** Häuser, aber das ______ Haus ist die Universität. — älteste
30. Der Kaufmann und der Journalist haben **viel** Geld, aber das ______ Geld hat der Direktor. — meiste

31. Die Autos fahren **schnell.** Dieses Auto fährt **am schnellsten.**
Die Zeitungen kommen spät. Diese Zeitung kommt ______ ______. — am spätesten
32. Die Busse fahren weit. Dieser Bus fährt ______ ______. — am weitesten
33. Die Projekte kosten viel. Dieses Projekt kostet ______ ______. — am meisten
34. Die Programmierer arbeiten oft selbständig. Dieser Programmierer arbeitet ______ ______. — am selbständigsten
35. Die Schauspieler sprechen deutlich. Dieser Schauspieler spricht ______ ______. — am deutlichsten

36. Die Reise hat tausend Dollar gekostet einschließlich ______ ______ (den Flug/des Fluges) nach Europa. — des Fluges
37. Was denken Sie von der politischen Situation angesichts ______ ______ (der letzten/die letzte) Nachricht? — der letzten
38. Die alte Universität liegt innerhalb ______ (die/der) Stadt. — der
39. Statt ______ ______ (eines Briefes/einem Brief) zeige ich Ihnen eine Zeitungsanzeige. — eines Briefes
40. Infolge ______ (die/der) Inflation ist das Leben teurer geworden. — der

41. (bewachen) eine streng **bewachte** Grenze
(gebrauchen) ein oft ______ Werkzeug — gebrauchtes
42. (vergessen) ein fast ______ Ereignis — vergessenes
43. (entwickeln) eine wenig ______ Industrie — entwickelte
44. (sehen) ein gern ______ Fernsehprogramm — gesehenes
45. (hören) eine oft ______ Redensart — gehörte
46. (vergehen) ein schnell ______ Jahr — vergangenes
47. (bevölkern) ein dicht ______ Land — bevölkertes
48. (diskutieren) ein heftig ______ Thema — diskutiertes
49. (anzeigen) eine öffentlich ______ freie Stelle — angezeigte
50. (drucken) eine täglich ______ Zeitung — gedruckte

51. Er hat uns oft geholfen, ______ (wofür/für das) wir ihm sehr danken. — wofür
52. Das ist eine Nachricht, ______ (womit/mit der) ich nicht gerechnet habe. — mit der
53. Er ist gestern bei schlechtem Wetter spazierengegangen, ______ (wobei/bei dem) er sich einen Schnupfen geholt hat. — wobei
54. Dies ist der Schauspieler, ______ (worüber/über den) wir gestern abend so gelacht haben. — über den
55. Er hat keinen Fehler in seiner Arbeit gemacht, ______ (wozu/zu dem) wir ihm gratuliert haben. — wozu

56. Man **wählt** das Parlament alle vier Jahre. Das Parlament **wird** alle vier Jahre **gewählt.**
Man braucht jeden Tag den Wagen. Der Wagen ______ ______ ______ ______. — wird jeden Tag gebraucht

57. Man kauft die Karten an der Kasse. Die Karten ______ ______ ______ ______ ______. — werden an der Kasse gekauft

58. Man bezahlt dafür jeden Monat eine kleine Gebühr. Eine kleine Gebühr ______ ______ ______ ______ ______. — wird dafür jeden Monat bezahlt

59. Man vergißt die Namen der Schauspieler schnell. Die Namen der Schauspieler ______ ______ ______. — werden schnell vergessen

60. Man wechselt das ausländische Geld in der Bank. Das ausländische Geld ______ ______ ______ ______ ______. — wird in der Bank gewechselt

61. Er **ist** nicht zu Hause. Er sagte, er **sei** nicht zu Hause.
Er hat kein Geld. Er sagte, er ______ kein Geld. — habe

62. Er wohnt in München. Er sagte, er ______ in München. — wohne

63. Er kommt bald nach Amerika. Er sagte, er ______ bald nach Amerika. — komme

64. Er kann Deutsch sprechen. Er sagte, er ______ Deutsch sprechen. — könne

65. Er freut sich schon auf die Reise. Er sagte, er ______ sich schon auf die Reise. — freue

66. Heute ist Montag. ______ war Sonntag. — Gestern

67. ______ war Samstag. — Vorgestern

68. Morgen ist Dienstag. ______ ist Mittwoch. — Übermorgen

69. Heute haben wir den ersten Oktober. Heute ______ ______ Woche haben wir den achten Oktober. — in einer

70. Heute ______ ______ Woche hatten wir den vierundzwanzigsten September. — vor einer

71. Die Schule beginnt morgen um acht Uhr. Das ist nicht morgen abend, sondern morgen ______. — früh

72. Wir waren gestern um zehn Uhr bei der Theaterkasse. Das war nicht gestern abend, sondern ______ ______. — gestern vormittag

73. Wir haben immer am ersten und fünfzehnten des Monats die Gebühr bezahlt. Wie oft haben wir immer bezahlt? ______ ______ Monat. — Zweimal im

74. Wir haben ihn immer am Montag und Donnerstag besucht. Wie oft haben wir ihn besucht? ______ ______ Woche. — Zweimal die

75. Heute haben wir den zehnten Dezember. Die Karten für das neue Stück sind schon bis Februar ausverkauft. Die Karten sind schon auf Wochen ______ ______ ausverkauft. — im voraus

76. Supply the correct form of **sprechen.**
Hier ______ man Deutsch. — spricht

77. ______ du Deutsch? — Sprichst

78. Die deutsch– Menschen in Europa leben in verschiedenen Staaten. — -sprechenden

79. Wir haben gestern nur Deutsch ______. — gesprochen

80. Wenn er Deutsch ______, würde er uns verstehen. — spräche

81. Supply the correct form of **geben.**
Niemand hat bis jetzt eine richtige Antwort ______. — gegeben

82. Warum ______ du keine Antwort? — gibst

83. Wenn jemand ihm eine richtige Antwort ______, würde er sich freuen. — gäbe

84. Hilf ihm, aber ______ ihm kein Geld! — gib

85. Weil die Verwandten ihm das Geld ______, konnte er nach Amerika kommen. — gaben

86. **Zwar ... aber:**
Die Klassiker werden nach wie vor gespielt.
Die jungen Dichter experimentieren mit neuen Formen des Dramas.
Zwar ______ ______ ______ ______ ______ ______ ______,
aber ______ ______ ______ ______ ______ ______ ______ ______ ______.
— werden die Klassiker nach wie vor gespielt...die jungen Dichter experimentieren mit neuen Formen des Dramas

87. **Entweder ... oder:**
Wir bekommen ein Zimmer im Hotel Fernsicht. Wir müssen irgendwo anders unterkommen.
Entweder ______ ______ ______ ______
______ ______ ______,
oder ______ ______ ______ ______
______.

— bekommen wir ein Zimmer im Hotel Fernsicht...wir müssen irgendwo anders unterkommen

88. **Je ... desto:**
Sie haben mehr Gepäck. Der Flug kostet mehr.
Je ______ ______ ______ ______,
desto ______ ______ ______ ______.

— mehr Gepäck Sie haben...mehr kostet der Flug

89. **Einerseits ... andererseits:**
Viele Leute fahren mit dem Auto. Auch die Eisenbahnen werden noch viel benutzt.
Einerseits ______ ______ ______ ______
______ ______,
andererseits ______ ______ ______ ______
______ ______ ______.

— fahren viele Leute mit dem Auto... werden auch die Eisenbahnen noch viel benutzt

90. **Wenn ... dann:**
Der junge Mann hat praktische Erfahrung als Programmierer. Er wird die freie Stelle bei der Bank bekommen.
Wenn ______ ______ ______ ______ ______
______ ______ ______,
dann ______ ______ ______ ______
______ ______ ______ ______
______.

— der junge Mann praktische Erfahrung als Programmierer hat...wird er die freie Stelle bei der Bank bekommen

91. Wir gratulieren Ihnen ______ Ihrem neuen Auto. — zu
92. Er hat gestern abend ______ Ihnen gefragt. — nach
93. Ich möchte mich ______ die Wirtschaft des Landes informieren. — über
94. Wir haben uns ______ die letzte Nachricht sehr gewundert. — über
95. Wer versorgt das Land ______ den wichtigsten Rohstoffen? — mit

96. (wichtig) Welches von den Problemen ist das **wichtigste?**
(jung) Welches von den Kindern ist das ______? — jüngste
97. (gut) Welches von den Hotels ist das ______? — beste
98. (schön) Welche von den Frauen ist die ______? — schönste
99. (sympathisch) Welcher von den Kandidaten ist der ______? — sympathischste
100. (schwer) Welche von den Lektionen ist die ______? — schwerste

LEKTION SECHZEHN

EINE KURZGESCHICHTE: DER WICHTIGSTE BERUF

Man kann einen Streit um Meinungen oft dadurch beenden, daß man einen guten Vergleich zur Hand hat. Ein ausgezeichnetes Beispiel für einen treffenden Vergleich wurde vor einiger Zeit in einer Podiumsdiskussion in Fernsehen gegeben.

Die Diskussionsteilnehmer waren kluge Leute, die alle in ihrem Beruf einen bekannten Namen hatten. Der Leiter des Gesprächs hatte Mühe, dafür zu sorgen, daß die Herren nicht zu laut ihre eigene Meinung vertraten und zu lange sprachen. Worüber wurde diskutiert? Es handelte sich um die Frage, welche Berufe die wichtigsten seien. Jemand wollte beweisen, daß für jeden Staat die Arbeiter vor allen andern nötig seien. Es seien die „Männer der Faust," wie er sagte, also die Bauern, die Handwerker, die Industriearbeiter. Ein anderer—es war ein bekannter Professor der Soziologie—betonte, daß die Wissenschaftler, die Forscher, kurz—die Leute aus den geistigen Berufen, den Lebensstandard eines Volkes bestimmten. Dann gab es jemanden, der fragte, ob ein Staat überhaupt funktionieren könne ohne seine Beamten. Was würde geschehen, wenn es keine Regierung gäbe?

So ging der Streit hin und her. Jeder hatte seine Argumente vorgebracht. Niemand hatte seine Meinung ändern wollen. Der Diskussionsleiter blieb ruhig. Er mußte einen Schluß finden, den alle annehmen konnten. Der Augenblick war kritisch. Da fiel ihm ein guter Vergleich ein. „Denken Sie an einen Schemel mit drei Beinen", sagte er. „Und jetzt sagen Sie einmal, welches Bein das wichtigste ist!" Dieser Vergleich machte nicht nur die Redner, sondern auch viele der Fernsehzuschauer nachdenklich.

„Männer der Faust." Eine der wichtigsten innenpolitischen Aufgaben der Regierung ist es, dem einzelnen eine berufliche Tätigkeit zu sichern, die seinen Fähigkeiten, Kenntnissen und Leistungen am besten entspricht.

"Men of the fist." One of the most important domestic tasks of the government is to provide each individual with a job that corresponds best to his abilities, knowledge, and performance.

die **Kurzgeschichte** *short story*

der **Streit** *argument, quarrel*
beenden *to end*
der **Vergleich, -e** *comparison, metaphor*
ausgezeichnet *excellent*
treffend *fitting*
die **Podiumsdiskussion** *panel discussion*
der **Teilnehmer, -** *participant*
bekannt *well-known*
der **Name, -n** *name*
der **Leiter, -** *moderator, director*
die **Mühe** *trouble*
sorgen *to take care*
laut *loud*
es handelte sich um die Frage *the question was*
beweisen, ie, ie *to prove*
nötig *necessary*
die **Faust, ¨e** *fist*
der **Handwerker, -** *craftsman*
betonen *to stress*
kurz *in short*
geistig *intellectual*
der **Lebensstandard** *standard of living*
ob *whether*
funktionieren *to function*
der **Beamte, -n** *civil servant*
geschehen, a, e (sein) *to happen*
hin und her *both ways*
vorbringen, a, a *to present*
ändern *to change*
bleiben, ie, ie (sein) *to remain*
der **Schluß** *ending*
annehmen, a, o *to accept*
der **Augenblick** *moment*
einfallen, ie, a (sein) (*dat.*) *to think of*
der **Schemel, -** *stool*
das **Bein, -e** *leg*
der **Redner, -** *speaker*
der **Zuschauer, -** *viewer*
nachdenklich *thoughtful*

WORD STUDY

NOUNS		*VERBS and OTHER WORDS*	
1. das **Ende**	*end*	**beenden** **endlich**	*to finish* *finally*
2. die **Hand, ¨e**	*hand*	**etwas zur Hand haben**	*to have something ready at hand*
3. die **Rede, -n** der **Redner, -**	*speech* *speaker, orator*	**reden** **eine Rede halten**	*to speak* *to make a speech*
4. der **Gedanke, -n**	*thought*	**denken** **nachdenken** **nachdenklich**	*to think* *to meditate* *thoughtful, thinking*

ANTWORTEN SIE auf deutsch, bitte!

1. Was wurde diskutiert? — Es wurde diskutiert, welche....
2. Was meint der Redner, wenn er sagt „Männer der Faust"? — Er meint Bauern und....
3. Wer gehört zu den Leuten aus den geistigen Berufen? — Dazu gehören die....
4. Ohne wen kann ein Staat nicht funktionieren? — Ein Staat kann ohne seine....
5. Welchen Vergleich braucht der Diskussionsleiter? — Er braucht den Vergleich von einem....

GRAMMAR

I. *PAST PERFECT*

Jeder **hatte** seine Argumente **vorgebracht.**

1. German has three tenses to express the past:

a. the simple past tense.

ich kam, ich sagte

Ein großer Teich war zugefroren,
Die Fröschlein, in der Tiefe verloren,
Durften nicht ferner quaken noch springen,
Versprachen sich aber, im halben Traum,
Fänden sie nur da oben Raum,
Wie Nachtigallen wollten sie singen.

Der Tauwind kam, das Eis zerschmolz,
Nun ruderten sie und landeten stolz,
Und saßen am Ufer weit und breit
Und quakten wie vor alter Zeit.

Goethe

der **Teich, -e** *pond*
zugefroren *frozen*
das **Fröschlein, -** *little frog*
die **Tiefe** *depth*
verlieren, o, o *to lose*
ferner *further [i.e., to continue to]*
quaken *to croak*
springen, a, u (sein) *to jump*
versprechen, a, o *to promise*
oben *above*
die **Nachtigall, -en** *nightingale*
der **Tauwind** *warm wind*
das **Eis** *ice*
zerschmelzen, o, o (sein) *to melt*
rudern *to row*
landen (sein) *to land*
stolz *proud(ly)*
das **Ufer, -** *bank*
weit und breit *far and wide*

b. the perfect tense.

ich bin gekommen, ich habe gesagt

c. the past perfect tense (also called pluperfect).

ich war gekommen, ich hatte gesagt

2. The past perfect consists of the past tense of the auxiliary **sein** or **haben** and the past participle of the main verb.

3. Verbs that use **sein** in the perfect tense use it also in the past perfect; verbs that use **haben** in the perfect tense use it also in the past perfect (see pp. 103–104 and 124–125).

4. In use and meaning, the German past perfect corresponds to the English past perfect. The past perfect refers to an action or a condition that took place or existed *before* that described by a verb in the past or the perfect.

So wurde der Streit beendet. Jeder hatte (vorher) seine Argumente vorgebracht.

Podiumsdiskussion im Fernsehen. Unterhaltung, Nachrichtenübermittlung, Meinungsaustausch und Volksbildung gelten als die wichtigsten Aufgaben des Fernsehens. „Das Reklamefernsehen spielt eine geringe Rolle."

TV panel discussion. Entertainment, news distribution, discussion, and popular education are considered to be the main activities of television. "Commercial TV plays only a minor role."

EXERCISES

A. Use the correct auxiliary verb.

Example: Er (hatte/war) nach München gekommen.
Er war nach München gekommen.

1. Die Saison (hatte/war) begonnen.
2. Die Preise (hatten/waren) gestiegen.
3. Die Sonne (hatte/war) den ganzen Tag geschienen.
4. Wir (hatten/waren) in einem kleinen Hotel untergekommen.
5. Wir (hatten/waren) mit der Eisenbahn gefahren.
6. Wir (hatten/waren) es uns ganz anders gedacht.
7. Ein guter Vergleich (hatte/war) ihm eingefallen.
8. Der Streit (hatte/war) hin und her gegangen.
9. Wir wußten nicht, was geschehen (hatte/war).
10. Wir wußten nicht, um welche Frage es sich gehandelt (hatte/war).

B. Combine the sentences as shown in the example. Use the past perfect in the **als**-clause.

Example: Vorher las er die Zeitung. Dann schrieb er einen Brief.
Als er die Zeitung gelesen hatte, schrieb er einen Brief.

1. Vorher arbeitete er den ganzen Morgen. Dann ging er spazieren.
2. Vorher sparte er das Geld für die Reise. Dann fuhr er nach Europa.
3. Vorher bekam er die schreckliche Nachricht. Dann fuhr er zu seiner Familie.
4. Vorher ruhten wir uns aus. Dann konnten wir besser arbeiten.
5. Vorher sprach man lange genug über das Thema. Dann wurde die Diskussion beendet.
6. Vorher las er die Anzeige in der Zeitung. Dann schrieb er an die Personalabteilung.
7. Vorher informierten wir uns über die verschiedenen Zeitungen. Dann abonnierten wir eine Wochenzeitschrift.
8. Vorher brachte er seine Argumente vor. Dann sprach er kein Wort mehr.
9. Vorher sahen wir uns München an. Dann fuhren wir nach Wien.
10. Vorher ergriff die Regierung strenge Maßnahmen. Dann wurde der Lebensstandard besser.

II. *DOUBLE INFINITIVE*

Niemand **hatte** seine Meinung **ändern wollen**.

1. The modal auxiliaries are **können**, **mögen**, **müssen**, **dürfen**, **sollen**, and **wollen**. These modals and the verb **lassen** form their perfect and past perfect with the auxiliary **haben**.

Wir haben es nicht gekonnt.	*We have not been able to do it.*
Niemand hatte das gewollt.	*Nobody had wanted that.*
Sie hatte das Buch im Wagen gelassen.	*She had left the book in the car.*

2. The modals and **lassen** form their perfect and past perfect with the infinitive instead of the past participle when they occur together with another infinitive.

Wir haben es nicht tun (lesen, finden) können.	*We have not been able to do (read, find) it.*
Niemand hatte das ändern wollen.	*Nobody had wanted to change it.*
Sie hatte das Buch im Wagen liegen lassen.	*She had left the book (lying) in the car.*

Bauern beim Spargelstechen. Die deutsche Landwirtschaft ist durch die Europäische Wirtschaftsgemeinschaft (EWG) gezwungen worden, rigorose Rationalisierungsmaßnahmen zu ergreifen

Farmers working asparagus beds. Agriculture in Germany has had to undergo rigorous changes and modernization of methods as a result of Germany's membership in the European Economic Community (EEC).

Wissenschaftler. Sind es die Leute aus den geistigen Berufen, die den Lebensstandard eines Volkes bestimmen?

The scientist. Are intellectuals the ones who determine the standard of living of a nation?

EXERCISE

Change the conjugated verb to the perfect tense.

Example: Er kann es nicht glauben.
Er hat es nicht glauben können.

1. Er muß die Reise für die ganze Familie bezahlen.
2. Er läßt sich einen neuen Anzug machen.
3. Wer kann das wissen?
4. Früher durften die jungen Leute nicht wählen.
5. Er kann das Gepäck nicht finden.
6. Wir mögen euch nicht besuchen.
7. Die Regierung läßt es geschehen.
8. Wir dürfen es nicht sagen.
9. Die Leute können es nicht glauben.
10. Er will es nicht vergessen.

III. *ANTICIPATORY* DA-*COMPOUNDS*

Er sorgte **dafür**, **daß** die Herren nicht zu laut ihre eigene Meinung vertraten.
Man kann einen Streit **dadurch** beenden, **daß** man einen guten Vergleich zur Hand hat.

1. Many verbs are regularly combined with prepositions (see pp. 241–243).

2. The preposition may introduce a noun or pronoun object.

Wir sorgen für die Kranken.
Wir sorgen für sie.

3. When referring to things and abstractions, the preposition may appear in a **da**-compound (see p. 174).

Wir sorgen dafür.

4. The **da**-compound also serves an anticipatory function when a dependent clause follows.

Wir sorgen dafür, daß die Kranken gute Pflege bekommen.

5. The dependent clause may be either a **daß**-clause or an infinitive clause with **zu**. The infinitive with **zu** may be used only if the subject in the dependent clause is the same as the subject of the main clause.

a. *Subject the same:* use either a **daß**-clause or an infinitive clause.

Wir freuen uns darauf, daß wir morgen in das Konzert gehen.
Wir freuen uns darauf, morgen in das Konzert zu gehen.

b. *Subject different:* use only a **daß**-clause.

Wir freuen uns darauf, daß der Chor singen wird.

EXERCISE

Combine the sentences in the way suggested by the example.

Example: Wir gehen morgen in das Konzert.
Wir freuen uns auf morgen.
Wir freuen uns darauf, daß....
Wir freuen uns darauf, daß wir morgen in das Konzert gehen.

1. Viele Leute werden kommen.
Man rechnet mit vielen Leuten.
Man rechnet damit, daß....
2. Das Projekt wird viel Geld kosten.
Was denken Sie über das Projekt?
Was denken Sie darüber, daß....
3. Es wird eine Inflation geben.
Man fürchtet sich vor der Inflation.
Man fürchtet sich davor, daß....

4. Das Wetter wird bald besser.
   Wir hoffen auf besseres Wetter.
   Wir hoffen darauf, daß....
5. Die Diskussion war sehr interessant.
   Niemand hat über die Diskussion gesprochen.
   Niemand hat darüber gesprochen, daß....
6. Die Politik der Regierung ist richtig.
   Wer glaubt an die Politik der Regierung?
   Wer glaubt daran, daß....
7. Der Staat braucht seine Beamten.
   Es handelt sich um die Beamten.
   Es handelt sich darum, daß....
8. Der Professor hat sein Buch vergessen.
   Die Studenten lachen über den Professor.
   Die Studenten lachen darüber, daß....
9. Der Handwerker hat seine Arbeit gut gemacht.
   Wir gratulieren dem Handwerker zu seiner Arbeit.
   Wir gratulieren dem Handwerker dazu, daß....
10. Das Fernsehprogramm dauert so lange.
    Wir wundern uns über das Fernsehprogramm.
    Wir wundern uns darüber, daß....

Der Beamte. „Kann ein Staat überhaupt funktionieren ohne seine Beamten?"

The civil servant. "Can a state perform its functions without its civil servants?"

IV. *DIMINUTIVES*

1. Diminutives are formed from nouns by adding the suffix **-chen** or **-lein**. The diminutive with **-chen** is the more frequent form.

2. Diminutives are always neuter.

der Brief	das Briefchen
die Tür	das Türchen

3. The stem vowel is regularly changed to umlaut.

der Frosch	das Fröschlein
die Frau	das Fräulein
der Mantel	das Mäntelchen

4. The endings **-e** and **-en** of the stem word are usually dropped before **-chen** or **-lein**.

die Karte	das Kärtchen
der Garten, *garden*	das Gärtchen

5. The ending **-el** of the stem word is dropped before **-lein**, but retained before **-chen**.

der Spiegel	das Spieglein, das Spiegelchen
der Vogel, *bird*	das Vöglein, das Vögelchen

6. Among close friends and in families, pet forms of names are frequently used which end in the suffix **-i**.

die Mutter	die Mutti
der Vater	der Vati
Rudolf	Rudi
Helene	Leni

EXERCISES

A. Form diminutives with **-chen**.

Example: das Brot
das Brötchen

1. das Stück
2. der Platz
3. die Stadt
4. der Fluß
5. der Wald
6. das Rad
7. die Karte
8. das Holz
9. das Kind
10. das Wort

B. Form diminutives with **-lein**.

Example: der Frosch
das Fröschlein

1. der Spiegel
2. die Frau
3. das Buch
4. die Tochter
5. der Mann
6. das Tuch
7. der Vogel
8. das Kind
9. der Bauer
10. das Schiff

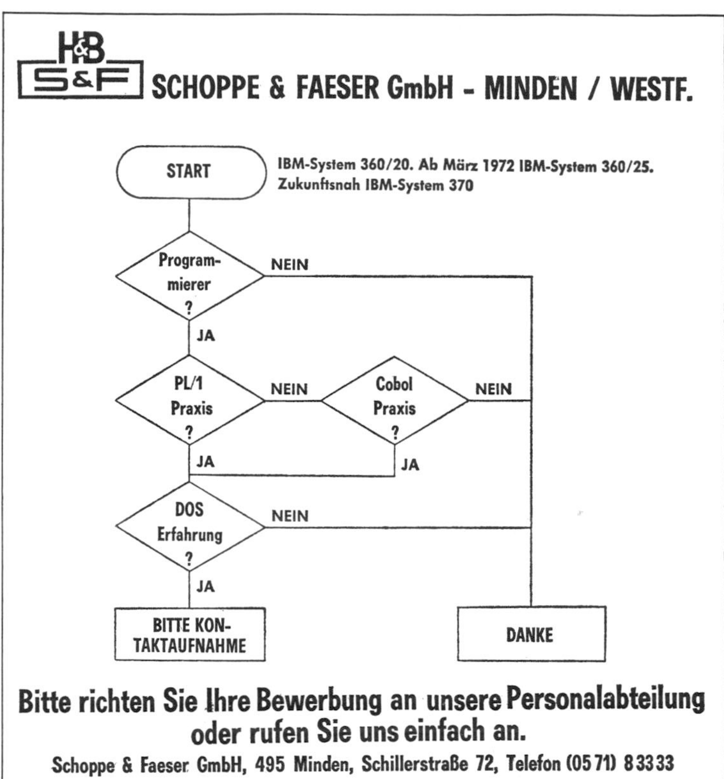

Stellenangebot in der Tageszeitung „Die Welt." Schon das Inserat verrät, wie sehr Computermethoden im modernen Betrieb Fuß gefaßt haben.

Want ad in the newspaper Die Welt. *Even the advertisement reflects how well established computer-oriented methods have become in modern firms.*

INDIVIDUAL STUDY: SELF-TESTING

1. *craftsman*
   der ______ — Handwerker
2. *peasant, farmer*
   der ______ — Bauer
3. *laborer*
   der ______ — Arbeiter
4. *scientist*
   der ______ — Wissenschaftler

5. *researcher, explorer*
der ______ — Forscher
6. *civil servant*
der ______ — Beamte
7. *occupation, profession*
der ______ — Beruf
8. *panel discussion*
die ______ — Podiumsdiskussion
9. *standard of living*
der ______ — Lebensstandard
10. *TV viewer*
der ______ — Fernsehzuschauer

11. *an excellent example*
ein ______ ______ — ausgezeichnetes Beispiel
12. *a fitting comparison*
ein ______ ______ — passender Vergleich
13. *a well-known name*
ein ______ ______ — bekannter Name
14. *an intellectual occupation*
ein ______ ______ — geistiger Beruf
15. *a thoughtful viewer*
ein ______ ______ — nachdenklicher Zuschauer

16. *to end an argument*
einen Streit ______ — beenden
17. *to defend one's own opinion*
seine eigene Meinung ______ — vertreten
18. *to present the arguments*
die Argumente ______ — vorbringen
19. *to make a speech*
eine Rede ______ — halten
20. *to find an ending*
einen Schluß ______ — finden

21. Give the stem word for the diminutive:
das Mütterchen ______ ______ — die Mutter
22. das Männlein ______ ______ — der Mann
23. das Küßchen ______ ______ — der Kuß
24. das Händchen ______ ______ — die Hand
25. das Fröschlein ______ ______ — der Frosch
26. das Pferdchen ______ ______ — das Pferd
27. das Fräulein ______ ______ — die Frau
28. das Brötchen ______ ______ — das Brot
29. das Vöglein ______ ______ — der Vogel
30. das Städtchen ______ ______ — die Stadt

31. The modal auxiliaries and **lassen** form their perfect tense with the infinitive instead of the past participle when they occur together with another infinitive. Change the conjugated verb form to the perfect tense.
Er kann es nicht glauben.
Er hat es ______ ______ ______. — nicht glauben können

32. Er will den Brief nicht schreiben.
Er hat den Brief ______ ______ ______. — nicht schreiben wollen

33. Er kann uns nicht finden.
Er hat uns ______ ______ ______. — nicht finden können

34. Er mag es uns nicht sagen.
Er hat es uns ______ ______ ______. — nicht sagen mögen

35. Er läßt uns nicht reden.
Er hat uns ______ ______ ______. — nicht reden lassen

36. Er läßt uns hier stehen.
Er hat uns ______ ______ ______. — hier stehen lassen

37. Er soll uns nicht helfen.
Er hat uns ______ ______ ______. — nicht helfen sollen

38. Er muß den Streit beenden.
Er hat den Streit ______ ______. — beenden müssen

39. Er darf nicht zu lange sprechen.
Er hat nicht ______ ______ ______ ______. — zu lange sprechen dürfen

40. Er will einen guten Schluß finden.
Er hat einen ______ ______ ______ ______. — guten Schluß finden wollen

41. Change to the past perfect. The past perfect consists of the past tense of **sein** or **haben** and the past participle of the main verb.
Er kam nach Hause.
Er ______ nach Hause gekommen. — war

42. Wir wunderten uns über ihn.
Wir ______ uns über ihn gewundert. — hatten

43. Er fuhr in seinem eigenen Wagen.
Er ______ in seinem eigenen Wagen gefahren. — war

44. Er kaufte einen gebrauchten Wagen.
Er ______ einen gebrauchten Wagen gekauft. — hatte

45. Er wohnte in einer kleinen Pension.
Er ______ in einer kleinen Pension gewohnt. — hatte

46. Er blieb bei seiner Familie.
Er ______ bei seiner Familie geblieben. — war

47. Was geschah?
Was ______ geschehen? — war

48. Ihm fiel etwas Neues ein.
Ihm ______ etwas Neues eingefallen. — war

49. Er las eine Anzeige in der Zeitung.
Er ______ eine Anzeige in der Zeitung gelesen. — hatte

50. Er fand eine Stelle bei einer Bank.
Er ______ eine Stelle bei einer Bank gefunden. — hatte

51. Insert the correct **da**-compound.
Wir freuen uns ______, morgen in die Aufführung zu gehen. — darauf
52. Sie fürchtet sich ______, spät nach Hause zu kommen. — davor
53. Ich rechne ______, in der Wohnung bleiben zu können. — damit
54. Ich hoffe ______, Sie bald wiederzusehen. — darauf
55. Wir beschäftigen uns ______, die Anzeigen zu lesen. — damit
56. Wir denken ______, einen neuen Wagen zu kaufen. — daran
57. Für ihn handelt es sich ______, den Streit zu beenden. — darum
58. Man wundert sich ______, so viele Menschen hier zu sehen. — darüber
59. Wir sind ______ interessiert, in einem guten Hotel unterzukommen. — daran
60. Er ist ______ verantwortlich, einen guten Schluß des Programms zu finden. — dafür

61. Insert the correct **da**-compound before the **daß**-clause.
Man spricht ______, daß die Regierung neue Pläne hat. — davon
62. Wir rechnen ______, daß die Aufführung bis elf Uhr dauern wird. — damit
63. Die Zeitungen berichten ______, daß der Staat das Projekt unterstützt. — darüber
64. Wir glauben noch nicht ______, daß die Dinge besser werden. — daran
65. Was halten Sie ______, daß die Preise schon wieder gestiegen sind? — davon
66. Wir gratulieren Ihnen ______, daß Sie wieder ganz gesund sind. — dazu
67. Die Mutter ist böse ______, daß der Junge nicht in die Schule gehen will. — darüber
68. Wir mußten ______ lachen, daß der Redner den Namen vergessen hatte. — darüber
69. Er mußte ______ sorgen, daß die Herren nicht zu laut und zu lange sprachen. — dafür
70. Der Streit wurde ______ beendet, daß der Diskussionsleiter einen guten Vergleich zur Hand hatte. — dadurch

71. Complete the sentence.
Der Streit ging hin und ______. — her

72. Da ______ dem Diskussionsleiter eine gute Geschichte ein. — fiel

73. Die Redner und die Zuschauer dachten nach.
Sie wurden ______. — nachdenklich

74. Die Arbeiter, Bauern und Handwerker werden „die Männer der ______“ genannt. — Faust

75. Daneben gibt es die Wissenschaftler und Forscher, also die Leute aus den ______ Berufen. — geistigen

76. Was würde geschehen, wenn es keine Regierung ______? — gäbe

77. Kann ein Staat ohne seine Beamten ______? — funktionieren

78. Jemand fragte, ______ ein Staat ohne seine Beamten funktionieren könne. — ob

79. Jemand sagte, daß die Arbeiter vor allen andern ______ seien. — nötig

80. Ein Name, den jeder kennt, ist ein ______ Name. — bekannter

81. Irregular verbs. Change the verb to the past tense.
Das beweist alles.
Das ______ alles. — bewies

82. Hier geschieht nichts.
Hier ______ nichts. — geschah

83. Der Redner bleibt ruhig.
Der Redner ______ ruhig. — blieb

84. Er denkt nach.
Er ______ nach. — dachte

85. Er vertritt eine andere Meinung.
Er ______ eine andere Meinung. — vertrat

86. Change the indicated verb to the past perfect.
Damit bewies er, daß er recht hatte.
Damit hatte er ______, daß er recht hatte. — bewiesen

87. Hier geschah nichts.
Hier ______ ______ ______. — war nichts geschehen

88. Der Redner blieb ruhig.
Der Redner ______ ______ ______. — war ruhig geblieben

89. Er dachte nach.
Er ______ ______. — hatte nachgedacht

90. Er vertrat eine andere Meinung.
Er ______ ______ ______ ______ ______. — hatte eine andere Meinung vertreten

91. Change the question into an indirect question with a subjunctive form in the **ob**-clause. Use Subjunctive I unless it is identical with the present indicative form. In that case, use Subjunctive II.
Kann ein Staat ohne Beamte überhaupt funktionieren?
Er fragte, ob ein Staat ______ ______ ______ ______ ______.

— ohne Beamte überhaupt funktionieren könne

92. Haben Sie ein gutes Argument zur Hand?
Er fragte, ob ich ______ ______ ______ ______ ______ ______.

— ein gutes Argument zur Hand hätte

93. Wollen Sie Ihre Meinung nicht ändern?
Er fragte, ob wir ______ ______ ______ ______ ______.

— unsere Meinung nicht ändern wollten

94. Macht dieser Vergleich Sie nicht nachdenklich?
Er fragte, ob dieser Vergleich uns ______ ______ ______.

— nicht nachdenklich mache

95. Handelt es sich um bekannte Leute?
Er fragte, ob ______ ______ ______ ______ ______ ______.

— es sich um bekannte Leute handle

96. Ist das ein bekannter Wissenschaftler?
Er fragte, ob ______ ______ ______ ______ ______.

— das ein bekannter Wissenschaftler sei

97. Gibt es einen Staat ohne Bauern und Handwerker?
Er fragte, ob ______ ______ ______ ______ ______ ______ ______ ______.

— es einen Staat ohne Bauern und Handwerker gebe

98. Bestimmen die geistigen Berufe wirklich den Lebensstandard?
Er fragte, ob ______ ______ ______ ______ ______ ______ ______.

— die geistigen Berufe wirklich den Lebensstandard bestimmten

99. Hat nun jeder seine Argumente vorgebracht?
Er fragte, ob ______ ______ ______ ______ ______ ______.

— nun jeder seine Argumente vorgebracht habe

100. Haben Sie die Geschichte verstanden?
Er fragte, ob wir ______ ______ ______ ______.

— die Geschichte verstanden hätten

Verkehrszeichen erklären oft besser als viele Worte, was gemeint ist.
Traffic signs often explain better than words what is meant.

LEKTION SIEBZEHN

VERKEHRSSÜNDER

Autofahrer müssen die Verkehrsregeln beachten. Das weiß jeder. Aber es gibt auch Verkehrsregeln für Fußgänger. Und jeder weiß, daß Fußgänger die Verkehrsregeln sehr oft nicht beachten. Wie oft findet man, daß sowohl ältere wie jüngere Leute quer über die Straße gehen oder an der Straßenkreuzung nicht auf das grüne Licht warten. Was kann man dagegen machen?

Der Bürgermeister einer Stadt hatte eine Idee. Warum sollte man nicht einmal die Rollen vertauschen? Die Polizei spielt Verkehrssünder, und die Bürger spielen Verkehrspolizei? Das sollte auf folgende Weise geschehen: Ein Polizist in Zivil wird sich unter die Leute mischen. Er wird, wie so viele andere Fußgänger es tun, bei rotem Licht über die Straße gehen. Er wird dann und wann von einem Bürgersteig quer über die Straße zum andern eilen, mitten im Verkehr. Wenn jemand ihn fragt: „Sind Sie der offizielle Verkehrssünder?", dann wird er dem Herrn oder der Dame eine Karte geben. Für die Karte wird man sich im Rathaus zehn Mark abholen können. Es ist auch möglich, daß der offizielle Verkehrssünder an einem Tage überhaupt nicht angesprochen wird. Dann wird die Stadt am nächsten Tag für die Karte zwanzig Mark zahlen, am folgenden Tag dreißig Mark, und so weiter. Die Zeitungen werden jeden Tag darüber berichten.

Der Plan wurde versuchsweise durchgeführt. Und das Resultat? Schon am ersten Tag paßten die Leute nicht nur sehr scharf auf die andern Fußgänger auf, sondern fast jeder hielt sich selbst streng an die Verkehrsregeln. Niemand wollte in die peinliche Lage kommen, daß er von allen Seiten angesprochen wurde: „Sind Sie der offizielle Verkehrssünder?"

Der Bürgermeister war sicherlich ein guter Psychologe, aber er war auch ein guter Politiker. Denn sein Name wurde in den nächsten Wochen oft genannt, und alle fanden, daß er gute Ideen habe und auch einen feinen Sinn für Humor.

der **Verkehrssünder, -** *traffic violator*
die **Regel, -n** *rule*
beachten *to heed, watch*
der **Fußgänger, -** *pedestrian*

sowohl . . . wie *as well as*
quer über *right across*
die **Straßenkreuzung, -en** *intersection*
grün *green*
das **Licht, -er** *light*
warten auf *to wait for*
der **Bürgermeister** *mayor*
vertauschen *to exchange*
die **Polizei** *police*
der **Bürger, -** *citizen*
die **Weise, -n** *manner*
der **Polizist in Zivil** *plain-clothesman*
mischen *to mix, mingle*
ander- *other*
rot *red*
der **Bürgersteig, -e** *sidewalk*
eilen (sein) *to hurry*
mitten in *in the middle of*
offiziell *official*
das **Rathaus** *city hall*
abholen *to pick up*

überhaupt nicht *not at all*
ansprechen, a, o *to address*

versuchsweise *tentatively*
durchführen *to carry out*
das **Resultat, -e** *result*
aufpassen *to watch*
scharf *sharp(ly)*
sich halten an *to stick to*
selbst *himself*
peinlich *embarrassing*
die **Lage, -n** *situation*
die **Seite, -n** *side; page*
sicherlich *certainly*

fein *fine*
der **Sinn, -e** *sense*

WORD STUDY

NOUNS		VERBS and OTHER WORDS	
1. der **Bürger, -**	*citizen*	**bürgerlich**	*bourgeois*
der **Bürgermeister, -**	*mayor*		
der **Bürgersteig, -e**	*sidewalk*		
2. die **Seite, -n**	*side; page*	**beseitigen**	*to eliminate*
von allen Seiten	*from all sides*	**seitenweise**	*page by page*
3. die **Sprache, -n**	*language*	**sprechen, a, o (er spricht)**	*to speak*
die **neueren Sprachen**	*modern languages*	**ansprechen**	*to address*
		aussprechen	*to pronounce*
4. die **Sünde, -n**	*sin*	**sündigen**	*to sin*
der **Sünder, -**	*sinner*	**sündig**	*sinful*
der **Verkehrssünder, -**	*traffic violator*		
5. der **Versuch, -e**	*attempt, experiment*	**versuchen**	*to try*
		versuchsweise	*tentatively*

ANTWORTEN SIE auf deutsch, bitte!

1. Was ist ein Verkehrssünder? — Ein Verkehrssünder ist jemand, der die Verkehrsregeln....
2. Was sollte der Polizist in Zivil tun? — Er sollte dann und wann mitten im Verkehr....
3. Wann sollte er an Straßenkreuzungen über die Straße gehen? — Er sollte bei....
4. Wo konnte man sich für die Karte 10 DM abholen? — Das Geld konnte man sich....
5. Welches war das Resultat dieses Planes? — Jeder hielt sich....
6. Was sagte man von dem Bürgermeister? — Jeder sagte, er habe....

Ich habe nicht stets Lust zu lesen.
Ich habe nicht stets Lust zu schreiben.
Ich habe nicht stets Lust zu denken;
kurzum, nicht immer zu studieren.

Doch hab' ich allzeit Lust zu scherzen.
Doch hab' ich allzeit Lust zu lieben.
Doch hab' ich allzeit Lust zu trinken;
kurz, allezeit vergnügt zu leben.

Verdenkt ihr mir's, ihr sauern Alten?
Ihr habt ja allzeit Lust zu geizen;
Ihr habt ja allzeit Lust zu lehren;
Ihr habt ja allzeit Lust zu tadeln.

Was ihr tut, ist des Alters Folge.
Was ich tu', will die Jugend haben.
Ich gönn' euch eure Lust von Herzen.
Wollt ihr mir nicht die meine gönnen?

Lessing

stets *always*
Lust haben *to like*
kurzum *in short*
allzeit *always*
scherzen *to have fun*
trinken, a, u *to drink*
vergnügt *happy*
(jemandem etwas) **verdenken, verdachte, verdacht** *to find fault (with someone about something), to begrudge (someone something)*
geizen *to be thrifty, stingy*
lehren *to teach*
tadeln *to criticize*
das **Alter** *(old) age*
die **Folge, -n** *consequence, result*
die **Jugend** *youth*
gönnen *to grant, allow*
von Herzen *with all my heart*
[das **Herz, -en** *heart*]

DAS GEGENTEIL[1]

Das Gegenteil von ja ist nein,
Das Gegenteil von groß ist ...
Das Gegenteil von jung ist alt,
Das Gegenteil von warm ist ...

Das Gegenteil von hin ist her,
Das Gegenteil von längs ist ...
Das Gegenteil von falsch ist richtig,
Und was nicht zählt, das ist nicht ...

[1] **Das Gegenteil**: *the opposite.*

GRAMMAR

I. *ABSOLUTE COMPARATIVES AND SUPERLATIVES*

Sowohl **ältere** wie **jüngere** Leute gehen quer über die Straße.

1. The comparative form of adjectives can be used absolutely, without any idea of direct comparison, to express a fair amount of the quality indicated.

ein älterer Mann	*an elderly man*
längere Zeit	*for quite a while*
eine größere Summe	*a fairly large amount of money*

It also appears in a variety of stock phrases.

neuere Sprachen	*modern languages*
eine Höhere Schule	*a high school*

2. The superlative form of adjectives can also be used absolutely to express a high degree of a given quality without specific comparison.

höchst interessant	*highly interesting*
mit besten Grüßen	*with kindest regards*

EXERCISE

Use the absolute comparative.

Example: alt, Mann: ein ______ ______
ein älterer Mann

1. alt, Dame: eine ______ ______
2. jung, Beamter: ein ______ ______
3. lang, Reise: eine ______ ______
4. groß, Stadt: eine ______ ______
5. gut, Hotel: ein ______ ______
6. klein, Einkommen: ______ ______
7. hoch, Schule: eine ______ ______
8. neu, Sprache: eine ______ ______
9. kurz, Theaterstück: ein ______ ______
10. fein, Leute: die ______ ______

II. *THE IMPERSONAL PRONOUN* ES

Es gibt auch Verkehrsregeln für Fußgänger.
Es ist möglich, daß der Verkehrssünder überhaupt nicht angesprochen wird.
Wie so viele andere Fußgänger **es** tun.

1. Some verbs that refer to natural phenomena can have only the impersonal **es** as their subject.

Es regnet.	*It is raining.*
Es schneit.	*It is snowing.*
Es ist Nacht.	*It is nighttime.*
Es friert.	*It is freezing.*

„Straßen über Straßen" von Peter Brüning, Düsseldorf. So reagiert der Künstler auf den kontrollierten Massenverkehr.

"Streets above streets" by Peter Brüning, Dusseldorf. This is the artist's reaction to the controls on mass traffic.

2. Other verbs that take normal subjects may also take **es** as their grammatical subject if the identity of the real subject is vague.

Es dauert lange, bis er kommt. — *It takes a while until he comes.*
Es eilt. — *It is urgent.*
Es gibt auch Regeln für Fußgänger. — *There are also rules for pedestrians.*
Wie geht es Ihnen? — *How are you?*
So steht es in der Zeitung. — *That is what the paper says.*

3. **Es** may be used to anticipate a following dependent clause.

Es ist auch möglich, daß er nicht angesprochen wird. — *It is also possible that he will not be approached.*
Es steht fest, daß er recht hat. — *It is established that he is right.*

4. If the dependent clause introduces the sentence, the **es** in the main clause is omitted.

Daß er nicht angesprochen wird, ist auch möglich.
Daß er recht hat, steht fest.

5. To emphasize the verb, one may start the sentence with **es** and place the subject after the verb. The verb agrees in number with the subject, not with **es**.

Es fehlt das Geld. — *The money is not there.*
Es ändern sich die Zeiten. — *The times change.*
Es scheint die Sonne von früh bis spät. — *The sun shines from morning till evening.*

6. If any other part of the sentence is placed at the beginning, the **es** is dropped.

Die Sonne scheint von früh bis spät.
Von früh bis spät scheint die Sonne.

7. **Es** is used in certain idiomatic phrases.

Es handelt sich darum, daß.... *The issue is that....*
Es bleibt dabei, daß.... *The fact remains that....*
Es kommt vor, daß.... *It happens that....*
Es tut mir leid, daß.... *I am sorry that....*

8. **Es** is also used as an impersonal object with transitive verbs that have no accusative object.

Wie so viele andere Fußgänger es tun. *As so many other pedestrians do.*
Wie wir es gelernt haben. *As we have learned (to do).*

EXERCISES

A. Put the dependent clause in front.

Example: Es ist auch möglich, daß er nicht angesprochen wird.
Daß er nicht angesprochen wird, ist auch möglich.

1. Es bedeutet nichts, daß er nicht geschrieben hat.
2. Es steht fest, daß das neue Stück ausgezeichnet ist.
3. Es ist nötig, daß eine andere Regierung gewählt wird.
4. Es ist nicht so wichtig, daß Sie spezielle Bankkenntnisse haben.
5. Es weiß jeder, daß man die Verkehrsregeln beachten muß.
6. Es nützt nichts, daß die Polizei scharf aufpaßt.
7. Es ist sicher, daß die Zeitungen darüber berichten werden.
8. Es spricht für den Bürgermeister, daß der Plan durchgeführt wurde.
9. Es ist nicht erlaubt, daß die Kinder auf der Straße spielen.
10. Es steht in der Zeitung, daß die Verkehrsregeln geändert wurden.

Eine Verkehrssünderin. „Jeder weiß, daß Fußgänger die Verkehrsregeln sehr oft nicht beachten."

A traffic violator. "Everybody knows that pedestrians very often pay no attention to traffic rules."

B. Put the subject at the beginning of the sentence.

Example: Es fehlt das Geld.
Das Geld fehlt.

1. Es ändern sich die Zeiten.
2. Es wundern sich die alten Leute.
3. Es vergeht die Zeit.
4. Es besteht schon lange eine europäische Gemeinschaft für Kohle und Stahl.
5. Es blüht die Wirtschaft.
6. Es geht heute kaum noch jemand zu Fuß.
7. Es fährt jeder seinen eigenen Wagen.
8. Es hat jeder das Recht, seine eigene Meinung zu haben.
9. Es kommt alles anders, als man denkt.
10. Es möchte niemand in solche Lage kommen.

III. *SIMPLE AND DERIVED ADVERBS*

Der Plan wurde **versuchsweise** durchgeführt.
Der Bürgermeister war **sicherlich** ein guter Psychologe.

1. We can distinguish between simple or original adverbs, and derived adverbs. The simple adverbs that have occurred so far are:

also, auch, bald, dann, denn, doch, ebenso, erst, fast, ganz, genug, gerade, gern, hier, immer, ja, jetzt, kaum, leider, noch, nur, oft, schon, sehr, selbst, so, sogar, überall, vielleicht, vorher, wohl, zusammen

2. Other adverbs have been derived from adjectives or nouns by the use of suffixes like **-s**, **-lich**, **-mal**, and **-weise**.

a. Adverbs ending in **-s**

anfangs	*in the beginning*	meistens	*mostly*
allerdings	*admittedly*	nirgends	*nowhere*
bereits	*already*	rechts	*on the right*
besonders	*especially*	spätestens	*at the latest*
ebenfalls	*likewise*	teils	*partly*
frühestens	*at the earliest*	übrigens	*by the way*
höchstens	*at best*	unterwegs	*on the way*
jedenfalls	*at any rate*	vergebens	*in vain*
keineswegs	*by no means*	wenigstens	*at least*
links	*on the left*		

Also the time adverbs:

abends	*in the evening*	vormittags	*in the morning*
morgens	*in the morning*	nachmittags	*in the afternoon*
nachts	*at night*	tags	*during the day*
mittags	*at noon*	montags[2]	*on Mondays*

[2] Similarly, **dienstags, mittwochs, donnerstags, freitags, sonnabends** or **samstags, sonntags:** *on Tuesdays, Wednesdays,* etc.

The numeral adverbs are formed by adding **-ens** to the stem of the ordinal numbers:

ordinal number	*adverb*	
erst-	erstens	*in the first place*
zweit-	zweitens	*secondly*
dritt-	drittens	*thirdly*
viert-	viertens	*fourthly*
etc.		

b. Adverbs ending in **-lich**.

freilich	*admittedly*
hoffentlich	*hopefully*
kürzlich	*recently*
neulich	*recently*
sicherlich	*surely*
ziemlich	*rather*

c. Adverbs ending in **-mal(s)**.

einmal, zweimal, dreimal, *etc.*	*once, twice, three times, etc.*
keinmal	*not once*
wievielmal	*how many times*
manchmal	*sometimes*
jedesmal	*each time*
diesmal	*this time*
vielmals	*often*
niemals	*never*
jemals	*ever*
damals	*then, at that time*

d. Adverbs ending in **-weise** (with or without a connective **-s-** or **-n-**).

beispielsweise	*for example*
besuchsweise	*on a visit*
beziehungsweise (bzw.)	*respectively*
gesprächsweise	*by word of mouth*
schrittweise	*step by step*
stellenweise	*here and there*
stückweise	*piece by piece*
stundenweise	*by the hour*
teilweise	*partly*
versuchsweise	*tentatively*
zeitweise	*at times*

3. Prepositional phrases often fill an adverbial function. For example:

am ersten Tag	*on the first day*
auf folgende Weise	*in the following manner*
auf der Stelle	*on the spot*
auf Wochen im voraus	*weeks in advance*
bei rotem Licht	*on* [by] *the red light*
in aller Frühe	*first thing in the morning*
in aller Ruhe	*at leisure*
in aller Eile	*in a rush*

in erster Linie *in the first place, mainly*
in voller Fahrt *at full speed*
in Zukunft *in the future*
nach wie vor *now as before*
von allen Seiten *from all sides*
vor einiger Zeit *some time ago*
zum ersten Mal *for the first time*

4. Some adverbial phrases consist of more than one adverb.

dann und wann *now and then*
hin und wieder *now and then*
hin und her *this way and that way*
kreuz und quer *crisscross*
mehr oder weniger *more or less*

EXERCISES

A. Form adverbs with the ending **-s** from the nouns given.

Example: der Abend
abends

1. die Nacht
2. der Sonntag
3. der Vormittag
4. der Anfang
5. der Teil
6. der Morgen
7. der Tag
8. der Mittag

B. Write the sentences and insert the adverbs suggested by the English equivalents.

Example: (*tentatively*) Der Plan wurde ______ durchgeführt.
Der Plan wurde versuchsweise durchgeführt.

1. (*mostly*) Die Deutschen fahren im Sommer ______ in den Süden.
2. (*on Sundays*) Sie gehen ______ immer spazieren.
3. (*at least*) Man fühlt sich nicht wohl, wenn man am Sonntag nicht ______ einen langen Spaziergang gemacht hat.
4. (*sometimes*) Man kann ______ zwischen den Zeilen lesen.
5. (*surely*) Die Aufführung wird ______ um acht Uhr beginnen.
6. (*hopefully*) Ich werde in Zukunft ______ mehr Zeit haben.
7. (*at any rate*) Es steht ______ fest, daß er recht hatte.
8. (*rather*) Es hat ______ lange gedauert.
9. (*everywhere*) Die Fußgänger gehen ______ bei rotem Licht über die Straße.
10. (*at all*) Es kann auch sein, daß es ______ nicht regnet.

C. Write the sentences and insert the adverbial phrases suggested by the English equivalents.

Example: (*in the following manner*) Die Rollen wurden ... vertauscht.
Die Rollen wurden auf folgende Weise vertauscht.

1. (*for the first time*) Die alte Dame ist ... mit dem Flugzeug geflogen.
2. (*in the first place, mainly*) Die Regierung ist ... am Außenhandel interessiert.
3. (*from all sides*) Man möchte nicht ... angesprochen werden.

Verkehrspolizist in der Schweiz.

A traffic policeman in Switzerland.

4. (*now as before*) Die Klassiker, besonders auch Shakespeare, werden ... gespielt.
5. (*at full speed*) Der Bus fuhr ... gegen eine Mauer.
6. (*for weeks in advance*) Die Karten sind ... ausverkauft.
7. (*now and then*) Zwar liest er jeden Tag die Zeitung, aber ... liest er auch ein Buch.
8. (*more or less*) Jeder Fußgänger wird sich ... an die Verkehrsregeln halten.
9. (*this way and that way*) Der Streit ging....
10. (*next day*) Man kann sich ... das Geld abholen.

IV. *ATTRIBUTIVE ADJECTIVES*

am **ersten** Tag
am **nächsten** Tag
viele **andere** Fußgänger

1. The great majority of adjectives can be used both attributively and predicatively—that is, they may precede the noun or follow it. When they follow the noun they are linked to it by such verbs as **sein**, **werden**, or **bleiben** and they take no endings.

Der alte Mann	Er wird alt.
Der kleine Junge	Er ist klein.
Das gute Wetter	Es bleibt gut.

2. However, a number of adjectives can be used only attributively.

Die nächste Aufführung [*never* Die Aufführung ist nächst.]

Since these adjectives do not occur without an inflectional ending, their base form is given with a hyphen attached to it: **nächst-**.

Berlin. Zebrastreifen für Fußgänger.

Berlin. White lines for pedestrians.

3. Here is a list of "attributive-only" adjectives.

inner-	die innere Stadt	*the inner city*
äußer-	die äußere Form	*the outer shape*
ober-	das obere Zimmer	*the upper room*
unter-	der untere Rang	*the lower rank* (or *balcony*)
link-	die linke Hand	*the left hand*
recht-	das rechte Bein	*the right leg*
besonder-	das besondere Projekt	*the special project*
ander-	die andere Seite	*the other side*
letzt-	die letzte Aufführung	*the last performance*
nächst-	der nächste Tag	*the next day*
vorder-	die vordere Reihe	*the front row*
hinter-	die hintere Reihe	*the back row*

4. The ordinal numbers are also "attributive-only."

der erste, der zweite, der dritte, *etc.*

EXERCISE

Supply the correct endings.

Example: (besonder-) ein _____ Ereignis
ein besonderes Ereignis

1. (link-) sein _____ Bein
2. (letzt-) das _____ Mal
3. (inner-) in der _____ Stadt
4. (recht-) das _____ Rad
5. (link-) auf der _____ Seite
6. (ander-) ein _____ Fußgänger
7. (nächst-) am _____ Tag
8. (zehnt-) die _____ Reihe
9. (erst-) im _____ Rang
10. (äußer-) die _____ Mauer

INDIVIDUAL STUDY: SELF-TESTING

1. *traffic rule*
   die ______ — Verkehrsregel
2. *traffic violator*
   der ______ — Verkehrssünder
3. *traffic police*
   die ______ — Verkehrspolizei
4. *policeman*
   der ______ — Polizist
5. *plainclothesman*
   der ______ ______ ______ — Polizist in Zivil
6. *pedestrian*
   der ______ — Fußgänger
7. *motorist*
   der ______ — Autofahrer
8. *mayor*
   der ______ — Bürgermeister
9. *citizen*
   der ______ — Bürger
10. *intersection*
    die ______ — Straßenkreuzung
11. *sidewalk*
    der ______ — Bürgersteig
12. *city hall*
    das ______ — Rathaus

13. *to observe the traffic rules*
    die Verkehrsregeln ______ — beachten
14. *to wait for the green light*
    auf das grüne Licht ______ — warten
15. *to exchange roles*
    die Rollen ______ — vertauschen
16. *to mingle with the crowd*
    sich unter die Leute ______ — mischen
17. *to pick up the money*
    sich das Geld ______ — abholen
18. *to carry out the plan*
    den Plan ______ — durchführen
19. *to watch the other pedestrians*
    auf die andern Fußgänger ______ — aufpassen
20. *to stick to the rules*
    sich an die Regeln ______ — halten

21. *while the light is red*
    bei ______ ______ — rotem Licht

22. *in the middle of the traffic*
mitten ______ — im Verkehr
23. *next day*
am ______ ______ — nächsten Tag
24. *right across the street*
quer ______ ______ ______ — über die Straße
25. *from all sides*
von ______ ______ — allen Seiten
26. *during the weeks that followed*
in den ______ ______ — nächsten Wochen
27. *a fine sense of humor*
ein ______ ______ ______ ______ — feiner Sinn für Humor
28. *an embarrassing situation*
eine ______ ______ — peinliche Lage
29. *a good politician*
ein ______ ______ — guter Politiker
30. *Everybody knows that.*
Das ______ ______. — weiß jeder

31. Use the comparative form of the adjective.
an elderly lady
eine ______ Dame — ältere
32. *some younger people*
einige ______ Leute — jüngere
33. *a better-class hotel*
ein ______ Hotel — besseres
34. *the modern languages*
die ______ Sprachen — neueren
35. *a fairly large city*
eine ______ Stadt — größere
36. *a fairly high-ranking official*
ein ______ Beamter — höherer
37. *some minor* (smaller) *projects*
einige ______ Projekte — kleinere
38. *a fairly long conversation*
ein ______ Gespräch — längeres
39. *the fairly rich customers*
die ______ Kunden — reicheren
40. *the rather well-known politicians*
die ______ Politiker — bekannteren

41. Supply the adverbs suggested by the English equivalent.
(*surely*) Er wird ______ kommen. — sicherlich
42. (*hopefully*) Es wird ______ nicht regnen. — hoffentlich
43. (*admittedly*) Das ist ______ nicht billig. — freilich
44. (*probably*) Wir werden ______ hier bleiben. — wahrscheinlich

45. (*tentatively* Der Spielplan ist ______ geändert worden. — versuchsweise
46. (*step by step, little by little*) In dem Verkehr konnten wir nur ______ weiterkommen. — schrittweise
47. (*at times*) Wir werden ______ in der Universität sein. — zeitweise
48. (*nowhere*) Ein Verkehrspolizist war ______ zu sehen. — nirgends
49. (*at the latest*) Der Bus kommt ______ um halb neun. — spätestens
50. (*especially*) Ich habe mich ______ mit der Datenverarbeitung beschäftigt. — besonders

51. Supply the adverbial phrase suggested by the English equivalent.
(*in the following manner*) Die Geschichte geht ______ ______ ______ zu Ende. — auf folgende Weise
52. (*from all sides*) Er wurde ______ ______ ______ gefragt. — von allen Seiten
53. (*in a rush*) Wir mußten ______ ______ ______ das Gepäck holen. — in aller Eile
54. (*at leisure*) Er ging ______ ______ ______ über die Straße. — in aller Ruhe
55. (*on the spot*) Der Polizist hat ihn ______ ______ ______ angesprochen. — auf der Stelle
56. (*crisscross*) Die Fußgänger gingen ______ ______ ______ über den Platz. — kreuz und quer
57. (*not at all*) Sie wurden ______ ______ angesprochen. — überhaupt nicht
58. (*now and then*) Der Bürgermeister hat ______ ______ ______ eine besonders gute Idee. — dann und wann (*or* hin und wieder)
59. (*more or less*) Es ist ______ ______ ______ sicher, daß er wiedergewählt wird. — mehr oder weniger
60. (*for the third time*) Es ist aber nicht sicher, ob er ______ ______ ______ gewählt wird. — zum dritten Mal

61. Das Gegenteil von **ja** ist ______ — nein
62. richtig ______ — falsch
63. links ______ — rechts
64. kurz ______ — lang
65. leicht ______ — schwer
66. immer ______ — niemals
67. längs ______ — quer
68. kalt ______ — warm
69. nirgends ______ — überall
70. frühestens ______ — spätestens

71. Give the phrase with the opposite meaning.
zum letzten Mal ______ ______ ______ — zum ersten Mal

72. auf der rechten Seite ______ ______ ______ ______ — auf der linken Seite

73. die vordere Reihe ______ ______ ______ — die hintere Reihe

74. die oberen Zimmer ______ ______ ______ — die unteren Zimmer

75. viele Menschen ______ ______ — wenige Menschen

76. ein älterer Mann ______ ______ ______ — ein jüngerer Mann

77. die äußere Form ______ ______ ______ — die innere Form

78. die östliche Grenze ______ ______ ______ — die westliche Grenze

79. die liberale Partei ______ ______ ______ — die konservative Partei

80. der zentralistische Staat ______ ______ — der Bundesstaat

81. To emphasize the verb, one may start a sentence with **Es** and place the subject after the verb. The verb agrees in number with the subject, not with **es**.
Die Sonne scheint. Es ______ ______ ______. — scheint die Sonne

82. Das Geld fehlt. Es ______ ______ ______. — fehlt das Geld

83. Die Zeiten ändern sich. Es ______ ______ ______ ______. — ändern sich die Zeiten

84. Die Preise steigen. Es ______ ______ ______. — steigen die Preise

85. Die Kinder freuen sich. Es ______ ______ ______ ______. — freuen ich die Kinder

86. Die Vögel singen. Es ______ ______ ______. — singen die Vögel

87. Die Zeit vergeht. Es ______ ______ ______. — vergeht die Zeit

88. Der Frühling kommt. Es ______ ______ ______. — kommt der Frühling

89. Der Präsident spricht. Es ______ ______ ______. — spricht der Präsident

90. Die Wirtschaft blüht. Es ______ ______ ______. — blüht die Wirtschaft

91. Complete the sentence.
Autofahrer müssen die Verkehrsregeln ______. — beachten

92. Die Fußgänger warten ______ das grüne Licht. — auf

93. Ein Polizist in Zivil wird sich ______ die Leute mischen. — unter

94. Es ist möglich, daß er an einem Tage ______ nicht angesprochen wird. — überhaupt

95. Die Leute paßten sehr ______ auf. — scharf

96. Sie hielten sich streng ______ die Verkehrsregeln. — an

97. Niemand wollte in die ______ Lage kommen. — peinliche

98. Der Bürgermeister hatte einen ______ Sinn für Humor. — feinen

99. Sein Name wurde in den nächsten Wochen oft ______. — genannt

100. Alle ______, daß er gute Ideen habe. — fanden

Karneval in Köln. Im Rheinland wird von alters her jedes Jahr die Karnevalszeit mit festlichen Umzügen begangen.
Mardi Gras in Cologne. In the Rhineland, since ancient times, the period before the Lenten season has been celebrated each year with festive parades.

LEKTION ACHTZEHN

EINE JAHRMARKTSGESCHICHTE

Man kennt die Attraktionen, die auf einem Jahrmarkt geboten werden. Da gibt es die Berg- und Talbahn, die verschiedenen Karussells, usw. Aber dann und wann gibt es doch einmal etwas ganz Neues. Da war zum Beispiel einem Mann der Gedanke gekommen, mit seinen eigenen Muskeln auf leichte Weise ein Geschäft zu machen.

Er hatte es sich sehr einfach gemacht. Alles, was er brauchte, war etwas Wasser und ein paar Handtücher. Ein Brettergerüst diente ihm als Bühne, von der herab er die Zuschauer ansprach und auf der auch die Schau stattfand. Seine Frau saß an der Kasse an dem einen Ende des Gerüsts. Da konnten die Leute ihre Karten kaufen.

Da stand nun der starke Mann auf seiner Bühne und schrie ins Publikum. Er sprach besonders zu den starken Männern, falls es starke Männer unter den jungen Leuten gebe. Sie standen da unten vor ihm Arm in Arm mit ihren Mädchen und wollten etwas Neues sehen. Das sei alles so einfach, schrie der starke Mann. Man könne sich leicht fünfzig Mark verdienen. Man müsse sich da nur ein wenig anstrengen. „Hier dieses Handtuch!", sagte der Mann. Er tauchte das Handtuch ins Wasser. „Sehen Sie—so! Dann wringe ich es aus! So—sehen Sie—und so!" Er stöhnte bei der Arbeit. Kein Tropfen war mehr aus dem feuchten Handtuch herauszuwringen. „Sehen Sie", sagte er, „und jetzt, meine Herren, haben Sie die Gelegenheit, leicht fünfzig Mark zu verdienen. Kommen Sie her und zeigen Sie, daß Sie ein Kerl sind! Für eine Mark dürfen Sie dieses ausgewrungene Handtuch noch einmal wringen. Und wenn Sie auch nur einen Tropfen herauspressen, haben Sie die fünfzig Mark gewonnen. Kein Wenn und Aber! Versuchen Sie Ihr Glück! Was können Sie verlieren? Eine ganze Mark kostet Sie das Vergnügen. Zeigen Sie Ihrer Dame, welche Kraft in Ihren Armen steckt! Kommen Sie, meine Herren! Nicht drängen! Bitte hier zur Kasse!"

der **Jahrmarkt, ¨-e** *fair*

die **Berg- und Talbahn, -en** *roller coaster*
[der **Berg, -e** *mountain;*
das **Tal, ¨-er** *valley*]
das **Karussell, -s** *merry-go-round*
der **Muskel, -n** *muscle*

das **Wasser** *water*
das **Brettergerüst** *board scaffold*
[das **Brett, -er** *board*]
herab *down*
die **Schau** *show*
stattfinden, a, u *to take place*

schreien, ie, ie *to scream, shout*
das **Publikum** *audience*
falls *in case*

da unten *down there*

verdienen *to earn*

sich anstrengen *to make an effort*
tauchen *to dip*
auswringen, a, u *to wring out*

stöhnen *to moan, groan*
der **Tropfen, -** *drop*
feucht *moist*
heraus *out*
die Gelegenheit, -en *opportunity*
der **Kerl, -e** *(real) man*

herauspressen *to press out*

gewinnen, a, o *to win*

das **Glück** *luck*
verlieren, o, o *to lose*
das **Vergnügen** *fun*
die **Kraft, ¨-e** *strength*
der **Arm, -e** *arm*
stecken *to be*
(sich) drängen *to shove (one's way)*

Immer gab es zehn bis zwölf junge Männer, die sich nach einer solchen Rede zur Kasse drängten. Der Mann konnte mit seinem Geschäft zufrieden sein. Nie gelang es auch nur einem einzigen, aus dem feuchten Tuch weitere Tropfen herauszuwringen.

Bis es dann schließlich doch geschah. Am dritten Tag des Jahrmarkts kam, was kommen mußte. Der starke Mann hatte wieder einmal seine Rede gehalten und die jungen Leute zur Kasse gebeten. Einige, die ihr Glück versuchen wollten, warteten in der Reihe. Unter ihnen war dieses Mal ein unscheinbares Männlein, nicht mehr jung, mit wenig Haar und mit einer Brille. Er sah nicht aus wie ein starker Mann. Die Leute sahen sich heimlich an. Da war etwas Außergewöhnliches zu erwarten.

Sechs jungen Männern war es nicht gelungen, auch nur einen Tropfen aus dem Handtuch herauszupressen. Jetzt war das Männlein an der Reihe. Und sieh da!—Es gelang ihm. Nicht nur einen Tropfen, sondern zwei, drei, vier wrang er aus dem Tuch heraus. Die Menschen jubelten. Lächelnd reichte er dem starken Mann das Tuch zurück. Dem war gar nicht nach einem Lächeln zumute.

„Mann, wie haben Sie das gemacht? Was sind Sie von Beruf?", fragte er. Noch immer lächelnd sagte der andere bescheiden: „Ich bin Beamter bei der Steuerbehörde."

solch *such*
zufrieden *satisfied*
nie *never*
gelingen, a, u (*dat.*) *to succeed*
schließlich *finally*
unscheinbar *inconspicuous*
die **Brille, -n** *glasses*
heimlich *secret(ly), furtive(ly)*
außergewöhnlich *extraordinary*
erwarten *to expect*
er ist an der Reihe *it is his turn*
jubeln *to applaud, rejoice*
zurück *back*
lächeln *to smile*
zumute sein (*dat.*) *to feel like*
bescheiden *modest(ly)*
die **Steuerbehörde** *Internal Revenue Service*

WORD STUDY

NOUNS		VERBS and OTHER WORDS	
1. der **Schluß**	*end, finish*	**schließen, schloß, geschlossen**	*to close, finish*
		schließlich	*finally*
2. der **Schein**	*shine*	**scheinen, schien, geschienen**	*to shine; seem, appear*
der **Sonnenschein**	*sunshine*	**scheinbar**	*seeming(ly)*
		unscheinbar	*inconspicuous*
3. die **Gewohnheit, -en**	*custom*	**sich an** (etwas) **gewöhnen**	*to get used to*
		gewöhnlich	*usual, ordinary*
		ungewöhnlich	*unusual*
		außergewöhnlich	*extraordinary*

NOUNS		*VERBS and OTHER WORDS*	
4. das **Lachen**	*laughter*	**lachen**	*to laugh*
das **Lächeln**	*smile*	**lächeln**	*to smile*
		lächelnd	*smiling*
5. das **Tuch, ¨er**	*piece of cloth*		
das **Handtuch, ¨er**	*towel*		
die **Tasche, -n**	*pocket*		
das **Taschentuch, ¨er**	*handkerchief*		
das **Putztuch, ¨er**	*polishing cloth*	**putzen**	*to clean*

LEIDER!

So ist's in alter Zeit gewesen,
So ist es, fürcht ich, auch noch heut.
Wer nicht besonders auserlesen,
Dem macht die Tugend Schwierigkeit.

Aufsteigend mußt du dich bemühen,
Doch ohne Mühe sinkest du.
Der liebe Gott muß immer ziehen,
Dem Teufel fällt's von selber zu.

Wilhelm Busch

auserlesen *privileged, selected*
die **Tugend, -en** *virtue*
die **Schwierigkeit, -en** *difficulty*
aufsteigen, ie, ie (sein) *to climb; rise*
sich bemühen *to make an effort*
sinken, a, u (sein) *to sink*
lieb *dear*
der **Teufel** *devil*
von selber *of itself, without an effort*
zufallen, ie, a (sein) (*dat.*) *to come to*

ANTWORTEN SIE auf deutsch, bitte!

1. Auf welchen Gedanken war der Mann gekommen? — Er wollte mit seinen eigenen Muskeln....
2. Was brauchte er für seine Schau? — Er brauchte nur....
3. Was tat seine Frau dabei? — Seine Frau saß....
4. Wen sprach der Mann besonders an? — Er sprach besonders....
5. Wie konnte man sich fünfzig Mark verdienen? — Man mußte....
6. Warum ging das Geschäft so gut? — Viele junge Männer....
7. Wem gelang es schließlich, einige Tropfen aus dem Tuch zu wringen? — Am dritten Tag gelang es....
8. Welchen Beruf hatte der kleine Mann? — Er war....

Feuerfresser auf dem Jahrmarkt. Auch in der modernen Industriegesellschaft läßt man sich noch gern von dem „Unerklärlichen", dem „Unglaublichen" faszinieren.

A fire-eater at the fair. Even in modern industrialized society, people gladly let themselves be fascinated by the "unexplainable" and the "unbelievable."

GRAMMAR

I. *DIRECTIONAL AND POSITIONAL ADVERBS*

> Ein Brettergerüst diente ihm als Bühne, von der **herab** er die Zuschauer ansprach.
> Sie standen da **unten** vor ihm.
> Nicht nur einen Tropfen wrang er aus dem Tuch **heraus.**

1. The directional adverbs **hin** *that way* and **her** *this way* indicate direction as seen from the viewpoint of the speaker. **Hin** means away from the speaker, **her** means towards the speaker.

2. **Hin** and **her** often occur as separable prefixes in combination with verbs.

hingehen: Wir gehen ins Theater. Gehen Sie auch hin?
herkommen: Kommen Sie doch bitte her!

3. **Hin** and **her** are used with certain prepositions to form composite directional adverbs. Directional adverbs express the direction of movement. To express location, the corresponding positional adverb must be used instead.

PREPOSITIONS	*DIRECTIONAL ADVERBS*	*POSITIONAL ADVERBS*
auf	hinauf, herauf	oben
unter	hinunter, herunter	unten
aus	hinaus, heraus	draußen
über	hinüber, herüber	drüben
in	hinein, herein	drinnen
ab	hinab, herab	———

Here are several examples of usage:

PREPOSITIONAL PHRASE	*DIRECTIONAL ADVERB*	*POSITIONAL ADVERB*
auf dem Berge	Er geht hinauf. Er kommt herauf.	Er steht oben.
unter dem ersten Rang	Er geht hinunter. Er kommt herunter.	Er sitzt unten.
aus dem Zimmer	Er geht hinaus. Er kommt heraus.	Er steht draußen.
über die Straße	Er geht hinüber. Er kommt herüber.	Er ist drüben.
in dem Zimmer	Er geht hinein. Er kommt herein.	Er ist drinnen.

4. A few other positional adverbs form composite directional adverbs by adding **hin** and **her** as second components.

POSITIONAL ADVERB	*DIRECTIONAL ADVERB*
hier	hierhin, hierher
da	dahin, daher
dort	dorthin, dorther

Examples of the usage of these adverbs:

Er ist hier.	Er setzt sich hierhin.
	Er kommt hierher.
Er ist da.	Er geht dahin.
	Wir kommen gerade daher.
Dort ist die Gelegenheit.	Dorthin wollen wir gehen.
	Dorther hört man Musik.

5. The interrogative **wo?** also combines with **hin** and **her**.

wo?	wohin?, woher?
Wo bist du?	Wohin gehst du? (*colloquial:* Wo gehst du hin?)
	Woher kommst du? (*colloquial:* Wo kommst du her?)

EXERCISES

A. Use the directional adverbs with **hin-**, indicating movement away from the speaker (or observer).

Example: Er geht aus dem Haus.
Er geht ______.
Er geht hinaus.

1. Der Junge trägt das Gepäck ins Zimmer.
   Der Junge trägt das Gepäck ______.
2. Bei starkem Verkehr soll man nicht über die Straße gehen.
   Er geht aber doch ______.
3. Unter der Brücke liegt ein Mann.
   Der Polizist geht zu ihm ______.
4. Die Mutter sagt zu dem Kind: „Fall nicht aus dem Wagen!"
   Sie sagt: „Fall nicht ______!"
5. Die Jungen steigen immer über die Mauer.
   Sie steigen immer ______.
6. Der starke Mann steht auf dem Gerüst.
   Die jungen Kerle steigen zu ihm ______.
7. Der Kranke liegt in einem ruhigen Zimmer.
   Seine Tochter geht zu ihm ______.
8. Der Geschäftsmann fliegt einmal im Monat über den Atlantik.
   Er fliegt einmal im Monat ______.

B. Use the directional adverbs with **her-**, indicating movement toward the speaker (or observer).

Example: Der Mann steht auf der Bühne.
Er sagt: „Kommen Sie ______!"
Er sagt: „Kommen Sie herauf!"

1. Die Wirtin führt den Herrn zu uns in das Zimmer.
   Sie führt ihn zu uns ______.
2. Unser Haus steht oben auf dem Berg.
   Die Straße führt ganz zu uns ______.

Jung und Alt strömt herbei, wenn der Jahrmarkt ins Dorf oder in die Stadt kommt.

Young and old flock to the fair when it comes to the village or city.

3. Der Schlüssel fällt aus der Tasche.
   Der Schlüssel fällt ______.
4. Ich sitze hier und möchte, daß Sie zu mir ins Zimmer kommen.
   Ich sage: „Kommen Sie ______!"
5. Hole mir doch bitte den Mantel aus dem Zimmer!
   Hole mir doch bitte den Mantel ______!
6. Er steigt zu uns in den Zug.
   Er steigt zu uns ______.
7. Passen Sie auf! Das Kind fällt fast aus dem Fenster!
   Das Kind fällt fast ______!
8. Der Polizist kommt zu uns über die Straße.
   Er kommt zu uns

C. Use the appropriate positional adverb.

Example: Er steigt hinauf. Er steht ______.
Er steigt hinauf. Er steht oben.

1. Die Zuschauer kommen aus dem Theater. Die meisten sind schon ______.
2. Die Jungen steigen über die Mauer. Ein Junge ist schon ______.
3. Der letzte Arbeiter steigt von dem Gerüst herunter. Die andern sind schon ______.
4. Der eine kommt den Berg herauf. Der andere wartet schon ______.
5. Gehen Sie hinaus auf die Straße. Der Fahrer wartet ______.
6. Dein Buch liegt unter den andern Büchern. Es liegt ganz ______.
7. Die Zeitung von heute liegt auf den andern Zeitungen. Sie liegt ganz ______.
8. Steigen Sie schnell ins Auto! Die andern sitzen schon ______.

II. SICH *AS A RECIPROCAL PRONOUN*

Die Leute sahen **sich** heimlich an.

1. Previously (see pp. 128, 173) we learned that the reflexive pronoun may be dative or accusative. Further examples of both types appeared in this chapter.

a. Reflexive pronoun as a dative.

sich etwas verdienen	Man kann sich leicht fünfzig Mark verdienen. Ich verdiene **mir** etwas.
sich etwas einfach machen	Er hatte es sich sehr einfach gemacht. Du machst es **dir** zu einfach.

b. Reflexive pronoun as an accusative.

sich anstrengen	Man muß sich nur ein wenig anstrengen. Ich muß **mich** sehr anstrengen.
sich drängen	Die jungen Männer drängten sich zur Kasse. Ich dränge **mich** nicht dazu.

2. The reflexive pronoun is also used as a reciprocal pronoun meaning *each other*.

sich ansehen	Die Leute sahen sich heimlich an.	*People looked at each other furtively.*
sich begrüßen	Die Nachbarn begrüßen sich auf der Straße.	*The neighbors greet each other on the street.*
sich schreiben	Wir schreiben uns immer zum Geburtstag.	*We always write to each other for our birthdays.*
sich lieben	Die beiden jungen Menschen lieben sich.	*The two young people love each other.*

3. In meticulous style and whenever necessary to avoid ambiguity, one may replace **sich** by **einander**, which also means *each other*.

Sie lieben einander.
Wir sehen einander jeden Tag.

4. If a preposition precedes **einander**, it is combined with it to form one word.

Sie spielen miteinander.	*They play with each other.*
Wir denken oft aneinander.	*We often think of one another.*

EXERCISES

A. Write the following sentences and insert the correct reflexive pronouns.

Example: Ich habe es ______ schon gedacht.
Ich habe es mir schon gedacht.

1. Du bist nicht mehr jung. Du mußt es ______ etwas leichter machen.
2. Ich will ______ die fünfzig Mark verdienen.
3. Ich brauche ______ gar nicht anzustrengen.
4. Ich werde ______ das Geld bei der Bank abholen.

5. Du mußt ______ streng an die Verkehrsregeln halten.
6. Du mußt ______ das neue Fernsehprogramm ansehen.
7. Das haben wir ______ ganz anders gedacht.
8. Ihr habt ______ noch nie zur Arbeit gedrängt.
9. Ich werde ______ unter die Leute mischen.
10. Ich muß ______ mit der Sache beschäftigen.

B. Write the following sentences and insert the reflexive pronouns meaning *each other*.

Example: Wann sehen wir ______ morgen?
Wann sehen wir uns morgen?

1. Die beiden Damen kennen ______ schon seit vielen Jahren.
2. Sie schreiben ______ jedes Jahr.
3. Meine Schwester wohnt auch in der Nähe der Universität. Wir besuchen ______ oft.
4. Die beiden Herren sprechen ja miteinander. Kennen sie ______?
5. Wir haben ______ so lange nicht gesehen.
6. Habt ihr ______ denn erkannt?
7. Die beiden Kinder spielen miteinander. Sie verstehen ______ gut.
8. Der Bürgermeister und der Direktor begrüßten ______ im Theater.
9. Sie gaben ______ die Hand.
10. Als der kleine Mann auf die Bühne stieg, sahen wir ______ an.

III. SEIN *PLUS INFINITIVE*

Kein Tropfen **war** mehr aus dem feuchten Handtuch **herauszuwringen.**
Da **war** etwas Außergewöhnliches **zu erwarten.**

1. The verb **sein** may be combined with an infinitive with **zu**. Although the infinitive is active in form it is passive in meaning.

Das ist zu bezahlen. *That is to be paid.*

2. The construction **sein** plus infinitive is equivalent to a passive sentence with the modal verbs **sollen**, **müssen**, or **können**.

Das ist zu bezahlen. *or* Das muß bezahlt werden.
Das ist zu erwarten. *or* Das kann erwartet werden.

3. If the infinitive contains a separable prefix, **zu** appears as an infix between the prefix and the verb.

herauswringen: Kein Tropfen war mehr **herauszuwringen.**
abholen: Das Geld ist **abzuholen.**

4. In order to change a passive to an active sentence, the impersonal pronoun **man** must be used as the subject of the active sentence.

Das ist zu bezahlen.	Man muß das bezahlen.
Das ist zu erwarten.	Man kann das erwarten.
Kein Tropfen war mehr herauszuwringen.	Man konnte keinen Tropfen mehr herauswringen

Oktoberfest in München. Die Kellnerin muß unheimliche Mengen Bier schleppen.
Octoberfest in Munich. The waitress must tote tremendous quantities of beer.

EXERCISES

A. Restate the sentences using **sein** plus infinitive.

Example: Das konnte nicht erwartet werden.
Das war nicht zu erwarten.

1. Fünfzig Mark konnten leicht verdient werden.
2. Die Karten mußten an der Kasse gekauft werden.
3. Das Geschäft konnte schnell gemacht werden.
4. Das Geld konnte gut gebraucht werden.
5. Der Brief sollte in aller Eile geschrieben werden.
6. Neue Kleider mußten gekauft werden.
7. Fabriken und Häuser mußten gebaut werden.
8. Ein dichtes Straßennetz mußte angelegt werden.
9. Die Pläne konnten noch geändert werden.
10. Die Musik konnte leider nicht gehört werden.

B. Restate the sentences using **sein** plus infinitive.

Example: Man kann das nicht verstehen.
Das....
Das ist nicht zu verstehen.

1. Man kann die Arbeit nicht machen.
   Die Arbeit....
2. Man kann leicht fünfzig Mark verdienen.
   Fünfzig Mark....
3. Man muß die Verkehrsregeln beachten.
   Die Verkehrsregeln....
4. Man kann das nicht beweisen.
   Das....
5. Man kann hier etwas Außergewöhnliches sehen.
   Etwas Außergewöhnliches....
6. Man kann die Bücher nicht kaufen.
   Die Bücher....
7. Man kann das Gepäck nicht finden.
   Das Gepäck....
8. Man soll die Rollen vertauschen.
   Die Rollen....
9. Man muß das Geld bald abholen.
   Das Geld....
10. Man kann etwas Besonderes erwarten.
    Etwas Besonderes....

IV. *COMPOUND NOUNS*

eine **Jahrmarktsgeschichte**
die **Berg- und Talbahn**

1. German has a large number of compounded words. Students of the language should acquire the habit of analyzing compounded words into their components.

2. Compound nouns have the gender of their last component.

die Industrie + **der** Arbeiter = **der** Industriearbeiter
der Raum + **die** Fahrt = **die** Raumfahrt

3. A connective **-s-** or **-es-** is often inserted between the components, but no rules for the appearance of the **-(e)s-** can be established.

die Geburt + der Tag = der Geburt**s**tag
der Staat + der Bürger = der Staat**s**bürger
der Bund + die Regierung = die Bund**es**regierung

4. A connective **-n-** is also common in compounds.

die Sonne + der Schein = der Sonne**n**schein
die Woche + das Ende = das Woche**n**ende

5. Compound nouns may consist of more than two components.

das Jahr + der Markt + die Geschichte = die **Jahrmarktsgeschichte**
der Vogel + der Flug + die Linie = die **Vogelfluglinie**
die Welt + der Raum + die Forschung = die **Weltraumforschung**

6. When two or more compound words, each with the same last component, appear in a series, this component is retained only in the final word of the series. The omission of the component from the earlier word or words is indicated in writing by a hyphen.

die Berg**bahn** + die Tal**bahn** = die **Berg- und Talbahn**
die Holz**industrie** + die Papier**industrie** = die **Holz- und Papierindustrie**
Ost**berlin** + West**berlin** = **Ost- und Westberlin**

EXERCISES

A. Form compounds with the following nouns without adding a connective.

Example: das Theater, die Kasse
die Theaterkasse

1. die Hand, das Tuch
2. das Personal, die Abteilung
3. der Kern, die Forschung
4. die Steuer, die Behörde
5. das Auto, der Fahrer
6. die Stadt, der Staat
7. die Kugel, der Schreiber
8. die Reklame, das Fernsehen
9. das Konzert, die Halle
10. die Schwester, die Partei

B. Form compounds with the following nouns using the connective **-(e)s-**.

Example: das Geschäft, der Mann
der Geschäftsmann

1. die Zeitung, die Anzeige
2. der Verkehr, der Polizist
3. die Arbeit, der Platz
4. das Amt, die Zeit
5. der Bund, der Kanzler
6. die Gesellschaft, die Ordnung
7. das Jahr, die Produktion
8. der Staat, das Oberhaupt
9. der Tag, die Zeitung
10. das Leben, der Standard

C. Form compounds with the following nouns using the connective **-n-**.

Example: die Schraube, der Schlüssel
der Schraubenschlüssel

1. die Straße, die Bahn
2. das Auge, der Blick
3. die Woche, das Blatt
4. die Tasche, das Tuch
5. die Sonne, der Schein
6. die Fernstraße, das Netz
7. der Kunde, der Kreis
8. die Woche, das Ende
9. die Familie, der Vater
10. die Stelle, die Anzeige

INDIVIDUAL STUDY: SELF-TESTING

1. water
   das ______ — Wasser
2. *towel*
   das ______ — Handtuch
3. *drop*
   der ______ — Tropfen
4. *pair of glasses*
   die ______ — Brille
5. *opportunity*
   die ______ — Gelegenheit
6. *luck*
   das ______ — Glück
7. *fun*
   das ______ — Vergnügen
8. *strength*
   die ______ — Kraft
9. *muscle*
   der ______ — Muskel
10. *show*
    die ______ — Schau

11. *to scream*
    ______ — schreien
12. *The man screamed.*
    Der Mann ______. — schrie
13. *to take place*
    ______ — stattfinden
14. *The show took place.*
    Die Schau ______ ______. — fand statt
15. *The show has not taken place yet.*
    Die Schau hat noch nicht ______. — stattgefunden
16. *to make an effort*
    sich ______ — anstrengen
17. *Nobody made an effort.*
    Niemand ______ ______ ______. — strengte sich an
18. *One has to make some effort.*
    Man muß sich ______ ______ ______. — ein wenig anstrengen
19. *to win*
    ______ — gewinnen
20. *You have won!*
    Sie ______ ______! — haben gewonnen
21. *to lose*
    ______ — verlieren
22. *You have lost!*
    Sie ______ ______! — haben verloren
23. *He lost all his money.*
    Er ______ sein ganzes Geld. — verlor

24. *He does not succeed.*
Es ______ ihm nicht. — gelingt

25. *He did not suceed.*
Es ______ ihm nicht. — gelang

26. *Six men had not succeeded.*
Sechs Männern ______ ______ ______ ______. — war es nicht gelungen

27. *It is his turn.*
Er ist ______ ______ ______. — an der Reihe

28. *He waited in line.*
Er wartete ______ ______ ______. — in der Reihe

29. *What do you do for a living?*
Was ist ______ ______? — Ihr Beruf

30. *He did not feel like smiling.*
Ihm war gar nicht ______ ______ ______ ______. — nach einem Lächeln zumute

31. *a strong man*
ein ______ ______ — starker Mann

32. *an inconspicuous little man*
ein ______ ______ — unscheinbares Männlein

33. *in an easy way*
auf ______ ______ — leichte Weise

34. *a moist towel*
ein ______ ______ — feuchtes Handtuch

35. *after such a speech*
nach einer ______ ______ — solchen Rede

36. The reflexive pronoun may be dative or accusative. If a verb has a reflexive pronoun and an accusative object, the reflexive pronoun is always in the dative.
You can earn yourself fifty marks.
Du kannst ______ fünfzig Mark verdienen. — dir

37. *You have only to make a little effort.*
Du mußt ______ nur ein wenig anstrengen. — dich

38. *You can make life a little easier for yourself.*
Du kannst ______ das Leben ein bißchen leichter machen. — dir

39. *You need not shove your way to the box office.*
Du brauchst ______ nicht zur Kasse zu drängen. — dich

40. *You must stick to the rules.*
Du mußt ______ an die Regeln halten. — dich

41. *You must go and see the new play.*
Du mußt ______ das neue Stück ansehen. — dir

42. *I had expected it to be quite different.*
Ich hatte es ______ ganz anders gedacht. — mir

43. *I shall pick up the money at the city hall.*
Ich werde ______ das Geld im Rathaus abholen. — mir

44. *You can work your way to an independent position.*
Du kannst ______ eine selbständige Position erarbeiten. — dir

45. *You have to concern yourself with data processing.*
Du mußt ______ mit Datenverarbeitung beschäftigen. — dich

46. The reflexive pronoun can also be used as a reciprocal pronoun meaning *each other.*
We often write to each other.
Wir schreiben ______ oft. — uns

47. *We do not see each other every day.*
Wir sehen ______ nicht jeden Tag. — uns

48. *Do you visit each other often?*
Besucht ihr ______ oft? — euch

49. *Do you know each other?*
Kennt ihr ______? — euch

50. *They looked at each other.*
Sie sahen ______ an. — sich

51. The construction **sein** plus infinitive is equivalent to a passive sentence with **sollen, müssen**, or **können**. Use a form of **sein** + infinitive.
Das kann gemacht werden.
Das ist ______ ______. — zu machen

52. Das Buch kann nirgends gekauft werden.
Das Buch ______ ______ ______ ______. — ist nirgends zu kaufen

53. Die Lektionen müssen gelernt werden.
Die Lektionen ______ ______ ______. — sind zu lernen

54. Der Präsident soll alle vier Jahre gewählt werden.
Der Präsident ______ ______ ______ ______ — ist alle vier Jahre zu wählen

55. Die Situation kann nicht geändert werden.
Die Situation ______ ______ ______ ______. — ist nicht zu ändern

56. Das Tuch muß ausgewrungen werden.
Das Tuch ______ ______. — ist auszuwringen

57. Der Plan muß durchgeführt werden.
Der Plan ______ ______. — ist durchzuführen

58. Die Verkehrssünder müssen angesprochen werden.
Die Verkehrssünder ______ ______. — sind anzusprechen

59. Das Geld kann morgen abgeholt werden.
Das Geld ______ ______ ______. — ist morgen abzuholen

60. Der Brief muß vertraulich behandelt werden.
Der Brief ______ ______ ______ ______. — ist vertraulich zu behandeln

61. An active sentence with **Man kann** is equivalent to a construction with **sein** + infinitive.
Man kann ihn nicht sehen.
Er ist ______ ______ ______. — nicht zu sehen

62. Man kann bald besondere Nachrichten erwarten.
Besondere Nachrichten ______ ______ ______ ______. — sind bald zu erwarten

63. Man kann den ersten Preis gewinnen.
Der erste Preis ______ ______ ______. — ist zu gewinnen

64. Man kann die Zahlen nicht beweisen.
Die Zahlen ______ ______ ______ ______. — sind nicht zu beweisen

65. Man kann solche Meinung nicht vertreten.
Solche Meinung ______ ______ ______ ______. — ist nicht zu vertreten

66. Form a compound.
das Theater, die Kasse
______ ______ — die Theaterkasse

67. die Wirtschaft, die Gemeinschaft
______ ______ — die Wirtschaftsgemeinschaft

68. der Bund, die Republik
______ ______ — die Bundesrepublik

69. der Verkehr, die Regel
______ ______ — die Verkehrsregel

70. die Familie, der Vater
______ ______ — der Familienvater

71. die Woche, das Ende
______ ______ — das Wochenende

72. die Stadt, der Staat
______ ______ — der Stadtstaat

73. der Durchgang, der Verkehr
______ ______ — der Durchgangsverkehr

74. der Tag, die Zeitung
______ ______ — die Tageszeitung

75. die Bretter, das Gerüst
______ ______ — das Brettergerüst

76. Supply a positional adverb.
Er steigt auf den Berg.
Schließlich ist er ______. — oben

77. Er steigt von der Bühne.
Dann ist er ______. — unten

78. Er geht in das Zimmer.
Nun ist er ______. — drinnen

79. Er kommt aus dem Haus.
Dann steht er ______. — draußen

80. Er geht über die Straße.
Dann ist er ______. — drüben

81. Supply a directional adverb with **hin-** or **her-**.
Er fährt auf den Berg.
Er fährt ______. — hinauf

82. Er kommt vom Berg in das Tal.
Er kommt ______. — herunter

83. Er geht aus dem Zimmer.
Er geht ______. — hinaus

84. Er kommt aus der Tür.
Er kommt ______. — heraus

85. Er geht zu den andern über die Straße.
Er geht zu den andern ______. — hinüber

86. Er kommt zu mir über die Straße.
Er kommt zu mir ______. — herüber

87. Er taucht das Handtuch ins Wasser.
Er taucht es ______. — hinein

88. Der Herr kommt zu uns ins Zimmer.
Der Herr kommt ______. — herein

89. Der Mann steht auf dem Brettergerüst.
Er sagt zu den jungen Leuten:
„Kommen Sie ______!" — herauf

90. Wir sehen vom Fenster auf die Straße.
Wir sehen ______. — hinunter (*or* hinaus)

91. Complete the sentence.
Ihm war der Gedanke ______, auf leichte Weise ein Geschäft zu machen. — gekommen

92. Ein Brettergerüst diente als Bühne, auf der die Schau ______. — stattfand

93. Da stand nun der starke Mann auf seiner Bühne und schrie ins ______. — Publikum

94. Er sprach besonders zu den starken Männern, ______ es starke Männer unter den jungen Leuten gebe. — falls

95. Immer gab es junge Männer, die sich zur Kasse ______. — drängten

96. Er wrang das Tuch aus. „So—sehen Sie—und so!" Er ______ bei der Arbeit. — stöhnte

97. Nie ______ es auch nur einem einzigen, aus dem Tuch weitere Tropfen herauszupressen. — gelang

98. Nie ist es auch nur einem einzigen ______. — gelungen

99. Wird es dem unscheinbaren Männlein ______? — gelingen

100. Dem andern war gar nicht nach einem Lächeln ______. — zumute

Mandje, Mandje! Timpe te!
Fischchen, Fischchen in der See!
Meine Frau, die Ilsebill,
Will nicht so, wie ich gern will.

Mandje, Mandje! Timpe te!
Fischchen, Fischchen in der See!
Meine Frau, die Ilsebill,
Will nicht so, wie ich gern will.

Mandje, Mandje! Timpe te!
Little fishes in the sea!
My wife, old Ilsebill,
Always contradicts my will.

Das alte Motiv von den Wünschen, die dem Menschen erfüllt werden und die ihn doch nicht glücklich machen, findet sich in dem Märchen „Von dem Fischer und seiner Frau."
The old motif of wishes whose fulfillment fails to make a man happy is found in (*Grimm's*) *fairy tale "The Fisherman and His Wife."*

LEKTION NEUNZEHN

DREI WÜNSCHE

An der Küste weiß man nie, wie das Wetter wird. Wenn wir auch im Radio gehört hatten, daß es trocken und warm sein würde, so regnete es doch von früh bis spät.

Wir waren übers Wochenende an die See gefahren. Wir—das waren zwölf junge Leute, sechs Mädchen und sechs Jungen. Es war im Juli und eigentlich konnte man schon erwarten, daß es bei dem frischen Ostwind trocken bleiben würde. Aber nein, es regnete in Strömen.

Wir saßen in der Jugendherberge, spielten und sangen Lieder. Aber das kann man nicht den ganzen Tag machen. Schließlich wurden Geschichten erzählt, und dann kamen wir ins Diskutieren. Die Frage war: was würde man sich wünschen, wenn man sich etwas wünschen dürfte. Das ist für die Menschen schon immer ein reizvoller Gedanke gewesen. In den Märchen der Welt findet man das Motiv immer wieder. Da ist es vielleicht die weise Frau, die drei Wünsche zu erfüllen verspricht, oder es ist der Fisch, der eigentlich ein Prinz ist und nachdem er frei wird, dem Menschen seine Wünsche erfüllt. Nie gelingt es dem Menschen, die richtigen Wünsche zu nennen. Nie ist er wirklich glücklich, wenn sie erfüllt sind.

Was heißt eigentlich glücklich sein? Darüber diskutierten wir lange. Den Regen hatten wir ganz vergessen. Es zeigte sich sehr deutlich, wie anders jeder von uns über sein Leben nachgedacht hatte. Die meisten wünschten sich Gesundheit und ein langes Leben. Aber drei Wünsche sollten nur erlaubt sein. Wir waren nun bei dem wichtigen letzten Wunsch. Mehrere nannten Reichtum. Einige der Mädchen gaben zu, daß ihnen Schönheit wichtiger sei. An Stelle von Reichtum wurde von andern Intelligenz gesetzt. Einer fragte, ob nicht künstlerische Schaffenskraft das Höchste sei, was der Mensch sich wünschen könnte.

So diskutierten wir weiter. Obgleich viele Vorschläge gemacht worden waren, schien es doch, als wenn es keine Antwort gäbe,

der **Wunsch, ⸚e** *wish*
die **Küste, -n** *coast*
wenn auch *even though*
trocken *dry*
die **See** *ocean*
eigentlich *really*
der **Strom, ⸚e** *stream, torrent*
die **Jugendherberge, -n** *youth hostel*
das **Lied, -er** *song*
erzählen *to tell*
wünschen *to wish*
reizvoll *attractive*
das **Märchen, -** *fairy tale*
das **Motiv, -e** *motif*
weise *wise*
erfüllen *to fulfill*
versprechen, a, o *to promise*
der **Prinz, -en** *prince*
nachdem *after*
wirklich *real(ly)*
glücklich *happy*
der **Regen** *rain*
nachdenken, a, a *to think*
die **Gesundheit** *health*
der **Reichtum** *wealth*
zugeben, a, e *to admit*
die **Schönheit** *beauty*
setzen *to put*
künstlerisch *artistic*
die **Schaffenskraft** *creativeness*
hoch, höher, höchst- *high, higher, highest*
obgleich *although*
der **Vorschlag, ⸚e** *suggestion*
als wenn *as if*

die wir alle richtig fanden. Da ließ unerwartet einer sich hören, der gewöhnlich zu den Stillen gehörte. Er erzählte keine Geschichten, er trug meistens nicht viel zur Unterhaltung bei. Aber jetzt wollte er doch auch einmal seine Meinung sagen. Es sei gar nicht so wichtig, meinte er, was man als ersten oder zweiten Wunsch nenne. Wichtig sei nur, daß man sich als dritten Wunsch drei weitere Wünsche ausbedinge. Das könne dann so weiter gehen, bis man sich alles gewünscht hätte, was man wolle.

Wir waren alle von seinen Worten verblüfft. Etwas Besseres fiel auch uns nicht ein.

unerwartet *unexpected(ly)*
still *quiet*
beitragen, u, a *to contribute*
die **Unterhaltung** *conversation*
ausbedingen *to stipulate*
verblüfft *nonplussed*

WORD STUDY

	NOUNS		VERBS and OTHER WORDS	
1.	der **Regen**	*rain*	**regnen**	*to rain*
			es regnet in Strömen	*it's raining cats and dogs*
			regnerisch	*rainy*
2.	der **Reiz, -e**	*charm, stimulus*	**reizen**	*to charm, stimulate*
			reizend	*charming, nice*
			reizvoll	*attractive*
3.	das **Versprechen**	*promise*	**versprechen, a, o**	*to promise*
			vielversprechend	*promising*
4.	die **Erlaubnis**	*permission*	**erlauben**	*to permit, allow*
			erlaubt [*opposite:* **verboten**]	*permitted* [*forbidden*]
5.	die **Unterhaltung**	*conversation, entertainment*	**unterhalten, ie, a**	*to entertain; maintain*
			sich unterhalten	*to chat*

ANTWORTEN SIE auf deutsch, bitte!

1. Wer war übers Wochenende an die See gefahren? — Zwölf junge Leute waren....
2. Wie war das Wetter an der See? — Es regnete....
3. Von woher kam der Wind? — Der Wind....
4. Wohin gingen sie, als es immer weiter regnete? — Sie gingen....

5. Über welche Fragen diskutierten sie? — Sie diskutierten besonders über die Frage, ….
6. Wo findet man das Motiv von den drei Wünschen immer wieder? — Das Motiv findet man….
7. Was wollten sich die jungen Leute wünschen? — Die meisten wünschten sich….
8. Welcher Vorschlag wurde ganz unerwartet ausgesprochen? — Der neue Vorschlag war, daß man….
9. Von wem wurde der Vorschlag gemacht? — Der junge Mann, der den Vorschlag machte, war….
10. Was antworteten die andern? — Die andern waren so….

Eine wahrhaft allgemeine Duldung wird am sichersten erreicht, wenn man das Besondere der einzelnen Menschen und Völker auf sich beruhen läßt, an der Überzeugung jedoch festhält, daß das wahrhaft Verdienstliche sich dadurch auszeichnet, daß es der ganzen Menschheit angehört. Zu einer solchen Vermittlung und wechselseitigen Anerkennung tragen die Deutschen seit langer Zeit schon bei. Wer die deutsche Sprache versteht und studiert, befindet sich auf dem Markte, wo alle Nationen ihre Waren anbieten; er spielt den Dolmetscher, indem er sich selbst bereichert.

Goethe

wahrhaft *truly*
die **Duldung** *tolerance*
erreichen *to reach*
einzeln *individual*
auf sich beruhen lasen *to disregard*
die **Überzeugung** *conviction*
an (etwas) **festhalten** *to stick to*
verdienstlich *deserving, worthwhile*
sich auszeichnen *to be distinguished*
die **Menschheit** *humanity*
angehören (dat.) *to belong to*
die **Vermittlung** *mediation*
wechselseitig *mutual*
die **Anerkennung** *recognition*
sich befinden *to be*
der **Markt, ¨e** *market*
anbieten, o, o *to offer*
der **Dolmetscher** *interpreter*
indem *while*
bereichern *to enrich*

GRAMMAR

I. INDIRECT QUESTIONS

Einer fragte, **ob** nicht künstlerische Schaffenskraft das Höchste **sei.**

1. Indirect questions formally require the use of Subjunctive I or II. However, in colloquial German, the subjunctive is usually replaced by the indicative.

   Formal style: Ich fragte, ob er an die See fahre (*or* führe).
   Colloquial style: Ich fragte, ob er an die See fährt.

2. In indirect questions, as in indirect quotations, Subjunctive II is used in preference to Subjunctive I when the Subjunctive I form and the present indicative forms are identical.

   Wir fragten, ob wir kommen können.
   Wir fragten, ob wir kommen könnten.

   The form **können** in the first sentence could be either indicative or subjunctive. The form **könnten** in the second sentence is more formal because it is heard as a subjunctive.

3. Indirect questions are introduced

   a. by the conjunction **ob** *whether*.

   b. by a question word functioning as a conjunction, for example **was**, **wer**, **wie**, **wo**, **wann**, **warum**, **wieviel**, or **welch-**.

   Er fragte, was (wer, wo, wie) das sei.
   Er fragte, wann (warum) wir kämen.
   Er fragte, wieviel das koste.
   Er fragte, welches Buch er lesen solle.

   c. by a **wo-**compound, for example **womit**, **wodurch**, **wofür**, **worin**, or **woraus**.

   Wir wollten wissen, womit wir rechnen könnten.

4. If the underlying direct question is in the past tense, the indirect question is in the perfect subjunctive.

   War er hier? Wir fragten, ob er hier gewesen sei (*or* wäre).
   Wer hielt die Rede? Wir fragten, wer die Rede gehalten habe (*or* hätte).

EXERCISES

A. Change into indirect questions. Use Subjunctive II.

Example: Dürfen wir uns etwas wünschen?
Sie fragten, ob sie....
Sie fragten, ob sie sich etwas wünschen dürften.

1. Kommen Sie morgen in das Konzert?
   Wir fragten ihn, ob er....

2. Haben Sie unseren Brief bekommen?
   Ich wollte wissen, ob er....

Der Traum vom großen Los. Staatliche Lotterien erfreuen sich in Deutschland großer Beliebtheit.

The dream of hitting the jack-pot. State-run lotteries in Germany enjoy a tremendous popularity.

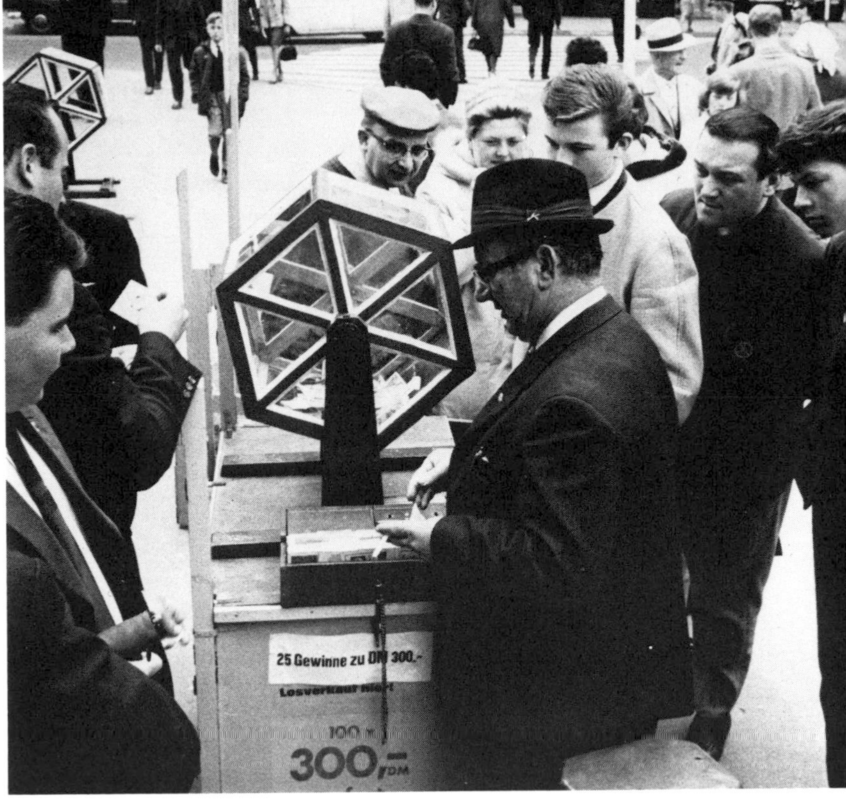

3. Könnt ihr singen?
   Sie fragten uns, ob wir....
4. Welche Lieder sollen wir singen?
   Wir diskutierten darüber, welche....
5. Wie wird das Wetter morgen?
   Wir fragten ihn, wie....
6. Was wünschst du dir?
   Er fragte mich, was ich....
7. Woran seid ihr interessiert?
   Sie fragten uns, woran wir....
8. Fahrt ihr auch an die See?
   Sie fragten uns, ob wir....
9. Gibt es hier eine Jugendherberge?
   Wir wollten wissen, ob es....
10. Woran denken Sie?
    Er fragte mich, woran ich....

B. Change into indirect questions. Use the present perfect or past perfect subjunctive.

Example: Wart ihr an der See?
Er fragte, ob wir an der See....
Er fragte, ob wir an der See gewesen seien (*or* wären).

1. Trug der junge Mann etwas zur Unterhaltung bei?
   Ich fragte, ob der junge Mann etwas zur Unterhaltung....
2. Was antworteten Sie dem jungen Mann?
   Er fragte, was wir dem jungen Mann....
3. Was geschah dann?
   Er fragte, was dann....
4. Wie ging es dann weiter?
   Er fragte, wie es dann....
5. Wer trug das Gepäck?
   Sie fragte, wer das Gepäck....

6. Worüber diskutierten Sie?
   Er fragte, worüber wir....
7. Wie lange blieben Sie an der See?
   Er fragte, wie lange wir....
8. Fuhren Sie mit der Eisenbahn zurück?
   Er fragte, ob wir mit der Eisenbahn....
9. Wieviel kostete die Fahrt?
   Er fragte, wieviel die Fahrt....
10. Erwarteten Sie etwas anderes?
    Er fragte, ob wir....

II. LASSEN *TO LET*

Da **ließ** unerwartet einer sich **hören.**

1. **Lassen** can mean *to allow* or *to cause*, *to order*, *to make*. It can also mean *to leave*. The context usually tells which is meant.

Er ließ sich hören.	*He made himself be heard.* (or, *He allowed himself to be heard.*)
Er läßt uns kommen.	*He makes us come.* (or, *He allows us to come.*)
Wir lassen ein Haus bauen.	*We have a house built.* (or, *We allow a house to be built.*)

2. In the sentences above, **lassen** occurs with an accusative object and an infinitive. The object is the logical subject to the infinitive.

3. The same construction occurs with **sehen**, **hören**, and **fühlen**.

Wir sehen ihn kommen.	*We see him coming.* [= We see him. + He is coming.]
Ich höre ihn sprechen.	*I hear him speaking.*
Man fühlt es wärmer werden.	*One feels it getting warmer.*

4. The infinitive after **lassen** may have an active or passive meaning.

Active:	Ich lasse ihn hereinkommen.	*I let him come in.*
Passive:	Er ließ sich hören.	*He made himself be heard.*

5. When the construction is put into the perfect or past perfect tense, the past participle is replaced by the infinitive. A *double infinitive* results. (Double infinitives involving the modal auxiliaries were discussed on page 291.)

past tense	*perfect and past perfect tense*
Er ließ sich hören.	Er hat (hatte) sich hören lassen.
Wir sahen ihn kommen.	Wir haben (hatten) ihn kommen sehen.
Wir hörten ihn sprechen.	Wir haben (hatten) ihn sprechen hören.

EXERCISES

A. Answer the questions by saying that the indicated person will allow what is wanted. Use **lassen** in the sense *to allow.*

Example: (Er) Können wir hier wohnen?
Er läßt uns hier wohnen.

1. (Der Polizist) Können wir hier weitergehen?
2. (Der Nachbar) Dürfen die Kinder hier spielen?
3. (Er) Darf das Auto hier stehen?
4. (Man) Dürfen die Leute hier radfahren?
5. (Die Wirtin) Können wir das große Zimmer haben?

B. Answer the questions by saying that the indicated person requires the action to happen. Use **lassen** in the sense *to cause, to make.*

Example: (Der Direktor) Müssen wir heute arbeiten?
Der Direktor läßt uns heute arbeiten.

1. (Der Lehrer) Müssen die Studenten eine neue Lektion lernen?
2. (Der Lehrer) Müssen wir morgen ein Diktat schreiben?
3. (Er) Muß ich lange warten?
4. (Die Dame) Muß er das Gepäck holen?
5. (Die Eltern) Muß er die Reise bezahlen?

Faust und Mephisto. Das Motiv von der Suche nach Wissen und Macht, selbst wenn der Mensch dafür seine Seele verkaufen muß.

Faust and Mephistopheles: the motif of the search for knowledge and power, even at the price of a man's soul.

Auf der Suche nach dem Glück. Partnervermittlung mit Hilfe des Computers. Ein Bild aus Hamburg.

The search for happiness. Computer dating. A picture from Hamburg.

C. Change the following sentences into questions beginning with **Wer...?** Use **lassen** to indicate that someone is causing the action to be taken.

Example: Der Anzug wird gemacht.
Wer... ?
Wer läßt den Anzug machen?

1. Das Buch wird gedruckt. Wer... ?
2. Das Gepäck wird geholt. Wer... ?
3. Das Lied wird gesungen. Wer... ?
4. Das Haus wird gebaut. Wer... ?
5. Das Geld wird abgeholt. Wer... ?
6. Der Brief wird geschrieben. Wer... ?
7. Der Schemel wird gebracht. Wer... ?
8. Das Öl wird gewechselt. Wer... ?
9. Das Stück wird aufgeführt. Wer... ?
10. Der Fluß wird reguliert. Wer... ?

D. In this exercise, the same sentences appear in the perfect tense. Change them into questions with **Wer...?**

Example: Der Anzug ist gemacht worden.
Wer hat... ?
Wer hat den Anzug machen lassen?

1. Das Buch ist gedruckt worden. Wer hat... ?
2. Das Gepäck ist geholt worden. Wer hat... ?
3. Das Lied ist gesungen worden. Wer hat... ?
4. Das Haus ist gebaut worden. Wer hat... ?
5. Das Geld ist abgeholt worden. Wer hat... ?
6. Der Brief ist geschrieben worden. Wer hat... ?
7. Der Schemel ist gebracht worden. Wer hat... ?
8. Das Öl ist gewechselt worden. Wer hat... ?
9. Das Stück ist aufgeführt worden. Wer hat... ?
10. Der Fluß ist reguliert worden. Wer hat... ?

Der junge Pianist Joachim Kühn. Der Künstler sucht Ruhm und Anerkennung.

The young jazz pianist Joachim Kühn. The artist seeks fame and recognition.

III. *SUBORDINATING CONJUNCTIONS AND CONCESSIVE CLAUSES*

Wenn wir **auch** gehört hatten, daß es trocken und warm sein würde, so regnete es **doch** von früh bis spät.
Obgleich viele Vorschläge gemacht worden waren, schien es **doch**, als wenn es keine Antwort gäbe.

1. Concessive clauses may be introduced by the following subordinating conjunctions:

wenn...auch	*even if, even though*
obgleich, obwohl	*although, even though*

2. **Wenn...auch** sometimes corresponds to English *even though*, sometimes to *even if*.

   a. When it means *even though*, the indicative is used in both the main clause and the dependent clause.

Ich kann dir das Geld nicht geben, wenn ich es auch habe.	*I can't give you the money, even though I have it.*

   b. When it means *even if*, Subjunctive II is used in both the main clause and the dependent clause.

Ich könnte dir das Geld nicht geben, wenn ich es auch hätte.	*I couldn't give you the money, even if I had it.*

3. The adverb **trotzdem** *nevertheless, still* often functions as a coordinating conjunction linking two main clauses.

Ich habe das Geld, trotzdem kann ich es dir nicht geben.	*I have the money. Still, I can't give it to you.*

4. Many Germans now use **trotzdem** with the meaning *even though* as a subordinating conjunction as an alternative to **obgleich**, **obwohl**, and **wenn ... auch**.

Trotzdem ich das Geld habe, kann ich es dir nicht geben.	*Even though I have the money, I can't give it to you.*

EXERCISES

A. Change the verb forms so that the meaning of **wenn...auch** corresponds to *even if* instead of *even though.*

Example: Wir werden nicht nach Europa fahren, wenn es auch billig ist.
Wir würden (doch) nicht nach Europa fahren, wenn es auch billig wäre.

1. Wir werden nicht an die See fahren, wenn das Wetter auch gut ist.
2. Man darf nicht bei rotem Licht über die Straße gehen, wenn auch kein Auto kommt.
3. Ich kann nicht lange lesen, wenn es auch in meinem Zimmer ganz ruhig ist.
4. Er kann noch nicht wieder arbeiten, wenn er auch nicht mehr krank ist.
5. Wir dürfen heute abend nicht aus dem Hause gehen, wenn es auch trocken ist.
6. Wir werden leicht ins Diskutieren kommen, wenn wir es auch gar nicht wollen.
7. Er wird sich anstrengen, wenn es sich auch gar nicht um Geld handelt.
8. Ich werde nach Berlin fahren, wenn ich auch keine Verwandten dort habe.
9. Wir werden den Wagen brauchen, wenn wir auch nicht weit von der Universität wohnen.
10. Der Staat ist an der Forschung interessiert, wenn er auch die Universitäten nicht unterstützt.

B. Replace **wenn...auch** by **obgleich** in the sentences above.

Example: Wir werden nicht nach Europa fahren, wenn es auch billig ist.
Wir werden nicht nach Europa fahren, obgleich es billig ist.

C. Combine the simple sentences into complex sentences with **obgleich** as the subordinating conjunction.

Example: Es regnet. Trotzdem kommt er.
Obgleich es regnet, kommt er.

1. Er ist krank. Trotzdem arbeitet er.
2. Die Leute sind nicht reich. Trotzdem machen sie jedes Jahr eine Reise.
3. Das Land ist nicht reich an Rohstoffen. Trotzdem blüht die Industrie.
4. Der Verkehr ist sehr stark. Trotzdem gehen die Leute quer über die Straße.
5. Die Diskussion wurde sehr lebhaft. Trotzdem blieb er ruhig.
6. Er trug nie etwas zur Unterhaltung bei. Trotzdem wollte er doch auch einmal seine Meinung sagen.
7. Er war kein guter Redner. Trotzdem hielt er eine lange Rede.
8. Das Projekt ist sehr teuer. Trotzdem wird es durchgeführt.
9. Die Regierung kann nicht alle Wünsche erfüllen. Trotzdem verspricht sie alles.
10. Die Regierung hat nichts getan. Trotzdem wird sie wiedergewählt.

Wanderlust. Amerikanischer Student mit frisch erworbenen Deutschkenntnissen „auf Fahrt" in Deutschland.

Wanderlust. An American student with his newly acquired German language skills travels in Germany.

INDIVIDUAL STUDY: SELF-TESTING

1. *ocean*
   die ______ — See
2. *coast*
   die ______ — Küste
3. *east wind*
   der ______ — Ostwind
4. *rain*
   der ______ — Regen
5. *fairy tale*
   das ______ — Märchen
6. *beauty*
   die ______ — Schönheit
7. *wealth*
   der ______ — Reichtum
8. *health*
   die ______ — Gesundheit
9. *intelligence*
   die ______ — Intelligenz
10. *conversation*
    die ______ — Unterhaltung

11. *the dry weather*
das ______ ______ — trockene Wetter
12. *the fresh breeze*
der ______ ______ — frische Wind
13. *the attractive idea*
der ______ ______ — reizvolle Gedanke
14. *the wise woman*
die ______ ______ — weise Frau
15. *the unexpected answer*
die ______ ______ — unerwartete Antwort
16. *the usual wishes*
die ______ ______ — gewöhnlichen Wünsche
17. *the well-known songs*
die ______ ______ — bekannten Lieder
18. *the happy people*
die ______ ______ — glücklichen Menschen
19. *the rainy weekend*
das ______ ______ — regnerische Wochenende
20. *the quiet boy*
der ______ ______ — stille Junge

21. *to go to the beach*
an ______ ______ ______ — die See fahren
22. *to tell stories*
Geschichten ______ — erzählen
23. *to fulfill a wish*
einen Wunsch ______ — erfüllen
24. *to think about one's life*
über sein Leben ______ — nachdenken
25. *to make a suggestion*
einen ______ ______ — Vorschlag machen
26. *to contribute to the conversation*
zur ______ ______ — Unterhaltung beitragen
27. *to express one's opinion*
seine ______ ______ — Meinung sagen
28. *It rains cats and dogs.*
Es regnet ______ ______. — in Strömen
29. *We got into a discussion.*
Wir kamen ______ ______. — ins Diskutieren
30. *We couldn't think of anything better.*
Etwas Besseres ______ ______ ______ ______. — fiel uns nicht ein

31. Present tense to perfect.
Er läßt es uns wissen.
Er hat es uns ______ ______. — wissen lassen
32. Wir lassen es uns erzählen.
Wir haben es uns ______ ______. — erzählen lassen

33. Ich lasse dich warten.
Ich habe dich ______ ______. — warten lassen

34. Wir sehen ihn kommen.
Wir haben ihn ______ ______. — kommen sehen

35. Sie konnten sich etwas wünschen.
Sie haben sich ______ ______ ______. — etwas wünschen können

36. Sie wollten etwas Neues sehen.
Sie haben etwas ______ ______ ______. — Neues sehen wollen

37. Sie mochten uns nicht fragen.
Sie haben uns ______ ______ ______. — nicht fragen mögen

38. Sie durften in der Jugendherberge bleiben.
Sie haben in der Jugendherberge ______ ______. — bleiben dürfen

39. Sie sollten eine Mark bezahlen.
Sie haben eine Mark ______ ______. — bezahlen sollen

40. Jeder mußte zur Unterhaltung beitragen.
Jeder hat zur Unterhaltung ______ ______. — beitragen müssen

41. Formulate a question, using **lassen** in the sense of *to order, to cause, to make.*
Das Haus wird verkauft.
Wer läßt ______ ______ ______? — das Haus verkaufen

42. Die Polizei wird geholt.
Wer läßt ? — die Polizei holen

43. Die Arbeit wird gemacht.
Wer läßt ______ ______ ______? — die Arbeit machen

44. Das Rad wird gewechselt.
Wer läßt ______ ______ ______? — das Rad wechseln

45. Der Plan wird geändert.
Wer läßt ______ ______ ______? — den Plan ändern

46. Die Grenze wird bewacht.
Wer läßt ______ ______ ______? — die Grenze bewachen

47. Das Gepäck wird gebracht.
Wer läßt ______ ______ ______? — das Gepäck bringen

48. Die Straße wird gebaut.
Wer läßt ______ ______ ______? — dic Straßc bauen

49. Die Rede wird gedruckt.
Wer läßt ______ ______ ______? — die Rede drucken

50. Das Programm wird übertragen.
Wer läßt ______ ______ ______? — das Programm übertragen

51. In indirect questions, Subjunctive II is used in preference to Subjunctive I when the Subjunctive I and the present indicative forms are identical. Formulate an indirect question, using Subjunctive II.
Haben Sie Zeit?
Er fragte, ob wir ______ ______. — Zeit hätten

52. Wollen Sie mitkommen?
Er fragte, ob wir ______ ______. — mitkommen wollten

53. Bleiben Sie hier?
Er fragte, ob wir ______ ______. — hier blieben

54. Sprechen Sie Deutsch?
Er fragte, ob wir ______ ______. — Deutsch sprächen

55. Können Sie radfahren?
Er fragte, ob ich ______ ______. — radfahren könnte

56. Wohnen Sie in der Nähe?
Er fragte, ob ich ______ ______ ______ ______. — in der Nähe wohnte

57. Gehen Sie in das Konzert?
Er fragte, ob wir ______ ______ ______ ______. — in das Konzert gingen

58. Verstehen Sie die Geschichte?
Er fragte, ob wir ______ ______ ______. — die Geschichte verständen (*or* verstünden)

59. Halten Sie sich an die Verkehrsregeln?
Er fragte, ob ich ______ ______ ______ ______ ______. — mich an die Verkehrsregeln hielte

60. Haben Sie sich angestrengt?
Er fragte, ob ich ______ ______ ______. — mich angestrengt hätte

61. Formulate an indirect question, using Subjunctive I.
Wer ist da?
Er fragte, wer ______ ______. — da sei

62. Wieviel kostet das?
Er fragte, wieviel ______ ______. — das koste

63. Was soll das bedeuten?
Er fragte, was ______ ______ ______. — das bedeuten solle

64. Wo sind Sie jetzt?
Er fragte, wo ich ______ ______. — jetzt sei

65. Warum hat sie das getan?
Er fragte, warum ______ ______ ______ ______. — sie das getan habe

66. Womit kann ich Ihnen helfen?
Er fragte, womit er uns ______ ______. — helfen könne

67. Wie kann ich Ihnen danken?
Er fragte, wie er uns ______ ______. — danken könne

68. Worüber wollen Sie sprechen?
Er fragte, worüber ich ______ ______. — sprechen wolle

69. Wie geht das Geschäft?
Er fragte, wie ______ ______ ______. — das Geschäft gehe

70. Wann sind Sie gekommen?
Er fragte, wann wir ______ ______. — gekommen seien

71. Concessive clauses may be introduced by **wenn...auch, obgleich,** or **obwohl.** In concessive clauses, the conjugated verb form is in

final position. When the concessive clause precedes the main clause, the subject of the main clause is put behind the conjugated verb (inverted word order). Using **wenn...auch,** link the two simple sentences as the concessive clause and main clause of a complex sentence.
Er lebt sparsam. Er hat doch nie Geld.
Wenn er auch sparsam lebt, hat er doch nie Geld.
Es ist ein gebrauchtes Auto. Es fährt doch noch gut.
Wenn es ______ ______ ______ ______ ______, ______ ______ ______ ______ ______.

— auch ein gebrauchtes Auto ist, fährt es doch noch gut.

72. Er ist jung. Er hat doch schon gute Kenntnisse.
Wenn er ______ ______ ______, ______ ______ ______ ______ ______ ______.

— auch jung ist, hat er doch schon gute Kenntnisse

73. Er ist krank. Er geht doch zur Arbeit.
Wenn er ______ ______ ______, ______ ______ ______ ______ ______.

— auch krank ist, geht er doch zur Arbeit

74. Er kennt uns gut. Er hilft uns doch nicht.
Wenn er ______ ______ ______ ______, ______ ______ ______ ______ ______.

— uns auch gut kennt, hilft er uns doch nicht

75. Er weiß viel. Er weiß doch nicht alles.
Wenn er ______ ______ ______, ______ ______ ______ ______ ______.

— auch viel weiß, weiß er doch nicht alles

76. Die Sonne scheint. Es ist doch nicht warm.
Wenn die Sonne ______ ______, ______ ______ ______ ______ ______.

— auch scheint, ist es doch nicht warm

77. Es regnet. Wir fahren doch an die See.
Wenn es ______ ______, ______ ______ ______ ______ ______ ______.

— auch regnet, fahren wir doch an die See

78. Ich weiß es. Ich möchte es dir doch nicht sagen.
Wenn ich ______ ______ ______, ______ ______ ______ ______ ______ ______ ______.

— es auch weiß, möchte ich es dir doch nicht sagen

79. Das Haus ist klein. Wir wohnen doch gern darin.
Wenn das Haus ______ ______ ______, ______ ______ ______ ______ ______.

— auch klein ist, wohnen wir doch gern darin

80. Er trägt nicht viel zur Unterhaltung bei. Er ist doch ein sympathischer Mensch.
Wenn er ______ ______ ______ ______ ______ ______, ______ ______ ______ ______ ______ ______.

— auch nicht viel zur Unterhaltung beiträgt, ist er doch ein sympathischer Mensch

81. Using **trotzdem**, dissolve the complex sentence into two simple sentences.
Wir werden spazierengehen, obgleich es regnet.
Es regnet. Trotzdem werden wir spazierengehen.
Ich kann nicht lesen, obgleich es ganz ruhig ist.
Es ist ganz ruhig. ______ ______ ______ ______ ______.

— Trotzdem kann ich nicht lesen.

82. Er kann nicht arbeiten, obgleich er gesund ist.
Er ist gesund. ______ ______ ______ ______ ______.

— Trotzdem kann er nicht arbeiten.

83. Er strengt sich an, obgleich er kein Geld bekommt.
Er bekommt kein Geld. ______ ______ ______ ______ ______.

— Trotzdem strengt er sich an.

84. Man muß langsam fahren, obgleich kein Polizist da ist.
Kein Polizist ist da. ______ ______ ______ ______ ______.

— Trotzdem muß man langsam fahren.

85. Wir kommen ins Diskutieren, obgleich wir es nicht wollen.
Wir wollen es nicht. ______ ______ ______ ______ ______.

— Trotzdem kommen wir ins Diskutieren.

86. Ich fahre nach Berlin, obgleich ich keine Verwandten dort habe.
Ich habe dort keine Verwandten. ______ ______ ______ ______ ______.

— Trotzdem fahre ich nach Berlin.

87. Ich brauche einen Wagen, obgleich ich mitten in der Stadt wohne.
Ich wohne mitten in der Stadt. ______ ______ ______ ______ ______.

— Trotzdem brauche ich einen Wagen.

88. Es ist kalt, obgleich die Sonne scheint.
Die Sonne scheint. ______ ______ ______ ______.

— Trotzdem ist es kalt.

89. Wir wohnen gern in dem Haus, obgleich es klein ist.
Es ist klein. ______ ______ ______ ______ ______ ______ ______.

— Trotzdem wohnen wir gern in dem Haus.

90. Wir mögen ihn gern, obgleich er nie etwas zur Unterhaltung beiträgt.
Er trägt nie etwas zur Unterhaltung bei.
_____ _____ _____ _____ _____. — Trotzdem mögen wir ihn gern.

91. Use the indicated strong verb in its appropriate form.
(versprechen) Man soll nicht zuviel versprechen.
Wer hat zuviel _____ ? — versprochen

92. Wer zuviel _____, macht uns nachdenklich. — verspricht

93. _____ mir nichts! — Versprich

94. (zugeben) Die Mädchen gaben zu, daß ihnen Schönheit wichtiger sei.
Wer hat das _____ ? — zugegeben

95. _____ es zu! — Gib

96. (nachdenken) Jeder hatte darüber nachgedacht.
Bitte _____ Sie einmal darüber nach! — denken

97. Gestern _____ ich darüber nach. — dachte

98. (beitragen) Er trug nicht viel dazu bei.
Wer hat am meisten dazu _____ ? — beigetragen

99. Wir alle tragen dazu bei. Was _____ du dazu bei? — trägst

100. (einfallen) Fiel ihm etwas ein?
Ihm ist eine gute Geschichte _____. — eingefallen

WILHELM VON HUMBOLDT (1767–1835)

Über die Verschiedenheit des Menschlichen Sprachbaus

Die Sprache . . . ist etwas beständig und in jedem Augenblicke Vorübergehendes. Selbst ihre Erhaltung durch die Schrift ist immer nur eine unvollständige, mumienartige Aufbewahrung, die es doch erst wieder bedarf, daß man dabei den lebendigen Vortrag zu versinnlichen sucht. Sie selbst ist kein Werk (Ergon), sondern eine Tätigkeit (Energeia). Ihre wahre Definition kann daher nur eine genetische sein. Sie ist nämlich die sich ewig wiederholende Arbeit des Geistes, den artikulierten Laut zum Ausdruck des Gedanken fähig zu machen. Unmittelbar und streng genommen, ist dies die Definition des jedesmaligen Sprechens; aber im wahren und wesentlichen Sinne kann man auch nur gleichsam die Totalität dieses Sprechens als die Sprache ansehen. Denn in dem zerstreuten Chaos von Wörtern und Regeln, welches wir wohl eine Sprache zu nennen pflegen, ist nur das durch jenes Sprechen hervorgebrachte Einzelne vorhanden, und dies niemals vollständig, auch erst einer neuen Arbeit bedürftig, um daraus die Art des lebendigen Sprechens zu erkennen und ein wahres Bild der lebendigen Sprache zu geben. Gerade das Höchste und Feinste läßt sich an jenen getrennten Elementen nicht erkennen, und kann nur, was um so mehr beweist, daß die eigentliche Sprache in dem Akte ihres wirklichen Hervorbringens liegt, in der verbundenen Rede wahrgenommen oder geahndet werden. . . . Das Zerschlagen in Wörter und Regeln ist nur ein totes Machwerk wissenschaftlicher Zergliederung.

(1836)

About the Differences in the Structure of Human Language

Language . . . is something continuously fluid and transitory. Even its survival in writing is always an incomplete, mummified form of preservation, which continually requires that one seek to make it tangible with living speech. Language itself is not a finished product (ergon), *but an activity* (energeia). *Its correct definition, therefore, can only be genetic. It is the constantly repeated effort of the intellect to enable the articulated sound to express thought. Strictly and directly speaking, this is the definition of each individual speech act. But truly and essentially, one can consider language only as the totality of these speech acts. Because in the scattered chaos of words and rules which we are used to call a language, there exists only the individual phenomenon produced by the speech act, and this is never complete but needs a new effort to recognize through it the nature of actual speaking and to give a true picture of the living language. What is highest and most delicate is not apparent in those isolated elements and can only be observed and felt in continuous discourse. Which is so much more proof that language is essentially to be found in the act of its real production. . . . Fragmentation into words and rules results only in a dead product of scientific analysis.*

LEKTION ZWANZIG

RÜCKBLICK

I. *List nouns that indicate **professions** and **occupations**.*

Examples: der Beamte
der Handwerker
der Kaufmann
der Schauspieler

II. *List nouns that have to do with **traffic**.*

Examples: der Fußgänger
der Verkehrspolizist
die Straßenkreuzung
der Autofahrer

III. *Here are some verbs that belong to the semantic field of **saying**.*

sagen
sprechen
aussprechen
berichten
nennen
erzählen

List some others.

IV. *Here are some verbs that indicate **emotion**.*

lächeln
jubeln
schreien
stöhnen
weinen

List some others.

EXERCISES

A. Insert the correct verbs.

1. Autofahrer müssen die Verkehrsregeln ______.
2. Wenn die Leute in Eile sind, wollen sie nicht auf das grüne Licht ______.
3. Für die Karte konnte man sich im Rathaus zehn Mark ______.
4. Ein Brettergerüst war die Bühne, auf der die Schau ______.
5. Die jungen Leute wollten ihr Glück ______.
6. Zeigen Sie, welche Kraft in Ihren Armen ______!
7. Der starke Mann hatte wieder einmal seine Rede ______.
8. Immer gab es junge Männer, die sich nach einer solchen Rede zur Kasse ______.
9. Im Märchen verspricht die weise Frau, dem Menschen seine Wünsche zu ______.
10. Der Stille wollte auch einmal seine Meinung ______.

B. Make compounds from the given components.

Example: die Woche, das Ende
das Wochenende

1. der Jahrmarkt, die Geschichte
2. die Steuer, die Behörde
3. die Schraube, der Schlüssel
4. der Bund, die Republik
5. der Staat, der Bürger
6. die Jugend, die Herberge
7. die Straße, die Bahn
8. das Geschäft, der Mann
9. die Wirtschaft, die Gemeinschaft
10. der Fremde, der Verkehr

C. Form diminutives with **-chen** from the following nouns.

Example: die Stadt
das Städtchen

1. das Brot
2. das Wort
3. die Karte
4. der Fluß
5. das Lied
6. das Haus
7. die Stunde
8. der Mann
9. der Arm
10. die Hand

D. Change to the past perfect.

Example: Jeder brachte seine Argumente vor.
Jeder hatte seine Argumente vorgebracht.

1. Die Sonne schien.
2. Die Saison begann.
3. Wir sahen uns München an.
4. Er sprach kein Wort.
5. Wir ruhten uns aus.
6. Wir sparten das Geld.
7. Wir abonnierten die Zeitung.
8. Er hielt seine Rede.
9. Er sprach die Zuschauer an.
10. Er verlor sein ganzes Geld.

E. Change to the past perfect.

Example: Niemand wollte seine Meinung ändern.
Niemand hatte seine Meinung ändern wollen.

1. Er konnte es nicht glauben.
2. Wer konnte das wissen?
3. Wir wollten ihn besuchen.
4. Wir wollten an die See fahren.
5. Wir mußten dort bleiben.
6. Sie ließ uns warten.
7. Sie durfte ihm schreiben.
8. Sie sollte ihre Verwandten besuchen.
9. Er sollte darauf aufpassen.
10. Niemand mochte es sagen.

F. Restate the sentences using **sein** + infinitive.

Example: Das konnte nicht erwartet werden.
Das war nicht zu erwarten.

1. Die Antwort konnte nicht gefunden werden.
2. Das Lied konnte nicht gesungen werden.
3. Der Wunsch konnte nicht erfüllt werden.
4. Die Musik konnte nicht gehört werden.
5. Das Geld konnte nicht verdient werden.
6. Das Werkzeug konnte nicht gebraucht werden.
7. Die Möbel konnten nicht getragen werden.
8. Das Geld konnte nirgends gewechselt werden.
9. Die Leute konnten nicht gesehen werden.
10. Die Unterschrift konnte nicht gelesen werden.

G. Write the sentences and insert the correct anticipatory **da**-compound.

Example: Wir warten ______, daß er kommt.
Wir warten darauf, daß er kommt.

1. Man hat ______ gesorgt, daß es genug Wohnungen gibt.
2. Es handelt sich ______, daß jetzt Straßen gebaut werden müssen.
3. Wir freuen uns ______, daß wir bald wieder Sommer haben werden.
4. Er trägt meistens nicht ______ bei, daß die Unterhaltung lebhaft wird.
5. Wir dachten ______ nach, wo wir unterkommen könnten.
6. Wir sprachen ______, daß wir wieder einmal an die See fahren sollten.
7. Man lachte ______, daß der kleine Mann die fünfzig Mark gewonnen hatte.
8. Dem starken Mann war gar nicht ______ zumute, dem andern zu gratulieren.
9. Die Leute paßten scharf ______ auf, daß die Verkehrsregeln beachtet wurden.
10. Man rechnet ______, daß die Leute in Zukunft nicht mehr bei rotem Licht über die Straße gehen.

H. Write the sentences and insert the adverbial phrases suggested by the English equivalents.

1. (*now as before*) Die jungen Leute gehen ______ auf den Jahrmarkt.
2. (*once again*) Der starke Mann hatte ______ seine Rede gehalten.
3. (*in the first place*) Der Mann war ______ daran interessiert, ein gutes Geschäft zu machen.
4. (*now and then*) Übers Wochenende fuhren wir ______ an die See.
5. (*the whole day*) Man kann ja nicht ______ studieren.
6. (*from morning till evening*) Obgleich es warm und trocken sein sollte, regnete es doch ______.

7. (*again and again*) In den Märchen findet man das Motiv ______.
8. (*more or less*) Jeder hofft ______, daß seine Wünsche erfüllt werden.
9. (*next day*) ______ sprachen wir noch immer über die drei Wünsche.
10. (*this way and that way*) Der Streit ging ______.

I. Complete the sentences using the cue words.

1. Bei der Diskussion handelte es sich um die Frage, welche Berufe die wichtigsten seien. Einer wollte beweisen, daß / am nötigsten / Arbeiter / Handwerker / Bauern

2. Ein anderer betonte, daß / geistige Berufe / wichtiger / weil / bestimmen / Lebensstandard

3. Ein dritter meinte, daß / Staat / ohne Beamte / nicht funktionieren

4. Der Diskussionsleiter gebrauchte den Vergleich mit dem Schemel, der drei Beine hat. Er wollte zeigen, daß / ein Bein / wichtig / ebenso wie / anderes

5. Fußgänger beachten oft nicht die Verkehrsregeln. Zum Beispiel / mitten im Verkehr / bei rotem Licht / quer über die Straße

6. Der Bürgermeister hatte eine gute Idee. Ein Polizist in Zivil mischte sich unter die Leute. Er wartete nicht auf das grüne Licht. Wenn / jemand / ansprechen / Karte / zehn Mark / abholen / Rathaus

7. Niemand wollte in die peinliche Lage kommen, daß er von allen Seiten angesprochen wurde. Alle Leute / aufpassen / selbst / Verkehrsregeln / beachten

8. Wir waren an die See gefahren, aber das Wetter war schlecht. Wir diskutierten über die Frage, / was wünschen / wenn drei Wünsche

9. Die meisten nannten Gesundheit und langes Leben, aber / dritter Wunsch / verschiedene Meinungen

10. Einer machte den Vorschlag, daß / dritter Wunsch / drei weitere Wünsche / dann / nie zu Ende

J. Suggestions for compositions.

Write a summary of **Der wichtigste Beruf**, **Verkehrssünder**, **Eine Jahrmarktsgeschichte**, or **Drei Wünsche**.

INDIVIDUAL STUDY: SELF-TESTING

1. *traffic policeman*
   der ______ — Verkehrspolizist
2. *pedestrian*
   der ______ — Fußgänger
3. *intersection*
   die ______ — Straßenkreuzung
4. *sidewalk*
   der ______ — Bürgersteig
5. *plainclothesman*
   der ______ ______ ______ — Polizist in Zivil
6. *craftsman*
   der ______ — Handwerker
7. *scientist*
   der ______ — Wissenschaftler
8. *civil servant*
   der ______ — Beamte
9. *Internal Revenue Service*
   die ______ — Steuerbehörde
10. *pair of glasses*
    die ______ — Brille

11. *to take place*
    ______ — stattfinden
12. *to make an effort*
    sich ______ — anstrengen
13. *to shove one's way*
    sich ______ — drängen
14. *to happen*
    ______ — geschehen
15. *to stress*
    ______ — betonen
16. *to prove*
    ______ — beweisen
17. *to promise*
    ______ — versprechen
18. *to remain*
    ______ — bleiben
19. *to contribute*
    ______ — beitragen
20. *to hurry*
    ______ — eilen

21. *dry*
    ______ — trocken

22. *moist*
______ — feucht
23. *attractive*
______ — reizvoll
24. *happy*
______ — glücklich
25. *quiet*
______ — ruhig (*or* still)
26. *high*
______ — hoch
27. *embarrassing*
______ — peinlich
28. *sharp*
______ — scharf
29. *rainy*
______ — regnerisch
30. *excellent*
______ — ausgezeichnet

31. *He made a speech.*
Er ______ ______ ______. — hielt eine Rede
32. *He remained quiet.*
Er ______ ______. — blieb ruhig
33. *He presented his arguments.*
Er ______ ______ ______ ______. — brachte seine Argumente vor
34. *He changed his opinion.*
Er ______ ______ ______. — änderte seine Meinung
35. *He told stories.*
Er ______ ______. — erzählte Geschichten
36. *He addressed the audience.*
Er ______ ______ ______ ______. — sprach das Publikum an
37. *He earned his money.*
Er ______ ______ ______. — verdiente sein Geld
38. *He tried his luck.*
Er ______ ______ ______. — versuchte sein Glück
39. *He expected something extraordinary.*
Er ______ ______ ______. — erwartete etwas Außergewöhnliches
40. *He observed the traffic rules.*
Er ______ ______ ______. — beachtete die Verkehrsregeln

41. *tentatively*
______ — versuchsweise
42. *admittedly*
______ — allerdings (*or* freilich)
43. *by the way*
______ — übrigens

44. *at least*
______ — wenigstens

45. *at any rate*
______ — jedenfalls

46. *at best*
______ — höchstens

47. *mostly*
______ — meistens

48. *especially*
______ — besonders

49. *nowhere*
______ — nirgends

50. *surely*
______ — sicherlich

51. Use the correct auxiliary verb.
Er (hatte/war) nach München gekommen. — war

52. Es (hatte/war) den ganzen Tag geregnet. — hatte

53. Er (hatte/war) über die Straße geeilt. — war

54. Er (hatte/war) sich unter die Leute gemischt. — hatte

55. Er (hatte/war) in eine peinliche Lage gekommen. — war

56. Er (hatte/war) sich nicht an die Verkehrsregeln gehalten. — hatte

57. Er (hatte/war) sich sehr angestrengt. — hatte

58. Es (hatte/war) ihm nichts Besseres eingefallen. — war

59. Es (hatte/war) nichts Besonderes geschehen. — war

60. Er (hatte/war) dabei ganz ruhig geblieben. — war

61. Use the appropriate directional adverb.
Er steigt auf den Berg.
Er steigt hinauf.
Er steigt von dem Gerüst.
Er kommt ______. — herunter

62. Er fährt über die Brücke.
Er fährt — hinüber

63. Er kommt über die Brücke.
Er kommt ______. — herüber

64. Er geht aus der Tür.
Er geht ______. — hinaus

65. Er kommt aus dem Zimmer.
Er kommt ______ — heraus

66. Er fällt ins Wasser.
Er fällt ______. — hinein

67. Er steigt aus dem Wasser.
Er steigt ______. — heraus

68. Er ist vor meiner Tür.
Ich sage: „Kommen Sie ______!“ — herein

69. Er steht vor einer andern Tür.
Ich sage: „Gehen Sie ______!" — hinein

70. Er nimmt den Schlüssel aus der Tasche.
Er nimmt ihn ______. — heraus

71. Use the appropriate positional adverb.
Er steigt auf den Berg.
Nun steht er oben.
Er steigt von dem Gerüst.
Nun ist er ______. — unten

72. Er fährt über die Brücke.
Nun ist er ______. — drüben

73. Er geht aus der Tür.
Nun steht er ______. — draußen

74. Er geht in das Zimmer.
Nun ist er ______. — drinnen

75. Dein Brief liegt auf den andern Briefen.
Dein Brief liegt ______. — oben

76. Use the correct reflexive pronoun.
Du kannst (dir/dich) fünfzig Mark verdienen. — dir

77. Du mußt (dir/dich) nur ein wenig anstrengen. — dich

78. Du hast es (dir/dich) zu einfach gemacht. — dir

79. Du mußt (dir/dich) an die Kasse drängen. — dich

80. Du mußt (dir/dich) etwas Besseres kaufen. — dir

81. Du kannst (dir/dich) etwas Teureres erlauben. — dir

82. Du mußt (dir/dich) an die Regeln halten. — dich

83. Du mußt (dir/dich) mit der Sache
beschäftigen. — dich

84. Du mußt (dir/dich) den neuen Wagen ansehen. — dir

85. Du mußt (dir/dich) etwas Gutes wünschen. — dir

81. Restate the sentences using **sein** + infinitive.
Das kann nicht geändert werden.
Das ist nicht zu ändern.
Das kann leicht gesagt werden.
Das ______ ______ ______ ______. — ist leicht zu sagen

82. Das kann nicht erwartet werden.
Das ______ ______ ______ ______. — ist nicht zu erwarten

83. Das darf nie vergessen werden.
Das ______ ______ ______ ______. — ist nie zu vergessen

84. Das kann leicht bewiesen werden.
Das ______ ______ ______ ______. — ist leicht zu beweisen

85. Das muß immer betont werden.
Das ______ ______ ______ ______. — ist immer zu betonen

86. Das soll deutlich gesagt werden.
Das ______ ______ ______ ______. — ist deutlich zu sagen

87. Das muß immer beachtet werden.
Das ______ ______ ______ ______. — ist immer zu beachten

88. Das kann schnell gemacht werden.
Das ______ ______ ______ ______. — ist schnell zu machen

89. Das kann nicht erfüllt werden.
Das ______ ______ ______ ______. — ist nicht zu erfüllen

90. Das kann freilich zugegeben werden.
Das ______ ______ ______. — ist freilich zuzugeben

91. Er versprach es uns.
Er hat es uns ______. — versprochen

92. Er dachte lange darüber nach.
Er hat lange darüber ______. — nachgedacht

93. Sie gab es nicht zu.
Sie hat es nicht ______. — zugegeben

94. Er trug nie etwas dazu bei.
Er hat nie etwas dazu ______. — beigetragen

95. Wir unterhielten uns lebhaft.
Wir haben uns lebhaft ______. — unterhalten

96. Er schrie sehr laut.
Er hat sehr laut ______. — geschrien

97. Es fand nur eine Aufführung statt.
Es hat nur eine Aufführung ______. — stattgefunden

98. Er verlor sein ganzes Geld.
Er hat sein ganzes Geld ______. — verloren

99. Wer sang so schön?
Wer hat so schön ______? — gesungen

100. Es gelang uns!
Es ist uns ______! — gelungen

REFERENCE GRAMMAR

I. DETERMINERS

A. **Der**-words and **ein**-words are determiners. They are used before nouns or adjectives, and help determine the following adjective's ending. The **der**-words include:

der, die, das
dieser, diese, dieses
welcher, welche, welches
solcher, solche, solches
mancher, manche, manches

The forms of **der** and **dieser** (typical of the others) are as follows:

	SINGULAR			*PLURAL*
	masculine	*feminine*	*neuter*	*all genders*
nominative	der, dieser	die, diese	das, dieses	die, diese
accusative	den, diesen	die, diese	das, dieses	die, diese
dative	dem, diesem	der, dieser	dem, diesem	den, diesen
genitive	des, dieses	der, dieser	des, dieses	der, dieser

B. The **ein**-words are:

ein, kein
mein, dein, sein,
unser, euer, ihr, Ihr

The forms of the **ein**-words are as follows:

	SINGULAR			*PLURAL*
	masculine	*feminine*	*neuter*	*all genders*
nominative	ein, kein	eine, keine	ein, kein	keine
accusative	einen, keinen	eine, keine	ein, kein	keine
dative	einem, keinem	einer, keiner	einem, keinem	keinen
genitive	eines, keines	einer, keiner	eines, keines	keiner

Ein-words are *inflected* except in the masculine nominative singular and neuter nominative and accusative singular; those three forms are *uninflected.*

II. ADJECTIVES

A. Adjectives sometimes take weak endings, sometimes strong endings, and sometimes no ending at all. They take *weak* endings when they occur after **der**-words; after the inflected forms of **ein**-words; after **alles** *everything*, **vieles** *much*, **einiges** *something*, and **weniges** *little*; and after the plural determiners **alle** *all*, **beide** *both*, and **sämtliche** *all.*

Weak adjective endings

	SINGULAR			PLURAL
	masculine	*feminine*	*neuter*	*all genders*
nominative	**-e**	**-e**	**-e**	-en
accusative	-en	**-e**	**-e**	-en
dative	-en	-en	-en	-en
genitive	-en	-en	-en	-en

Examples:

	SINGULAR			PLURAL
	masculine	*feminine*	*neuter*	*all genders*
nominative	der große Mann	die schöne Frau	das kleine Kind	die alten Leute
accusative	den großen Mann	die schöne Frau	das kleine Kind	die alten Leute
dative	dem großen Mann(e)	der schönen Frau	dem kleinen Kind(e)	den alten Leuten
genitive	des großen Mannes	der schönen Frau	des kleinen Kindes	der alten Leute

B. Adjectives take *strong* endings when they are not preceded by a determiner; when they come after an uninflected form of an **ein**-word; after **welch** *which*, **solch** *such*, and **manch** *many a*; after the plural determiners **ein paar** *a few*, **mehrere** *several*, **viele** *many*, **wenige** *few*, **einige** *some*, **andere** *other*, **verschiedene** *various*, **sonstige** *other*, and **etliche** *a few*; and after cardinal numbers.

Strong adjective endings

	SINGULAR			PLURAL
	masculine	*feminine*	*neuter*	*all genders*
nominative	-er	-e	-es	-e
accusative	-en	-e	-es	-e
dative	-em	-er	-em	-en
genitive	-en	-er	-en	-er

Examples:

	SINGULAR			PLURAL
	masculine	*feminine*	*neuter*	*all genders*
nominative	starker Kaffee	gute Stimmung	schlechtes Wetter	alte Leute
accusative	starken Kaffee	gute Stimmung	schlechtes Wetter	alte Leute
dative	starkem Kaffee	guter Stimmung	schlechtem Wetter	alten Leuten
genitive	starken Kaffees	guter Stimmung	schlechten Wetters	alter Leute

C. Adjectives take *no ending* when they are used in the predicative position (i.e., after the verbs **sein, werden, bleiben, scheinen**).

Das Mädchen ist schön.　　Das Wetter bleibt gut.

Exception: the following adjectives cannot occur without an adjective ending:

besonder-	recht-
ander-	link-
inner-	ober-
äußer-	unter-
letzt-	vorder-
nächst-	hinter-

and all ordinal numbers (erst-, zweit-, dritt-, etc.).

One can say **die nächste Lektion** but not **Die Lektion ist** *nächst*. These adjectives do occur after the verbs **sein, werden, bleiben, scheinen,** but always in combination with a determiner that requires them to have an ending (see also VII, B, p. 396).

Er ist **ein** ander**er**. Das ist **der** nächst**e**. Sie ist **die** erst**e**.

D. Comparison of adjectives

1. The comparative of adjectives is formed with the ending **-er**, the superlative with the ending **-(e)st**.

schnell schneller schnellst-

2. If the base form ends in **-d**, **-t**, **-s**, **-ß**, **-z**, or **-x**, the superlative ends in **-est**, instead of **-st**.

schlecht	schlechter	schlechtest-
rund	runder	rundest-
süß	süßer	süßest-

3. Monosyllabic adjectives ending in **-sch** also take the ending **-est-** in the superlative.

falsch falscher falschest-

4. Most monosyllabic adjectives take an umlaut in the comparative and superlative, if one is possible.

alt	älter	ältest-
jung	jünger	jüngst-
groß	größer	größt-
klug	klüger	klügst-
kurz	kürzer	kürzest-
lang	länger	längst-
stark	stärker	stärkst-

5. Adjectives ending in **-er** and **-el** eliminate the **-e-** before the **-er** ending of the comparative.

teuer	teurer	teuerst-
dunkel	dunkler	dunkelst-

6. Comparative and superlative adjective forms take the usual strong and weak adjective endings, depending on the determiners.

der älter**e** Bruder	*the older brother*
ein älter**er** Bruder	*an older brother*
die wichtigst**en** Probleme	*the most important problems*
die bekanntest**en** Schauspieler	*the best-known actors*

7. The comparative, when used predicatively, takes no declensional ending.

Der Bruder ist **älter.**

8. The superlative, when used predicatively, takes the form **am . . . -en**, when no direct comparison is involved.

Das Wetter ist jetzt **am schönsten.**

Otherwise it is used with the determiner **der, die, das** and takes a weak ending.

Dieser Zug ist **der schnellste.**

9. Some adjectives have irregular comparative and superlative forms.

gut	besser	best-
viel	mehr	meist-
hoch	höher	höchst-
nah	näher	nächst-

10. The German equivalent for *than* after a comparative is **als.**

mehr als hundert Dollar *more than a hundred dollars*

The equivalent for *as . . . as* is **ebenso** (or **so**) . . . **wie.**

Er ist ebenso } alt wie wir. *He is as old as we are.*
Er ist so

E. Adjectives with prepositions

Some adjectives regularly occur in combination with a preposition. (The case required by the preposition is indicated in parentheses.)

abhängig von (*dat*)	*dependent upon*
arm an (*dat*)	*lacking in*
berühmt wegen (*gen*)	*famous for*
böse auf (*acc*), über (*acc*)	*angry with, at*
fähig zu (*dat*)	*capable of*
froh über (*acc*)	*glad about*
gewöhnt an (*acc*)	*used to*
interessiert an (*dat*)	*interested in*
kritisch gegen (*acc*)	*critical of*
reich an (*dat*)	*rich in*
sicher vor (*dat*)	*safe from*
stolz auf (*acc*)	*proud of*

streng mit (*dat*)	*strict with*
traurig über (*acc*)	*sad about*
überzeugt von (*dat*)	*convinced of*
unabhängig von (*dat*)	*independent of*
verantwortlich für (*acc*)	*responsible for*
verliebt in (*acc*)	*in love with*
verwandt mit (*dat*)	*related to*
voll von (*dat*)	*full of*
wichtig für (*acc*)	*important for*
zufrieden mit (*dat*)	*satisfied with*

III. NOUNS

A. Gender

We may speak of **der**-nouns (masculine), **die**-nouns (feminine), and **das**-nouns (neuter). As a general rule, grammatical gender corresponds with biological sex in nouns naming people and animals, although there are some exceptions (e.g., **das Mädchen, das Weib**). When the noun refers to an inanimate object or an abstraction, its grammatical gender is rarely predictable unless it has a particular suffix that always requires a particular gender.

1. Suffixes requiring the masculine:

-ling
der Frühling *spring*, der Lehrling *apprentice*

-ismus
der Sozialismus *socialism*, der Kapitalismus *capitalism*

-ist
der Polizist *policeman*, der Artist *artiste*

-or
der Motor *motor*, der Reaktor *reactor*

-ig
der Honig *honey*, der Pfennig *penny*

2. Suffixes requiring the feminine:

-ei
die Bücherei *library*, die Bäckerei *bakery*

-in
die Studentin *co-ed*, die Lehrerin *teacher*

-heit
die Freiheit *liberty*, die Gesundheit *health*

-keit
die Öffentlichkeit *public*, die Wirklichkeit *reality*

-schaft
die Freundschaft *friendship*, die Wirtschaft *economy*

-ung
die Wohnung *apartment*, die Einladung *invitation*

-tion
die Nation *nation*, die Inflation *inflation*

-ie
die Kolonie *colony*, die Philosophie *philosophy*

-age
die Garage *garage*, die Montage *construction*

-tät
die Universität *university*, die Qualität *quality*

-ur
die Natur *nature*, die Temperatur *temperature*

3. Suffixes requiring the neuter:

-chen (a diminutive)
das Mädchen *girl*, das Städtchen *little town*

-lein (a diminutive)
das Fräulein *Miss*, *girl*, das Männlein *little man*

4. The prefix **Ge-** also requires the neuter in collective words.

das Gebirge *mountain range*, das Gebüsch *bushes*

5. The last component of a compound word determines whether the compound is a **der-**, **die-**, or **das**-noun.

die Woche + das Ende = das Wochenende

B. Plurals

1. Some nouns can only occur in the plural.

die Eltern *parents*, die Ferien *vacation*
die Lebensmittel *foodstuffs*, die Möbel *furniture*

2. The remaining nouns form their plurals in various ways.

a. no change in the plural form

SINGULAR	PLURAL
das Fenster *window*	die Fenster

b. the ending **-n**

die Dame *lady*	die Damen

c. the ending **-en**

der Herr *gentleman*	die Herren

d. the ending **-e**
der Brief *letter* — die Briefe

e. the ending **-er**
das Kind *child* — die Kinder

f. umlaut
der Vater *father* — die Väter

g. umlaut and ending **-e**
die Stadt *city* — die Städte

h. umlaut and ending **-er**
das Buch *book* — die Bücher

i. ending **-s**
das Hotel *hotel* — die Hotels

j. ending **-se**
das Ereignis *event* — die Ereignisse

3. Sometimes there are two plural forms with different meanings.

das Wort *word*	die Wörter *individual words*
	die Worte *words in discourse*
das Tuch *cloth*	die Tücher *scarves, handkerchiefs*
	die Tuche *cloth materials*

4. The plural form can be predicted when the singular form ends in certain common ways.

SINGULAR ENDING IN	PLURAL	EXAMPLE
-ung	-ungen	Wohnung, Wohnungen
-heit	-heiten	Gelegenheit, Gelegenheiten
-keit	-keiten	Kleinigkeit, Kleinigkeiten
-in	-innen	Studentin, Studentinnen
-nis	-nisse	Ereignis, Ereignisse
-tum	-tümer	Reichtum, Reichtümer
-ling	-linge	Lehrling, Lehrlinge
-ismus	-ismen	Organismus, Organismen
-ist	-isten	Pazifist, Pazifisten
-or	-oren	Motor, Motoren
-ei	-eien	Bücherei, Büchereien
-ion	-ionen	Lektion, Lektionen
-chen	-chen	Mädchen, Mädchen
-lein	-lein	Fräulein, Fräulein

C. Cases

The easiest way to discover the case of a noun is usually to look at the determiner or adjective used with it. In many instances, however, case is also signalled by the form (ending) of the noun itself. There are three noun declensions, *strong*, *weak*, and *mixed*. Foreign words sometimes show still another pattern. Typical forms for each declension are shown in the following tables.

1. Strong

	SINGULAR		
	masculine	*feminine*	*neuter*
nominative	der Mann	die Kraft	das Geld
accusative	den Mann	die Kraft	das Geld
dative	dem Mann(e)	der Kraft	dem Geld(e)
genitive	des Mannes	der Kraft	des Geldes
	PLURAL		
nominative	die Männer	die Kräfte	die Gelder
accusative	die Männer	die Kräfte	die Gelder
dative	den Männern	den Kräften	den Geldern
genitive	der Männer	der Kräfte	der Gelder

2. Weak

	SINGULAR		PLURAL	
	masculine	*feminine*	*masculine*	*feminine*
nominative	der Junge	die Frau	die Jungen	die Frauen
accusative	den Jungen	die Frau	die Jungen	die Frauen
dative	dem Jungen	der Frau	den Jungen	den Frauen
genitive	des Jungen	der Frau	der Jungen	der Frauen

3. Mixed

	SINGULAR		PLURAL	
	masculine	*neuter*	*masculine*	*neuter*
nominative	der Staat	das Auge	die Staaten	die Augen
accusative	den Staat	das Auge	die Staaten	die Augen
dative	dem Staat(e)	dem Auge	den Staaten	den Augen
genitive	des Staates	des Auges	der Staaten	der Augen

4. Foreign words (with plural **-s**)

	SINGULAR		PLURAL	
	masculine	*neuter*	*masculine*	*neuter*
nominative	der Karton *box*	das Auto	die Kartons	die Autos
accusative	den Karton	das Auto	die Kartons	die Autos
dative	dem Karton	dem Auto	den Kartons	den Autos
genitive	des Kartons	des Autos	der Kartons	der Autos

In the *strong* declension, masculine and neuter nouns add -(**e**)**s** in the genitive singular and occasionally add (in careful style and in certain standing expressions) an **-e** in the dative singular. Feminine nouns add no endings in the singular. In the dative plural, masculine, feminine, and neuter nouns add -(**e**)**n** to their plural form.

In the *weak* declension, masculine nouns end in -(**e**)**n** in all cases except the nominative singular. Feminine nouns add no endings in the singular. They add -(**e**)**n** in all cases in the plural.

In the *mixed* declension, nouns follow the strong pattern in the singular and the weak pattern in the plural.

IV. VERBS

A. Strong, weak, and mixed verbs

Most German verbs may be classified as strong or weak. Some irregular verbs are mixed. Complete conjugations for model strong and weak verbs are shown in the following tables. Some points to keep in mind:

1. *Weak* verbs do not change their stem vowel in the past tense or the past participle. Their past participle always ends in -(**e**)**t**. Their past tense forms have a standard set of endings:

ich, er, sie, es	**-te**	wir, sie, Sie	**-ten**
du	**-test**	ihr	**-tet**

2. *Strong* verbs change their vowel in the past tense. Their past participle ends in **-en**.

3. *Mixed* verbs have weak endings but also change the stem vowel: **kennen, kannte, gekannt**. Some mixed verbs also show consonantal changes: **denken, dachte, gedacht**.

B. Weak verbs

fragen, *to ask*

ACTIVE INDICATIVE

present tense

ich	frage	*I ask, am asking*	wir	fragen
er, sie, es	fragt		sie, Sie	fragen
du	fragst		ihr	fragt

fragen (*continued*)

past tense (*imperfect, preterite*)

ich fragte *I asked*	wir fragten
er fragte	sie fragten
du fragtest	ihr fragtet

present perfect

ich habe gefragt *I asked, have asked*	wir haben gefragt
er hat gefragt	sie haben gefragt
du hast gefragt	ihr habt gefragt

past perfect (*pluperfect*)

ich hatte gefragt *I had asked*	wir hatten gefragt
er hatte gefragt	sie hatten gefragt
du hattest gefragt	ihr hattet gefragt

future

ich werde fragen *I shall ask, am going to ask*	wir werden fragen
er wird fragen	sie werden fragen
du wirst fragen	ihr werdet fragen

future perfect

ich werde gefragt haben *I shall have asked*	wir werden gefragt haben
er wird gefragt haben	sie werden gefragt haben
du wirst gefragt haben	ihr werdet gefragt haben

PASSIVE INDICATIVE

present tense

ich werde gefragt *I am (being) asked*	wir werden gefragt
er wird gefragt	sie werden gefragt
du wirst gefragt	ihr werdet gefragt

past tense

ich wurde gefragt *I was asked*	wir wurden gefragt
er wurde gefragt	sie wurden gefragt
du wurdest gefragt	ihr wurdet gefragt

present perfect

ich bin gefragt worden *I have been asked*	wir sind gefragt worden
er ist gefragt worden	sie sind gefragt worden
du bist gefragt worden	ihr seid gefragt worden

past perfect

ich war gefragt worden *I had been asked*	wir waren gefragt worden
er war gefragt worden	sie waren gefragt worden
du warst gefragt worden	ihr wart gefragt worden

fragen (*continued*)

future

ich werde gefragt werden *I shall be asked*	wir werden gefragt werden
er wird gefragt werden	sie werden gefragt werden
du wirst gefragt werden	ihr werdet gefragt werden

future perfect (*rarely used*)

(ich werde gefragt worden sein) *I shall have been asked*	(wir werden gefragt worden sein)
(er wird gefragt worden sein)	(sie werden gefragt worden sein)
(du wirst gefragt worden sein)	(ihr werdet gefragt worden sein)

ACTIVE SUBJUNCTIVE

subjunctive I (*the forms in parentheses are seldom used*)

(ich frage)	(wir fragen)
er frage	(sie fragen)
(du fragest)	(ihr fraget)

subjunctive II

ich fragte	wir fragten
er fragte	sie fragten
du fragtest	ihr fragtet

subjunctive future

(ich werde fragen)	(wir werden fragen)
er werde fragen	(sie werden fragen)
(du werdest fragen)	(ihr werdet fragen)

conditional I

ich würde fragen *I would (should) ask*	wir würden fragen
er würde fragen	sie würden fragen
du würdest fragen	ihr würdet fragen

subjunctive present perfect

(ich habe gefragt)	(wir haben gefragt)
er habe gefragt	(sie haben gefragt)
(du habest gefragt)	(ihr habet gefragt)

subjunctive past perfect (conditional II)

ich hätte gefragt *I would have asked*	wir hätten gefragt
er hätte gefragt	sie hätten gefragt
du hättest gefragt	ihr hättet gefragt

PASSIVE SUBJUNCTIVE

subjunctive I

(ich werde gefragt)	(wir werden gefragt)
er werde gefragt	(sie werden gefragt)
(du werdest gefragt)	(ihr werdet gefragt)

fragen *(continued)*

subjunctive II

ich würde gefragt	wir würden gefragt
er würde gefragt	sie würden gefragt
du würdest gefragt	ihr würdet gefragt

subjunctive future

(ich werde gefragt werden)	(wir werden gefragt werden)
er werde gefragt werden	(sie werden gefragt werden)
(du werdest gefragt werden)	(ihr werdet gefragt werden)

conditional I

ich würde gefragt werden *I would be asked*	wir würden gefragt werden
er würde gefragt werden	sie würden gefragt werden
du würdest gefragt werden	ihr würdet gefragt werden

subjunctive present perfect

ich sei gefragt worden	wir seien gefragt worden
er sei gefragt worden	sie seien gefragt worden
du seist gefragt worden	(ihr seiet gefragt worden)

subjunctive past perfect (conditional II)

ich wäre gefragt worden *I would have been asked*	wir wären gefragt worden
er wäre gefragt worden	sie wären gefragt worden
du wär(e)st gefragt worden	ihr wäret gefragt worden

imperative

frage!
fragt!
fragen Sie!

infinite (non-finite) forms

Infinitive	fragen
Infinitive passive	gefragt werden
Present participle	fragend
Past participle	gefragt

C. Strong verbs

rufen, *to call*

ACTIVE INDICATIVE

present tense

ich rufe *I call, am calling*		wir rufen
er / sie / es ruft		sie / Sie rufen
du rufst		ihr ruft

rufen (*continued*)

past tense (*imperfect, preterite*)

ich rief *I called*	wir riefen
er rief	sie riefen
du riefst	ihr rieft

present perfect

ich habe gerufen *I called, have called*	wir haben gerufen
er hat gerufen	sie haben gerufen
du hast gerufen	ihr habt gerufen

past perfect (*pluperfect*)

ich hatte gerufen *I had called*	wir hatten gerufen
er hatte gerufen	sie hatten gerufen
du hattest gerufen	ihr hattet gerufen

future

ich werde rufen *I shall call, am going to call*	wir werden rufen
er wird rufen	sie werden rufen
du wirst rufen	ihr werdet rufen

future perfect

ich werde gerufen haben *I shall have called*	wir werden gerufen haben
er wird gerufen haben	sie werden gerufen haben
du wirst gerufen haben	ihr werdet gerufen haben

PASSIVE INDICATIVE

present tense

ich werde gerufen *I am (being) called*	wir werden gerufen
er wird gerufen	sie werden gerufen
du wirst gerufen	ihr werdet gerufen

past tense

ich wurde gerufen *I was called*	wir wurden gerufen
er wurde gerufen	sie wurden gerufen
du wurdest gerufen	ihr wurdet gerufen

present perfect

ich bin gerufen worden *I have been called*	wir sind gerufen worden
er ist gerufen worden	sie sind gerufen worden
du bist gerufen worden	ihr seid gerufen worden

past perfect

ich war gerufen worden *I had been called*	wir waren gerufen worden
er war gerufen worden	sie waren gerufen worden
du warst gerufen worden	ihr wart gerufen worden

rufen (*continued*)

future

ich werde gerufen werden	*I shall be called*	wir werden gerufen werden
er wird gerufen werden		sie werden gerufen werden
du wirst gerufen werden		ihr werdet gerufen werden

future perfect (*rarely used*)

(ich werde gerufen worden sein)	*I shall have been called*	(wir werden gerufen worden sein)
(er wird gerufen worden sein)		(sie werden gerufen worden sein)
(du wirst gerufen worden sein)		(ihr werdet gerufen worden sein)

ACTIVE SUBJUNCTIVE

subjunctive I (*the forms in parentheses are seldom used*)

(ich rufe)		(wir rufen)
er rufe		(sie rufen)
(du rufest)		(ihr rufet)

subjunctive II

ich riefe		wir riefen
er riefe		sie riefen
du riefest		ihr riefet

subjunctive future

(ich werde rufen)		(wir werden rufen)
er werde rufen		(sie werden rufen)
(du werdest rufen)		(ihr werdet rufen)

conditional I

ich würde rufen	*I would call*	wir würden rufen
er würde rufen		sie würden rufen
du würdest rufen		ihr würdet rufen

subjunctive present perfect

(ich habe gerufen)		(wir haben gerufen)
er habe gerufen		(sie haben gerufen)
(du habest gerufen)		(ihr habet gerufen)

subjunctive past perfect (conditional II)

ich hätte gerufen	*I would have called*	wir hätten gerufen
er hätte gerufen		sie hätten gerufen
du hättest gerufen		ihr hättet gerufen

PASSIVE SUBJUNCTIVE

subjunctive I (*the forms in parentheses are seldom used*)

(ich werde gerufen)		(wir werden gerufen)
er werde gerufen		(sie werden gerufen)
(du werdest gerufen)		(ihr werdet gerufen)

rufen (*continued*)

subjunctive II

ich würde gerufen	wir würden gerufen
er würde gerufen	sie würden gerufen
du würdest gerufen	ihr würdet gerufen

subjunctive future

(ich werde gerufen werden)	(wir werden gerufen werden)
er werde gerufen werden	(sie werden gerufen werden)
(du werdest gerufen werden)	(ihr werdet gerufen werden)

conditional I

ich würde gerufen werden	*I would be called*	wir würden gerufen werden
er würde gerufen werden		sie würden gerufen werden
du würdest gerufen werden		ihr würdet gerufen werden

subjunctive present perfect

ich sei gerufen worden	wir seien gerufen worden
er sei gerufen worden	sie seien gerufen worden
du seist gerufen worden	(ihr seiet gerufen worden)

subjunctive past perfect (conditional II)

ich wäre gerufen worden	*I would have been called*	wir wären gerufen worden
er wäre gerufen worden		sie wären gerufen worden
du wär(e)st gerufen worden		ihr wäret gerufen worden

imperative

rufe!
ruft!
rufen Sie!

infinite (non-finite) forms

Infinitive	rufen
Infinitive passive	gerufen werden
Present participle	rufend
Past participle	gerufen

D. Modal auxiliaries

können [*past participle* **gekonnt**], *to be able*

indicative present tense

ich kann	wir können
er kann	sie können
du kannst	ihr könnt

können (*continued*)

indicative past tense

ich konnte	wir konnten
er konnte	sie konnten
du konntest	ihr konntet

subjunctive I (*the forms in parentheses are seldom used*)

ich könne	(wir können)
er könne	(sie können)
(du könnest)	(ihr könnet)

subjunctive II

ich könnte	wir könnten
er könnte	sie könnten
du könntest	ihr könntet

mögen [*past participle* **gemocht**], *to like*

indicative present tense

ich mag	wir mögen
er mag	sie mögen
du magst	ihr mögt

indicative past tense

ich mochte	wir mochten
er mochte	sie mochten
du mochtest	ihr mochtet

subjunctive I (*the forms in parentheses are seldom used*)

ich möge	(wir mögen)
er möge	(sie mögen)
(du mögest)	(ihr möget)

subjunctive II

ich möchte	wir möchten
er möchte	sie möchten
du möchtest	ihr möchtet

müssen [*past participle* **gemußt**], *to have to*

indicative present tense

ich muß	wir müssen
er muß	sie müssen
du mußt	ihr müßt

indicative past tense

ich mußte	wir mußten
er mußte	sie mußten
du mußtest	ihr mußtet

müssen (*continued*)

subjunctive I (*the forms in parentheses are seldom used*)

ich müsse	(wir müssen)
er müsse	(sie müssen)
(du müssest)	(ihr müsset)

subjunctive II

ich müßte	wir müßten
er müßte	sie müßten
du müßtest	ihr müßtet

dürfen [*past participle* **gedurft**], *to be allowed to*

indicative present tense

ich darf	wir dürfen
er darf	sie dürfen
du darfst	ihr dürft

indicative past tense

ich durfte	wir durften
er durfte	sie durften
du durftest	ihr durftet

subjunctive I (*the forms in parentheses are seldom used*)

ich dürfe	(wir dürfen)
er dürfe	(sie dürfen)
(du dürfest)	(ihr dürfet)

subjunctive II

ich dürfte	wir dürften
er dürfte	sie dürften
du dürftest	ihr dürftet

sollen [*past participle* **gesollt**], *to be supposed to*

indicative present tense

ich soll	wir sollen
er soll	sie sollen
du sollst	ihr sollt

indicative past tense

ich sollte	wir sollten
er sollte	sie sollten
du solltest	ihr solltet

subjunctive I (*the forms in parentheses are seldom used*)

ich solle	(wir sollen)
er solle	(sie sollen)
(du sollest)	(ihr sollet)

sollen (*continued*)

subjunctive II

ich sollte	wir sollten
er sollte	sie sollten
du solltest	ihr solltet

wollen [*past participle* **gewollt**], *to wish, to want*

indicative present tense

ich will	wir wollen
er will	sie wollen
du willst	ihr wollt

indicative past tense

ich wollte	wir wollten
er wollte	sie wollten
du wolltest	ihr wolltet

subjunctive I (*the forms in parentheses are seldom used*)

ich wolle	(wir wollen)
er wolle	(sie wollen)
(du wollest)	(ihr wollet)

subjunctive II

ich wollte	wir wollten
er wollte	sie wollten
du wolltest	ihr wolltet

E. List of strong and mixed verbs

INFINITIVE	*PRESENT TENSE*	*PAST TENSE*	*PRESENT PERFECT*	*IMPERATIVE*
	3rd person singular			*singular (if irregular)*
anfangen	fängt an	fing an	hat angefangen	
befehlen	befiehlt	befahl	hat befohlen	befiehl
beginnen	beginnt	begann	hat begonnen	
beißen	beißt	biß	hat gebissen	
biegen	biegt	bog	hat gebogen	
bieten	bietet	bot	hat geboten	
binden	bindet	band	hat gebunden	
bitten	bittet	bat	hat gebeten	
blasen	bläst	blies	hat geblasen	
bleiben	bleibt	blieb	ist geblieben	
braten	brät	briet	hat gebraten	
brechen	bricht	brach	hat gebrochen	brich

INFINITIVE	*PRESENT TENSE*	*PAST TENSE*	*PRESENT PERFECT*	*IMPERATIVE*
	3rd person singular			*singular (if irregular)*
brennen	brennt	brannte	hat gebrannt	
bringen	bringt	brachte	hat gebracht	
denken	denkt	dachte	hat gedacht	
dringen	dringt	drang	ist gedrungen	
dürfen	darf	durfte	hat gedurft	
empfehlen	empfiehlt	empfahl	hat empfohlen	empfiehl
erschrecken	erschrickt	erschrak	ist erschrocken	erschrick
essen	ißt	aß	hat gegessen	iß
fahren	fährt	fuhr	ist gefahren	
fallen	fällt	fiel	ist gefallen	
fangen	fängt	fing	hat gefangen	
fechten	ficht	focht	hat gefochten	ficht
finden	findet	fand	hat gefunden	
flechten	flicht	flocht	hat geflochten	flicht
fliegen	fliegt	flog	ist geflogen	
fliehen	flieht	floh	ist geflohen	
fließen	fließt	floß	ist geflossen	
fressen	frißt	fraß	hat gefressen	friß
frieren	friert	fror	hat gefroren	
geben	gibt	gab	hat gegeben	gib
gehen	geht	ging	ist gegangen	
gelingen	gelingt	gelang	ist gelungen	
gelten	gilt	galt	hat gegolten	
genießen	genießt	genoß	hat genossen	
geraten	gerät	geriet	ist geraten	
geschehen	geschieht	geschah	ist geschehen	
gewinnen	gewinnt	gewann	hat gewonnen	
gießen	gießt	goß	hat gegossen	
gleichen	gleicht	glich	hat geglichen	
gleiten	gleitet	glitt	ist geglitten	
graben	gräbt	grub	hat gegraben	
greifen	greift	griff	hat gegriffen	
haben	hat	hatte	hat gehabt	
halten	hält	hielt	hat gehalten	
hängen	hängt	hing	hat (ist) gehangen	
heben	hebt	hob	hat gehoben	
heißen	heißt	hieß	hat geheißen	
helfen	hilft	half	hat geholfen	hilf
kennen	kennt	kannte	hat gekannt	
klingen	klingt	klang	hat geklungen	
kneifen	kneift	kniff	hat gekniffen	
kommen	kommt	kam	ist gekommen	
können	kann	konnte	hat gekonnt	

INFINITIVE	PRESENT TENSE	PAST TENSE	PRESENT PERFECT	IMPERATIVE
		3rd person singular		singular (if irregular)
kriechen	kriecht	kroch	ist gekrochen	
laden	lädt	lud	hat geladen	
lassen	läßt	ließ	hat gelassen	
laufen	läuft	lief	ist gelaufen	
leiden	leidet	litt	hat gelitten	
leihen	leiht	lieh	hat geliehen	
lesen	liest	las	hat gelesen	lies
liegen	liegt	lag	hat (ist) gelegen	
lügen	lügt	log	hat gelogen	
messen	mißt	maß	hat gemessen	miß
mißlingen	mißlingt	mißlang	ist mißlungen	
mögen	mag	mochte	hat gemocht	
müssen	muß	mußte	hat gemußt	
nehmen	nimmt	nahm	hat genommen	nimm
nennen	nennt	nannte	hat genannt	
pfeifen	pfeift	pfiff	hat gepfiffen	
raten	rät	riet	hat geraten	
reiben	reibt	rieb	hat gerieben	
reißen	reißt	riß	ist gerissen	
reiten	reitet	ritt	hat (ist) geritten	
rennen	rennt	rannte	ist gerannt	
riechen	riecht	roch	hat gerochen	
rufen	ruft	rief	hat gerufen	
schaffen	schafft	schuf	hat geschaffen	
scheiden	scheidet	schied	ist geschieden	
scheinen	scheint	schien	hat geschienen	
schelten	schilt	schalt	hat gescholten	schilt
schieben	schiebt	schob	hat geschoben	
schießen	schießt	schoß	hat geschossen	
schlafen	schläft	schlief	hat geschlafen	
schlagen	schlägt	schlug	hat geschlagen	
schleichen	schleicht	schlich	ist geschlichen	
schleifen	schleift	schliff	hat geschliffen	
schließen	schließt	schloß	hat geschlossen	
schmeißen	schmeißt	schmiß	hat geschmissen	
schmelzen	schmilzt	schmolz	ist geschmolzen	
schneiden	schneidet	schnitt	hat geschnitten	
schreiben	schreibt	schrieb	hat geschrieben	
schreien	schreit	schrie	hat geschrien	
schreiten	schreitet	schritt	ist geschritten	
schweigen	schweigt	schwieg	hat geschwiegen	
schwellen	schwillt	schwoll	ist geschwollen	
schwimmen	schwimmt	schwamm	ist (hat) geschwommen	

INFINITIVE	*PRESENT TENSE*	*PAST TENSE*	*PRESENT PERFECT*	*IMPERATIVE*
	3rd person singular			*singular (if irregular)*
schwören	schwört	schwor	hat geschworen	
sehen	sieht	sah	hat gesehen	sieh
sein	ist	war	ist gewesen	sei
senden	sendet	sandte	hat gesandt	
singen	singt	sang	hat gesungen	
sinken	sinkt	sank	ist gesunken	
sinnen	sinnt	sann	hat gesonnen	
sitzen	sitzt	saß	hat (ist) gesessen	
sprechen	spricht	sprach	hat gesprochen	sprich
springen	springt	sprang	ist gesprungen	
stechen	sticht	stach	hat gestochen	stich
stehen	steht	stand	hat (ist) gestanden	
stehlen	stiehlt	stahl	hat gestohlen	stiehl
steigen	steigt	stieg	ist gestiegen	
sterben	stirbt	starb	ist gestorben	stirb
stoßen	stößt	stieß	hat gestoßen	
streichen	streicht	strich	hat gestrichen	
streiten	streitet	stritt	hat gestritten	
tragen	trägt	trug	hat getragen	
treffen	trifft	traf	hat getroffen	triff
treiben	treibt	trieb	hat getrieben	
treten	tritt	trat	hat getreten	tritt
trinken	trinkt	trank	hat getrunken	
tun	tut	tat	hat getan	tu
verbergen	verbirgt	verbarg	hat verborgen	verbirg
verderben	verdirbt	verdarb	ist verdorben	verdirb
vergessen	vergißt	vergaß	hat vergessen	vergiß
verlieren	verliert	verlor	hat verloren	
verschwinden	verschwindet	verschwand	ist verschwunden	
verzeihen	verzeiht	verzieh	hat verziehen	
wachsen	wächst	wuchs	ist gewachsen	
waschen	wäscht	wusch	hat gewaschen	
weisen	weist	wies	hat gewiesen	
werben	wirbt	warb	hat geworben	wirb
werden	wird	wurde	ist geworden	werde
werfen	wirft	warf	hat geworfen	wirf
wiegen	wiegt	wog	hat gewogen	
winden	windet	wand	hat gewunden	
wissen	weiß	wußte	hat gewußt	wisse
wollen	will	wollte	hat gewollt	wolle
wringen	wringt	wrang	hat gewrungen	
ziehen	zieht	zog	hat gezogen	
zwingen	zwingt	zwang	hat gezwungen	

F. Verbs with prepositions

Some verbs regularly occur in combination with a particular preposition. (The case required by the preposition is indicated in parentheses.)

achten auf (*acc*)	*to watch for, to attend to*
sich ausruhen von (*dat*)	*to take a rest from*
sich bedanken für (*acc*)	*to thank for*
beitragen zu (*dat*)	*to contribute to*
benutzen zu (*dat*)	*to use for*
berichten über (*acc*)	*to report on*
sich beschäftigen mit (*dat*)	*to work at, occupy oneself with*
bitten um (*acc*)	*to ask for*
brauchen zu (*dat*)	*to use for*
denken an (*acc*)	*to think of*
erinnern an (*acc*)	*to remind of*
sich erinnern an (*acc*)	*to remember*
fragen nach (*dat*)	*to ask about*
sich freuen auf (*acc*)	*to look forward to*
sich freuen über (*acc*)	*to be glad about*
sich fürchten vor (*dat*)	*to be afraid of*
gehören zu (*dat*)	*to belong to*
sich gewöhnen an (*acc*)	*to get used to*
glauben an (*acc*)	*to believe in*
gratulieren zu (*dat*)	*to congratulate on*
sich halten an (*acc*)	*to stick to, to cling to*
halten von (*dat*)	*to think of*
hoffen auf (*acc*)	*to hope for*
sich informieren über (*acc*)	*to gather information on*
sich interessieren für (*acc*)	*to be interested in*
lachen über (*acc*)	*to laugh about*
leiden an (*dat*)	*to suffer from*
nachdenken über (*acc*)	*to think about, to reflect on*
rechnen mit (*dat*)	*to count on, reckon with*
sich sehnen nach (*dat*)	*to long for*
sorgen für (*acc*)	*to care for, look after*
sprechen über (*acc*), von (*dat*)	*to speak about*
suchen nach (*dat*)	*to search for*
sich unterhalten über (*acc*)	*to talk about*
sich verlassen auf (*acc*)	*to depend upon*
versorgen mit (*dat*)	*to supply with*
verzweifeln über (*acc*), an (*dat*)	*to despair of*
sich vorbereiten auf (*acc*)	*to prepare for*
warten auf (*acc*)	*to wait for*
sich wundern über (*acc*)	*to wonder about*

V. PRONOUNS

A. Personal pronouns

1. The personal pronouns have a full range of declensional forms.

SINGULAR

	1st person	*2nd person*	*3rd person* *masculine*	*feminine*	*neuter*
nominative	ich	du	er	sie	es
accusative	mich	dich	ihn	sie	es
dative	mir	dir	ihm	ihr	ihm
genitive	meiner	deiner	seiner	ihrer	seiner

PLURAL

	1st person	*2nd person*	*3rd person all genders*	*Formal address*
nominative	wir	ihr	sie	Sie
accusative	uns	euch	sie	Sie
dative	uns	euch	ihnen	Ihnen
genitive	unser	euer	ihrer	Ihrer

2. **Da**-*compounds.* If the dative or accusative object of a preposition refers to a thing or an abstraction, a **da**-compound is used, not a personal pronoun. **Da-** is added as a prefix to the preposition. If the preposition begins with a vowel, an **-r-** is inserted.

[*object a person*]
Wo ist Herr Schmidt? Wir sprechen gerade **über ihn**.
Das war unsere Wirtin. Wer erinnert sich **an sie**?

[*object a thing or abstraction*]
Ist der Film gut? Wir sprechen gerade **darüber**.
Das war eine schöne Zeit. Wer erinnert sich **daran**?

The **da**-compounds are:

dabei, dadurch, dafür, dagegen, dahinter, damit, danach, daneben, davon, davor, dazu, dazwischen, daran, darauf, daraus, darin, darum, darüber, darunter.

B. Reflexive pronouns

1. When a first- or second-person pronoun refers back to the subject of the sentence, a personal pronoun is used.

Ich frage mich.	*I am asking myself.*
Du fragst dich.	*You are asking yourself.*
Wir fragen uns.	*We are asking ourselves.*
Ihr fragt euch.	*You are asking yourselves.*

In the third person, a special reflexive form exists: **sich**.

Er fragt sich.	*He is asking himself.*
Man fragt sich.	*One is asking oneself.*
Die Leute fragen sich.	*People are asking themselves.*

2. **Sich** is used for the accusative and dative, singular and plural, and masculine, feminine, and neuter.

[*accusative*]
sich freuen *to enjoy oneself*
Ich freue mich. Er freut sich. Sie freut sich.
Das Kind freut sich. Die Kinder freuen sich.

[*dative*]
sich schaden *to be harmful to oneself*
Ich schade mir. Er schadet sich. Sie schadet sich.
Das Mädchen schadet sich. Die Leute schaden sich.

3. Some verbs occur only reflexively; for example:

sich anstrengen	*to exert oneself*
sich schämen	*to be ashamed*
sich erkälten	*to catch a cold*
sich benehmen	*to behave*

4. Some verbs may occur either reflexively or with other objects; for example:

(sich) fragen	*to ask (oneself)*
(sich) fühlen	*to feel*
(sich) verteidigen	*to defend (oneself)*
(sich) bewegen	*to move*
(sich) helfen	*to help (oneself)*
(sich) waschen	*to wash (oneself)*

5. If a verb has a reflexive pronoun and another object, the other object is always in the accusative and the reflexive pronoun in the dative.

Ich kaufe **mir den** Wagen.
Du verdienst **dir das** Geld.

sich einen Schnupfen holen	*to catch a cold*
sich eine Karte kaufen	*to buy oneself a ticket*
sich die Zeit nehmen	*to take the time*
sich das Geld verdienen	*to earn the money*

6. **Sich** may be used as the equivalent of English *each other* or *one another*.

Wir schreiben **uns** oft.	*We write to each other often.*
Sie lieben **sich.**	*They love each other.*

sich begegnen	*to meet (each other)*
sich treffen	*to meet (each other)*
sich lieben	*to love each other*

sich streiten	*to quarrel with each other*
sich verständigen	*to come to an understanding with each other*
sich begrüßen	*to greet each other*
sich schreiben	*to write to each other*

To avoid ambiguities or for emphasis, one may replace **sich** with **einander**.

Sie lieben **einander**. *They love each other.*

C. Possessive pronouns

1. Possessive pronouns are different in function from possessive determiners (see I.B, p. 367). Whereas determiners modify nouns, pronouns replace nouns.

[*possessive determiners*]

mein Vater, deine Mutter, sein Buch, etc.

[*possessive pronouns*]

Hier ist ein Hut.	*Here is a hat.*
Ist es **deiner**?	*Is it yours?*
Ich habe keinen Bleistift.	*I have no pencil.*
Geben Sie mir **Ihren**.	*Give me yours.*
Sein Auto ist in der Garage.	*His car is in the garage.*
Wir fahren mit **meinem**.	*We'll take mine.*

2. The possessive pronouns have the same forms as the corresponding determiners except in the masculine nominative singular and the neuter nominative and accusative singular.

	SINGULAR			*PLURAL*
	masculine	*feminine*	*neuter*	*all genders*
nominative	meiner	meine	mein(e)s	meine
	deiner	deine	dein(e)s	deine
	seiner	seine	sein(e)s	seine
	ihrer	ihre	ihres	ihre
	unserer	unsere	unseres	unsere
	eurer	eure	eures	eure
	ihrer	ihre	ihres	ihre
	Ihrer	Ihre	Ihres	Ihre
accusative	meinen	meine	mein(e)s	meine
	deinen	deine	dein(e)s	deine
	seinen	seine	sein(e)s	seine
	ihren	ihre	ihres	ihre
	unseren	unsere	unseres	unsere
	euren	eure	eures	eure
	ihren	ihre	ihres	ihre
	Ihren	Ihre	Ihres	Ihre

dative	meinem deinem seinem ihrem	meiner deiner seiner ihrer	meinem deinem seinem ihrem	meinen deinen seinen ihren
	unserem eurem ihrem Ihrem	unserer eurer ihrer Ihrer	unserem eurem ihrem Ihrem	unseren euren ihren Ihren
genitive	*not used*			

D. Interrogative pronouns

1. Wer? *Who?*

Wer ist da? *Who is there?*
Wem gehört das? *To whom does it belong?*

nominative	wer?
accusative	wen?
dative	wem?
genitive	wessen?

2. Was? *What?*

Was ist das? *What is that?*
Was sagst du? *What do you say?*

nominative	was?
accusative	was?
dative	———
genitive	wessen?

3. Welcher? *Which one?*

Welcher von den Jungen ist hier gewesen? *Which one of the boys has been here?*

	SINGULAR			PLURAL
	masculine	*feminine*	*neuter*	*all genders*
nominative	welcher?	welche?	welches?	welche?
accusative	welchen?	welche?	welches?	welche?
dative	welchem?	welcher?	welchem?	welchen?
genitive	welches?	welcher?	welches?	welcher?

4. Was für einer? *What kind of?*

Wir haben einen neuen Wagen. *We have a new car.*
Was für einen? *What kind?*

	SINGULAR			PLURAL
	masculine	*feminine*	*neuter*	*all genders*
nominative	was für einer?	was für eine?	was für ein(e)s?	was für welche?
accusative	was für einen?	was für eine?	was für ein(e)s?	was für welche?
dative	was für einem?	was für einer?	was für einem?	was für welchen?
genitive	was für eines?	was für einer?	was für ein(e)s?	was für welcher?

E. Demonstrative pronouns

1. The most frequently used demonstrative pronouns are **der, die, das.**

Ich möchte mit Herrn X. sprechen. **Der** ist nicht hier.	*I would like to speak to Mr. X.* *He is not here.*
Wissen Sie, wo Herr B. ist? **Den** habe ich nicht gesehen.	*Do you know where Mr. B. is?* *I have not seen him.*
Seine Mutter ist zu Hause. Mit **der** möchte ich auch sprechen.	*His mother is home.* *I would like to speak with her too.*
Kennen Sie seine Eltern? Mit **denen** habe ich gerade gesprochen.	*Do you know his parents?* *I just spoke with them.*

In form these pronouns differ from the determiners (also called the *definite articles*) **der, die, das** only in the genitive singular and in the dative and genitive plural.

	SINGULAR			PLURAL
	masculine	*feminine*	*neuter*	*all genders*
nominative	der	die	das	die
accusative	den	die	das	die
dative	dem	der	dem	**denen**
genitive	**dessen**	**deren**	**dessen**	**deren**

2. The determiners (also called the *demonstrative adjectives*) **dieser, diese, dieses** can also be used as demonstrative pronouns.

Geben Sie mir einen anderen Platz. **Dieser** ist zu teuer.	*Give me another seat.* *This one is too expensive.*

	SINGULAR			PLURAL
	masculine	*feminine*	*neuter*	*all genders*
nominative	dieser	diese	dies(es)	diese
accusative	diesen	diese	dies(es)	diese
dative	diesem	dieser	diesem	diesen
genitive	*not used*			

The neuter pronoun form **dieses** is often shortened to **dies.**

F. Relative pronouns

1. The most common relative pronouns are **der, die, das.**

Die Leute, **die** hier gewohnt haben, sind nicht mehr hier.	*The people who lived here are no longer here.*
Die Leute, **denen** wir geholfen haben, sind nicht mehr hier.	*The people to whom we gave our help are no longer here.*

They have the same forms as the demonstrative pronouns **der, die, das.**

	SINGULAR			PLURAL
	masculine	*feminine*	*neuter*	*all genders*
nominative	der	die	das	die
accusative	den	die	das	die
dative	dem	der	dem	denen
genitive	dessen	deren	dessen	denen

2. In formal written style, the relative pronouns **welcher, welche, welches** are sometimes used.

Die Männer, **welche** auf dem Programm erscheinen, sind bekannte Wissenschaftler. *The men who appear on the program are well-known scientists.*

In the genitive, however, the forms **dessen** and **deren** are employed.

	SINGULAR			PLURAL
	masculine	*feminine*	*neuter*	*all genders*
nominative	welcher	welche	welches	welche
accusative	welchen	welche	welches	welche
dative	welchem	welcher	welchem	welchen
genitive	**dessen**	**deren**	**dessen**	**deren**

3. If a relative clause refers to the entire preceding clause (not to a particular noun or pronoun), the relative pronoun is **was.**

Er geht immer spazieren, **was** sehr gesund ist.	*He always goes for a walk, which is very healthy.*

4. If a relative clause refers to the entire preceding clause and the relation of the clause to the preceding clause is expressed by a preposition, a compound consisting of **wo-** plus the preposition is used. (An **-r-** is inserted if the preposition begins with a vowel.)

Er mußte nach Hause fahren, **womit** er nicht gerechnet hatte.	*He had to go home, which he had not planned.*

The **wo**-compounds are:

womit, wodurch, woran, worauf, wovor, wovon, wonach, wofür, worüber, worunter, womit, wozu, woraus, worin, wogegen, worum, wobei

VI. PREPOSITIONS

A. These prepositions require an *accusative* object:

durch	*through*	ohne	*without*
für	*for*	um	*around, about*
gegen	*against*	wider	*against*

B. These require a *dative*:

aus	*out of*	gegenüber	*on the other side of, opposite to*
außer	*except, besides*	nach	*after, according to*
bei	*near, at, with*	nächst	*next to*
binnen	*within*	seit	*since*
mit	*with*	von	*from*
entgegen	*contrary to, against*	zu	*to*

C. The following prepositions sometimes require a *dative* and sometimes an *accusative*:

an	*at, on*	über	*over, above, about*
auf	*on, upon*	unter	*under, below*
hinter	*behind*	vor	*before, in front of*
in	*in, into*	zwischen	*between, among*
neben	*next to, beside*		

They require the *dative* when they indicate location (that is, when they answer the question **Wo?**). They require the *accusative* when they indicate direction (that is, when they answer the question **Wohin?**). The movement or location involved need not be physical; it may simply involve thought or reference. (See also IV, F, page 388, Verbs with prepositions.)

Ich denke an **den** Geburtstag.	*I am thinking of the birthday.*
Er antwortet auf **die** Frage.	*He answers the question.*
Ich wundere mich über **den** Brief.	*I wonder about the letter.*

In *time expressions*, the prepositions **an**, **in**, and **vor** require the *dative*; **auf** and **über** require the accusative.

an diesem Tage	*on this day*
in einer Woche	*a week from now*
vor einem Monat	*a month ago*
auf einen Tag	*for one day*
über einen Monat	*more than a month*

D. Other prepositions require the *genitive*.

angesichts des schlechten Wetters	*in view of the bad weather*
aufgrund seines Berichts	*on the basis of his report*
während des ganzen Tages	*during the whole day*

angesichts	*in view of*	infolge	*in consequence of*
anläßlich	*on the occasion of*	längs	*alongside of*
(an)statt	*instead of*	trotz	*in spite of*
aufgrund	*on the basis of*	ungeachtet	*regardless of*
betreffs	*in reference to*	während	*during*
diesseits	*on this side of*	wegen	*because of*
jenseits	*on the other side of*		

VII. ADVERBS

A. Adjectives can usually function as adverbs. As adverbs they take no ending.

Das schöne Mädchen singt. *The pretty girl is singing.*
Das Mädchen singt **schön**. *The girl is singing beautifully.*

B. **Ander-**, **besonder-**, **inner-**, **äußer-** and similar adjectives that function only attributively, never as predicate adjectives (see II, C, p. 368 f.), may not function as adverbs, either. Corresponding to these attributive adjectives, however, is a list of forms ending in -(**e**)**n** or **-s** that may be used as predicate adjectives or adverbs.

ATTRIBUTIVE ADJECTIVE	PREDICATIVE ADJECTIVE OR ADVERB
ander-	anders
besonder-	besonders
link-	links
recht-	rechts
inner-	innen, drinnen
äußer-	außen, draußen
ober-	oben
unter-	unten
vorder-	vorn
hinter-	hinten

Examples:

ATTRIBUTIVE ADJECTIVE	PREDICATIVE ADJECTIVE	ADVERB
der andere Mann	Das Wetter wird anders.	Der Mann spricht anders.
die rechte Seite	Der Platz ist rechts.	Der Wagen fährt rechts.
das obere Zimmer	Das Zimmer ist oben.	Er wohnt oben.
die vordere Reihe	Der Platz ist vorn.	Wir sitzen vorn.

C. Not all adverbs can function as adjectives. Original adverbs like the following never serve as adjectives.

also	dann	ebenso
auch	denn	fast
bald	doch	genug

gern	schon
hier	sehr
immer	selbst
ja	so
jetzt	sogar
kaum	überall
leider	vielleicht
noch	vorher
nur	wohl
oft	zusammen

Another group never used as adjectives are the adverbs derived from other words by means of such adverbial suffixes as **-s**, **-mal**, and **-weise**.

-s	**-mal**(s)		**-weise**	
erstens	manchmal	*sometimes*	teilweise	*partly*
zweitens	diesmal	*this time*	zeitweise	*at times*
abends	niemals	*never*	beispielsweise	*for example*
morgens				
anfangs				
teils				

D. There are also adverbial phrases, consisting of more than one adverb, such as:

dann und wann	*now and then*
mehr oder weniger	*more or less*
hin und her	*this way and that way*
nach wie vor	*now as ever*

E. Most adverbs have a comparative and superlative form. The comparative ends in **-er**, the superlative takes the form **am . . . -en**.

Der Wagen fährt schneller.	*The car is going faster.*
Der Wagen fährt am schnellsten.	*The car is going the fastest.*

Note: The comparative of **gern** is **lieber**, the superlative **am liebsten**.

F. The directional adverbs **hin** and **her** indicate direction away from the speaker and towards the speaker, respectively. They often occur as separable prefixes in connection with verbs of movement:

hingehen, hinfahren, hinfliegen, hinführen, herkommen, herholen, herziehen, herbringen

Hin and **her** join with certain prepositions to form composite adverbs which indicate direction away from or towards the speaker.

hinauf, herauf, hinein, herein, hinaus, heraus, hinüber, herüber

Most of these composite adverbs also occur as separable prefixes in connection with verbs of movement.

hinaufsteigen, **herauf**steigen   **hinein**gehen, **herein**kommen
hinauswerfen, **heraus**fallen

VIII. CONJUNCTIONS

A. **Coordinating** conjunctions connect elements within a clause, or they connect main clauses.

Der Mann und die Frau sprechen Englisch.	*The man and the woman both speak English.*
Herr M. arbeitet in seinem Beruf, und Frau M. sorgt für die Kinder.	*Mr. M. works in his job, and Mrs. M. takes care of the children.*

The coordinating conjunctions are:

und	*and*	denn	*for, because*
aber	*but*	sondern	*rather, but* (after negation)
oder	*or*		

B. **Subordinating** conjunctions connect a main clause and a dependent clause.

Herr Meier arbeitet in seinem Beruf, **während** Frau Meier für die Kinder sorgt.
Während Frau Meier für die Kinder sorgt, arbeitet Herr Meier in seinem Beruf.

The subordinating conjunctions are:

als	*when*	obgleich	*although*
bevor	*before*	obwohl	*although*
bis	*until*	seitdem	*since*
da	*as, since*	sobald	*as soon as*
damit	*so that*	so daß	*so that*
daß	*that*	solange	*as long as*
ehe	*before*	um zu[1]	*in order to*
falls	*if, in case*	während	*while*
nachdem	*after*	weil	*because*
ob	*whether*	wenn	*if, when*

C. **Two-part** conjunctions may consist of an adverb and a subordinating or coordinating conjunction, or both parts may be adverbs. Adverbs introducing a clause cause inverted word order.

1. Adverb . . . coordinating conjunction

Zwar ist er nicht reich, **aber** er hat ein schönes Haus.	*It is true he is not rich, but he has a beautiful house.*

[1] When **um** functions as a conjunction, it introduces a dependent clause that contains an infinitive with **zu**.
Er geht in sein Büro, **um** ein paar Stunden **zu arbeiten**.

zwar . . . aber	*it is true . . . but*
entweder . . . oder	*either . . . or*
nicht nur . . . sondern auch	*not only . . . but also*

2. Subordinating conjunction . . . adverb

Je mehr er redet, **desto** weniger glauben wir ihm.	*The more he talks, the less we believe him.*

wenn . . . dann	*if . . . then*
je (+ comparative) . . . desto (+ comparative)	*the . . . the*

3. Adverb . . . adverb

Bald regnet es in Strömen, **bald** scheint die Sonne.	*Now it's pouring, now the sun shines.*

weder . . . noch	*neither . . . nor*
teils . . . teils	*partly . . . partly*
bald . . . bald	*now . . . now, at times . . . at times*
erst . . . dann	*first . . . then*
einerseits . . . andererseits	*on the one hand . . . on the other hand*

IX. SYNTAX

A. Word order

1. *Regular* word order in main clauses is characterized by the conjugated or finite verb form being in second position.

Der Bus	**fährt**	um neun Uhr.
Um neun Uhr	**fährt**	der Bus.

If the verb phrase consists of an auxiliary and a non-finite verb form (infinitive or past participle), the auxiliary is in second position and the non-finite form usually goes at the end of the clause.

Der Bus **ist** um zwanzig Minuten nach neun Uhr **abgefahren**

2. In a dependent clause, the conjugated verb form is in final position. (Dependent clauses include **daß**-clauses; indirect question clauses introduced by **ob**, a question word, or a **wo**-compound; relative clauses; and clauses introduced by a subordinating conjunction.)[2]

Ich finde, daß er recht hat.	*I think he is right.*
Ich habe gefragt, ob du mitkommen willst.	*I asked whether you want to come with us.*
Das ist der Schauspieler, der gestern abend gespielt hat.	*That is the actor who played last night.*
Wir werden kommen, wenn Sie uns einladen.	*We'll come if you invite us.*

---

[2] For word order with *double infinitives*, see IX, C, 3, p. 401.

3. In *inverted* word order, the subject follows the conjugated verb form. When a main clause is preceded by a dependent clause, inverted word order is used.

Wenn Sie uns einladen, werden wir kommen.

Inverted word order is also used in direct questions.[3]

Wo sind Sie?	*Where are you?*
Ist es schon spät?	*Is it late already?*

4. Word order of adverbs.

a. In main clauses, adverbial verb complements (including separable prefixes) follow the conjugated verb form but precede any non-finite verb form.

Er fährt Rad.	*He is riding a bicycle.*
Wir werden radfahren.	*We'll ride a bicycle.*
Er fährt mit der Eisenbahn.	*He takes a train.*
Wir werden mit der Eisenbahn fahren.	*We'll take the train.*

b. Free adverbs such as **jetzt, bald, immer, sehr, hier, leider, gern,** precede adverbial verb complements (see p. 149).

Er fährt gern Rad.	*He likes to ride a bicycle.*
Er fährt immer mit der Eisenbahn.	*He always takes a train.*

c. Normally, time adverbials precede adverbials of manner and place.

Er fährt jeden Tag mit dem Bus in die Stadt.	*He takes the bus every day to go downtown.*

B. Extended modifiers

1. In formal style, relative clauses are often changed into extended modifiers placed in front of the noun they modify. In the process, predicative adjectives become attributive adjectives.

RELATIVE CLAUSE	EXTENDED MODIFIER
Das Reklamefernsehen, das in Amerika so wichtig ist, spielt in Deutschland eine geringe Rolle.	Das in Amerika so wichtige Reklamefernsehen spielt in Deutschland eine geringe Rolle.

2. Certain features of extended modifiers reflect the nature of the relative clauses from which they are derived.

a. Relative clauses with a verb in the *present tense* change into an extended modifier with a *present participle* functioning as an attributive adjective.

---

[3] Another type of question uses regular word order but is spoken with a rising intonation at the end. Such questions usually express amazement or incredulity.

Er ist auch hier? *He is here also?*
Du gehst schon nach Hause? *You're leaving already?*

RELATIVE CLAUSE	*EXTENDED MODIFIER*
Der Spiegel, der in Hamburg erscheint, ist eine Wochenzeitschrift.	Der in Hamburg erscheinende Spiegel ist eine Wochenzeitschrift.

b. Relative clauses with a verb in the *passive* change into an extended modifier with a *past participle* functioning as an attributive adjective.

Die Waren, die nach Deutschland eingeführt werden (wurden, worden sind), kommen großenteils aus Amerika.	Die nach Deutschland eingeführten Waren kommen großenteils aus Amerika.

c. Relative clauses with a *passive infinitive* and the auxiliary **müssen, sollen,** or **können** change into an extended modifier with **zu** and a *present participle* functioning as an attributive adjective.

Die Briefe, die zuerst geschrieben werden müssen (sollen, können), liegen oben.	Die zuerst zu schreibenden Briefe liegen oben.

d. Relative clauses with **sein** as a main verb meaning *to be, to exist* change into an extended modifier with the adjective **befindlich** *existing.*

Die alten Möbel, die in der Wohnung sind, sollen verkauft werden.	Die in der Wohnung befindlichen alten Möbel sollen verkauft werden.

C. Double infinitive

1. The modal verbs (see IV, D, p. 381 ff.) and the verbs **lassen, hören,** and **sehen** form their perfect tense and past perfect tense with a form of **haben** plus their past participle.

Du hast es gewollt.	*You wanted it.*
Ich habe ihn gehört.	*I've heard him.*

2. When one of these verbs, functioning as an auxiliary to another verb, is shifted into the perfect or past perfect tense, its past participle is replaced by the infinitive. The result is a double infinitive.

Du hast es sagen wollen.	*You wanted to say it.*
Sie hat das Buch im Wagen liegen lassen.	*She left the book (lying) in the car.*
Ich habe ihn kommen hören.	*I heard him coming.*

3. A double infinitive is always put at the end of a clause.

Ich habe es nicht tun mögen.	*I did not like to do it.*
Hast du ihn kommen hören?	*Did you hear him come?*
Ich weiß, daß er es hat sagen wollen.	*I know he wanted to say it.*
Ich wünschte, wir hätten es ihm geben können.	*I wish we could have given it to him.*

D. Use of passive

1. Normally, when an action is expressed in the passive voice, a form of the auxiliary **werden** plus a past participle is used. This construction is called the *true passive.*

   Die Briefe wurden gestern geschrieben. *The letters were written yesterday.*

2. When verbs which govern the dative case (such as **helfen, danken, gratulieren**) are used in a passive construction, the subject pronoun **es** is used.

   Es wird den alten Leuten geholfen. *The elderly people are being helped.*

3. The **es** may be omitted. Then the sentence is introduced by the dative object.

   Den alten Leuten wird geholfen.

4. If the focus is not on the action itself, but on the result of the action, the passive is formed with the auxiliary **sein** instead of **werden.** This construction is called the *statal* passive.

   [*true passive*]
   Die Arbeit wird getan. *The work is being done.*

   [*statal passive*]
   Die Arbeit ist getan. *The work is done [finished].*

5. A noun or pronoun plus **sein, zu,** and an infinitive is a construction that is active in form but passive in meaning. It is the equivalent of a passive construction with **sollen, müssen**, or **können**.

   Die Arbeit ist zu machen.
   Die Arbeit kann (muß) gemacht werden. } *The work can (must) be done.*

   Da ist nichts zu sehen.
   Da kann nichts gesehen werden. } *There is nothing to be seen.*

6. A reflexive construction with **lassen** may be used as a substitute for the passive.

   Das läßt sich nicht machen.
   Das kann nicht gemacht werden. } *That cannot be done.*

E. Subjunctive

1. **Forms**
   German verbs have two sets of subjunctive forms, called Subjunctive I and Subjunctive II.

   a. The *Subjunctive I* forms consist of the stem of the infinitive plus the endings **-e, -est, -en, -et.**

ich, er, sie, es	gebe	wir, sie, Sie	geben
du	gebest	ihr	gebet

b. The *Subjunctive II* forms of *weak* verbs are identical with the past tense indicative forms.

[*indicative*]
Er **wohnte** hier.

[*subjunctive II*]
Ich dachte, er **wohnte** hier.

c. The *Subjunctive II* forms of *strong* verbs are derived from the past tense indicative forms. The stem vowels are changed to an umlaut whenever possible, and the endings are the same as the Subjunctive I endings. (**Sollen** and **wollen** do not have an umlaut.)

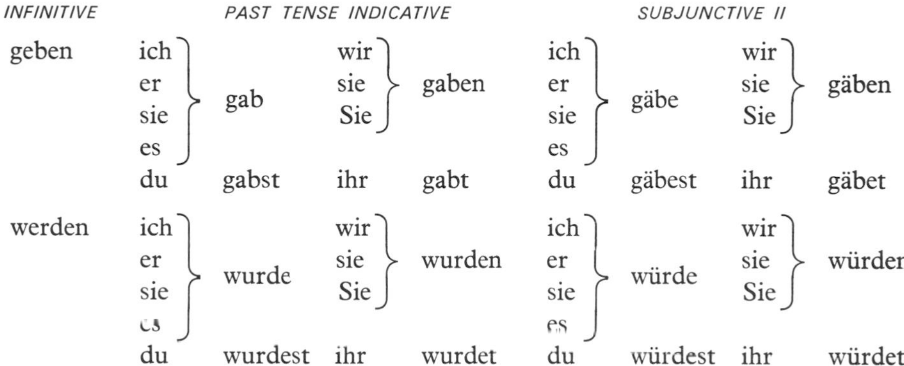

INFINITIVE	*PAST TENSE INDICATIVE*				*SUBJUNCTIVE II*			
geben	ich, er, sie, es	gab	wir, sie, Sie	gaben	ich, er, sie, es	gäbe	wir, sie, Sie	gäben
	du	gabst	ihr	gabt	du	gäbest	ihr	gäbet
werden	ich, er, sie, es	wurde	wir, sie, Sie	wurden	ich, er, sie, es	würde	wir, sie, Sie	würden
	du	wurdest	ihr	wurdet	du	würdest	ihr	würdet

d. The Subjunctive I and II forms of **sein** and **haben** are as follows.

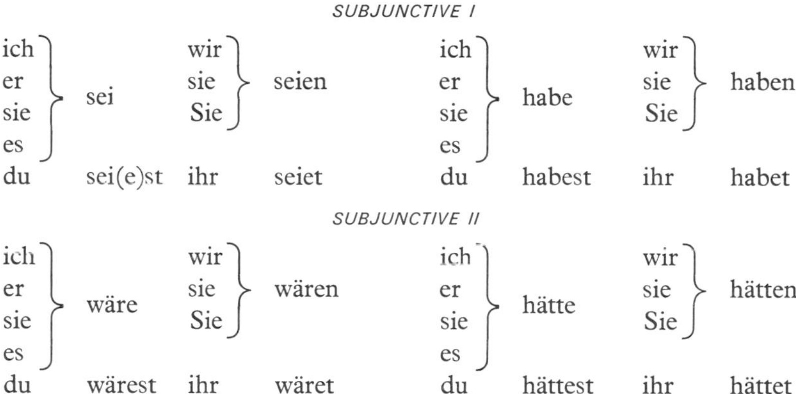

SUBJUNCTIVE I

ich, er, sie, es	sei	wir, sie, Sie	seien	ich, er, sie, es	habe	wir, sie, Sie	haben
du	sei(e)st	ihr	seiet	du	habest	ihr	habet

SUBJUNCTIVE II

ich, er, sie, es	wäre	wir, sie, Sie	wären	ich, er, sie, es	hätte	wir, sie, Sie	hätten
du	wärest	ihr	wäret	du	hättest	ihr	hättet

e. All verbal constructions consisting of an auxiliary plus an infinitive or a past participle (i.e., future, perfect tense, and past perfect tense) can be shifted into the subjunctive simply by using the subjunctive forms of the auxiliary.

Sie **habe** gesagt. Er **sei** gegangen. Wir **hätten** gehört. Er **werde** kommen.

2. Uses

a. *Subjunctive I* is used:

1. to express a wish.

Gott **sei** Dank!	*Thank God!*

2. on a formal style level, in indirect quotations and indirect questions, if the form is distinguishable from the indicative.

Er sagte, daß er den Brief schon geschrieben **habe.**	*He said he had already written the letter.*
Er fragte, wer die Rolle spielen **könne**.	*He asked who could play the part.*

b. *Subjunctive II* is used:

1. in indirect quotations and indirect questions, if the Subjunctive I form is identical with the indicative.

Ich sagte, daß ich den Brief schon geschrieben **hätte**.	*I said that I had already written the letter.*
Er fragte, ob wir die Rollen spielen **könnten**.	*He asked whether we could play the parts.*

2. in "contrary-to-fact" conditional clauses. The usual verb form in the main clause associated with a "contrary-to-fact" conditional clause is the Subjunctive II of **werden** (**ich würde**, etc.) plus an infinitive.

Wenn ich es nicht **wüßte, würde** ich es nicht glauben.	*If I didn't know it, I wouldn't believe it.*

3. to express politeness.

Dürfte ich Sie um Ihren Pass bitten?	*May I ask for your passport, please?*

4. The Subjunctive II of **haben** (**ich hätte**, etc.) is used with a double infinitive instead of the Subjunctive II of a modal auxiliary plus a past participle and **haben**.

Ich **hätte** das nicht **tun können**.	*I couldn't have done it.*

Instead of:
Ich könnte das nicht getan haben.

c. If a direct question is in the past, perfect, or past perfect tense, the indirect question is in the Subjunctive I or II of the perfect tense.

[*direct*]

Wer war gestern da?	*Who was there yesterday?*

[*indirect*]

Er fragte, wer gestern dagewesen **sei**.	*He asked who was there yesterday.*

d. In colloquial German, the subjunctive in indirect quotations and indirect questions is often replaced by the indicative.

Er fragte, wer gestern da war (*or* dagewesen ist).

VOCABULARIES

In the German-English vocabulary, certain standard conventions have been followed.

NOUNS

The plural is indicated after the comma, except when a plural form does not exist: **der Abend, -e**; **das Alter**. If a compound noun is not listed in this vocabulary, look up the separate components. Nouns that behave like adjectives in regard to their endings are listed in the following manner: **der Beamte (ein -er)**.

VERBS

Weak verbs are given only in the infinitive. Separable prefixes are indicated by a hyphen: **an-kommen**. The stem vowel changes of strong verbs are indicated following the infinitive: **liegen, a, e**. The vowels shown are for the past tense indicative and the past participle; **liegen, a, e** stands for **liegen, lag, gelegen**.

If the vowel in the third person singular present indicative differs from the infinitive, it is added in parentheses; **aus-sehen, a, e (ie)** stands for **aussehen, sah aus, ausgesehen, sieht aus**.

Only the auxiliary **sein** is indicated; **heraus-kommen, a, o (sein)** stands for **herauskommen, kam heraus, ist herausgekommen**. If no auxiliary is given, the perfect and past perfect tenses require the auxiliary **haben**.

If more than stem vowel change is involved, the complete forms of the past tense and past participle are given: **gehen, ging, ist gegangen**.

ADJECTIVES

Adjectives that occur as attributive adjectives only are indicated by a hyphen attached to them, e.g., **ander-**, **letzt-**.

GERMAN–ENGLISH

A

ab off
der **Abend, -e** evening
aber but
ab-holen to pick up
die **Abkürzung, -en** abbreviation
die **Abneigung** dislike
abonnieren to subscribe to
die **Abteilung, -en** department, division
ach oh, ah
ähnlich similar
die **Aktie, -n** stock, share
alle all
allein alone
allerdings admittedly, however
alles everything, all
allgemein general, common, universal
allmählich gradual
allzu too
die **Alpen** Alps
als as; than
also therefore, that is to say
alt old
das **Alter** age
der **Amerikaner, -** American
amerikanisch American
das **Amt, ¨er** office
die **Amtszeit** term of office
an on, at
an-bieten, o, o to offer
an-blicken to look at
ander- other
ändern to change
anders different; else
der **Anfang, ¨e** beginning
an-fangen, i, a (ä) to begin
angenehm pleasant
der **Angestellte (ein -er)** employee
angewiesen auf *acc* dependent upon
die **Angst, ¨e** fear
an-kommen, a, o (sein) to arrive
es kommt auf (etwas) an it hinges on, depends upon
an-legen to install, build
an-nehmen, nahm an, angenommen (nimmt an) to accept; to assume
an-rufen, ie, u to call, telephone
an-schließen, o, o to connect, join, link up with
an-sehen, a, e (ie) to look at, watch
die **Ansicht, -en** view, opinion
an-sprechen, a, o (i) to address; to appeal to
sich **an-strengen** to make an effort
die **Antwort, -en** answer
antworten to answer
die **Anzeige, -n** announcement, advertisement
an-zeigen to announce, indicate
sich **an-ziehen, zog an, angezogen** to dress, get dressed
der **Anzug, ¨e** suit
der **Apfel, ¨** apple
die **Apotheke, -n** pharmacy
der **Apparat, -e** apparatus
die **Arbeit, -en** work, labor
arbeiten to work
der **Arbeiter, -** worker
der **Arm, -e** arm
arm poor
die **Art, -en** manner, kind; species
der **Arzt, ¨e** physician
atmen to breathe
die **Atomkraft** atomic power
auch also
auf on, upon
auf-führen to perform
die **Aufführung, -en** performance
die **Aufgabe, -n** task
auf-hören to stop, cease
auf-passen to pay attention, be careful
die **Aufsicht** supervision
auf-stehen, stand auf, ist aufgestanden to get up, rise
das **Auge, -n** eye
der **Augenblick, -e** moment
aus from, out of
sich **(etwas) aus-bedingen** to stipulate
die **Ausbildung** training, education
der **Ausdruck, ¨e** expression
auseinander apart
die **Ausfuhr, -en** export
aus-führen to export; to carry out
aus-geben, a, e (i) to spend, give out, distribute
ausgezeichnet excellent

das **Ausland: im (ins) Ausland** abroad
ausländisch foreign
aus-sprechen, a, o (i) to pronounce
sich **aus-ruhen** to rest
aus-sehen, a, e (ie) to look, appear
der **Außenhandel** foreign trade
außer except
außerdem besides
außergewöhnlich unusual
außerhalb *gen* outside
die **Aussicht, -en** prospect, chance; view
der **Austausch** exchange
aus-tauschen to exchange
ausverkauft sold out
aus-wringen, a, u to wring out
aus-ziehen, zog aus, ausgezogen to pull out; undress
der **Autor, -en** author

B

backen, backte, gebacken to bake
der **Bäcker, -** baker
das **Bad, ¨er** bath
baden to bathe; take a bath
die **Bahn, -en** railroad
der **Bahnhof, ¨e** railroad station
bald soon
die **Bank, -en** bank
die **Bank, ¨e** bench
der **Bau, -ten** building, construction
der **Bauch, ¨e** stomach
bauen to build
der **Bauer, -n** peasant, farmer
der **Baum, ¨e** tree
bayerisch Bavarian
Bayern Bavaria
der **Beamte (ein -er)** civil servant
bedeuten to mean, signify
bedeutend important, significant
die **Bedeutung, -en** meaning, significance
bedienen to serve
die **Bedienung** service
beenden to finish
sich **befinden, a, u** to be
befreien to free, liberate
begegnen to meet
beginnen, a, o to begin
behandeln to treat
die **Behandlung** treatment
die **Behörde, -n** government agency
bei with, near, at
beide both
das **Bein, -e** leg
das **Beispiel, -e** example
beißen, i, i to bite
bei-tragen, u, a (ä) to contribute
bekannt well-known
bekommen, bekam, bekommen to get, obtain
beliebt popular
bellen to bark
bemerken to observe, remark
bemerkenswert remarkable
benutzen to use
das **Benzin** gasoline
bequem comfortable, easy
der **Berg, -e** mountain
der **Bericht, -e** report
berichten to report
der **Beruf, -e** profession, trade, line of work
berühmt famous
berühren to touch
sich **mit (etwas) beschäftigen** to be occupied with, work at
bescheiden modest
besonder- special
besonders especially
besser better
bestehen, bestand, bestanden to exist
bestehen: aus (etwas) bestehen to consist of
bestellen to order
bestimmen to determine
der **Besuch, -e** visit
besuchen to visit
betonen to stress
betrachten to look at
betreffen, betraf, betroffen (betrifft) to concern, affect
der **Betrieb, -e** factory; operation
das **Bett, -en** bed
der **Beutel, -** bag (cloth)
die **Bevölkerung** population
bevölkert populated
bewachen to guard, watch
bewahren to preserve
bewegen to move
die **Bewegung, -en** movement
beweisen to prove
die **Bewerbung, -en** application
bezahlen to pay
die **Bezahlung** payment
bezug: in bezug auf *acc* in regard to
das **Bier, -e** beer
bieten, o, o to offer
das **Bild, -er** picture
bilden to form
billig cheap, inexpensive
binden, a, u to bind
die **Birne, -n** pear
bis till, until
ein **bißchen** some, a little
bitten, bat, gebeten to ask, beg
bitte please
bitte schön you're welcome
das **Blatt, ¨er** leaf; newspaper
blau blue
bleiben, ie, ie (sein) to remain
der **Bleistift, -e** pencil
der **Blitz, -e** flash, lightning
blühen to flourish, bloom
die **Blume, -en** flower
die **Bluse, -n** blouse
das **Blut** blood
der **Boden, ¨** soil, ground; attic
böse evil, bad; angry
braten, ie, a (ä) to fry
brauchen to need
braun brown
brechen, a, o (i) to break
breit broad, wide

brennen, brannte, gebrannt to burn
das **Brett, -er** board
der **Brief, -e** letter
die **Briefmarke, -n** stamp
der **Briefträger, -** mailman
die **Brille, -n** pair of glasses
bringen, brachte, gebracht to bring
das **Brot, -e** bread
die **Brücke, -n** bridge
der **Bruder, ¨** brother
die **Brust, ¨e** chest, breast
das **Buch, ¨er** book
bügeln to press (clothes), iron
die **Bühne, -n** stage
der **Bundeskanzler, -** Chancellor of the Federal Republic
die **Bundesrepublik** Federal Republic
der **Bundesstaat, -en** federal state
der **Bundestag** Parliament of the Federal Republic
bunt multi-colored
der **Bürger, -** citizen
der **Bürgermeister, -** mayor
der **Bürgersteig, -e** sidewalk
das **Büro, -s** office
die **Bürste, -n** brush
der **Bus, -se** bus

C

der **Charakter, -e** character
der **Chef, -s** chief, boss
der **Chor, ¨e** choir, chorus
christlich Christian

D

da there
dabei with it; at the same time
dagegen against it; on the other hand
daher from there; therefore
dahin there, in that direction
damals then, at that time
die **Dame, -n** lady
damit with it; so that
daneben besides
der **Dank** thanks, appreciation
dankbar grateful
danken to thank
dann then
darüber above it, about it
darum for that reason
darunter under it; among them
die **Datenverarbeitung** data processing
die **Datenverarbeitungsanlage, -n** computer
das **Datum, Daten** date
dauern to last
der **Daumen, -** thumb
dazu to that; in addition
die **Decke, -n** cover, ceiling
denken, dachte, gedacht to think
denn for, because
deprimierend depressing
derselbe the same
deshalb therefore
deutlich distinct
deutsch, Deutsch German
der **Deutsche (ein -er)** German
Deutschland Germany
dicht dense, tight
der **Dichter, -** poet
dick fat, thick
dienen to serve
der **Dienst, -e** service
das **Diktat, -e** dictation
das **Ding, -e** thing
der **Direktor, -en** director
diskutieren to discuss
doch still, but, however; *adv of emphasis*
die **Donau** Danube
der **Donner** thunder
das **Dorf, ¨er** village
dort there
die **Dose, -n** can, box
der **Draht, ¨e** wire
drängen to push, urge
draußen outside
der **Dreck** dirt
drehen to turn
dringend urgent
drinnen inside
das **Drittel, -** third
drüben on the other side
drucken to print
drücken to press
dumm stupid
dunkel dark
dünn thin
durch through
durcheinander confused
durch-führen to carry out
die **Durchführung** enforcement, execution
der **Durchgang, ¨e** passage, throughway; transit
dürfen, durfte, gedurft (darf) to be allowed to
durstig thirsty
duschen to take a shower
das **Düsenflugzeug, -e** jet
das **Dutzend, -e** dozen

E

eben even
ebenso . . . wie as . . . as
echt genuine
die **Ecke, -n** corner
die **Ehe, -n** marriage
das **Ei, -er** egg
eigen- own, peculiar
eigentlich real, proper; strictly speaking
die **Eile** hurry
eilen to hurry
einfach simple
ein-fallen, fiel ein, ist eingefallen (fällt ein) *dat* to occur, come to mind
die **Einfuhr, -en** import
ein-führen to import, introduce
der **Eingang, ¨e** entrance
eingestellt auf *acc* oriented toward
die **Einheit, -en** unit; unity
einheitlich uniform
einige several
ein-kaufen to purchase, go shopping
das **Einkommen, -** income
ein-laden, u, a (ä) to invite

einmal once
ein-nehmen, nahm ein, eingenommen (nimmt ein) to occupy; take in
ein paar a few, some
ein-schließen, o, o to include
einschließlich including
ein-schränken to cut back, restrict
einzeln single, individual
einzig only, single
das **Eisen** iron
die **Eisenbahn, -en** railroad
eisern iron *adj*
die **Elektronik** electronics
die **Eltern** parents
empfehlen, a, o (ie) to recommend
das **Ende, -n** end, ending
enden to end
eng narrow, close
englisch, Englisch English
enorm enormous
das **Ensemble, -s** company of actors
entdecken to discover
die **Entfernung, -en** distance
entlang along
entscheiden, ie, ie to decide
entschuldigen to excuse
die **Entschuldigung, -en** apology, excuse
entsetzlich horrible
enttäuscht disappointed
entweder . . . oder either . . . or
entwickeln to develop
die **Entwicklung, -en** development
sich **(etwas) erarbeiten** to attain
die **Erde** earth
das **Erdöl** petroleum, crude oil
sich **ereignen** to happen
das **Ereignis, -se** event
die **Erfahrung, -en** experience
erfüllen to fulfill
ergreifen, ergriff, ergriffen to take, seize; touch
sich **erinnern** to remember
die **Erkältung, -en** cold, flu
erkennen, erkannte, erkannt to recognize
erklären to explain; declare
erlassen, ie, a (ä) to enact (law); to excuse from
erlauben to allow
erlaubt permissible
erleben to experience
ernst serious
erobern to conquer
eröffnen to open
erreichen to reach, obtain
errichten to erect, build
erscheinen, ie, ie (sein) to appear
erst only
erwachsen adult
der **Erwachsene (ein -er)** adult
erwähnen to mention
erwarten to expect
erzählen to tell
die **Erziehung** education
essen, aß, gegessen (ißt) to eat
etwa about, approximately
nicht etwa by no means
etwas something, somewhat
die **Existenz, -en** existence
existieren to exist
experimentieren to experiment

F

die **Fabrik, -en** factory
das **Fach, ⸚er** subject (school); field; compartment
die **Fähigkeit, -en** ability
die **Fähre, -n** ferry
fahren, u, a (ä) (sein) to drive, go by vehicle
der **Fahrer, -** driver
das **Fahrrad, ⸚er** bicycle
die **Fahrt, -en** trip, tour; speed
das **Fahrzeug, -e** vehicle
der **Fall, ⸚e** case; fall
fallen, fiel, ist gefallen (fällt) to fall
falls in case
falsch wrong
die **Familie, -n** family
fangen, i, a (ä) to catch
die **Farbe, -n** color
fast almost
faul lazy; rotten
die **Faust, ⸚e** fist
die **Feder, -n** pen; feather
fehlen to be missing
der **Fehler, -** mistake
feiern to celebrate
fein fine
der **Feind, -e** enemy
das **Feld, -er** field
das **Fenster, -** window
die **Ferien** *pl* vacation
fern distant
das **Fernsehen** television
der **Fernsehsender, -** TV station
die **Fernsehsendung, -en** TV program
fertig ready
das **Fest, -e** holiday, festival
fest firm, fixed
fest-stehen, stand fest, festgestanden to be established
fest-stellen to state
fett fat
feucht moist, humid
das **Feuer, -** fire
der **Film, -e** movie, film
finden, a, u to find
die **Firma, Firmen** firm
der **Fisch, -e** fish
flach flat
das **Fleisch** meat, flesh
fleißig industrious
die **Fliege, -n** fly
fliegen, o, o (sein) to fly
fließen, o, o (sein) to flow
der **Flug, ⸚e** flight
das **Flugzeug, -e** plane
der **Fluß, ⸚(ss)e** river
föderalistisch federalist
folgen (sein) to follow
die **Form, -en** form
forschen to do research, explore
die **Forschung, -en** research
die **Frage, -n** question
fragen to ask

Frankreich France
französisch, Französisch French
die **Frau, -en** woman, wife
das **Fräulein, -** Miss, girl
frei free
fremd strange, foreign
in der Fremde abroad, away from home
der **Fremdenverkehr** tourism
die **Freude, -n** joy
sich **auf (etwas) freuen** to look forward to
sich **über (etwas) freuen** to be delighted at
der **Freund, -e** friend
freundlich friendly
frieren, o, o to freeze
frisch fresh
froh glad
früh early
früher formerly
der **Frühling, das Frühjahr** spring
das **Frühstück** breakfast
(sich) **fühlen** to feel
führen to lead
der **Funke(n), -n** spark
funktionieren to function
für for
furchtbar terrible
sich **vor (etwas) fürchten** to be afraid of
der **Fuß, ¨e** foot
der **Fußgänger, -** pedestrian
füttern to feed

G

die **Gabel, -n** fork
ganz whole
gar nicht not at all
der **Garten, ¨** garden
der **Gast, ¨e** guest
das **Gebäude, -** building
geben, a, e (i) to give
das **Gebiet, -e** area, territory
das **Gebirge, -** mountain range
geboren werden to be born
gebrauchen to use
die **Gebühr, -en** fee
der **Geburtstag, -e** birthday
der **Gedanke, -n** thought
geduldig patient
das **Gedicht, -e** poem
die **Gefahr, -en** danger
gefährlich dangerous
gefallen, gefiel, gefallen (gefällt) to please
das **Gefühl, -e** feeling
gegen against, towards
die **Gegend, -en** area
der **Gegenstand, ¨e** object
das **Gegenteil** opposite
gegenüber opposite
das **Gehalt, ¨er** salary
gehen, ging, ist gegangen to go
gehören: zu (etwas) gehören to belong to
der **Geist, -er** mind, spirit; ghost
geistig intellectual
gelb yellow
das **Geld, -er** money
gelegen situated
die **Gelegenheit, -en** opportunity, occasion
gelingen, a, u (sein) to succeed
gelten, a, o, (i) to be considered as; be valid
gemeinsam common, in common
gemeinnützig non-profit
die **Gemeinschaft, -en** community, union
das **Gemüse** vegetable(s)
gemütlich comfortable, cozy
genau exact
genug enough
genügen to be sufficient
das **Gepäck** luggage
gerade just; straight
geradeaus straight ahead
das **Gerät, -e** tool, equipment
das **Gericht, -e** court; dish
gering small, minor
gern gladly
gern haben to like
das **Gerüst, -e** scaffold, framework
das **Geschäft, -e** business
geschehen, a, e (ie) (sein) to happen
die **Geschichte, -n** story, history
geschichtlich historical
die **Gesellschaft, -en** party; society; company
das **Gesetz, -e** law
das **Gesicht, -er** face
das **Gespräch, -e** conversation
die **Gestalt, -en** shape, form
gestern yesterday
gesund healthy
die **Gesundheit** health
gewinnen, a, o to win, gain
gewiß certain, sure
sich **an (etwas) gewöhnen** to get used to
gewöhnlich usual, ordinary
gießen, o, o to pour
das **Glas, ¨er** glass
glatt smooth, polished
glauben to believe
gleich equal, same; at once
die **Gleichberechtigung** equal rights
gleichfalls likewise
danke, gleichfalls thanks, the same to you
die **Glocke, -n** bell
das **Glück** good luck
glücklich happy
der **Gott, ¨er** god
graben, u, a (ä) to dig
der **Grad, -e** degree
gratulieren to congratulate
grau grey
greifen, griff, gegriffen to seize, grab
die **Grenze, -n** border
die **Grippe** flu
groß big, great, large
großartig great, grand, splendid
die **Größe, -n** size; greatness
die **Großmutter, ¨** grandmother
der **Großvater, ¨** grandfather
grün green
der **Grund, ¨e** ground; reason
gründen to found
grundsätzlich in principle
der **Gruß, ¨e** greeting
grüßen to greet
gut good

H

das **Haar, -e** hair
der **Hafen, ¨** port
der **Hahn, ¨e** rooster
halb half
die **Halle, -n** hall
der **Hals, ¨e** neck
halten, ie, a (ä) to hold
sich **an (etwas) halten** to stick to
von (etwas) halten to think of
der **Hammer, ¨** hammer
die **Hand, ¨e** hand
der **Handel** trade
handeln: es handelt sich um the issue (topic) is
das **Handtuch, ¨er** towel
der **Handwerker, -** craftsman
hängen, i, a to hang, be attached to
hart hard
hassen to hate
häßlich ugly
häufig frequent
das **Haupt, ¨er** head
die **Hauptstadt, ¨e** capital
das **Haus, ¨er** house
die **Haut, ¨e** skin
heben, o, o to lift
das **Heft, -e** booklet, exercise book
heftig violent, hard, severe
heilen to heal
das **Heim, -e** home
heimlich secret
heiraten to marry; get married
heiß hot
heißen, ie, ei to be called; mean; say
die **Heizung** heating
helfen, a, o (i) to help
hell clear, bright
das **Hemd, -en** shirt
herauf up here
der **Herbst** fall, autumn
der **Herr, -en** gentleman; master
hervorragend outstanding
das **Herz, -en** heart
heute today
heute abend tonight
hier here
der **Himmel** sky, heaven
hin und wieder now and then
hinauf up there
hinsichtlich in regard to
hinten behind *adv*
hinter behind *preposition*
hoch high
höchst extremely
der **Hof, ¨e** court, yard
hoffen to hope
hoffentlich hopefully
der **Höhepunkt, -e** climax, high point
hohl hollow
holen to fetch, get
das **Holz, ¨er** wood
hören to hear
die **Hose, -n** trousers, pants
das **Hotel, -s** hotel
hübsch pretty
das **Huhn, ¨er** chicken
der **Hund, -e** dog
hungrig hungry
husten to cough
der **Hut, ¨e** hat
die **Hymne, -n** hymn

I

die **Idee, -n** idea
illustrieren to illustrate
immer always
in in, into
die **Industrie, -n** industry
infolge in consequence of
sich **über (etwas) informieren** to gather information about
der **Ingenieur, -e** engineer
der **Inhalt, -e** contents
innerhalb inside
die **Insel, -n** island
interessant interesting
das **Interesse, -n** interest
interessieren to interest
an (etwas) interessiert interested in
die **Inventur, -en** inventory, stock-taking
inzwischen in the meantime
irgendwie somehow
irgendwo somewhere
Italien Italy
italienisch, Italienisch Italian

J

ja yes, indeed
die **Jacke, -n** jacket
das **Jahr, -e** year
der **Jahrmarkt, ¨e** fair
jedenfalls at any rate
jeder, jede, jedes each, every
jemand somebody
jetzt now
der **Journalist, -en** journalist
jubeln to rejoice
die **Jugend** youth
die **Jugendherberge, -n** youth hostel
jung young
der **Junge, -n** boy

K

der **Kaffee** coffee
kalt cold
der **Kamm, ¨e** comb
(sich) **kämmen** to comb
der **Kanal, ¨e** canal, channel
der **Kandidat, -en** candidate
die **Kanzel, -n** pulpit
die **Karte, -n** card, ticket; map
die **Kartoffel, -n** potato
das **Karussell, -s** merry-go-round
der **Käse** cheese
die **Kasse, -n** box office, cash register
die **Katze, -n** cat
kauen to chew
der **Kauf, ¨e** purchase
kaufen to buy
der **Kaufmann, -leute** businessman, merchant

kaum hardly
kein, keine no, not one
der **Keller, -** basement
der **Kellner, -** waiter
kennen, kannte, gekannt to know, be acquainted with
der **Kerl, -e** man, fellow, guy
der **Kern, -e** core, nucleus, kernel
die **Kernforschung** nuclear research
das **Kind, -er** child
das **Kino, -s** movie theater
die **Kiste, -n** box, crate
klar clear
die **Klasse, -n** class
der **Klassiker, -** classic (e.g., author)
kleben to stick
das **Kleid, -er** dress
die **Kleidung** clothing, clothes
klein little, small
klopfen to knock
klug smart, intelligent
das **Knie, -** knee
der **Knochen, -** bone
kochen to cook, boil
der **Koffer, -** suitcase
die **Kohle, -n** coal
der **Kollege, -n** colleague
kommen, kam, ist gekommen to come
können, konnte, gekonnt (kann) to be able to
die **Kontrolle, -n** control
das **Konzert, -e** concert
der **Kopf, ⸚e** head
der **Körper, -** body
kosten to cost
die **Kraft, ⸚e** power, strength
krank sick, ill
die **Krankheit, -en** disease
die **Krawatte, -n** necktie
der **Kreis, -e** circle
die **Kreuzung, -en** crossing, intersection
kriechen, o, o (sein) to creep
der **Krieg, -e** war
kriegen to get
kritisch critical
krumm curved, crooked
die **Küche, -n** kitchen
der **Kuchen, -** cake
die **Kugel, -n** ball, bullet, sphere
der **Kugelschreiber, -** ball-point pen
die **Kuh, ⸚e** cow
kühl cool
die **Kultur, -en** culture, civilization
sich **um (etwas) kümmern** to care for, worry about, mind
der **Kunde, -n** customer
die **Kunst, ⸚e** art
der **Künstler, -** artist
künstlerisch artistic
der **Kursus, Kurse** course
kurz short
kürzlich recently
die **Kusine, -n** cousin (female)
der **Kuß, ⸚(ss)e** kiss
küssen to kiss
die **Küste, -n** coast

L

lachen to laugh
lächeln to smile
der **Laden, ⸚** shop, store
die **Lage, -n** position, situation
die **Lampe, -n** lamp
das **Land, ⸚er** country, land; state
die **Landschaft, -en** landscape
die **Landwirtschaft** agriculture
lang long *adj*
lange long *adv*
längs along
langsam slow
langweilig boring, monotonous
der **Lärm** noise
lassen, ie, a (ä) to let, leave; make, have
laufen, ie, au (äu) (sein) to run
laut loud
leben to live
das **Leben** life
die **Lebensmittel** *pl* foodstuffs
der **Lebensstandard** standard of living
lebhaft lively
leer empty
legen to put, lay
lehren to teach
der **Lehrer, -** teacher
die **Lehrerin, -nen** teacher (female)
der **Lehrstuhl, ⸚e** chair, professorship
leicht light, easy
leidenschaftlich passionate
leider unfortunately
das **Leinen** linen, cloth
leise low, quiet
sich **(etwas) leisten** to afford
die **Leistung, -en** achievement
der **Leiter, -** chief, director
die **Lektion, -en** lesson
lenken to guide
lernen to learn
lesen, a, e (ie) to read
letzt- last, latest
die **Leute** people
das **Licht, -er** light
die **Liebe** love
lieben to love
das **Lied, -er** song
liegen, a, e to lie, to be
links on the left, to the left
literarisch literary
die **Literatur, -en** literature
loben to praise
das **Loch, ⸚er** hole
die **Luft, ⸚e** air
lügen, o, o to lie, tell a lie
lustig merry

M

machen to make; add up to
die **Macht, ⸚e** power
das **Mädchen, -** girl
mal [einmal] once
das **Mal, -e** time
malen to paint

man one *pronoun*
manchmal sometimes
der **Mann, ⸚er** man, husband
der **Mantel, ⸚** overcoat
das **Märchen, -** fairy tale
die **Mark, -** Deutsche mark (abbr. DM)
die **Marke, -n** brand, make
der **Markt, ⸚e** market
die **Maschine, -n** machine
das **Maß, -e** measure
das **Massenmedium, -medien** mass medium
die **Maßnahme, -n** measure, step
die **Mauer, -n** wall
die **Maus, ⸚e** mouse
das **Meer, -e** sea
das **Mehl** flour
mehr more
mehrere several
meinen to mean, think, believe
die **Meinung, -en** opinion
meistens mostly
der **Meister, -** master
die **Menge, -n** lot, crowd; quantity
der **Mensch, -en** man, human being, person
menschlich human
merken to notice
messen, a, e (i) to measure
das **Messer, -** knife
das **Metall, -e** metal
die **Miene, -n** look; facial expression
die **Milch** milk
die **Million, -en** million
die **Minute, -n** minute
mischen to mix
mit with
die **Mitbestimmung** co-determination
das **Mitglied, -er** member
der **Mittag, -e** noon
die **Mitte** center, middle
das **Mittel, -** means, *pl* funds
Mitteleuropa Central Europe
das **Mittelgebirge, -** mountains of medium elevation
mitten in in the middle of
die **Möbel** *pl* furniture
die **Mode, -n** fashion
modern modern
mögen, mochte, gemocht (mag) to like
möglich possible
der **Monat, -e** month
der **Mond** moon
morgen tomorrow
der **Morgen** morning
das **Motiv, -e** motif; motivation
müde tired
die **Mühe, -n** trouble, pains
der **Mund, ⸚er** mouth
die **Musik** music
der **Muskel, -n** muscle
müssen, u, u (muß) to have to
der **Mut** courage
die **Mutter, ⸚** mother
die **Mütze, -n** cap

N

nach after; to
nach wie vor now as ever
der **Nachbar, -n** neighbor
nachdem after *conj*
nachdenken: über (etwas) nach-denken to think about, reflect, meditate
nachdenklich thinking, pondering
nachher afterwards
der **Nachmittag, -e** afternoon
die **Nachricht, -en** news, message
die **Nacht, ⸚e** night
die **Nadel, -n** needle, pin
der **Nagel, ⸚** nail
nah near
die **Nähe** vicinity
der **Name, -n** name
nämlich namely
die **Nase, -n** nose
naß wet
die **Natur** nature
natürlich natural
neben next to, beside
nehmen, nahm, genommen (nimmt) to take
nein no
nennen, nannte, genannt to name
nett nice
das **Netz, -e** net
neu new
nicht not
nichts nothing
nie never
Niedersachsen Lower Saxony
niedrig low
niemals never
niemand nobody
noch still, yet
noch nicht not yet
der **Norden** North
nördlich northern, northerly
die **Nordsee** North Sea
not tun to be necessary
nötig necessary
das **Notizbuch, ⸚er** notebook
nüchtern sober
die **Null, -en** zero
nun now
nur only
nützen to be useful
nützlich useful

O

ob whether
oben above, upstairs
das **Obst** fruit, fruits
obwohl although
oder or
der **Ofen, ⸚** oven, stove
offen open
öffentlich public
offiziell official
öffnen to open
oft often
ohne without
das **Ohr, -en** ear
das **Öl** oil
der **Onkel, -** uncle
ordentlich in good order
die **Ordnung, -en** order

der **Ort, -e** place
der **Osten** East
Ostern Easter
Österreich Austria
östlich eastern, easterly

P

ein **paar** a few
das **Paket, -e** package
das **Papier, -e** paper
das **Parkett** orchestra (theater); parqueted floor
die **Partei, -en** party
passieren (sein) to happen; to pass
die **Pause, -n** pause, break, intermission
peinlich embarrassing
die **Pension, -en** pension; tourist home
die **Person, -en** person
das **Personal** personnel
die **Pfalz** Palatinate
der **Pfeffer** pepper
die **Pfeife, -n** pipe, whistle
der **Pfennig, -e** penny, pfennig
das **Pferd, -e** horse
die **Pflanze, -n** plant
die **Pflege** care
die **Pflicht, -en** duty
pflücken to pluck, pick
das **Pfund, -e** pound
phantastisch fantastic
der **Plan, ¨e** plan
planen to plan
der **Platz, ¨e** place, seat
plötzlich sudden
das **Podium, Podien** platform, stage
die **Politik** politics
die **Polizei** police
der **Polizist, -en** policeman
die **Post** mail
das **Postfach, ¨er** Post Office Box
praktisch practical
der **Präsident, -en** president
der **Preis, -e** price; prize
die **Presse** press
der **Prinz, -en** prince
probieren to try
das **Problem, -e** problem
das **Produkt, -e** product
das **Programm, -e** program
der **Programmierer, -** programmer
das **Projekt, -e** project
das **Prozent, -e** percent
die **Prüfung, -en** examination
das **Publikum** public
das **Pult, -e** desk
der **Punkt, -e** point, full stop
pünktlich punctual
putzen to clean

Q

die **Quelle, -n** source, spring
quer across

R

das **Rad, ¨er** wheel
rad-fahren, fuhr Rad, ist radgefahren (fährt Rad) to ride a bicycle
der **Rang, ¨e** rank; balcony (theater)
(sich) **rasieren** to shave
das **Rasierzeug** shaving utensils
raten, ie, a (ä) to guess; advise
das **Rathaus, ¨er** city hall
rauchen to smoke
der **Raum, ¨e** room, space
die **Raumfahrt** space travel
rechnen to count, calculate, reckon
die **Rechnung, -en** bill
das **Recht, -e** right; law
recht haben to be right
rechts on the right, to the right
die **Rede, -n** speech
reden to speak
die **Redensart, -en** common expression; idiom
der **Redner, -** speaker, orator
die **Regel, -n** rule
der **Regen** rain
regieren to reign, govern
die **Regierung, -en** government
regnen to rain
regulieren to regulate
reiben, ie, ie to rub
reich rich
reichen to reach, be sufficient
der **Reichtum, ¨er** wealth
reif mature, ripe
die **Reihe, -n** row, line
rein clean, pure
die **Reise, -n** trip, tour, voyage
das **Reisebüro, -s** travel agency
reisen to travel
reiten, ritt, ist geritten to ride
reizvoll attractive, fascinating
die **Reklame** advertising, advertisement
reparieren to repair
die **Reparatur, -en** repair work
das **Resultat, -e** result
retten to save, salvage
richten to direct
sich **nach (etwas) richten** to go by, follow
richtig right, correct
die **Richtung, -en** direction
riechen, o, o to smell
der **Rock, ¨e** skirt
roh raw, crude; brutal
der **Rohstoff, -e** raw material
die **Rolle, -n** role, part
der **Roman** novel
rot red
der **Rücken, -** back
rufen, ie, u to call
ruhen to rest
ruhig quiet
rühren to stir; touch
rund round
der **Rundfunk** radio

S

die **Sache, -n** thing, matter, cause
sachlich objective
der **Saft, ¨e** juice

sagen to say
die **Saison, -s** season
die **Salbe, -n** ointment, cream
das **Salz** salt
sammeln to collect
sauber clean
schade: es ist schade it is a pity
der **Schaden, ¨** damage
schaffen, schuf, geschaffen to create; work
der **Schalter, -** switch; ticket window
scharf sharp
der **Schatz, ¨e** treasure
die **Schau, -en** show
der **Schauspieler, -** actor
der **Scheck, -s** check
scheiden, ie, ie to separate
scheinen, ie, ie to shine; seem
der **Schemel, -** stool
die **Schere, -n** scissors
die **Schicht, -en** layer; shift; social class
schicken to send
schief tilted, leaning; wrong
die **Schiene, -n** rail
schießen, o, o to shoot
das **Schiff, -e** ship, boat
das **Schild, -er** sign
schlafen, ie, a (ä) to sleep
schlagen, u, a (ä) to hit, beat
das **Schlagwort, ¨er** slogan
die **Schlange, -n** snake
schlecht bad, evil
schleudern to throw; swing, sway, skid
schließen, o, o to close, lock
schließlich finally
das **Schloß, ¨(ss)er** lock; castle
schlucken to swallow
der **Schluß, ¨(ss)e** end, ending
der **Schlüssel, -** key
schmecken to taste
der **Schmerz, -en** pain
schmerzen to be painful
der **Schmutz** dirt
schmutzig dirty
der **Schnee** snow
schneiden, schnitt, geschnitten to cut
der **Schneider, -** tailor
schneien to snow
schnell quick, fast
der **Schnupfen** cold, sniffle
schon already
schön beautiful
die **Schönheit** beauty
der **Schrank, ¨e** wardrobe, cupboard, (book)case
die **Schraube, -n** screw
der **Schraubenschlüssel, -** wrench
der **Schraubenzieher, -** screwdriver
schrecklich terrible
schreiben, ie, ie to write
die **Schreibmaschine, -n** typewriter
schreien, ie, ie to scream
die **Schrift, -en** writing
der **Schriftsteller, -** writer
der **Schritt, -e** step
der **Schuh, -e** shoe
die **Schule, -n** school
die **Schulter, -n** shoulder
die **Schüssel, -n** dish, bowl
der **Schutz** protection
schwach weak
schwarz black
schweigen, ie, ie to be silent
die **Schweiz** Switzerland
schweizerisch Swiss
schwer heavy, difficult
die **Schwester, -n** sister
schwierig difficult
schwimmen, a, o (sein) to swim, float
schwitzen to perspire
der **See, -n** lake
die **See** ocean, sea
sehen, a, e (ie) to see
sehr very
die **Seife** soap
seit since
seitdem since, since then
die **Seite, -n** side, page
selber oneself
selbst even; oneself
selbständig independent
selbstverständlich self-explanatory, natural, obvious; *adv* of course
selten rare
der **Sessel, -** chair
setzen to put, set
sich **setzen** to sit down
sicher safe, secure, sure
singen, a, u to sing
der **Sinn, -e** sense; meaning
die **Situation, -en** situation
sitzen, saß, gesessen to sit
Skandinavien Scandinavia
so so, thus
sofort at once
sogar even
sogenannt so-called
der **Sohn, ¨e** son
solch such
sollen, sollte, gesollt (soll) to have to, to be to
der **Sommer, -** summer
sondern but, rather
die **Sonne** sun
sonst otherwise; usually
die **Sorge, -n** sorrow, concern
sorgen: für (etwas) sorgen to care for
soviel so much
sowieso anyhow
sowohl . . . als auch as . . . as
Spanien Spain
spanisch, Spanisch Spanish
sparen to save
sparsam thrifty
der **Spaß, ¨e** fun
spazieren-gehen, ging spazieren, ist spazierengegangen to go for a walk
der **Spaziergang, ¨e** walk
der **Spiegel, -** mirror
das **Spiel, -e** game, play
spielen to play
der **Spielplan, ¨e** repertory, schedule (theater)
spitz pointed, sharp
der **Sport** sport
die **Sprache, -n** language

sprechen, a, o (i) to speak
das **Sprichwort, ⸚er** proverb
springen, a, u (sein) to jump
der **Staat, -en** state
der **Staatsbürger, -** citizen
das **Staatsoberhaupt, ⸚er** head of state
die **Stadt, ⸚e** city
der **Städter, -** urbanite, city dweller
der **Stahl** steel
der **Stamm, ⸚e** stem; tribe; trunk
der **Stand, ⸚e** position; social class
stark strong
die **Stärke** strength
statt instead of
statt-finden, a, u to take place
der **Staub** dust
stecken to stick, put
stehen, stand, gestanden to stand
steigen, ie, ie (sein) to climb, rise
der **Stein, -e** stone
die **Stelle, -n** place, spot; position
stellen to put
die **Stellung, -en** position
sterben, a, o (i) (sein) to die
der **Stern, -e** star
die **Steuer, -n** tax
das **Stichwort, ⸚er** cue, catchword
die **Stimmung, -en** mood
der **Stock, ⸚e** stick, cane
der **Stoff, -e** cloth, material
stöhnen to moan, groan
stoppen to stop
stören to disturb
stoßen, ie, o (ö) to push
die **Straße, -n** street
die **Straßenbahn, -en** streetcar
die **Straßenkreuzung, -en** intersection
die **Strecke, -n** distance
strecken to stretch
das **Streichholz, ⸚er** match
der **Streit** quarrel, argument
streiten, stritt, gestritten to argue, quarrel
streng strict
der **Strom, ⸚e** stream; current; torrent
der **Strumpf, ⸚e** stocking
das **Stück, -e** piece; play
der **Student, -en** student
die **Studentin, -nen** co-ed
das **Studium, Studien** study
die **Stufe, -n** step; phase
der **Stuhl, ⸚e** chair
stumm mute
die **Stunde, -n** hour
subventionieren to subsidize
suchen to seek
der **Süden** South
südlich southern, southerly
die **Summe, -n** sum
die **Suppe, -n** soup
süß sweet
sympathisch agreeable, pleasant
die **Symphonie, -n** symphony

T

die **Tafel, -n** blackboard
der **Tag, -e** day
täglich daily
das **Tal, ⸚er** valley
die **Tante, -n** aunt
tanzen to dance
die **Tasche, -n** pocket; bag
die **Tasse, -n** cup
die **Tat, -en** deed, action
tätig active
die **Tätigkeit, -en** activity
die **Tatsache, -n** fact
tauchen to dive; dip
die **Technik** technology; technique
der **Tee** tea
der **Teil, -e** part
teilen to divide, separate
der **Teilnehmer, -** participant
teils . . . teils partly . . . partly
der **Teller, -** plate
der **Teppich, -e** rug, carpet
teuer expensive
das **Theater, -** theater
das **Thema, Themen** theme, topic
tief deep
das **Tier, -e** animal
die **Tinte, -n** ink
der **Tisch, -e** table
die **Tochter, ⸚** daughter
der **Topf, ⸚e** pot, pan
das **Tor, -e** gate; goal
tot dead
toten to kill
traditionell traditional
tragen, u, a (ä) to carry; wear, bear
der **Traum, ⸚e** dream
traurig sad
treffen, traf, getroffen (trifft) to meet; hit
treiben, ie, ie to drive; practice, operate
trennen to separate
die **Trennung** separation
die **Treppe, -n** stairs
treten, a, e (tritt) (sein) to step, tread
trinken, a, u to drink
trocken dry
der **Tropfen, -** drop
trotz in spite of
trotzdem nevertheless
das **Tuch, ⸚er** cloth, scarf
tun, tat, getan (tut) to do
die **Tür, -en** door
der **Typ, -en** type
typisch typical

U

üben to practice
über over, above
überall everywhere
der **Überfluß** abundance, affluence
überhaupt on the whole, generally speaking
überraschen to surprise
übertragen, u, a (ä) to transmit, transfer
übertreiben, ie, ie to exaggerate

übrig remaining
die **Uhr, -en** clock, watch
um at, about, for, around
umgeben, a, e (i) to surround
umgekehrt in reverse, vice versa
umschlingen, a, u to embrace
die **Umwelt** environment
unabhängig independent
unerwartet unexpected
ungefähr approximate
die **Universität, -en** university
unscheinbar inconspicuous, insignificant
unsympathisch unpleasant, disagreeable
unten below *adv*
unter under, below; among
unterhalten, ie, a (ä) to maintain; entertain
die **Unterhaltung, -en** conversation; entertainment
unter-kommen, kam unter, ist untergekommen to find accommodation
die **Unterlagen** documents, official records
der **Unterschied, -e** difference
die **Unterschrift, -en** signature
untersuchen to investigate
unterstützen to support
die **Ursache, -n** cause
usw. [und so weiter] et cetera

V

der **Vater, ¨** father
verändern to change
veranstalten to arrange
verantwortlich responsible
die **Verantwortung** responsibility
verarbeiten to process
verbessern to improve
verbinden, a, u to unite
verblüffen to shock, surprise
der **Verbrauch** consumption
verbrauchen to consume
verbreiten to spread
verdienen to earn
vereinigen to unite, combine
der **Vetter, -n** cousin (male)
verfügen: über (etwas) verfügen to possess; direct
vergehen, verging, ist vergangen to go by, pass
vergessen, a, e (i) to forget
das **Vergnügen** pleasure, fun
das **Verhältnis, -se** relation; proportion; condition
verhältnismäßig relatively
verkaufen to sell
der **Verkehr** traffic
der **Verkehrssünder, -** traffic violator
verlangen to demand
sich **auf (etwas) verlassen, ie, a (ä)** to rely on
verliebt in in love with
verlieren, o, o to lose
vermuten to assume
vernünftig reasonable
verschieden different
versorgen: mit (etwas) versorgen to supply with
versprechen, a, o (i) to promise
verstehen, verstand, verstanden to understand
der **Versuch, -e** try; experiment
versuchen to try
vertauschen to exchange
vertraulich confidential
vertreten, a, e (i) to represent; substitute for
die **Verwaltung** administration
verwandt related
der **Verwandte (ein -er)** relative
verzweifeln to despair
viel, vieles much
viele many
vielleicht perhaps
das **Viertel, -** quarter, fourth
der **Vogel, ¨** bird
das **Volk, ¨er** people
voll full
vollziehen, vollzog, vollzogen to execute, perform
von of, from
vor before; ago
die **Voraussetzung, -en** precondition, assumption
vor-bereiten to prepare
vor-bringen, brachte vor, vorgebracht to present, bring forward
der **Vorhang, ¨e** curtain
vorher before, earlier, in advance
vorig- last
vorn(e) in front, at the head
der **Vorort, -e** suburb
der **Vorschlag, ¨e** proposal, suggestion
vor-schlagen, u, a (ä) to propose; suggest
vor-stellen to introduce
die **Vorstellung, -en** performance; idea, image
der **Vorteil, -e** advantage

W

wachsen, u, a (ä) (sein) to grow
der **Wagen, -** car, carriage
die **Wahl, -en** election; choice
wählen to choose, vote, elect
wahr true
während during; while
wahrscheinlich probable
der **Wald, ¨er** forest
die **Wand, ¨e** wall
wandern (sein) to hike, wander

wann when
die **Ware, -n** merchandise
warm warm
warten: auf (etwas) warten to wait for
warum why
was what
waschen, u, a (ä) to wash
das **Wasser** water
wechseln to change
wecken to wake
der **Weg, -e** way
weg away
wegen because of
weich soft
weil because
der **Wein, -e** wine
weinen to weep, cry
die **Weise, -n** manner, way
weise wise
weiß white
weit far, wide
weiter further; additional
welcher, welche, welches which
die **Welt, -en** world
wenden, wandte, gewandt to turn
wenig little
wenige few
wenigstens at least
wenn if, when
wer who
die **Werbung** advertising
werden, wurde, ist geworden (wird) to become
werfen, a, o (i) to throw
das **Werk, -e** work
das **Werkzeug, -e** tool
der **Wert, -e** value
das **Wesen, -** being; essence
der **Westen** West
Westfalen Westphalia
westlich western, westerly
das **Wetter** weather
wichtig important
wie how
wieder again
wiegen, o, o to weigh
wieviel how much
der **Wind, -e** wind
der **Winter** winter
wirklich real
der **Wirt, -e** host, innkeeper
die **Wirtin, -nen** landlady
die **Wirtschaft** economy
wirtschaftlich economic
wischen to wipe
wissen, wußte, gewußt (weiß) to know
die **Wissenschaft, -en** science; scholarly field
der **Wissenschaftler, -** scientist; scholar
wo where
die **Woche, -n** week
das **Wochenblatt, ¨er** weekly paper
wöchentlich weekly
woher from where
wohin where, which way
wohl well; presumably
wohnen to live, dwell, reside
die **Wohnung, -en** apartment
die **Wolke, -n** cloud
wollen, wollte, gewollt (will) to wish, want
das **Wort, -e** (*also* **Wörter**) word
das **Wörterbuch, ¨er** dictionary
wörtlich literal
sich **wundern** to wonder
der **Wunsch, ¨e** wish
wünschen to wish
die **Würde** dignity
die **Wurst, ¨e** sausage

Z

die **Zahl, -en** number
zählen to count
der **Zahn, ¨e** tooth
die **Zange, -n** pliers
zeigen to show
die **Zeile, -n** line
die **Zeit, -en** time
das **Zeitalter, -** age, period
zeitgemäß modern, timely, up-to-date
die **Zeitschrift, -en** periodical
die **Zeitung, -en** newspaper
das **Zelt, -e** tent
die **Zeltbahn, -en** tent square, canvas
die **Zensur, -en** censorship; grade (in school)
das **Zentrum, Zentren** center
zerbrechen, a, o (i) to break, shatter
zerreißen, i, i to tear apart
zerstören to destroy
ziehen, zog, gezogen to pull, draw
ziemlich rather
die **Zigarette, -n** cigaret
die **Zigarre, -n** cigar
das **Zimmer, -** room
in Zivil in plain clothes, in mufti
zu to; too
der **Zucker** sugar
zuerst at first
zufrieden satisfied
der **Zug, ¨e** train; feature, trait
zu-geben, a, e (i) to admit
der **Zuhörer, -** listener
die **Zukunft** future
zukünftig future
zuletzt at last
zumute: mir ist zumute I feel
zurück back
zurück-blicken to look back
zusammen together
die **Zusammenarbeit** cooperation
sich **zusammen-schließen, o, o** to unite
der **Zuschauer, -** spectator
zwar admittedly, indeed
der **Zweck, -e** purpose
zweifeln to doubt
der **Zweig, -e** branch
der **Zwirn** twisted yarn, thread
zwischen between

ENGLISH–GERMAN

A

abbreviation die Abkürzung
able fähig
  be able können
above oben
abroad im Ausland, ins Ausland
abundance der Überfluß
accept annehmen
achievement die Leistung
across quer über
act die Handlung, die Tat, der Akt; *verb* handeln, schauspielern
active aktiv, tätig
actor der Schauspieler
actress die Schauspielerin
address die Adresse, die Anschrift; *verb* ansprechen, adressieren
adjective das Adjektiv, das Eigenschaftswort
administration die Verwaltung
admit zugeben, zulassen
adult der Erwachsene; *adj* erwachsen
advantage der Vorteil
adverb das Adverb, das Umstandswort
advertisement die Anzeige, die Reklame, die Werbung
affluence der Überfluß
afford sich (etwas) leisten
afraid: to be afraid of sich vor (etwas) fürchten
after *prep* nach; *conj* nachdem
afternoon der Nachmittag
afterwards nachher
again wieder
against gegen
age das Alter, das Zeitalter
agency die Behörde, die Agentur
agreeable angenehm, sympathisch
agriculture die Landwirtschaft
air die Luft
airplane das Flugzeug
all *adj* alle; *pronoun* alles
allow erlauben
almost fast, beinahe
alone allein
along entlang, längs
Alps die Alpen
already schon
also auch
although obgleich, obwohl
always immer, stets
angry böse, ärgerlich
animal das Tier
announce anzeigen, verkünden, ankündigen
answer die Antwort; *verb* antworten, erwidern
anyhow sowieso, ohnehin
apart auseinander
apartment die Wohnung
apologize sich entschuldigen
apology die Entschuldigung
apparatus der Apparat
appear erscheinen, aussehen
apple der Apfel
application die Bewerbung
approximately ungefähr, etwa
area das Gebiet
argument der Streit, das Argument
arm der Arm
arrive ankommen
art die Kunst
artist der Künstler, die Künstlerin
as als, wie
ask fragen, bitten
assume annehmen, vermuten
at an, bei, um
atom das Atom
attractive reizvoll, reizend
aunt die Tante
Austria Österreich
author der Autor, die Autorin
away weg, fort

B

back der Rücken; *adv* zurück
bad schlecht
bag der Beutel, der Sack, die Tüte
bake backen
baker der Bäcker
balcony der Balkon, (*theater*) der Rang
ball der Ball, die Kugel
ball-point pen der Kugelschreiber
bank die Bank
bark bellen
bath das Bad
bathe baden, schwimmen
Bavaria Bayern
be sein, sich befinden, werden
beautiful schön
beauty die Schönheit
because weil, denn
because of wegen
become werden
bed das Bett
beer das Bier
before *prep* vor; *adv* vorher
beg bitten
begin anfangen, beginnen
beginning der Anfang
behind *prep* hinter; *adv* hinten
believe glauben
bell die Glocke, die Klingel

belong gehören
below *prep* unter; *adv* unten
bench die Bank
beside neben
besides außerdem
better besser
between zwischen
bicycle das Fahrrad
bill die Rechnung, das Gesetz
bind binden
birthday der Geburtstag
bite beißen
black schwarz
blackboard die Tafel
blood das Blut
blouse die Bluse
blue blau
board das Brett, die Behörde
boat das Boot, das Schiff
body der Körper
book das Buch
booklet das Heft
border die Grenze
boring langweilig
born geboren
boss der Chef, der Direktor, der Leiter
box der Kasten, die Schachtel
box office die Kasse, der Schalter
brand die Marke
bread das Brot
break brechen, zerbrechen
breakfast das Frühstück
breathe atmen
bridge die Brücke
bring bringen
broad breit
brother der Bruder
brown braun
brush die Bürste
build bauen, anlegen, errichten
building das Gebäude
burn brennen, verbrennen
business das Geschäft
businessman der Geschäftsmann, der Kaufmann
but aber, sondern
buy kaufen

C

call rufen, nennen, (*telephone*) anrufen
cap die Mütze, die Kappe, die Haube
capital die Hauptstadt
car das Auto, der Wagen
care die Sorge, die Sorgfalt, die Pflege; *verb* sich (um etwas) sorgen, sich (um etwas) kümmern
carry tragen
case der Fall
cat die Katze
catch fangen
cause die Sache, die Ursache
celebrate feiern
center die Mitte, das Zentrum
certain sicher, gewiß
chair der Sessel, der Stuhl
chance die Aussicht, die Möglichkeit
change (sich) ändern, verändern, wechseln
cheap billig
check der Scheck, die Kontrolle
cheese der Käse
chicken das Huhn
chief der Chef, der Leiter
child das Kind
choir der Chor
choose wählen
chorus der Chor
Christian christlich
circle der Kreis
citizen der Bürger, der Staatsbürger
city die Stadt
city hall das Rathaus
class die Klasse, die Schicht, der Stand
clean reinigen, säubern, putzen; *adj* rein, sauber
clear klar
climax der Höhepunkt
clock die Uhr
close schließen
clothing die Kleidung
cloud die Wolke
coal die Kohle
coast die Küste
coat der Mantel, das Jackett
codetermination die Mitbestimmung
co-ed die Studentin
cold die Erkältung, der Schnupfen; *adj* kalt
collect sammeln
color die Farbe
comb der Kamm
come kommen
comfortable bequem
common gewöhnlich, gemeinsam
community die Gemeinschaft
concern betreffen
concert das Konzert
congratulate gratulieren
conjunction die Konjunktion, das Bindewort
connect verbinden, anschließen
consume verbrauchen
consumption der Verbrauch
contents der Inhalt
continuous dauernd, beständig
contribute beitragen
conversation die Unterhaltung, das Gespräch
cool kühl
corner die Ecke
cost kosten
cough husten
count zählen, rechnen
country das Land
courage der Mut
court das Gericht, der Hof
cousin der Vetter, die Kusine
cover die Decke, der Schutz
cozy gemütlich
craftsman der Handwerker
create schaffen
crowd die Menge
cry weinen
cue das Stichwort
culture die Kultur
cup die Tasse
curtain der Vorhang
customer der Kunde
cut schneiden

D

daily täglich
dance tanzen
danger die Gefahr
dangerous gefährlich
Danube die Donau
dark dunkel
data processing die Datenverarbeitung
date das Datum, die Verabredung
daughter die Tochter
day der Tag

dead tot
death der Tod
decide entscheiden
deep tief
degree der Grad
delight: to be delighted sich (über etwas) freuen
demand verlangen, fordern
dense dicht
department die Abteilung
dependent upon abhängig von
desk der Schreibtisch, das Pult
despair verzweifeln
destroy zerstören, vernichten
develop entwickeln
dictation das Diktat
dictionary das Wörterbuch
difference der Unterschied
different verschieden, anders
difficult schwierig
dig graben
dip tauchen, eintauchen
direct dirigieren, leiten, lenken, richten
direction die Richtung
dirt der Schmutz, der Dreck
dirty schmutzig, dreckig
disappointed enttäuscht
discover entdecken
discuss diskutieren
disease die Krankheit
dish die Schüssel, das Gericht
dislike die Abneigung; *verb* nicht gern haben
distance die Entfernung
distant entfernt, fern
distinct deutlich
disturb stören
dive tauchen
divide teilen
do tun
dog der Hund
door die Tür
dozen das Dutzend
draw ziehen
dream der Traum; *verb* träumen
dress das Kleid; *verb* sich anziehen
drink trinken
drive fahren, treiben
driver der Fahrer
drop der Tropfen; *verb* fallen lassen
dry trocken
during während
duty die Pflicht

E

ear das Ohr
early früh
earn verdienen
earth die Erde
east der Osten; *adj* östlich
Easter Ostern
easy leicht, bequem
eat essen
economy die Wirtschaft
education die Erziehung, die Bildung
effort die Anstrengung, die Mühe
egg das Ei
either . . . or entweder . . . oder
embarrassing peinlich
employee der Angestellte
empty leer
enact (law) erlassen
end das Ende, der Schluß; *verb* beenden
ending das Ende, der Schluß
enemy der Feind
enforcement (law) die Durchführung
engineer der Ingenieur
English Englisch; *adj* englisch
entertainment die Unterhaltung
entrance der Eingang
environment die Umgebung, die Umwelt
equal gleich
especially besonders
even sogar, gleich, eben
evening der Abend
event das Ereignis, die Veranstaltung
every jeder, jede, jedes
everybody jedermann
everywhere überall
exact genau
exaggerate übertreiben
examination die Prüfung
example das Beispiel
excellent ausgezeichnet, hervorragend
except außer
exchange der Austausch; *verb* (aus)tauschen, vertauschen
excuse entschuldigen, verzeihen
execution die Durchführung
exist bestehen, existieren
expect erwarten
expensive teuer
experience die Erfahrung, das Erlebnis; *verb* erleben, erfahren
experiment der Versuch
explain erklären
export die Ausfuhr, der Export; *verb* ausführen, exportieren
expression der Ausdruck
extremely höchst, äußerst
eye das Auge

F

face das Gesicht
fact die Tatsache
factory die Fabrik
fair der Jahrmarkt; *adj* schön, blond
fairy tale das Märchen
fall der Herbst; *verb* fallen
family die Familie
famous berühmt
far weit
farmer der Bauer, der Landwirt
fashion die Mode
fast schnell
fat das Fett; *adj* fett
fate das Schicksal
father der Vater
fear die Angst, die Furcht; *verb* (sich) fürchten
fee die Gebühr
feed füttern, ernähren
feel (sich) fühlen
feeling das Gefühl
fellow der Kerl, der Bursche
ferry die Fähre
festival das Fest
fetch holen
few wenige
a few einige
field das Feld
finally endlich, schließlich
find finden, meinen
fine die Strafe; *adj* fein
finish beenden, enden
fire das Feuer
firm die Firma; *adj* fest
fish der Fisch
fist die Faust
flat flach
flight der Flug
flour das Mehl

flourish blühen
flow fließen
flower die Blume
flu die Grippe
fluid die Flüssigkeit; *adj* fließend, flüssig
fly die Fliege; *verb* fliegen
follow folgen
foodstuffs die Lebensmittel (*pl*), die Nahrungsmittel (*pl*)
foot der Fuß
for *prep* für; *conj* denn
foreign ausländisch, fremd
forest der Wald
forget vergessen
fork die Gabel
form bilden
formerly früher
found gründen
France Frankreich
free *adj* frei; *verb* befreien
freeze frieren, gefrieren
French Französisch; *adj* französisch
frequent häufig
fresh frisch, frech
friend der Freund
fry braten
fulfill erfüllen
full voll
fun der Spaß
function funktionieren
furniture die Möbel (*pl*)
future die Zukunft

G

gain gewinnen
garden der Garten
gasoline das Benzin
gate das Tor
general allgemein
gentleman der Herr
genuine echt
German Deutsch, der Deutsche; *adj* deutsch
Germany Deutschland
get bekommen, kriegen, werden
girl das Mädchen
give geben
glad froh
gladly gern
glass das Glas
(pair of) glasses die Brille
go gehen
God Gott
good gut
govern regieren
government die Regierung
gradual allmählich
grammar die Grammatik
grandfather der Großvater
grandmother die Großmutter
great groß, großartig
green grün
greet grüßen
greeting der Gruß
grey grau
ground der Grund, der Boden
grow wachsen
guard bewachen
guess raten, vermuten
guest der Gast

H

hair das Haar
half halb
hall die Halle
hang hängen
happen geschehen, sich ereignen
happy glücklich
hard hart
hardly kaum
hat der Hut
hate hassen
have to müssen
head der Kopf, das Haupt
heal heilen
health die Gesundheit
healthy gesund
hear hören
heating die Heizung
heavy schwer
help die Hilfe; *verb* helfen
here hier
high hoch
hike wandern
history die Geschichte
hit schlagen, treffen
hold halten
hollow hohl
home das Heim; *adverbial* zu Hause, nach Hause
hope die Hoffnung; *verb* hoffen
hopefully hoffentlich
horse das Pferd
however doch, jedoch, allerdings
hot heiß
hour die Stunde
house das Haus
human menschlich
hungry hungrig
hurry die Eile; *verb* eilen
hymn die Hymne

I

idea der Gedanke, die Idee
idiom die Redensart
if wenn, falls
immediately sofort
import die Einfuhr, der Import; *verb* einführen, importieren
important wichtig
improve verbessern
include einschließen
including einschließlich
independent unabhängig, selbständig
industrious fleißig
industry die Industrie
inexpensive billig, preiswert
ink die Tinte
inside *prep* innerhalb; *adv* drinnen
instead statt, anstatt
intellectual geistig
interested interessiert
interesting interessant
intersection die Kreuzung, die Straßenkreuzung
into in
introduce einführen, vorstellen
investigate untersuchen
invite einladen
iron das Eisen
island die Insel
Italian Italienisch, der Italiener; *adj* italienisch
Italy Italien

J

jacket die Jacke, das Jackett
jet (plane) das Düsenflugzeug
join verbinden, (sich) anschließen
joy die Freude
just gerade

K

key der Schlüssel
kill töten
kiss der Kuß; *verb* küssen
know kennen, wissen, können

L

labor die Arbeit
laborer der Arbeiter
lady die Dame
landlady die Wirtin
landscape die Landschaft
language die Sprache
last dauern; *adj* letzt-
late spät
laugh lachen
law das Gesetz, das Recht
lazy faul, träge
lead führen
leaf das Blatt
learn lernen
left link-
leg das Bein
lesson die Lektion
let lassen
letter der Brief, der Buchstabe
lie liegen, lügen
life das Leben
lift heben, aufheben
light das Licht; *adj* leicht, hell
lightning der Blitz
like mögen, gern haben
likewise gleichfalls
line die Linie, die Reihe, die Zeile
linen das Leinen, die Wäsche
literal wörtlich
little klein, gering, wenig
live leben, wohnen
lively lebhaft
long *adj* lang; *adv* lange
look sehen, schauen, blicken
look forward to sich auf (etwas) freuen
lose verlieren
loud laut
love die Liebe; *verb* lieben, gern haben
low niedrig, tief
luck das Glück
luggage das Gepäck

M

machine die Maschine, der Apparat
mail die Post
mailman der Briefträger
maintain unterhalten, behaupten
make machen
man der Mann, der Mensch
manner die Art, die Weise
many viele
market der Markt
marriage die Ehe
marry heiraten
matter die Sache, die Angelegenheit
mature reif
mean bedeuten, meinen
meaning die Bedeutung
measure das Maß, die Maßnahme
meat das Fleisch
meet treffen, begegnen
member das Mitglied
mention erwähnen
merchandise die Ware
merry froh, fröhlich, lustig
mind der Sinn, der Geist
mirror der Spiegel
Miss das Fräulein
miss vermissen, verpassen
be missing fehlen
mistake der Fehler
mix mischen
moan stöhnen
modest bescheiden
moist feucht
moment der Augenblick, der Moment
money das Geld
month der Monat
mood die Stimmung
moon der Mond
more mehr
moreover außerdem
morning der Morgen
mostly meistens
mother die Mutter
mountain der Berg
mountain range das Gebirge
mouth der Mund
move bewegen
movement die Bewegung
much viel, vieles; *adv* sehr
muscle der Muskel

N

nail der Nagel
name der Name; *verb* nennen
namely nämlich
narrow eng
natural natürlich
nature die Natur
near nah, nahe
necessary nötig, notwendig
neck der Hals
necktie die Krawatte
need brauchen
neighbor der Nachbar
neither . . . nor weder . . . noch
never nie, niemals
nevertheless trotzdem
new neu
news die Nachricht
newspaper die Zeitung
next nächst-
nice nett, hübsch, freundlich
night die Nacht, der Abend
no nein; *adj* kein, keine
nobody niemand
noise der Lärm
non-profit gemeinnützig
north der Norden; *adj* nördlich
nose die Nase
not nicht
notebook das Heft, das Notizbuch
nothing nichts
notice merken
noun das Nomen, das Substantiv, das Hauptwort
novel der Roman
now nun, jetzt
nuclear power die Atomkraft
nuclear research die Kernforschung
number die Zahl

O

object der Gegenstand, das Objekt
objective sachlich
observe beobachten, bemerken
obtain bekommen, erhalten
occupy besetzen, einnehmen, beschäftigen
occur geschehen, einfallen
off ab, weg, fort
offer bieten, anbieten

office das Büro, das Amt
often oft
oil das Öl
old alt
on an, auf
once einmal
only nur, erst
open öffnen; *adj* offen
opinion die Meinung, die Ansicht
opportunity die Gelegenheit
opposite das Gegenteil, der Gegensatz; *prep* gegenüber
or oder
order die Ordnung, der Befehl, die Bestellung; *verb* bestellen, befehlen
 in order to um . . . zu
orderly ordentlich
other ander-
otherwise anders, sonst
out aus, hinaus, heraus
outside *prep* außerhalb; *adv* draußen
over über
own eigen-

P

package das Packet
pain der Schmerz
Palatinate die Pfalz
pants die Hose (*sing*)
paper das Papier
parents die Eltern
part der Teil
participant der Teilnehmer
party die Partei, die Gesellschaft
passionate leidenschaftlich
past die Vergangenheit
patient der Patient; *adj* geduldig
pause die Pause
pay zahlen, bezahlen
payment die Bezahlung
pear die Birne
peasant der Bauer
pedestrian der Fußgänger
pencil der Bleistift
people das Volk, die Leute (*pl*)
per cent das Prozent
perform aufführen
perhaps vielleicht
periodical die Zeitschrift
personnel das Personal
petroleum das Erdöl
pharmacy die Apotheke
physician der Arzt
pick up abholen
picture das Bild
piece das Stück
pity: it is a pity es ist schade
place der Platz, der Ort
plane das Flugzeug
plate der Teller
platform das Podium, das Parteiprogramm
play das Spiel, das Stück; *verb* spielen
pleasant angenehm, bequem
please gefallen; *adv* bitte
pleasure das Vergnügen
pliers die Zange
pocket die Tasche
poem das Gedicht
poet der Dichter
point der Punkt
police die Polizei
policeman der Polizist
poor arm
population die Bevölkerung
port der Hafen
position die Stellung
possess besitzen
possible möglich
potato die Kartoffel
pound das Pfund
pour gießen
power die Macht, die Gewalt
practical praktisch
practice üben, ausüben
praise das Lob; *verb* loben
prepare vorbereiten
preposition die Präposition, das Verhältniswort
preserve bewahren
press die Presse; *verb* drücken, (*clothes*) bügeln
pretty hübsch
price der Preis
prince der Prinz, der Fürst
print drucken
probable wahrscheinlich
product das Produkt, das Erzeugnis
profession der Beruf
promise versprechen
pronoun das Pronomen, das Fürwort
pronounce aussprechen
pronunciation die Aussprache
prove beweisen
proverb das Sprichwort
public die Öffentlichkeit, das Publikum; *adj* öffentlich
pull ziehen
purpose der Zweck, die Absicht
push stoßen, drängen
put stellen, setzen, legen

Q

quarrel streiten
question die Frage
quiet ruhig, still

R

radio der Rundfunk
railroad die Eisenbahn
rain der Regen; *verb* regnen
rare selten
rather ziemlich
raw roh
raw material der Rohstoff
reach reichen, erreichen
read lesen
ready fertig, bereit
real wirklich
reason die Vernunft, der Grund
reasonable vernünftig
recently neulich, kürzlich
recognize erkennen, anerkennen
recommend empfehlen
red rot
regard betrachten
 in regard to in bezug auf
rejoice sich freuen, jubeln
relation das Verhältnis
relative der Verwandte
remain bleiben
remark die Bemerkung; *verb* bemerken
remarkable bemerkenswert
remember sich erinnern
remind erinnern
repair reparieren
report der Bericht; *verb* berichten

research die Forschung
to do research forschen
responsible verantwortlich
responsibility die Verantwortung
represent vertreten, darstellen
rest ruhen, sich ausruhen
restrict beschränken, einschränken
result das Ergebnis, das Resultat
rich reich
right richtig, recht-
rise aufstehen, (*sun*) aufgehen, steigen
river der Fluß
role die Rolle
room das Zimmer, der Raum
rooster der Hahn
round rund
row die Reihe
rule die Regel; *verb* regieren, herrschen
run laufen
Russia Rußland
Russian Russisch, der Russe; *adj* russisch

S

sad traurig
salary das Gehalt
same: the same der-, die-, dasselbe
satisfied zufrieden
sausage die Wurst
save sparen, retten
say sagen
scaffold das Gerüst
school die Schule
science die Wissenschaft, die Naturwissenschaft
scream schreien
screw die Schraube
screwdriver der Schraubenzieher
sea das Meer, die See, der Ozean
season die Jahreszeit, die Saison
seat der Sitz, der Platz
secret heimlich
see sehen
seek suchen
seem scheinen, erscheinen
seize ergreifen
self: myself, yourself, etc. selbst; *refl pronoun* mich, dich, sich, *etc.*
sell verkaufen
send schicken, senden
sense der Sinn, die Bedeutung
sensible vernünftig
separate trennen, scheiden
serve dienen, bedienen
service der Dienst, die Bedienung
set setzen, stellen
several mehrere, ein paar
shape die Gestalt, die Form
share die Aktie, der Anteil
sharp scharf
shave (sich) rasieren
shine scheinen, putzen
shirt das Hemd
shoot schießen
shop der Laden, die Werkstatt
short kurz
shout rufen, schreien
show die Schau, die Vorstellung; *verb* zeigen
sick krank
side die Seite
sidewalk der Bürgersteig
signature die Unterschrift
significant bedeutend
signify bedeuten
silent still, ruhig
be silent schweigen
similar ähnlich
simple einfach
since *prep* seit; *conj* seitdem, da
sing singen
single einzeln
sister die Schwester
sit sitzen
sit down sich setzen
situated gelegen
situation die Lage, die Situation
size die Größe
skin die Haut
skirt der Rock
sky der Himmel
sleep schlafen
slogan das Schlagwort
slow langsam
small klein
smart klug
smell riechen
smile lächeln
smoke rauchen
smooth glatt, weich
sober nüchtern
society die Gesellschaft
soft weich, leise
some *pron* etwas; *adj* einige, ein paar
somebody jemand
somehow irgendwie
something etwas
sometimes manchmal
somewhere irgendwo
son der Sohn
song das Lied
soon bald
sour sauer
source die Quelle
south der Süden; *adj* südlich
space der Raum
Spain Spanien
Spanish Spanisch; *adj* spanisch
spark der Funke(n)
speak sprechen
speaker der Redner, der Sprecher
special besonder-
spectator der Zuschauer
speech die Rede
spend (*money*) ausgeben, (*time*) verbringen
spirit der Geist
in spite of trotz
splendid großartig
spot die Stelle, der Fleck
spread verbreiten, (sich) ausbreiten
spring der Frühling
stage die Bühne
stamp die Briefmarke, das Siegel
stand stehen
state der Staat, der Zustand; *verb* feststellen
station der Bahnhof
stay bleiben
steel der Stahl
step der Schritt; *verb* treten
stick to sich an (etwas) halten
still *adj* ruhig, still; *adv* noch, doch
stipulate sich (etwas) ausbedingen

stir rühren
stomach der Magen, der Bauch
stone der Stein
stool der Schemel, der Bock
stop aufhören, beenden
story die Geschichte
straight ahead geradeaus
strange fremd, seltsam
street die Straße
streetcar die Straßenbahn
strength die Stärke, die Kraft
stress betonen
strict streng
strong stark
student der Student, der Schüler
study studieren, lernen
stupid dumm
subscribe to abonnieren
suburb der Vorort
succeed gelingen
such solch
sudden plötzlich
sufficient genügend
suggestion der Vorschlag
suit der Anzug
suitcase der Koffer
sum die Summe
summer der Sommer
sun die Sonne
supervision die Aufsicht
support die Unterstützung; *verb* unterstützen
sure sicher, gewiß
surprise die Überraschung; *verb* überraschen
sweet süß
Swiss der Schweizer; *adj* schweizerisch
Switzerland die Schweiz

T

take nehmen
talk das Gespräch; *verb* sprechen, sich unterhalten
task die Aufgabe
taste der Geschmack; *verb* schmecken
tax die Steuer
tea der Tee
teach lehren, unterrichten
teacher der Lehrer, die Lehrerin
television das Fernsehen
tell erzählen
tent das Zelt
terrible schrecklich, furchtbar
thank danken
thankful dankbar
theater das Theater
then dann, damals
there da, dort
therefore deshalb, darum, daher, also
thick dick
thin dünn
thing das Ding, die Sache
think denken, meinen, finden
thirsty durstig
thought der Gedanke
thread der Faden, der Zwirn
thrifty sparsam
through durch
throw werfen
thumb der Daumen
thunder der Donner
ticket die Karte, der Fahrschein
time die Zeit, das Mal
tired müde
today heute
together zusammen
tomorrow morgen
too zu, auch
tool das Werkzeug, das Gerät
topic das Thema
touch berühren
tourism der Fremdenverkehr
towel das Handtuch
trade der Handel
traffic der Verkehr
train der Zug
training die Ausbildung
transfer übertragen
transit der Durchgang
translate übersetzen
travel reisen
travel agency das Reisebüro, die Reiseagentur
treasure der Schatz
treat behandeln
tree der Baum
trip die Fahrt, die Reise
trouble die Mühe, die Unruhe
true wahr
try versuchen
turn drehen, wenden
typewriter die Schreibmaschine

U

ugly häßlich
uncle der Onkel
under unter
understand verstehen
unfortunately leider
uniform die Uniform; *adj* einheitlich
unit die Einheit
unite vereinigen, verbinden
until bis
unusual ungewöhnlich, außergewöhnlich
urge drängen
urgent dringend
use gebrauchen, benutzen
useful nützlich
usual gewöhnlich

V

vacation die Ferien
valley das Tal
value der Wert
vegetable das Gemüse
vehicle das Fahrzeug
verb das Verb, das Zeitwort
very sehr
vice versa umgekehrt
vicinity die Nähe
view die Sicht, die Ansicht, die Aussicht
village das Dorf
violent heftig
visit der Besuch; *verb* besuchen

W

wait warten
waiter der Kellner
walk der Spaziergang; *verb* gehen, spazierengehen
wall die Mauer, die Wand
want wollen, wünschen
war der Krieg
warm warm
watch die Uhr; *verb* aufpassen, ansehen
water das Wasser
way der Weg
weak schwach

wealth der Reichtum, der Wohlstand
wear tragen
weather das Wetter
week die Woche
well wohl
west der Westen; *adj* westlich
wet naß, feucht
wheel das Rad
when *conj* wenn, als, wann; *adv* wann
whether ob
while während
white weiß
whole ganz
why warum
win gewinnen
wind der Wind
window das Fenster
wine der Wein
winter der Winter
wire der Draht, das Telegramm
wise weise
wish der Wunsch; *verb* wünschen
with mit, bei
without ohne
woman die Frau
wonder sich wundern
wood das Holz
word das Wort
world die Welt
work die Arbeit, das Werk; *verb* arbeiten
wrench der Schraubenschlüssel
wring out auswringen
write schreiben
writer der Schriftsteller
writing die Schrift
wrong falsch

Y

year das Jahr
yellow gelb
yes ja
yesterday gestern
young jung
youth die Jugend, der Jüngling

Z

zero die Null

INDEX

Q

R

S

T

U

V

ILLUSTRATION ACKNOWLEDGMENTS

Page

xvi: Map by Felix Cooper
20: Engraving by Felix Hoffmann for the editions of *The Magic Mountain* by Thomas Mann issued by The Limited Editions Club and The Heritage Club, reprinted by permission and courtesy of The George Macy Companies
23: "Heureka" by J. Tinguely. Swiss National Tourist Office
25: German Information Center
26: German Information Center
27: German Information Center
28: Courtesy *Die Welt*
34: Leonard Freed from Magnum
38: Dr. Leroy Mantell
43: German Information Center
44: German Information Center
45: German Information Center
52: Courtesy DESIGN M Ingo Maurer
56–7: Eastfoto
61: Michal Heron from Monkmeyer
63: Alfred Linares from Monkmeyer
64: Courtesy Frankfurter Allgemeine Zeitung
70: German Information Center
74: German Information Center
75: German Information Center
77: German Information Center
80: German Information Center
83: German Information Center
90: Courtesy, Austrian Information Service
100: Presse- und Informationsamt der Bundesregierung, Bonn
105: German Information Center
108: Courtesy IBM
110: German Information Center
111: German Information Center
118: German Information Center
121: German Information Center
123: German Information Center
124: Austrian National Tourist Office
127: German Information Center
130: Austrian National Tourist Office
140: Courtesy of the artist, Holger Matthies, Hamburg
143: Presse- und Informationsamt der Bundesregierung, Bonn

147: Bundeskanzleramt Sektion III (Bundespressedienst), Austria
150: Pictorial Parade
151: German Information Center
154: Eastfoto
162: Engraving by Felix Hoffmann for the editions of *The Magic Mountain* by Thomas Mann issued by The Limited Editions Club and The Heritage Club, reprinted by permission and courtesy of The George Macy Companies
167: Artist: Prof. Oskar Blase, Kassel; published by permission and courtesy of the State of Bonn
170: Swiss National Tourist Office
171: Erich Lessing from Magnum
172: German Information Center
173: German Information Center
176–77: Leonard Freed from Magnum
184: German Information Center
194: Henri Cartier-Bresson from Magnum
199: German Information Center
202: Dr. Leroy Mantell
203: German Information Center
204: Edith Reichmann from Monkmeyer
205: German Information Center
207: Austrian National Tourist Office
210: Swiss National Tourist Office
216: Drawings by Franz Kafka from *Franz Kafka* by Max Brod, reprinted by permission and courtesy of Schocken Books
220: German Information Center
221: Eastfoto
223: German Information Center
225: German Information Center
227: Bundeskanzleramt Sektion III (Bundespressedienst), Austria
228: Swiss National Tourist Office
236: German Information Center
241: German Information Center
242: Leonard Freed from Magnum
243: Courtesy German Federal Railroad
245: German Information Center
246: German Information Center
247: German Information Center
254: German Information Center
258: German Information Center
259: German Information Center
261: German Information Center
264: Eastfoto
266: German Information Center
267: German Information Center
274: German Information Center
286: German Information Center
290: German Information Center
291: German Information Center

292: German Information Center
294: German Information Center
296: Courtesy Schoppe & Faeser GmbH
302: German Information Center
307: German Information Center
308: German Information Center
312: Swiss National Tourist Office
313: German Information Center
318: German Information Center
322: German Information Center
325: Edith Reichmann from Monkmeyer
328: German Information Center
336: *Der Kinder Wundergarten*, Friedrich Hofmann, comp. and ed., Leipzig: Giesecke, 1890
341: Francis Laping: DPI
343: From *Goethes Werke* by Johann W. Goethe, Stuttgart: Deutsche Verlagsanstalt, vorm. E. Hallberger, 1882–1885
344: German Information Center
345: German Information Center
347: German Information Center
354: Courtesy, Picture Collection, The New York Public Library